Nursing Consultation

상담원리와 기법을 적용한

# 간호상담의 실제

저자 이경리

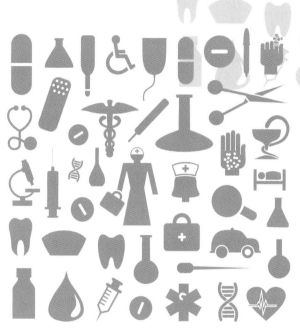

군자출판사

상담원리와 기법을 적용한
간호상담의 실제

**첫째판 1쇄 인쇄** 2014년 8월 11일
**첫째판 1쇄 발행** 2014년 8월 25일
**첫째판 2쇄 발행** 2016년 8월 19일

**지 은 이** 이경리
**발 행 인** 장주연
**출 판 기 획** 이창희
**편집디자인** 천혜진
**표지디자인** 전선아
**발 행 처** 군자출판사
등록 제 4-139호(1991. 6. 24)
본사 (110-717) **파주출판단지** 경기도 파주시 회동길 338(서패동 474-1)
전화 (031) 943-1888          팩스 (031) 955-9545
홈페이지 | www.koonja.co.kr

ISBN 978-89-6278-911-9
정가 27,000원

# 서문

　급변하는 사회의 흐름 속에서, 변화의 흐름에 적응하려고 애쓰며 살아가는 현대인의 삶은 고달파 보인다. 항상 바쁘고 쫓기듯 살아가다 보니, 정말 중요한 것이 무엇이며, 어떻게 살아가야 할지를 잊고 살아가는 사람들이 많다. 그리하여 물질적으로는 과거에 비해 풍요로워졌다고 느끼지만, 정신적인 평안과 안정을 느끼며 살아가는 사람들은 많지 않아 보인다.

　자기 삶의 목적을 찾고, 그 목적을 향해 하루하루를 의미있게, 값지게, 충실하게 살아갈 때에 우리 인간은 진정한 기쁨과 만족을 느끼는 삶을 살아간다고 할 수 있을 것이다. 그러나, 우리 사회는 지금 가정과 학교에서의 근본 교육이 제대로 이루어지고 있다고 할 수 있을까? 진정 중요한 것이 무엇인지? 어떠한 삶이 가치 있는 삶인지? 어떻게 살아야 하는지? 인생의 방향을 잃고 방황하는 삶을 살아가는 사람들이 많지만, 그러한 의문을 해결해 주고 정확한 방향을 제시해 주는 교육은 제대로 이루어지지 못하고 있다. 각 개인의 적성과 잠재능력에 맞는 교육과 전인적인 발달을 돕는 교육이 어릴 때부터 이루어진다면, 아동·청소년으로부터 성인·노인에 이르기까지 정신적인 고통으로 방황하는 사람이 조금씩 줄어들 수 있지 않을까를 생각해 본다. 또한 가벼운 문제로 고통받는 사람들이 빠르고 적절한 상담을 받을 수 있는 사회적 시스템이 형성된다면, 많은 정신적인 문제를 예방할 수 있을 것이라 생각한다. 물론 과거에 비해, 상담에 대한 인식도 변화하고, 상담을 받을 수 있는 기회도 많아졌지만, 나날이 늘어나는 문제를 감당하기에는 너무도 부족한 상담 현실이라고 밖에는 생각되지 않는다.

　개인적으로 일생에서 가장 큰 감사 중의 하나는 정신간호학을 전공하게 된 것이다. 인간의 문제해결과 정신건강에 관해 관심을 가지고 공부하며 가르치는 동안, 나 자신을 먼저 돌아보는 일을 통하여 인간적으로 보다 성숙할 수 있는 기회를 얻을 수 있었기 때문이다. 이러한 기회를 나누고 싶어 했던 마음이 이 책을 쓰게 된 계기가 되었는지도 모르겠다. 일생을 살아가면서 해결하기 힘든 문제에 부딪혔을 때, 좋은 상담자를 만나 문제가 해결되는 경험을 하게 될 때, 우리는 얼마나 희망과 안도를 느끼게 되는가? 그러한 도움에 감사할 때, 우리는 자신이 겪었던 경험을 다른 사람과 나누며, 다른 사람의 아픔을 돕고 싶은 마음을 가지게 된다. 자신이 받았던 도움과 경험이 다른 사람을 위해 유용하게 쓰여지기를 원하는 마음이 상담의 시작이 될 것이다. 다른 사람의 문제해결을 도와주기 원하는 사람들에게 이 책이 조금이나마 기여할 수 있기를 바란다. 이 책은 특히 상담자로서 갖추어야 할 자질과 인격을 강조하려 하였으며, 제 4부 상담의 실제 부분에서 각 내담자 상황에서의 영적 상담을 강조하려 하였다.

끝으로, 이 책의 편집과 출판을 위해 도와주신 모든 사람과 군자출판사 관계자 여러분들께 감사드린다.

2014. 8. 저자 씀

# 목차

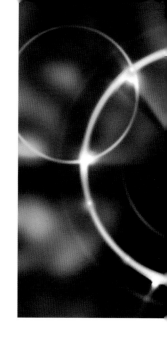

## Part 1 상담의 이해

## Part 2 상담이론과 상담기법

# Part 3 보조자료를 이용한 상담치료

# Part 4 상담의 실제

# Appendix 부록

# 상담의 이해

# 1

# 상담의 기초 개념

## 1. 상담의 정의

상담의 개념을 한 마디로 정의하는 것은 쉽지 않다. 상담의 이론에 따라 상담을 규정하는 개념이 다르고, 상담의 정의는 인간 존재와 삶의 문제에 대한 탐구, 해석, 설명을 필요로 하기 때문이다. 상담(counselling)은 라틴어의 consuler에서 유래한 것으로 '고려하다' '반성하다' '깊이 생각하다' '조언을 구하거나 받다' 등의 의미를 갖고 있다.

상담이 학문으로서의 체계를 갖추기 시작한 것은 프로이드의 정신분석학의 태동과 더불어 20세기에 들어온 이후부터이다. 상담이라는 말은 원래 법률, 경제, 종교 등의 분야에서 주로 사용하였는데, 학교 교육과 관련하여 사용됨으로써 교육계에 널리 쓰이게 되었고, 1950년대 이후 임상심리학의 한 분야로 취급해 오던 상담심리학이 독자적인 영역으로 분리됨으로써 상담이 새로운 전문분야로 등장하게 되었다. 단순히 심리치료의 차원을 넘어 교육학, 심리학, 사회복지학, 정신의학, 아동학 분야의 중심 활동 분야로 강조되어 왔다. 상담은 복합적인 인간의 내면세계, 개인과 집단, 환경과의 역동적인 상호작용을 이해하는 데 필요한 다학문적 기초 위에 근거하고 있다.

교육학 사전에 의하면, '상담이란 상담자가 도움을 필요로 하는 사람에게 전문적 지식과 기능을 가지고 자신과 환경에 대한 이해를 증진시키며, 합리적이고 현실적이며 효율적인 행동 양식을 증진시키거나 의사결정을 내릴 수 있도록 원조하는 활동'이라고 정의되어 있다.

상담에 대한 정의는 학자에 따라 다양하다. Rogers(1942)는 '상담이란 훈련받은 상담자와 도움을 받고자 하는 내담자를 연결짓는 상호작용 과정으로서, 여기에서 상담자는 내담자의 감정을 수용하고, 명료화하고 허용한다고 지적하면서, 내담자가 스스로 자기를 이해하고 발전적인 수준으로 나아가도록 도와주는 과정'이라고 하였다. Williamson과 Foley(1949)는 '상담은 두 사람이 얼굴과 얼굴을 마주하는 장면'이라고 규정하면서, 그 중의 한쪽은 전문적인 훈련을 받은 사람으로 또 다른 한쪽의 사람으로부터 신뢰를 받고 있으므로 적응상의 문제에 직면했을 때, 그것을 지각하고 명료화하고 해결하고 결정하는 것을 도와주게 된다고 하였다.

L. E. Tyler는 내담자가 일상생활 중에 합리적인 선택을 통하여 개인적 발전을 도모할 수 있도록 도와주는 것이 상담이라고 하면서 상담이란 '한 개인의 발달의 방향에 있어 현명한 선택이 이루어지도록 촉진하는 것'이라고 정의하였다. Gustad(1953)는 상담을 '개인 대 개인의 사회적 관계 속에서 이루어지는 학습지향적인 과정'이라고 하였고, Bordin(1968)은 '상담이란 심리치료와 마찬가지로 상담자 혹은 치료자가 다른 사람의 성격 발달에 적극적으로 기여하는 역할을 수행하는 상호작용 과정에 적용되는 개념'이라고 정의하였다. G. Warenn은 상담이란 '상담자와 내담자와의 역동적이고 유목적인 관계이며 내담자의 자기명료화와 자기결정에 초점을 두고 상담자와 내담자가 언제나 같이 참여하는 과정'이라고 정의하였다. 이와 같은 상담에 대한

여러 학자의 정의를 기초로 상담을 정의하면 다음과 같다고 할 수 있다.

'상담은 도움이 필요한 사람이 전문적인 훈련을 받은 사람과의 만남, 심리적 관계에서 생활과정 상의 문제를 해결하고 생각, 감정, 행동 측면의 통합적 성장을 위하여 내담자 스스로 노력하는 과정'이다.


## 2. 다양한 학문적 관점에서의 상담

### 1) 치료로서의 상담

의학적 접근에 근거하여 인간 행동을 정밀하게 관찰하고 분석하여 정상적 행동과 비정상적 행동, 건강한 행동과 병적 행동을 엄격하게 구별하려고 한다.

(1) 가치: 진단과 평가의 체제를 발전시켰다. 문제유형별로 치료방법과 절차를 상세하게 정리하였다. 질병적 접근에 근거해 여러 문제를 해결할 수 있게 하였다.

(2) 한계: 인간 문제를 질병적 시각으로 고착시키게 되어 심리적 · 사회적 · 철학적 · 교육적 · 문화적 접근을 어렵게 한다는 위험을 가지고 있다.


### 2) 학습으로서의 상담

학습이 제대로 되지 못한 것을 인간문제의 원인으로 본다. 학습적 관점은 종종 발달적 관점과 같은 뜻으로 사용되기도 한다.

(1) 특징: 상담자는 문제를 해결해 주는 것이 아니라 내담자가 스스로 해결할 수 있도록 지원하는 존재임을 강조하고 있다. 상담을 발달상담이나 심리상담으로 보려는 견해는 대체로 학습적 관점에 기초하고 있다.

(2) 한계: 상담의 초점을 학습이나 발달에만 맞추게 되면 개인에게 영향을 주는 환경에 대한 배려를 제대로 못하게 한다.


### 3) 의식화로서의 상담

인간 문제를 결국 생산구조와 지배체제의 산물로 파악하는 것이 의식화에 초점을 둔 상담의 출발점이 된다.

(1) 특징: 사회구조적 문제에 대한 관심을 고취하는 측면을 가지고 있다. 동일한 사회구조 내의 다양한 개인차를 적절하게 설명할 수 있는 개념을 제시하지 못하고 있다. 사회적 문제로 개인적 문제를 승화시키고 사회변화의 전략으로 활용함으로써 운동 지향적 상담에서 널리 받아들이는 경향이 있다.

(2) 한계: 개인적 문제로 간주하면 간단하게 해결될 수 있는 문제조차 사회적 문제로 간주하는 바람에 문제해결을 어렵고 복잡하게 하고 있다. 의식화의 논리는 중오심과 투쟁을 강조하여 호전적 문제해결을 정당화한다. 결과적으로 개인문제를 더욱 악화시키고 사회적 갈등을 증폭시킬 수도 있다.


### 4) 신앙과정으로서의 상담

(1) 기독교: 상담의 초점을 구원과 성화에 맞추는 경향이 두드러지게 나타난다. 예수에 대한 신앙이 구원에 이르는 길이며 구원이 인간의 모든 문제를 근원적으로 해결한다. 성화는 구원받은 사람이 예수 그리스도를 본받고 점점 더 닮아가는 과정을 가리킨다. 기독교적인 관점에서의 상담은 인간의 삶을 다루어서 구원과 성화에 이르게 하는 것을 뜻한다.

(2) 불교: 자아의 참모습에 있는 부처를 보고 깨달아 부처가 되는 것에 초점을 맞추고 있다. 불교적 관점에서의 상담은 부처의 깨달음과 같은 이해의 경지에 이르게 하는 과정을 가리킨다.

(3) 평가: 신앙으로 인간문제를 해결하려는 노력은 실제로 많은 문제를 해결하는 데 도움을 주고 있다.

(4) 한계: 신앙의 전통과 체제를 우선시하기 때문에 경험적 증거와 과학적 논리를 제대로 갖추지 못하고 있다.

(5) 기대: 상담의 종교적 관점이 현대과학적인 연구과정을 거친 지식의 체계로까지 발전될 수 있다면 종교적 전통과 지혜를 슬기롭게 활용할 수 있는 새로운 문명으로 도약할 수도 있을 것이다.

## 5) 행동변화로서의 상담

인간문제를 행동의 문제로 환원하는 것이 행동과학의 출발점이다. 행동 · 인지 · 정서 · 행위 등 인간의 내적 정신과정이나 외적 표현은 물론 신체적 과정까지도 포함한다.

### (1) 이론적 배경

① 심리학: 학습과 발달의 개념으로 설명한다.

② 사회학: 사회화의 개념으로 인간문제를 환원하고 사회화의 실패나 결함이 범죄나 정신질환 같은 문제의 원인이 된다고 본다.

③ 문화인류학: 문화화(enculturation)라는 개념으로 인간문제를 바라보며, 상담을 문화적 기대와 요구에 대응하고 소화하는 과정에서 발생하는 문제를 다루고, 인간을 문화에 동화 · 적응시켜 자기화 하도록 돕는 것으로 정의한다.

행동변화에 초점을 맞추어 상담을 정의하면 상담의 전체 과정을 양적 통제의 변화과정으로 설명할 수 있다.이러한 접근의 전형이 행동주의 학습이론에서 출발한 행동수정 또는 대응행동분석이다.

### (2) 한계

행동변화에 초점을 두면 인간의 정신세계는 물론 인간문제의 역사적 근원과 문화적 배경 등을 소홀히 다루게 되는 경향이 있다. 인도주의적 전통이나 문화적 사상을 존중하는 입장에서는 행동변화의 관점을 비인간화의 오류에 빠진 것으로 보기도 한다.

## 6) 교육으로서의 상담

(1) 실천적 측면에서의 교육의 문제로 보는 관점은 인간 그 자체가 어떤 존재인가 하는 물음이다. 즉 인간이 현재와 달리 어떠한 존재로 변화되어야 하는가 하는 물음이며, 원하는 바 목적을 달성하기 위하여 어떠한 내용을 어떤 방법이나 과정을 거쳐서 실행에 옮길 것인가 하는 문제이다.

(2) 교육적 관점으로서의 상담은 인간이 참으로 인간답게 배우고 인간답게 가르치는 정교하고 치밀한 미시적 교육과정이다. 상담을 교육적으로 보게 되면 흔히 나타나는 오류가 '교과지도 중심의 학교교육' 이라는 제한된 생각이다.

## 7) 진리의 안내로서의 상담

'도' 란 동양에서는 바른 진리를 가리키는 것으로 인간의 삶에서 따르고 지켜야 할 마땅한 도리나 이치다. 서양에서는 '도' 라는 개념보다는 '진리' 라는 개념을 중시했다. 20세기는 과학의 시대라고 불릴 정도로 과학적 진리의 탐구는 중요한 가치를 지니고 있다. 인간문제 상담을 과학의 진리탐구 과정이라고 본다면 인간문제를 해결하는 것은 곧 진리를 발견하고 실천하는 것이다.

### (1) 상담 방법

① 개인의 사적 문제해결에서 학문적 진리를 찾아내고 진리의 수행자로서 삶을 살아가도록 길을 안내하는 것이다.

② 진리의 길로 안내하는 것이다.

③ 진리를 탐색하는 과정이다.

⑵ 비판

진리라는 개념이 너무 추상적이어서 구체적이거나 실제적이지 못하다. '진리는 무엇인가' 라는 질문에서 생길 수 있는 다양한 반론과 부정적 견해도 있다. '진리' 라는 개념은 지나치게 복고적이고 퇴행적이라고 볼 수 있다.

⑶ 가치

진리의 길로 안내하는 상담은 언제나 새로운 지평을 상담자에게 열어주고 있다.

## 8) 통합적 관점

최근의 학문적 추세는 여러 분야가 협동해 공동으로 연구하는 통합적 접근을 강조하고 있다. 20세기 이후로 상담은 인간문제, 특히 인류 전체의 개인적 문제를 해결하는 고도의 전문적 학문으로 확고한 위치를 차지하고 있으며 또한 실천적 전문직으로 광범위한 사회적 지지를 받고 있다.

⑴ 통합적 관점에서의 상담의 본질
 ① 상담은 상담자가 한다.
 ② 상담은 힘 또는 능력을 기르는 것을 목적으로 한다.
 ③ 모든 사람은 문제를 가지고 있다.
 ④ 촉진적 의사소통이 상담의 기본 요소이다.
 ⑤ 상담은 통합적이고 체계적인 학문이며 동시에 실천이다.

⑵ 통합적 관점의 상담
 ① 개인적 문제를 해결하도록 할 뿐만 아니라 다른 문제가 제기될 때 이를 적극적으로 다루어 행복과 성공을 이루어낼 수 있는 힘을 북돋우어 준다.
 ② 모든 사람이 모든 삶의 행동에서 언제나 필요한 힘을 북돋우어 주는 전문적 인간봉사 활동이다.
 ③ 행동과학의 시대에 인간의 생활을 새롭게 하는 정밀하고 체계적인 학문이며 봉사체계이다.

## 9) 상담의 인접개념

⑴ 상담과 생활지도
 ① 생활지도의 의미
  생활지도는 주로 안내하고 이끌어주고 밀어주는 인간의 노정(路程)을 바르고 지혜롭게 결정하고 헌신할 수 있게 하는 것을 의미한다. 또한 단순하게 안내하는 차원을 넘어 교육의 본질과 통합시키려는 의도를 포함한다. 생활지도의 관심은 생활전체에 있다. 생활지도 대상은 인간이 살아가면서 맞닥뜨리는 모든 현상이다. 생활지도라는 표현 대신 학생발달 봉사 또는 인간발달봉사라는 말로 생활지도를 나타내려는 노력도 있다. 생활지도의 개념형성 배경은 학교에 있다고 할 수 있다. 전통적으로 생활지도는 상담·검사·정보봉사·배치·자문·조정·추후지도 등을 주요 기능으로 포함하고 있다.

⑵ 상담과 정신치료

상담과 정신치료는 학자에 따라 공동적 의미로 사용할 수 있다는 주장과 함께 서로 분명하게 구분해야 한다는 주장도 있다. 상담과 정신치료를 분명하게 구분해서 상담은 개인 및 소집단을 대상으로 전문상담자가 내담자와의 신뢰관계를 통해 생활문제를 해결해서 개인적 성장을 조력하는 과정이라고 정의한다. 또한 정신치료는 개인 및 소집단 환자를 대상으로 정신증상을 완화 또는 제거하는 동시에, 정서와 성격·행동을 정상적으로 변화시키기 위한 목적으로 임상심리사·정신치료사·정신과 의사들이 임상에서 환자의 정신장애의 문제를 직접 진단·치료하는 것이라고 정의한다. 그러나 대부분의 학자들이 상담자와 정신치료자의 역할에 대해서 분명하게 구분할 수는 없다는 견해를 가지고 있다. 그 예로 상담자는 내담자의 문제해결을 위해 전문적으로 조력하는 상담전문가로서 역할을 할 뿐만 아니라 때로는 문제로 인해 발생하는 비교적 경한 정신증상을 해소하기 위해 정신치료자의 역할도 하게 되는 것이다.

정신치료의 공통점은 병적 상태에 있는 정신이나 행동을 전문적 치료과정을 통해 정상화시키려고 노력한다. 넓은 의미의 정신치료는 인간문제를 정신병리의 관점에서 접근하여 면접을 통해 고치는 모든 형태의 치료양식을 가리킨다. 정신치료는 면접 이외 작업치료·놀이치료·독서치료·음악치료·심리극 등 여러 가지 보조적 치료방법을 활용하는데 이들 또한 독립적 학문의 체계를 이룰 정도로 발달해 왔다.

　① 정신치료에서의 상담

　　정신치료는 질병 모형에 근거하고 있으며, 동시에 정신세계도 질병 모형에 근거해서 접근할 수 있다는 전제를 가지고 있다.

　② 정신치료에서의 독자적인 특징

　　A. 기본적으로 의학에 근거를 둔 접근이다.

　　B. 목적은 정신 건강 회복에 있다.

　　C. 관심의 초점을 이상심리 또는 정신병리에 맞추며 때로는 개인의 정신적 병리 뿐만 아니라 가정에서의 가족병리, 사회적 구조와 역동에서의 사회적 병리로 확대하려고 시도하기도 한다.

　　D. 원인 발견, 진단, 처방, 처치 등의 과정과 다양한 치료기법을 주로 사용한다.

　　E. 대개 일정한 전문교육을 수료하고 정신치료자 자격을 가진 사람이 주로 담당한다.

# 3. 상담의 목표

상담의 목표를 일반적으로 설명하면, 현재 내담자가 안고 있는 생활문제를 해결해서 이로 인해 발생하고 있는 심리적 긴장이나 고민을 경감하고, 내담자들의 정상적인 자아발달을 촉진해서 환경에 올바로 적용할 수 있게 하는 것이다. 그리고 이러한 목표를 달성하기 위해서는 먼저 구체적인 상담의 목표가 설정되어야 한다. 내담자의 사고 및 행동변화와 함께 정신건강을 증진해야 하며, 또한 개인의 의사결정과 선택능력을 배양해서 자신의 문제를 해결할 수 있도록 한다. 더 나아가 내담자의 잠재력과 효율성을 증진해서 일상생활에 효과적으로 적응할 수 있도록 하는 것이다.

## 1) 소극적 목표와 적극적 목표

### (1) 소극적 목표

　① 문제해결

　　인간의 삶은 늘 새로운 문제에 직면하고 이를 해결하는 것의 연속이다. 문제를 해결하는 것을 상담의 목적으로 설정하는 것은 자연스러운 일이나 목표가 되는 문제해결이 무엇을 가리키는지 가려내는 것은 어려운 일이다. 문제는 내담자가 현실 속에서 직면한 난관을 다루어 가는 과정에서 스스로 빚어낸 것이다. 문제해결을 상담의 목표로 설정할 경우, 삶 그 자체가 문제의 연속이기 때문에 상담 또한 계속 필요한 것이 된다. 상담에서는 현재 내담자가 고통을 받고 있거나 해결을 원하는 문제에 초점을 맞추게 된다.

② 적응

인간은 사회 · 문화적 환경에 적응해야 생존할 수 있다. 개인의 욕구와 환경 사이에 균형과 조화를 이루어야 삶 자체가 지장을 받지 않는다. 환경에 적응한다는 것은 개인과 환경 사이에 이루어지는 복합적 역동 속에서 이해하고 다루어야 할 과제이다. 인간의 욕구는 다양하고 복잡하기 때문에 욕구 간의 충돌은 피하기 어렵다. 자아의 다양한 욕구를 다루어 훌륭하게 적응할 수 있도록 돕는 것은 오랫동안 상담의 목표가 되어왔다. 적응을 상담의 목표로 삼는 것의 문제점으로는 적응을 지나치게 강조하면 인간을 환경적 요구에 피동적으로 순응하는 존재로 보기 쉽다. 따라서 상담의 목표는 적응을 넘어서 자아의 잠재력을 펼쳐가는 수준까지 포함하지 않으면 안 된다.

③ 치료

상담자는 신체적 질병이나 정신질환을 치유하는 것보다 마음의 상처를 치료하는데 더 치중하고 있다. 치료가 상담의 목적이 되는 것은 마음의 상처 자체가 주는 고통이 무척 크기 때문이기도 하지만 그것이 인간의 삶에 광범위한 영향을 미치고 있기 때문이다. 치료를 목적으로 하는 상담의 문제점은 병리적 요소를 제거하는 것에 초점을 두기 때문에 인간에 대한 포괄적 이해에 소홀해지기 쉽다. 심리적 현상은 물론 교육 · 사회 · 정치 · 경제 등 광범위한 인간문제를 단순한 질병으로 생각하기 쉽다.

④ 예방

성격장애, 범죄나 비행, 신경증, 정신병 등과 같은 이상심리 내지 정신병리를 사전에 방지하는 것이다. 상담이 목적으로 하는 예방은 다양한 삶의 문제를 장기적으로 예견하고 발달과정에 제기되는 문제를 사전에 대비하여 장애나 문제를 극복하고 바르게 성장할 수 있게 하는 것이다. 예방을 목적으로 하는 상담의 문제점으로는 문제나 병리현상의 발생에 초점을 두고 있기 때문에 개인의 잠재적 능력을 개발하는 활동에는 소홀하기 쉽다는 것이다. 예방은 그 개념을 확대하여 잠재적 능력개발에 장애가 되는 요소들을 예측하고 제거하는 활동까지 하게 될 때 상담의 목표로서 그만큼 가치를 더할 수 있을 것이다.

⑤ 갈등해소

심리적 갈등이란 개인이 내적으로 경험하는 동기간의 충돌과 대립을 가리킨다. 이런 갈등을 극복하면서 정신적으로 성숙하기도 하지만 만성적으로 지속되는 심리적 갈등은 삶에 나쁜 영향을 준다. 인간관계의 갈등은 사람들 사이의 충돌이라고 볼 수 있다. 자연스럽고 사회적 성숙의 기회가 될 수도 있지만 동시에 고통스러워 정신적 이상의 원인이 되는 수도 있다. 전쟁 · 외교분쟁 · 무역갈등 · 민족감정 · 인종문제 같은 것에도 상담의 원리와 지혜를 적용하여 인류의 수많은 문제를 해결할 수 있다고 주장하는 학자들도 있다. 상담의 목표로서 갈등해소의 제한점은 갈등을 넘어서 화해와 평화, 사랑과 우정의 길을 적극적으로 제시하는 일은 소극적인 차원에서 이루어질 수 있다.

## (2) 적극적 목표

### ① 긍정적 행동변화

상담은 인간특성과 인간행동의 긍정적 변화를 목표로 하고 있다. 최근 감성지능 또는 정서적 능력의 중요성이 논의되고 있는데, 상담에서는 오래 전부터 감정에 초점을 맞추어 왔다. 상담의 목표는 증오 · 의심 · 집착 등의 부정적 정서를 극복하고 애정 · 신뢰 · 융통성 등 긍정적 정서를 발달시키는 것이다.

### ② 합리적 결정

인간의 삶은 크고 작은 의사결정이 계속적으로 이루어지는 과정이라고 할 정도로 결정과 선택이 큰 비중을 차지하고 있다. 의사결정 가운데 가장 많은 연구와 논의가 이루어진 것은 진로결정이다. 직업선택은 개인의 문제이면서도 사회 내지 국가의 문제가 되기 때문에 많은 관심의 대상이 되어 왔다. 20세기 후반 상담에서 괄목할 만한 발전을 이룩한 분야는 가족 · 결혼 그리고 성에 관한 것이다. 교육, 직업, 결혼 그리고 수많은 선택과 결정에서 합리적이고 현실적이며 논리적이고 융통성 있는 의사결정을 하도록 지원하는 것이 상담의 목표 중 하나이다.

### ③ 전인적 발달

인간발달에 관한 상담의 접근은 성격발달, 생애 또는 직업발달, 그리고 학업발달의 세 가지 영역에 관심을 기울였다. 상담에서는 잠재적 능력을 개발하고 다양한 인간 특성을 조화롭게 발달시키는 것을 목표로 설정하고 성취할 필요가 있다.

### ④ 자아 존중감

긍정적 자아개념이 성격발달은 물론 인간의 삶 전반에 걸쳐 좋은 영향을 끼치고 있음이 밝혀지기 시작한 것은 정신측정이 과학적으로 이루어진 이후의 일이다. 자아존중감은 자아의 다양한 경험을 의미 있게 통합할 때 이루어진다. 상담의 목표인 자아존중감은 긍정적 자아개념이나 자아 효능감이라고도 불리며 성공적인 상담을 가늠하는 주요 기준으로 간주되고 있다. 자아의 존중이나 실현이라고 할 때 자아는 단순한 심리적 개념 이상의 뜻을 가지고 있다.

### ⑤ 개인적 건강 증진

건강과 안녕은 신체적인 것만을 의미하는 것이 아니라 사회적으로 평화롭고 안정되어 있으며 정신적으로 굳세고 흔들림이 적은 것을 가리킨다. 상담의 목표는 개인이 신체적 · 심리적 · 사회적 · 도덕적 · 경제적으로 건강하고 안정되어 있을 뿐 아니라 의연하고 평화로운 가운데 보람을 느끼는 삶을 살아가게 하는 것이다. 개인적 건강을 위해서는 긍정적 사고 · 강인성 · 자아효능감 · 낙천주의 같은 것이 심리학적 관점에서 필요하다. 개인적 건강을 성취하기 위해서 필요한 것으로는 신체적으로 건강할 때 개인적 건강이 그만큼 가능해진다. 심리적으로 자유롭고 억압이나 구속으로부터 어느 정도 벗어나 있어야 한다. 또한 도덕적으로 떳떳해야 한다. 정신적으로 쉽게 흔들리지 않도록 확고하고 강인한 중심 가치를 확립하고 있어야 한다.

## 2) 과정목표와 산출목표

### (1) 과정목표

#### ① 존재의 용기

존재의 반대어는 비존재 · 무 · 죽음과 같은 개념이다. 즉 자살은 존재할 용기가 없을 때 이루어지는 최악의 행동이며 생명의 기본법칙을 어기는 자연에 대한 배반행위이다. 존재의 용기는 난관 · 시련 · 실패 · 좌절 · 불행 · 치욕 따위를 극복하고 생물학적 목숨이 있는 한 살아 남으려고 하는 의지에서 길러지는 힘이다. 한계상황을 뛰어넘는 힘을 가리킨다. 상담과정에서 내담자에게 길러주어야 할 첫 단계의 힘이 존재의 용기이다.

#### ② 성숙의 의지

존재의 용기가 충분해지면 인간은 다음 단계의 힘을 기르게 된다. 노년기의 인간은 신체적으로는 약해지지만 도덕적으로나 인격적으로는 더욱 더 원숙해지고 정신적으로 성숙하게 된다. 존재하는 인간은 성장하고 발전하려는 의지를 기르게 된다. 인간에게는 성공을 두려워하고 피하고자 하는 마음도 있다. 고착이나 퇴행, 또는 성공 회피나 행복 파괴와 같은 내적 정신과정을 극복하고 성장 · 발전 · 성숙 · 발달 · 진보와 평화 같은 것을 이루려는 적극적 의지를 삶의 과정에서 북돋울 수 있도록 하는 것이다.

#### ③ 개성의 신장

정신과 도덕의 성숙이 어느 정도 추구되면 인간은 자아의 독특성에 관심을 가지고 독특한 자아세계를 이루려고 한다. 개성의 신장은 결국 자아의 무가치감을 극복하고 부모 · 스승 · 위인과 달리 독립되고 독특한 개성을 지닌 나를 인식하고, 또한 고유한 가치를 지닌 자기 자신을 발견하며, 자아의 고유세계를 무엇보다 존중하는 삶의 태도를 바탕으로 할 때 이루어진다. 상담에서는 개인이 자신의 자아를 존중하는 힘을 북돋우는 것을 목표로 하고 있다. 무조건적인 존중을 기초로 하여 내담자가 자아의 독특한 고유세계를 창출하는 힘을 기르게 하는 것은 상담과정에 언제나 필요한 일이다.

④ 창조의 지혜

한 사람의 삶의 질은 항상 새롭게 생기는 문제와 도전에 어떻게 대응하느냐에 달려 있다. 창조란 옛 것을 포기하고 미지의 세계에서 자유로운 실험과 연습을 할 때 그만큼 성공할 확률이 높다. 창조적 산출이 있을 때 인간은 정신적으로 안정되는 경향이 있다. 인간의 심리적 자원을 동원하여 개인적 복지를 성취하기 위해서는 강인성이 필요하다. 상담과정에서는 개인이 고유한 자아세계를 부단하게 개척하는 것을 넘어서 새로운 세계를 창조하는 힘과 용기를 북돋우는 것을 목표로 하고 있다.

⑤ 탁월성의 추구

'탁월성' 이란 비교개념으로 다른 것에 비해 뛰어난 것을 가리키는데 천재성과 동일개념으로 보기는 어렵다. 탁월성의 종류로는 타인과 비교하는 상대 평가적 의미에서의 탁월성과 자기 자신이 성취한 기준이나 자기 자신이 지니고 있는 잠재 능력과 비교하는 것이 있다. 탁월성 추구는 넓은 의미로 보면 스스로 설정한 목표를 넘어 더 높은 목표를 설정하고 실현하고 또다시 시작한 것을 가리킨다. 창조의 지혜와 탁월성의 추구는 과학과 문화 발전에 동력이 되는 힘도 가지고 있다.

(2) 산출목표

① 촉진적 인간관계

'촉진적' 이라는 개념은 변화·성장·발달·진보 등과 같이 바람직한 방향으로 움직이고 이동해 가는 것을 가리킨다. 심리적 존재이자 문화적 존재인 인간에게는 심리적으로나 문화적으로 인간답게 사는 것이 주요과제가 된다. 상담의 산출목표로서 촉진적 인간관계는 가정·학교·직장·지역사회 등 여러 유형의 인간관계가 발달을 촉진해 주고 발달을 촉진 받을 수 있는 방향으로 변화되도록 하는 것이다. 촉진적 인간관계는 상담자가 내담자에게 가르치고 내담자는 이를 학습하여 또 다른 사람에게 가르치는 학습의 재생산을 가능하게 한다.

② 유희와 여가의 향유

놀이를 통해서 사람은 신체적 발달 뿐만 아니라 정서·지능·사회성·도덕성과 같은 주요 인간특성을 발달시킨다. 놀이란 인간의 성장과 학습과정에서 유아기에 무엇보다 중요한 역할을 한다. 유희와 여가, 그리고 휴가나 휴식 같은 것은 주어진 의무와 규범적 속박이 가지는 의미를 더욱 풍요롭게 하고 새로운 에너지와 활력을 더하게 된다. 여가활동은 재창조활동이라고 말하기도 한다. 상담의 산출목표로 유희와 여가의 향유는 억압이나 죄의식 없이 새로운 삶의 활력을 위해 즐겁고 유쾌하게 놀이에 몰입하는 힘을 기르는 것을 가리킨다.

③ 학업과 직업의 성공

학창생활의 중도탈락은 여러 가지 부작용을 초래하는 비율이 대단히 높다. 상담의 주요목표는 학업이나 직업에서 중도탈락하지 않고 꾸준하게 정진하여 결과적으로 성공을 거둘 수 있도록 지원하는 것이다. 단순하게 공부나 직업을 중단하지 않고 계속하는 것만이 아니라 개인의 잠재력이 공부나 일을 통해서 개발되고 사회적 공헌을 할 수 있도록 지원하는 것이 상담이다. 산출목표로서의 성공은 타인과 비교하는 상대적 성공보다 자신의 능력을 기준으로 하는 규준 지향적 성공을 가리킬 때 참된 교육적 기능을 발휘한다.

④ 공동체의 조화와 헌신

사회적 존재로서 인간은 공동체 안에서 살아가고 있다. 상담의 산출목표로서 공동체에 헌신하는 삶은 개인의 유한성을 넘어서기 위해서 반드시 필요한 것이다. 상담의 산출목표는 개인과 공동체의 복지와 안녕이 합치되는 삶의 방식과 길을 마련하는 것이다. 국가와 민족, 세계와 인류에 유익한 삶의 방식이면서 개인에게도 만족스러운 삶의 양식을 창출하는 것이다.

⑤ 성숙한 자아

자아는 여러 가지 능력이 통합적으로 발달됨에 따라서 점진적으로 성숙해진다. 상담의 산출 목표는 인간의 총체적 발달에 관심을 가지고 있으므로, 상담의 산출 목표로서 자아의 성숙은 인간 성장의 끝없는 지평을 열어준다.

# 4. 상담의 기본 원리

상담자가 상담을 전개할 때는 일정한 원리에 바탕을 두고 시작해야 한다. 이는 상담자가 갖추어야 할 기본태도에도 해당되는 것으로 구체적인 내용은 다음과 같다.

## 1) 개별화의 원리

상담자는 인간의 개인차가 있음을 인정하는 동시에, 편견이나 선입관을 버리고 개인의 문제에 접근해야 한다. 또한 내담자의 말에 경청하고 행동을 세밀하게 관찰해서 개인의 특성을 이해하기 위해 노력한다. 이외에도 내담자의 견해와 상담자의 차이가 있을 때에는 최대한 내담자의 의견과 선택을 존중해서 상담을 진행한다.

## 2) 의도적 감정표현의 원리

상담에서 내담자의 문제해결에 가장 중요한 부분은 내담자가 개인의 감정이나 문제를 의도적으로 표현할 수 있도록 원조하는 것이다. 이를 위해 먼저 상담자는 내담자가 개인의 부정적 감정을 포함해서 모든 감정을 아무런 제약을 받지 않고 표현할 수 있도록 온화하고 자유로운 상담분위기를 조성해야 한다. 특히 상담자가 내담자의 감정을 비판하거나 논쟁해서는 안 되며, 인내심을 가지고 내담자의 감정에 대해 객관적이고 정당한 반응으로 내담자의 표현의지와 태도를 강화한다.

## 3) 통제된 정서관여의 원리

상담은 상담자와 내담자간의 정서가 중요하게 작용하는 교감의 과정으로 상담이 진행되는 중에 상담자는 내담자와의 서로 다른 견해와 감정의 차이로 인해 충돌하거나 기분이 상할 수도 있다. 이 때 중요한 것이 상담자의 통제된 정서관여의 원리로서 상담자는 자신의 감정에 주목하기보다는 내담자의 정서변화에 민감하게 반응하는 동시에, 내담자의 의도를 파악하기 위해 노력해야 한다. 또한 내담자의 정서변화를 기대하기보다는 먼저 자신의 감정을 통제·조절하고 상담의 분위기를 개선해서 상담이 정상적으로 진행될 수 있도록 한다.

## 4) 이해와 수용의 원리

상담자는 내담자에 대한 온화한 태도와 함께 무조건적으로 수용하고 이해하는 자세를 견지하여 내담자를 인격체로 존중한다는 것을 전달할 수 있어야 한다. 내담자의 의견과 주장, 긍정적·부정적 감정과 태도, 행동, 장점과 단점 등 내담자가 표현하고 있는 모든 것을 인정하고 받아들이는 태도를 의미한다.

## 5) 비판단적 태도와 객관적 평가의 원리

상담은 격려와 원조의 과정이므로 내담자의 잘못이나 문제에 대해 평가와 질책, 또는 책임을 추궁하는 판단적 자세로 내담자를 대해서는 안 된다. 특히 내담자는 자신의 문제로 인해 타인의 비판에 민감하며, 또한 자신을 노출하는 것에 대한 두려움과 함께 안전을 위해 방어의 태도와 행동을 보이게 된다. 따라서 상담자는 내담자를 어떤 유형으로 분류하고 판단해서 잘못이나 책임을 추궁하기보다는 내담자의 특성과 입장을 객관적으로 이해하기 위해 노력하는 신중한 자세와 태도를 갖추어야 한다

## 6) 자기결정의 원리

상담자는 내담자의 잠재력과 문제 해결능력을 인정하고 상담자 위주로 상담을 일방적으로 이끌어가기보다는 내담자 중심으로 먼저 내담자의 해결 의지와 변화 욕구를 존중해서 자신의 판단과 노력으로 선택하고 결정할 수 있도록 한다. 즉 상담자는 내

담자가 자기 수용을 할 수 있도록 지원하며, 또한 내담자가 자신의 능력과 장점을 발견·활용해서 인격적 성장을 경험할 수 있게 한다.

### 7) 비밀보장의 원리

상담에서 내담자의 개인적 사실과 문제에 대한 비밀보장은 상담자의 윤리적 의무에 해당되는 가장 기본적인 조건이며 원리이다. 또한 내담자에 대한 비밀보장은 상담의 필수요인으로 내담자가 상담자에 대한 신뢰의 문제 뿐만 아니라 상담의 성패에도 중요하게 작용한다. 따라서 상담자는 어떠한 상황에서도 반드시 내담자의 비밀을 지켜서 상담의 진행 뿐만 아니라 내담자의 인격이나 명예가 훼손되지 않도록 한다.

## 5. 상담의 유형

상담의 유형은 상담의 대상과 내용에 따라 가족상담, 학생상담, 산업체상담으로, 상담방법에 따라 대면상담과 매체를 통한 상담, 상담대상의 집단 크기에 따라 개인상담과 집단상담으로 구분한다.

### 1) 가족상담

가족상담은 가족 구성원 전체를 대상으로 하는 상담을 행하는 경우를 말한다. 가족구성원 간의 갈등, 자녀문제, 청소년자녀의 일탈, 부부갈등 등이 다루어진다. 건강한 가정을 위한 가족상담은 원칙적으로 모든 가족구성원 간의 관계에 주목해야 한다. 그리고 가족 전체의 문제나 가족구성원 가운데 한 사람의 문제는 가족체제의 문제를 반영하는 것이므로 가족구성원들 간의 관계성에 주목하고 또한 이 관계 속에서 신중히 다루어져야 한다. 가족상담에 있어서의 목표는 문제증상을 완화시키고 긍정적으로 기능하는 가정으로 변화시키는 일이다. 가족상담은 상담자가 해당 가정을 직접 방문하여 상담을 진행하기도 하고, 가족 구성원들을 일부 또는 개별적으로 상담실로 오게 하여 가족상담을 진행하기도 한다.

### 2) 학교상담

학교상담은 각 급 학교에 재학 중인 학생들을 대상으로 이루어지는 상담이다. 초등학교, 중·고등학교, 대학교에 재학 중인 학생들은 학교생활과 가정 및 사회생활에서 다양한 문제에 직면하게 된다. 학교상담에서 주로 다루어지는 문제는 학업부진, 비효율적 학업방법, 진로문제 등과 관련된 학업관련 문제가 가장 많으며, 두번째는 학교생활로 인해 파생되는 인간관계의 문제이다. 특히 청소년기에는 친구문제나 선배와의 갈등문제가 큰 부담이 되며 대학에서는 이성과의 문제, 취업, 진로문제 등이 상담의 내용이 될 수 있다.

### 3) 기업체 또는 산업상담

직장에서 업무를 수행하는 과정에서 여러 가지 문제에 직면하게 되고, 이러한 문제로 인해 스트레스와 어려움을 겪게 된다. 직장인들이 겪는 어려움들은 업무 또는 개인적인 문제로 이러한 문제는 생산성에 차질이 생기게 되고 개인적으로 고통을 받게 된다. 직원들이 겪는 다양한 문제점들을 해결하기 위하여 최근에 와서 많은 기업들이 전문상담 시설을 기업 내에 설치하고 있고, 전문상담자가 상담업무를 맡게 하여 상담복지의 증진에 힘쓰고 있다.

## 4) 대면상담과 매체를 통한 상담

대면상담은 상담자와 내담자가 직접 얼굴을 맞대고 진행하는 상담방법이고, 매체를 통한 상담은 전화, 인터넷, 서신 등 매체를 통해 상담을 하는 경우를 말한다. 대면상담은 가장 일반적이고 전통적인 상담의 한 방법으로서 지금까지도 상담방법의 주류를 이룬다. 대면상담은 따로 시간을 내서 일정한 장소로 이동해야 한다는 불편함이 있다. 그러나 상담자가 직접 만나서 대화할 때 대화내용 외에 내담자의 태도와 행동을 잘 관찰할 수 있다. 이렇게 함으로써 상담자는 내담자에 대하여 보다 많은 정보를 얻을 뿐만 아니라 문제의 내용을 보다 정확히 진단할 수 있다. 내담자에 대한 풍부한 정보와 당면문제에 대한 보다 정확한 진단은 문제해결에 큰 도움을 줄 수 있다는 이점이 있다.

매체를 통한 상담은 전화, 인터넷, 서신 등 매체를 통해 이루어지는 상담이다. 서신상담은 수용시설에 격리되거나 전화나 인터넷을 이용할 수 없는 경우 편지를 주고받으면서 글을 통해 상담한다. 전화상담은 비교적 일반적으로 많이 활용되는데 이용의 편리함이 있다. 전화상담은 어디에서나 가능하며 상담시간도 비교적 덜 제한적이다. 그러나 단점으로는 상담관계가 불안정하기 때문에 지속적으로 상담이 이루어질 수 없는 경우도 자주 발생한다. 또한 대면상담과는 달리 내담자의 표정과 행동을 관찰할 수 없기 때문에 대화내용의 진실성도 파악할 수 없다. 최근에 와서는 사이버 상담이 늘어나는데, 주로 전자우편을 통해 심리적 문제에 대한 이해와 해결을 시도하는 상담이다.

## 5) 개인상담과 집단상담

개인의 문제해결이나 장애를 치료하는데 있어서 주로 개인상담이 이루어지나, 내담자가 처한 상황이나 문제의 성격에 따라 집단의 역동성을 활용하면 더 나은 치료효과가 나타날 수 있다.

## 6) 전문적 상담과 일반적 상담

자격을 갖춘 상담자인가, 내담자가 호소하는 문제에 대한 체계적인 평가가 있는가, 구체적인 절차와 방법에 따라 이루어지는 상담인가, 상담에 규칙성이 있는가에 따라 전문적 상담과 일반적 상담으로 분류할 수 있다.

# 상담의 과정

## 1. 상담 접수 및 사전 준비

### 1) 상담 접수

상담 신청은 내담자 본인이 직접 신청되기도 하고, 교사나 의사, 부모 등에 의해 신청하기도 한다. 자발적으로 상담자를 방문한 경우는 상담 초기에 상담이나 자신의 성장 및 변화에 대한 동기가 높다. 이들을 자발적 내담자라 부르는데, 그들은 스스로에게 어떤 문제가 있다고 느끼고 있으며, 그 문제를 상담자의 전문적 도움을 빌어 해결하는 것이 자신에게 도움이 될 것이란 기대를 가지고 있다. 자신의 문제에 대한 정확한 인식과 문제 해결에 대한 강한 기대는 상담에 있어 매우 중요하다. 이것이 확고할수록 보다 잘 준비된 내담자라 할 수 있으며, 이런 상담은 비교적 순조롭게 진행된다. 또한 상담 과정에 적극적으로 참여하고 자신의 문제나 배경을 개방하려고 하기 때문에 상담을 시작하기가 수월하다. 상담을 신청한 내담자의 용기와 결단력에 대해 충분히 인식하고 인정해 주는 것이 상담 진행에 도움이 된다.

반면, 타인에 의해 비자발적으로 의뢰된 내담자는 반드시 도움을 받아야 한다고 생각하지 않을 수 있다. 이런 내담자들과의 상담은 상담에 대한 동기가 약하기 때문에 매우 힘들어질 수 있다. 따라서 무엇보다도 그들에게 상담이 어떤 것인지, 상담을 통해 무엇을 할 수 있고, 그것이 그들 자신에게 어떤 도움이 될 수 있는지, 그리고 상담을 활용해서 해결하고 싶은 문제는 없는지에 관한 이야기를 충분히 나누는 것이 필요하다. 억지로 왔기 때문에 초기 상담에서 상담관계를 형성하고 자신에 대해 탐색하기가 매우 어려울 수 있다. 상담자는 내담자의 정보를 파악할 수 있도록 '상담 신청서' 및 '내담자 기록양식'을 작성한다. 상담 신청서에는 양식번호, 내담자 이름, 내담자에 관한 정보, 의학적 정보, 상담, 정신치료, 정신과적 처치 경험, 상담문제, 목적, 신청경로, 가족사항, 문제 및 증상리스트, 직업 흥미, 학업 및 진로문제, 적응문제 등을 작성하도록 한다. 상담자는 이렇게 얻어진 자료를 평가하고 해석하기 위해 적절한 통계적 방법, 컴퓨터 및 자신의 경험 등을 활용한다.

상담자는 수집된 자료를 종합적으로 평가한 후에, 내담자에게 일반 상담기법에 따라 평가한 결과 및 의미를 해석해 주고 내담자와 함께 논의한다. 상담자와 내담자는 상담 절차에 대한 논의를 하면서 상담자는 내담자에게 검사에 응하고 과제물을 충실히 이행하며 자신에 대한 정보를 개발할 책임이 있음을 분명히 해야 한다.

접수 면접에서 다루어질 내용은 신청서의 내용과 연계적으로 이루어져야 하며, 접수 면접 시의 중요한 사항들은 다음과 같다.

① 내담자를 편안하게 한다.
② 접수 면접의 목적과 내용을 알기 쉽게 설명한다.
③ 내담자가 문제해결 및 변화에 희망을 갖도록 돕는다.

④ 상담이나 치료 경험을 알아본다.

상담자는 내담자와의 1회 또는 그 이상의 면담과 관찰을 통해 접수 면접자의 첫 진단 혹은 임시 진단을 재확인하고, 필요할 때는 이를 수정하여야 한다. 상담자가 내담자에게 연락할 수 있는 방법은 무엇인지의 기본 정보를 상담자와 내담자가 논의해야 하며, 상담 기간에 대한 계획을 의논해야 한다. 내담자의 호소 문제를 해결하는 데 필요한 기간을 미리 안다는 것은 매우 어려운 일이긴 하지만 내담자는 자기의 문제를 해결하는데 어느 정도의 기간이 필요한지 알고 싶어 한다. 특히 유료상담인 경우 치료기간을 미리 알고자 하는 내담자의 희망은 합당하다. 상담자는 자기의 치료역량, 내담자의 호소문제, 내담자의 성격과 변화에 대한 동기 상태 등을 참고로 상담에 필요한 기간을 미리 생각해 보는 연습을 해 보아야 한다.

## 2) 사전 준비

상담하기 전에 내담자에 대해 어느 정도의 정보를 가지고 있는 것이 좋은지는 상담자의 취향에 따라 다르다. 어떤 경우이든지 상담자는 내담자에 대한 선입견에 얽매이지 않고 항상 열린 마음으로 내담자를 만나려고 하는 태도가 중요하다.

# 2. 첫만남 단계

첫 회 상담은 매우 중요하다. 상담에서의 첫만남이 상담 전체 과정의 성공 여부를 결정한다고 해도 과언이 아니다. 첫 회 상담을 하기 전에 신청서, 접수 면접 기록, 각종 검사 결과 등을 자세히 읽어 보아야 하며, 내담자가 호소하는 문제의 주 원인과 치료 전략을 고찰하여야 한다.

첫만남에서 내담자와 상담자는 서로에 대해 기대를 가지고 있으며 서로에 대해 잘 알지 못하기 때문에 불안을 느끼기도 한다. 특히 교사나 의사, 부모 등에 의해 의뢰된 청소년일 경우에는 매우 불안이 심하여 상담 자체를 거부하거나 상담자와 관계를 형성하기가 매우 어려운 경우도 있다. 상담자는 첫만남에서 내담자가 불안을 느끼고 있다는 것을 알게 되면 호소문제와 함께 불안을 다루어 줄 필요가 있다. 또한 첫만남에서 상담자는 내담자가 가진 긍정적인 측면과 강점에 대해 언급할 필요가 있다. 내담자의 기대를 탐색하고 내담자가 가졌던 불안, 의아함, 안도감 등을 이해하고 공감하는 것이 원활한 상담에 도움이 된다. 상담자가 내담자에 대해 놀라거나 불안을 느꼈다면 그 근원에 대해 탐색해 보아야 한다.

첫 회 상담에서는 상담에서 다룰 문제를 치료적 목적에서 다시 들어야 하는데, 접수 면접자는 정보수집과 평가(evaluation and screening)를 주목적으로 내담자의 호소 문제를 듣는 반면, 상담자는 '치료적(therapeutic)' 목적에서 내담자의 호소 문제를 듣는다. 상담자와 내담자 간에는 첫회 상담의 구조화(오리엔테이션)의 과정과 앞으로 상담을 계속할 것인지, 상담료가 얼마인지, 어떤 목적을 달성하면 상담이 성공할 것으로 보이는지 등에 관한 '계약'의 절차가 구두로 이루어질 때가 많다. 상담자는 첫 회 상담에서는 상담의 목적을 상호이해하는 수준에서 명료화하고 상담자의 할일, 내담자의 할일, 상담시간, 상담료 등에 관한 언급을 비교적 확실히 해두는 것이 불필요한 오해나 상상을 방지하고 나아가 상담의 효과를 향상시키는데 도움이 된다.

## 1) 첫 회 상담을 운영하는 방법

### (1) 내담자가 원하는 것이 무엇인지를 파악한다.

상담자는 다음의 질문을 스스로 해 보면서 내담자가 무엇을 원하는지를 파악한다.

① 이 내담자가 원하는 상태는 어떤 상태인가?

② 이 내담자는 상담을 통해서 무엇을 얻고자(성취하고자) 원하는가?

③ 이 내담자가 나에게 바라는 것이 무엇인가?

## (2) 상담의 분위기를 긍정적이고 희망적이게 이끈다.

상담의 분위기를 '희망적'으로 이끄는 것은 내담자가 상담에 대한 긍정적인 기대를 하는 데 도움이 되며 결과적으로 상담의 성과가 높아질 수 있다. 내담자가 표현하는 슬픔, 우울, 외로움, 후회, 좌절 등의 감정에 대해 상담자는 감정반영 기술을 사용하여 공감(empathy)을 '형성하려는' 반응을 한다. 감정반영은 상담의 중요한 기술이다.

## (3) 내담자가 상담의 효과에 대해 긍정적인 기대를 갖도록 돕는다.

상담에 대한 희망적이고 긍정적인 기대를 가질 때 효과는 더 커질 수 있다. 플라시보 효과 (Placebo effect), 자기예언의 효과 (self-fulfilling prophecy), 호손 효과(Hawthorne effect)에 의해서도 희망적인 기대는 효과를 낳을 수 있다. 따라서 내담자에게 상담효과에 대한 긍정적이고 희망적인 기대를 갖게 하는 것은 상담의 효과를 높이는 좋은 방법이며 이런 노력은 첫 회 상담부터 시작되어야 한다.

## (4) 내담자에게서 받는 상담자 자신의 전체적인 느낌을 경험한다.

상담자는 스스로에게 다음과 같은 질문을 함으로써 내담자에게서 받는 상담자 자신의 전체적인 느낌을 경험한다. 나는 그를 좋아하는가? 그를 싫어하는가? 좋아하지도 싫어하지도 않고 미지근한가? 그가 쉬워 보이는가? 어려워 보이는가? 나는 내담자에게 위축감을 느끼는가 ? 자신감을 느끼는가? 내담자가 얄미운가? 불쌍하게 보이는가? 도와주고 싶은가? 이런 느낌은 주관적이다. 상담자의 주관적인 경험과 느낌을 상담에 활용하는 것인데 이 점은 성공적인 상담에 매우 중요하다.


# 3. 초기 단계

초기 단계는 상담자와 내담자 사이에 첫만남이 이루어지는 순간부터 이후 몇 번간의 만남을 말한다. 초기 단계의 목표는 상담의 기틀을 세우는 일이다. 내담자의 문제를 이해하고, 내담자의 인적·사회적 배경에 대해 이해하며, 촉진적인 상담관계를 형성하는 단계이다.

## 1) 상담의 목표 및 진행 방식의 합의

### (1) 상담 목표 정하기

① 일차적 목표와 이차적 목표

상담의 최우선적인 목표는 내담자가 호소하는 문제의 해결이다. 즉, 내담자가 상담을 받고자 하는 문제를 성공적으로 해결하여 내담자의 생활을 돕는 것이 상담의 일차적 목표가 된다는 것이다. 이런 의미에서 상담의 일차적 목표는 '증상 또는 문제 해결적 목표'라고도 불린다. 어떤 경우에는 상담이 일차적 목표의 달성을 넘어서서 더 진행되기도 하는데, 이 경우의 상담의 목표는 이차적인 동시에 보다 궁극적인 성질을 지니게 된다. 상담의 이차적 목표는 '성장 촉진적 목표'라고도 불린다. 대개 상담은 일차적 목표의 달성으로 끝나는 것이 보통이다. 그러나 내담자가 원하는 경우, 그리고 여건이 허락하는 경우에는 이차적 목표를 다시 정하고 상담을 계속하기도 한다.

② 상담 목표 설정 시 고려 사항들

A. 상담 목표는 구체적이고 명확해야 한다. 상담 목표가 구체적으로 명확하게 설정되지 않고 일반적이거나 모호하게 설정

되면, 그러한 목표를 상담에서 달성했는지의 여부를 평가할 수 있는 준거가 명확하지 않게 된다.

B. 상담 목표 설정 시 고려해야 할 두 번째 사항은 목표의 현실성이다. 즉, 상담 목표는 현실적으로 내담자가 처한 상황에서 달성이 가능한 것이라야 한다는 것이다. 상담에서 비현실적인 목표를 설정하는 것의 문제점은 그러한 목표를 달성하지 못하는 데에만 그치는 것이 아니라, 내담자에게 또 다른 커다란 심리적 좌절 경험을 주게 된다는 데 있다. 따라서 상담자로서는 상담의 초반기에 현실적으로 달성 가능한 목표를 내담자와 더불어 세워나가는 것이 필요하다.

C. 목표 설정의 세 번째 고려 사항은 문제 축약(problem reduction)이다. 내담자들은 흔히 아주 다양한 심리적 증상이나 문제들을 가지고 상담자를 찾아오므로 내담자가 제시하는 문제들을 일일이 해결하는 것을 상담 목표로 정하는 것은 바람직하지 않을 수 있다. 시간과 노력이 많이 들 뿐더러, 전체적인 상담의 효율성이 떨어지게 될 수 있기 때문이다. 이때 문제 축약이라는 방법을 사용할 수 있다. 문제 축약이란 내담자가 호소하는 여러 가지 문제들을 유사한 원인을 가지는 몇 가지 주요 문제들로 압축하는 것을 말한다. 만일 내담자가 10가지의 문제들을 호소했다면, 그 문제들을 원인별로 분류하여 3가지 정도의 문제 군으로 묶는 것이 하나의 예이다.

### (2) 상담진행 방식의 합의

#### ① 상담기간 및 시간에 대한 합의

상담이 효율적으로 진행될 수 있기 위해서는 먼저, 상담자와 내담자가 얼마나 오랫동안 그리고 얼마만의 시간 간격으로 만날 것인지, 한 번 만났을 때 대화를 얼마동안 지속할 것인지 등에 대해 미리 합의를 이루어야 한다. 대개의 경우 상담은 일주일에 한 번씩 진행되며, 한 번 만날 때마다 50분 가량 대화를 나누는 것이 보통이다. 사정에 따라 상담 기간은 얼마든지 달라질 수 있다. 그러나 상담자는 대략적인 상담 기간을 추정하여 내담자에게 알려 그에 관한 내담자의 동의를 미리 구해두는 것이 바람직하다.

#### ② 바람직한 내담자 행동 및 역할에 대한 안내

상담자는 내담자가 자신의 문제를 해결하기 위해 최대한의 노력을 할 수 있도록 유도해야 한다. 내담자는 적극적인 자세와 태도로 상담에 임해야 한다. 내담자가 그렇게 할 수 있도록 하고 유도하는 것은 상담자의 역할에 속한다고 볼 수 있다.

## 2) 촉진적 상담관계의 형성

촉진적 상담관계란 상호신뢰, 개방성, 안정감 그리고 앞으로 진행될 상담에 대한 희망을 고취하는 것 등을 의미한다. 촉진적 상담관계의 성공 여부에 따라 궁극적으로는 상담의 성공여부가 좌우되기도 한다. 상담자로서는 상담 초기 단계에서 촉진적인 상담관계 형성의 중요성을 이해하고 이를 실행에 옮길 수 있어야 한다. 촉진적 상담관계를 위해 상담자는 관심 기울이기, 적극적 경청, 내담자에 대한 수용과 존중, 공감적 이해, 진실한 태도 등을 활용해야 한다.

# 4. 중기 단계

상담의 중간 단계의 목표는 문제해결하기이다. 중기단계의 가장 큰 특징은 초기단계에서 설정되었던 상담목표를 해결하기 위한 구체적인 상담 작업들이 행해진다는 데 있다. 즉, 내담자가 가진 문제에 대한 본격적인 해결시도가 행해진다는 것이다. 대개 상담자들은 내담자가 호소하는 문제를 해결하기 위해 여러 가지 상담 기법이나 방법들을 사용한다.

## 1) 과정적 목표의 설정과 달성

상담은 하나의 큰 목표를 한꺼번에 달성하는 과정이라기 보다는 큰 목표를 달성하기 위해 반드시 필요한 일련의 과정적 목표들을 순차적으로 달성해 나가는 과정으로 이해하는 것이 바람직하다. 그러나 과정적 목표로 무엇을 잡아야 할지는 상담의 초기 단계에서 설정한 목표가 무엇이냐에 따라 크게 달라진다. 따라서 상담자는 상담에서 궁극적으로 달성하고자 하는 목표들에 대해 해박한 지식과 경험을 가지고 있어야 하며, 이를 바탕으로 구체적인 과정적 목표를 설정하고 이에 대한 해결 노력을 기울일 수 있어야 한다.

### 2) 저항의 출현과 해결

사람들에게는 저마다 습관적으로 행하며 지속하려는 사고, 감정 및 행동 패턴이 있다. 이러한 패턴들을 변화시키려고 할 때 변화에 대한 반대 즉 저항이 일어난다. 저항은 변화의 걸림돌로 작용하기 때문에 변화를 달성하기 위해서는 저항을 극복하지 않으면 안 된다. 대부분의 변화 과정에는 저항이 일어나기 마련이며, 이는 어쩌면 피할 수 없는 일인지도 모른다. 저항이 불가피한 것이긴 하지만 상담자가 내담자의 강한 저항을 유발하는 상담 방법들을 계속 사용하게 되면 끝내 상담은 실패로 귀결될 수밖에 없다. 따라서 상담자로서는 내담자의 저항을 줄일 수 있는 상담 방법들을 고안해 내야 한다. 일반적으로 내담자의 입장을 고려하지 않는 상담자의 일방적인 지시나 통제, 내담자를 배려하지 않는 비우호적인 상담 분위기, 미처 준비도 되지 않은 내담자에게 너무 급격한 변화의 압력을 가하는 상담자의 행위 등이 내담자의 강한 저항을 불러 일으키는 주요 요인들인 것으로 알려져 있다. 따라서 상담자는 이 경우들이 일어나지 않도록 조심하면서 내담자의 변화에의 동기를 고취시키는 방향으로 문제해결 노력을 기울여야 할 것이다.

## 5. 종결 단계

내담자가 원했던 변화가 일어나게 되면 상담은 종결된다. 그러나 모든 상담이 성공적으로 종결되는 것은 아니다. 상담자로서는 여러 가지 전문적인 노력을 기울였지만 당초에 설정했던 목표의 달성에 실패하는 경우가 있다. 그러한 실패를 상담자 스스로의 힘으로 되돌릴 수 없을 때 부득이하게 상담이 종결될 수도 있다. 이 외에도 내담자가 상담이 도움이 되지 않는다고 생각하여 상담을 거부하는 경우도 있는데, 이 또한 비성공적 상담 종결에 해당된다.

### 1) 목표 달성의 종결 단계

종결단계는 내담자가 상담 중기에 얻은 자각을 바탕으로 실제 새로운 행동을 시험하고 평가해 보는 시기이다. 이러한 과정을 거치지 않고 바로 종결에 이르게 되면, 내담자는 실생활에서 동일한 문제를 다시 경험하거나, 아니면 또 다른 문제를 경험하게 되더라도 이를 바로잡을 기회를 잃게 될 수 있기 때문이다. 상담 초기와 중기를 통해서 알게 된 문제를 바탕으로 앞으로 실천할 행동을 결정하고 그 행동을 어떻게 실천할 것인지에 대한 계획을 세우게 하는 단계이다.

### 2) 종결의 후유증의 극복

사랑하는 사람과의 이별이 쉬운 일이 아니듯이 상담에서의 친밀한 관계를 종결한다는 것은 특히 내담자에게는 매우 어려운 일이다. 즉, 밀접한 인간관계의 마지막 순간들은 항상 어려운 것이다. 따라서 상담자는 그러한 친밀한 관계가 종결될 때 내담자에게 일어날 수 있는 여러 가지 감정과 생각들을 적절히 다루는 과정을 거칠 필요가 있다. 이러한 과정을 제대로 거칠 때 내담자는 별다른 상처나 후유증 없이 상담자로부터 진정한 심리적 독립을 이룰 수 있게 된다.

## (1) 종결에 대한 부정적 정서 반응의 처리

흔히 내담자들은 자신이 상담을 종결할 준비가 되어 있는지에 대해 확신을 가지지 못하는 경우가 많다. 상담을 통해 변화된 것을 알고 있기는 하나, 일이 잘못되어 상담을 다시 받게 될지도 모른다는 불안을 느끼기 쉽다. 일단 종결이 되면 상담자로부터의 지원과 이해를 받을 수가 없다고 생각하기 때문이다. 내담자에게서 이러한 불안감이 느껴지면 상담이 완전히 종결되기 전에 이 점에 대해 충분한 논의를 진행해야 한다. 종결에 대한 불안을 비롯하여 종결에 따른 내담자의 부정적 정서 반응을 다루는 일차적인 방법은 그 동안 일어났던 일, 즉 상담 과정의 여러 단계에서 일어난 변화의 종류와 내용들을 재음미하고 요약하는 것이라고 하겠다. 이러한 음미와 요약은 종결의 공식적인 주요 부분이며, 이러한 부분을 거치게 되면 종결의 나머지 부분도 보다 쉽게 진행될 수 있다.

## (2) 상담자에 대한 의존성의 극복

상담의 종결에서 생각해야 할 중요한 측면은 상담자에 대한 내담자의 의존 해결이다. 이 문제는 상당히 복잡한 논의를 요한다. 어떻게 보면 내담자가 상담자에게 도움을 구한다는 사실만으로도 상담자에 대한 내담자의 의존성을 나타내는 것이며, 특히 상담 과정에서는 내담자의 의존성이 하나의 불가피한 요소라고도 할 수 있다. 그러나 내담자는 삶의 여러 가지 문제를 직면하고 올바른 해결책을 독자적으로 선택하고 판단하여 실행에 옮길 수 있어야 한다. 상담 관계는 영원히 지속될 관계가 아니며, 상담 관계가 아무리 긴밀했다 하더라도 일시적인 인간관계일 뿐이다. 따라서 내담자는 자신이 하는 모든 행동에 대해 상담자로부터 이해나 지지를 얻기보다는 스스로 계획하고 판단하고 실행하는 것으로 옮아갈 수 있어야 한다. 내담자의 심리적 이유를 촉진하기 위해서는 내담자의 자율적인 판단과 결정을 격려하는 상담자의 태도와 자세가 중요하다. 즉, 내담자 스스로의 판단과 결정에 의해 일을 해결해 나가도록 격려해야 한다는 것이다. 이런 과정을 점진적으로 연습해 나가면서 내담자는 상담자의 도움 없이도 독자적으로 적응적인 삶을 영위해 나갈 수 있게 된다.

# 3

# 상담자와 내담자

## 1. 상담자

일반인이 상담에 대한 약간의 지식과 경험을 가지고 행하는 일반상담과 달리 상담자에 의해 진행되는 전문상담은 상담자의 전문성이 요구된다. 상담자의 전문성은 상담자로서의 자격, 전문지식, 풍부한 상담경험 등이다. 상담자는 전문상담자로서 활동하기 위해 요구되는 정규교육과정 이수를 통해 습득한 상담이론과 방법에 관한 체계적인 지식 자체만으로는 바람직한 상담효과나 결과를 기대하기 어렵다. 바람직한 상담효과나 결과를 기대하기 위해서는 풍부한 상담실습과 훈련지도 과정을 거쳐 상담이론과 방법에 관한 지식을 내면화한 상담자가 되어야 한다.

전문인으로서의 상담자는 한마디로 '상담자로서의 인격과 소양을 겸비하고, 고도의 전문적 지식과 훈련을 습득한 전문가'라고 요약할 수 있다. 따라서 상담이라는 전문적인 활동을 수행하기 위해서는 상담자로서의 특수한 능력과 자질 및 자격요건을 갖추어야 한다. 상담의 효과는 상담자의 자질에 비례한다고 할 수 있을 정도로 상담에서 가장 중요한 요인은 상담자이며, 상담의 결과는 상담자의 자질과 역할에 의해 좌우되기 때문이다.

상담자의 자질은 인간적 자질과 전문적 자질로 구분할 수 있으며, 훌륭한 상담자가 되기 위해서는 이 두 가지 자질을 모두 겸비해야 한다.

### 1) 상담자의 기본태도

상담은 먼저 문제를 가지고 있는 내담자를 만나는 일로부터 시작해서 서로 신뢰관계를 형성하고 내담자로 하여금 자기 및 타인에 대한 이해와 함께 문제해결을 통하여 바람직한 사회생활을 할 수 있도록 돕는 것이다. 이를 위해 상담자가 상담자로서 기본적으로 갖추어야 할 태도는 다음과 같은 것들이 있다. 상담의 효과가 결국 상담자 자신의 인간적인 한계를 넘어설 수 없다고 생각할 때, 상담자들의 끊임없는 수도 혹은 수양을 통한 자신의 향상 혹은 실현이 요청되는 것 같다. 또한 상담을 전문으로 하는 사람이건 아니건 간에 인간 본연의 모습으로 지향해야 할 덕목이라고도 할 수 있다.

### (1) 이해 - 온정

이해와 온정은 어떤 사욕이나 사적 감정, 편견 등으로 물들지 않은 순수하고 청정한 인식이며 동시에 감정이다. 이러한 이해와 온정은 상담자의 기본적 전제이기도 하다. 즉 온정 있는 이해 또는 분별 있는 온정 없이는 모든 행동은 기계적 동작에 불과하기 때문이다.

상담자들은 어느 정도로 나 자신을 개발하고 도약시켜 나가고 있는지를 이해하기에 앞서, 온정을 앞세워 독단을 내세우고 있지는 않은지를 반성해 보는 자세를 가져야 할 것 같다. 상담자 자신과 자신의 주변을 훈훈하게 이해하고, 분별 있게 사랑하고, 소중히 여기고 아끼지 못할 때, 상담은 기만이며 기술적인 게임에 불과한 것이 될 수밖에 없을 것이다.

### (2) 자존 - 자유

상담자가 가져야 할 특징으로 자존감과 자유감을 들 수 있다. 자기 스스로 확고히 믿고 자각하여 분명한 자신의 것으로 소화했을 때의 느낌이라 할 수 있을 것이다. 이것은 로저스 · 매스로우 · 올포트 등이 말하는 자기수용 · 자율성 · 자발성 등을 포괄하는 내용이라고 할 수 있을 것 같다. 여기서의 자존과 자유란 자기 자신에 대한 확고한 믿음과 이해에서 우러나오는 '주체성'인 것이다. 스스로 겸손하되 감히 누구도 넘볼 수 없으며 스스로 비굴하지도 않고 뻐기지도 않는 상태인 것이다. 돈 · 명예 · 권력에 팔리고 인정 · 체면과 타협함으로써 자신 내부의 은밀한 음성을 외면해 버리고 있지는 않은가를 항상 살피는 태도를 말한다.

### (3) 본질 지향적인 인생목표 또는 인생관

상담자의 인생목표 또는 생활관이 본질적인 것, 근본적인 것을 지향하는 특징을 가져야 한다는 점이다. 즉, 자기의 인생관이나 생활관을 정립할 때 명예 · 지위 · 수입 · 권력이라든지 남들의 평가나 의견들에 우선하여 자기의 가치관 · 능력 · 소질이라든지 자기가 처한 사회적 여건 등을 파악하는 것이 아니라 자신의 분수 · 본분 · 소명 등을 자각하여 정립한다는 것이다. 프랑클이 말하는 '생의 의미' 에릭슨이 말하는 '자아 정체' 또는 올포트가 말하는 '생에 대한 일관된 철학' 등 역시 각각 비슷한 내용의 일면들을 지적하고 있는 것 같다.

이러한 인생관 또는 생활철학은 자기 자신과 사회에 대한 자각을 토대로 하여 자존하는 자의 자유로서 선택되고 결정되어진다. 때로는 주변의 상황이나 여건에 따라 방편적인 방향으로 나아가기도 하지만 그의 일상생활이나 일생을 일관하는 기본원칙, 목표엔 변함 없으며, 언제나 일정한 의미와 방향을 지향한다. 자신의 확대 · 표현 · 발현으로서 또는 자연의 섭리나 사회적 사명에의 응답으로서 자신의 길을 택한다. 이렇게 택한 길이 어떤 외부적인 제약에 의해 부정당하고 탄압된다고 해도 결코 비판하거나 비굴하지 않으며 그러한 여건이나 환경 속에서 그가 살아야 한다는 사실을 수용하면서 그 속에서 자신의 생활방식을 창조해 간다.

과연 얼마만큼의 본질적인 삶을 살고 있는지, 세속적인 가치 · 유행 등에 의해 물들고 타락해 버린 인생관이나 생활철학을 지니고 살아가고 있는 것은 아닌지, 이 세상에 태어나게 된 그 독특한 의미를 과연 얼마나 성실하게 창조해 가고 있는지, 얼마나 자주 현실적 유혹과 압력에 의하여 자신의 본질을 외면해 버리는지를 통찰해 나가야 이러한 태도를 유지할 수 있을 것이다.

### (4) 행동의 적절성

인생관이나 생활목표와 함께 상담자의 행동이 본질적이며 적절해야 한다는 점이다. 상담자가 나타내는 행동은 자신의 인생관과 생활 목표에 합당하고 성실하게 나타난다. 어떤 이기적인 욕심, 편견, 감정에 치우친다든지 또는 외부로부터의 압력이나 유혹에 굴함이 없이 주어진 상황 속에서 그의 인생관이나 생활목표에 충실하려는 끊임없는 인내이며 정진이다. 지나치게 무리하거나 억지로 욕심을 부리지 않으며, 어떤 상황이나 여건에 놓인다 하더라도 자기의 중심을 지키면서도 무리하거나 모나지 않게 자신의 처신을 순응시키고 통제할 줄 아는 자제력을 보인다. 때로는 피나는 노력을 하기도 하며 때로는 한없는 관조로 유유자적하는 여유를 보이기도 한다. 자신의 삶을 새롭게 하고 지켜나갈 수 있는 용기와 결단과 정성을 가지고 자신의 나태, 불안, 초조 등이나 환경적인 장애들을 극복하여 잠재력의 표현 또는 사명의 완수를 위한 부단한 노력을 해 나갈 수 있어야 한다는 것이다.

## 2) 상담자의 자질

　심리적 문제란 현실에 대한 이해와 체험을 왜곡시키는 그릇된 집착에 기인한다. 즉, 내담자의 그릇된 안목으로 인하여 현실을 살아가는 참다운 용기와 신념이 약화됨으로써 초래된 것이라 할 수 있다. 따라서 내담자가 상담자와 진정한 대화를 나눔으로써 막혔던 숨통이 트이고 용기와 신념을 회복하고, 그릇된 안목을 참된 안목으로 전환시킬 수 있을 때, 보다 건전한 자기가 될 수 있다. 그러므로 상담자가 어떠한 태도로 내담자를 대하느냐 하는 것이 상담의 성패를 가늠한다 해도 과언이 아니다.

### (1) 상담자의 인성적 자질

　상담에서 상담자의 인간적 자질은 내담자와의 진정한 인간관계 형성 및 내담자의 생활태도 변화에 영향을 미칠 수 있는 상담자의 자질을 의미한다. 상담자의 성격이나 인간성은 내담자에게 상담전략이나 기법 이상으로 의미있는 변화를 가져온다. 코리(Corey)는 상담자가 이론과 실제에서 풍부한 지식을 갖고 있다 하더라도 내담자에 대한 동정심・관심・신념, 정직성・진실성・감수성과 같은 인성적 측면이 부족하다면 단지 기술자에 지나지 않는다고 하였다. 코리의 경우 상담자가 사용해야 하는 가장 중요한 도구는 인간으로서의 상담자 자신이라는 전제 하에 치료적인 인간으로서의 상담자의 인간적 특성을 강조하였다.

　벨킨(Belkin)은 상담자가 지녀야 할 바람직한 인간적 자질을 연구해 보는 것은 상담자 훈련이나 상담자의 계속적인 자기개발과 상담의 효과 등의 측면에서 중요한 의미를 가지게 된다고 하였다. 코트미어와 코르미어(Cortmier & Cormier)는 효과적인 상담자의 태도 및 기술로, 인간의 삶과 관련된 다양한 분야에 대한 지적 능력과 욕구, 에너지, 융통성, 다른 사람에 대한 지지 및 선한 의지, 자기인식, 개인적 유능감, 심리적 힘, 친밀감 등을 강조하였다.

　여러 학자들이 강조한 바람직한 상담자의 특성을 고려하여 볼 때, 상담자가 지녀야 할 인성적 자질은 다음과 같다고 할 수 있겠다.

① 상담자로서의 정체성 확립

　상담자는 먼저 자아의식이 분명한 사람으로 상담자로서의 정체의식을 확립하고 자신이 하고 있는 일에 대한 확신과 의식이 정립되어 있어야 한다. 상담자는 내담자를 무조건 수용하고 공감적으로 이해할 수 있어야 하기 때문에 먼저 상담자 자신에 대한 충분한 이해와 통찰을 통해 인격적으로 성숙한 사람이 되어야 한다. 또한 상담자는 유연하고 안정된 성격으로 내담자에게 호감을 줄 수 있어야 하며, 어떠한 상담의 상황에서도 냉철함을 유지하여 감정이 동요되거나 흥분하지 않도록 민감성과 인내성을 배양해야 한다.

② 모델로서의 태도

　상담이 진행되는 동안에 상담자는 내담자의 모델로서의 기능을 하게 된다. 따라서 상담자는 내담자로부터 존경과 신뢰감을 얻을 수 있도록 매사에 진실하고 성실한 태도로 일상생활의 모범이 되어야 한다. 또한 상담자는 돌봄에 대한 높은 관심과 함께 삶의 지혜가 있는 현명한 사람으로 겸손한 태도를 유지해야 한다.

③ 인간문제를 다루는 일에 대한 관심, 열의와 신념

　무엇보다도 인간에 대한 깊은 애정과 관심 그리고 남을 돕고자 하는 욕구가 높아야 한다. 어떠한 조건이나 상황에 처한 내담자라도 진심으로 존중하고 따뜻하게 바라보며 문제의 해결에 대한 열의를 가져야 할 것이다. 즉, 내담자들의 근심 걱정을 진심으로 그들과 더불어 생각하고 이해하며, 그들의 본연한 모습의 개발과 실현을 생각하고 이해하며, 그들의 본연한 모습의 개발과 실현을 바라고 즐거워할 수 있어야 한다.

　자신과 다른 사람들의 인간적 성장과 발전을 위해 상담을 늘 염두에 두고 느끼고 생각하고 반성하며 일상생활에까지 일반화시킬 수 있어야 할 것이다.

④ 인간 및 삶의 복합성에 대한 이해 및 관용

　포용적인 자세로 이해하고 수용하여야 할 것이다. 인본주의와 실존주의의 철학을 깊게 이해하고 삶과 인간문제에 대한 보다 폭넓은 관용과 이해의 자세를 가져야 한다. 상담의 기본목표 중에 하나는 내담자가 자신과 자신의 환경을 올바로 이해함으로써 자아개념이 변화되는 것이다. 따라서 상담자는 인간은 누구나 생각과 환경이 변화되면 개인적으로 잠재되어 있던 능력이 발휘되면서 스스로 변화될 수 있다는 신념을 가지고 상담에 임해야 한다. 이를 위해 상담자는 내담자의 변화를 촉진하는 사람으로서 내담자의 각성과 통찰을 조력할 수 있도록 역량과 자질을 갖추어야 한다.

⑤ 정서적 안정과 삶의 통합성

상담자는 자신이 먼저 심리적·사회적으로 건강한 적응상태를 유지해야 한다. 수퍼 비전이나 상담을 통해 자신의 문제나 갈등에 대한 인식능력을 길러야 한다. 자신의 문제에 대한 계속적인 성찰과 개선의 노력을 해야 한다.

⑥ 인간관계 능력

내담자와 편안하고 긍정적인 관계를 맺으며 대화를 이끌어나가는 능력이 필요하다. 따라서 상담자는 삶에 대한 긍정적인 태도와 함께 인간관계에 대한 개방적인 자세로 다양한 사람들과 원만한 관계를 형성할 수 있도록 노력해야 한다. 유머의 사용, 재치, 상대방의 감정에 대한 기민함, 감수성 등이 상담자의 인간관계 능력과 관련된 자질에 포함될 수 있다.

⑦ 인간문제의 해결에 필요한 삶의 지혜와 지식, 경험

내담자가 들고 오는 다양한 문제 상황에 대한 정확한 이해 뿐만 아니라 문제의 해결에 도움이 되는 지식과 지혜, 그리고 경험을 필요로 한다. 내담자의 문제해결에 지혜로운 조언과 정보, 대처방법들을 제공해 줄 수 있어야 한다.

## (2) 상담자의 전문적 자질

상담은 현재 내담자가 안고 있는 생활문제를 해결하여 심리적 긴장이나 고민을 경감하고, 내담자의 정상적인 자아발달을 촉진해서 환경에 올바로 적응할 수 있도록 돕는 것이다. 이와 같이 상담은 내담자의 성장과 성숙을 위한 조력과정으로 상담자의 전문적 자질함양을 위한 학습과 훈련이 요구된다. 상담결과에 미치는 주요 영향요인으로 내담자의 조건과 상담자의 인간적 자질도 중요하지만, 결정적인 역할을 하는 것은 상담자가 갖추고 있는 전문지식과 훈련수준을 의미하는 전문적 자질이다.

① 내담자의 문제이해 및 진단을 위해 요구되는 전문적 자질

A. 상담자는 조력이 필요한 내담자와 내담자의 문제에 대해 충분히 이해할 수 있어야 한다. 이를 위해서 상담자는 인간의 성격·정서·행동 등을 이해할 수 있는 심리학과 행동과학에 대한 기본지식 뿐만 아니라 체계적 분석과 연구에 필요한 통계 및 연구방법에 대해서도 학습해야 한다.

B. 내담자 문제의 성격과 원인에 대해 이론적으로 설명하고 개념화할 수 있는 능력을 가지고 있어야 한다. 과학적인 이론에 근거해서 귀납적·통일적으로 체계화한 상담이론은 상담자에게 내담자의 문제와 행동을 이해하는 이론적 틀을 제공한다. 그러므로 상담자는 상담에 대한 올바른 목표와 지침을 제공해주는 상담이론을 학파별·학자별로 체계적으로 학습해서 개인의 이론으로 수용해야 한다.

C. 심리검사의 실시 및 결과의 해석을 내담자의 심리적 장애나 문제해결을 위한 상담개입과 전략을 계획하고 수행하는 데 유용한 정보로서 활용할 수 있어야 한다.

D. 상담자는 내담자와 내담자 문제를 객관적으로 이해할 수 있는 능력을 갖추어야 한다. 또한 상담자는 내담자의 진술 중에서 중요한 내용과 감정을 파악하고, 이를 객관적으로 평가할 수 있어야 한다. 이외에도 상담자는 내담자의 심리결과에 대한 분석과 해석에도 객관성을 유지해야 하며, 상담자 자신의 견해를 추가하거나 또는 상담자의 주장이 내담자에게 영향을 미치지 않도록 해야 한다.

② 상담의 진행과정에서 요구되는 전문적 자질

A. 상담에 대한 자신의 철학과 방향이 정립되어 있어 전문상담자로서의 책임의식과 사명감 및 자신감을 가지고 있어야 한다. 또한 상담자가 자신의 상담을 상담자 중심의 지시적 상담 또는 내담자 중심의 비지시적 상담에서 어떤 형식을 선택해도 이와는 관계없이 인간은 궁극적으로 자기선택과 결정을 할 수 있다는 기본철학을 가지고 있어야 한다. 상담자는

자신의 삶을 행복하게 만들 수 있는 선택의 자유와 그에 대한 근본적인 책임이 내담자에게 있음을 인식하고 돕는 자로서의 기본태도를 견지해야 한다.

B. 상담의 진행과정에 필요한 많은 이론적 · 실제적 지식과 기술을 습득하여 내담자의 특성이나 문제에 따라 자유자재로 활용할 수 있어야 한다. 따라서 상담자는 현재 시대적 배경과 감각 및 사회문화적 환경 그리고 철학적 사상에 대한 풍부한 지식을 가지고 있어야 한다.

C. 상담에 관한 상담자 자신의 이론적 틀을 개발하여 전문가적 정체성을 가지는 것이 바람직하다. 또한 상담자는 여러 학자들이 제시한 다양한 상담 및 심리치료기법들에 대한 충분한 훈련을 통해 기법사용에 숙달해서 상담현장에서 실제로 활용할 수 있어야 한다.

D. 상담은 언어적 수단에 의한 문제해결과정으로 상담자는 효과적인 의사소통에 필요한 언어능력을 갖추어야 한다. 상담자는 수용적인 태도와 함께 내담자에게 용기와 희망을 줄 수 있는 언어를 사용해서 내담자로 하여금 개인감정이나 부정적 감정을 아무런 부담과 제약없이 자유롭게 표현할 수 있도록 한다. 또한 상담 중에 출현했던 내담자의 생각과 감정을 요약하거나 해석해서 정확하게 전달할 수 있는 언어능력을 배양해야 한다.

E. 내담자의 문제해결을 위해 제공될 수 있는 정보와 내담자들이 필요로 하는 도움이나 정보를 받을 수 있도록 의뢰하는 기관이나 단체에 대해 익숙하게 알고 있어야 한다.

F. 내담자의 문제해결에 도움이 되거나 필요한 내담자 주변 사람들을 중재하고 자문하는 기술을 가지고 있어야 한다.

## ⑶ 상담의 윤리문제와 관련된 상담자의 자질

① 내담자의 복지를 최대한으로 보장하기 위해 내담자의 요구를 우선적으로 다루어야 하며, 내담자의 복지를 위해 최선을 다하는 태도가 필요하다.

② 내담자가 상담자에게 털어놓는 정신적 고충, 가족관계, 외상, 생활문제, 갈등 등에 관해 상담자는 의무감을 가지고 비밀을 보장해 주어야 한다.

③ 내담자에게 필요하거나 내담자가 원하는 도움을 줄 수 없는 여건이나 상황일 때, 상담자는 내담자의 요구나 기대, 그리고 내담자의 문제해결에 도움을 줄 수 있는 적절한 상담자나 기관으로 의뢰할 수 있어야 한다.

④ 상담자와 내담자 사이에 발생하는 전이와 역전이를 효과적으로 다룰 수 있도록 자신의 정서상태를 안정되고 객관적으로 유지하고 조절하는 능력이 필요하다.

## 3) 상담자의 역할

급속한 사회적 변화와 함께 인간의 삶의 문제가 복잡하고 다양해지면서 상담자의 활동범위도 확대되고 역할도 다양해지고 있다. 상담자의 역할은 상담유형과 내담자의 특성, 상담자의 특성 및 훈련수준, 상담자가 관여하는 사회적 기관 및 상담상황에 따라 역할에 차이가 있다.

## (1) 상담

가장 전통적인 상담자의 주역할이며, 내담자들의 자기이해, 감정이나 행동변화, 문제해결 대처방법 등을 통해 사회적, 심리적, 신체적 기능 등의 전체적인 기능을 증진시키고자 도움을 주는 활동을 의미한다. 상담자의 역할을 수행하기 위한 중요한 기능으로는 심리적 평가 및 진단, 지속적인 돌봄, 내담자의 사회적 기능을 도와주는 치료, 상담실제와 상담연구 간의 연계 등을 들 수 있다.

### (2) 교육

상담은 문제를 예방하거나 건강한 생활기능의 향상, 위기대처 능력의 증진 등을 위해 필요한 여러 가지 지식과 기술들을 가르쳐 주는 교육적 측면을 강조한다. 개인 또는 집단에게 필요한 인간관계 · 의사결정 · 자기표현 등의 효율적인 생활 적응 기술을 교육하고 정보 및 조언을 제공하고 생활에 필요한 여러 가지 대안들을 제시하고 행동의 모델링을 제시하는 것이 상담의 보편적 · 일반적 기능이라고 할 수 있다. 이 외에도 여러 측면의 교육활동을 위해 강연 · 학교교육 · 세미나 또한 워크숍, 출판물과 대중매체의 활용 등의 다양한 방법을 활용한다.

### (3) 훈련

지역사회에서 활동하는 준전문가 또는 자원봉사자들을 훈련하고 개발하는 역할을 담당한다. 훈련역할을 담당하는 훈련된 준상담 인력(자원봉사자 · 부모 · 동료상담자 등)의 지속적인 훈련과 슈퍼비전을 통해 관련단체나 기관의 인력개발을 위한 관리와 감독기능 및 책임을 갖게 된다.

### (4) 자문 · 조정 및 옹호

상담자는 자신의 이론적 지식과 경험적 훈련을 개인 내담자 뿐만 아니라 자기가 속해 있는 사회의 공익과 발전을 위해 공헌하는 사회봉사자의 역할을 하게 된다. 또한 사회복지기관이나 기업체 및 임상관련기관 등에서 자문요원으로 활동하면서 정보제공이나 프로그램 개발 또는 감독상담자로서의 도움을 제공할 수 있다. 조력관계자들에게 전문가로서의 의견 및 조언 제시를 통해 그들이 보다 원활하고 효과적인 업무를 수행하고 관련된 의사결정과 판단 및 중재, 의뢰 등을 할 수 있도록 돕는다.

자문가의 역할로는 협력자 · 중재자 · 촉진자 등의 복합적인 역할을 포함하며 경우에 따라 관련된 내담자나 기관의 옹호자가 되기도 한다. 즉 한 개인 또는 집단을 대신하여 입장을 대변하고 지지하며 직접적으로 개입하는 옹호 역할을 담당하기도 한다. 내담자와 관련된 주변의 다양한 이해집단 간의 갈등을 중재 · 조정하여 내담자의 복지를 최대한으로 보장하며, 집단간, 기관이나 단체간의 유대 및 협력 체제를 구축하는 데에 도움을 주는 조정 역할을 하기도 한다.

### (5) 관리 또는 중개

내담자 및 관련가족들이 적절한 도움을 받을 수 있도록 가능한 자원들과 연결하는 역할을 의미한다. 다양한 자원들을 내담자의 상담목표에 적합하게 조정함으로써 상담과 다른 지원체제, 자원들 간의 연계가 지속적으로 이루어지도록 한다. 내담자를 위한 전체적인 자원 및 지원의 관리와 조정의 역할로 상담자의 적극성과 목표지향성, 자기 주장성 등의 특성을 요구한다.

### (6) 조직관리

상담자는 조직과 조직원의 이익 및 이해관계, 작업 및 진로와 관련된 문제를 상담하여 조직의 효율적인 관리 및 개발을 도와준다.

### (7) 행정

상담기관에서 실시하는 상담업무 및 교육, 행사 · 프로그램 · 기관의 정책 등에 관해 전체적인 계획 및 개발과 실시 및 평가를 총괄하는 행정적 역할을 담당한다.

# 2. 내담자

내담자란 상담을 받는 사람을 지칭한다. 사람은 누구나 살아가면서 스트레스를 경험하고 정도의 차이는 있지만 혼자 해결하기 어려운 문제들이 있게 마련이다. 대부분의 사람들은 자신의 문제를 나름대로의 극복과정을 통해서 해결한다. 그러나 혼자 감당하기 어려운 생활의 문제이거나 정신적인 어려움은 전문상담자를 통해 도움을 받을 수 있고, 도움을 받는 편이 효과적이다.

## 1) 내담자의 분류

상담의 대상이 되는 일상생활의 문제와 정신적인 문제들은 여러 가지로 분류할 수 있다. 이장호(2009)는 내담자를 ① 시간의 경과에 따른 분류 ② 발생 원인의 소재에 따른 분류 ③ 심각성 정도에 따른 분류로 나누었다.

### (1) 시간의 경과에 따른 분류

내담자의 문제를 시간의 경과에 따라 일시적 문제, 지속적 문제 그리고 만성적 문제로 분류할 수 있다. 시간의 길이에 대한 객관적 준거는 없으나, 일반적으로 1-2개월 이내에 문제를 해결하여 정상적으로 활동할 수 있는 경우를 일시적 문제라 하며, 3개월 이상 문제가 지속되면 지속적 문제라 한다. 드물기는 하지만 문제나 증상이 수년 또는 그 이상 해결되지 못하는 경우도 있는데, 이러한 경우에 만성적이라고 한다.

### (2) 발생 원인의 소재에 따른 분류

발생 원인의 소재란 문제의 원인이 내담자의 내부에 있는지, 즉 성격적 문제인지 아니면 외부로부터 오는 것인지에 따라 분류하는 것을 말한다. 외부로부터 오는 상황적 문제는 상황이 해결되면 대부분 문제가 해결된다. 그러나 문제의 원인이 자신에게 있는 성격적 문제는 자신의 왜곡된 성격이 치료과정을 통해 해결되어야 비로소 문제가 해결되는데, 대체로 상황적 문제보다 더 어려운 해결과정이 요구된다.

### (3) 심각성 정도에 따른 분류

상담전문가들은 사람의 심리적 상태를 일반적으로 정상적 상태, 신경증적 상태 그리고 정신증적 상태로 구분한다. 정상적 상태란 아무런 문제가 없거나, 겪고 있는 문제가 자신의 일상적인 생활을 방해할 정도가 아닌 정도의 심리적 상태를 말한다. 이러한 경우에 전문상담자의 도움이 필요하지 않다. 신경증적 상태란 일상생활이나 현실 인식에 있어 심각한 상태는 아니다. 그러나 정서적인 측면이나 행동적인 측면에서 상당한 정도의 불편과 고통을 느끼는 한편, 주변 사람들과 건강한 인간관계를 맺고 유지하는 일 또한 어려운 상태를 말한다. 정신증적 상태는 매우 심각한 상태인데, 현실인식이 비정상적이며 일상생활이 매우 어려운 상태이다. 정신증적 상태의 가장 큰 특징은 사고방식과 내용의 기이성에 있다. 이러한 상태는 상담을 통한 해결은 거의 불가능해서 전문적인 정신과 치료과정을 거쳐서 상태를 개선할 수 있다.

## 2) 내담자에 대한 포괄적 이해

### (1) 신체적 특성

최근 들어 건강심리 · 건강과학 · 건강상담 등의 개념이 의학이나 간호학, 심리학 등의 분야에서 관심을 가지는 중요한 영역으로 대두되고 있다. 아동이나 청소년의 경우 신체적으로 성장하는 시기에 있기 때문에 신체적 발달 정도가 내담자의 성격 · 정서 · 사회적 발달과 밀접하게 연관되어 있다. 내담자가 가지고 있는 신체적 장애, 외모상의 결함, 건강상태, 신체화 증상, 스트레스 원인 및 스트레스 정도 등에 대해 파악해야 한다.

### (2) 인지적 특성

내담자의 사고방식 · 가치관 · 태도 등에 대한 파악은 내담자의 부적응 행동이나 문제의 이해 및 해결에 중요한 단서를 제공한다. 내담자의 인지적 발달단계, 사고의 수준, 지적 능력, 문제해결 능력, 인지과정의 합리성, 비합리적 사고 등을 파악해야 한다.

### (3) 정서적 특성

정서적 특성은 모든 상담에서 내담자의 상태나 증상을 파악하기 위해 진단되는 중요한 특성이다. 내담자의 정서적 특성에는 다양한 부정적 감정, 정서적 혼란과 불안정, 감정조절의 어려움, 감정인식 능력의 결핍 등을 들 수 있다. 청소년이나 대학생의 경우, 정체감의 발달수준, 정체감의 통합성과 안정성 등이 발달적 특성과 함께 고려되어야 한다.

### (4) 사회적 특성

타인에 대한 민감성이나 배려, 대인관계 기술, 책임성, 사회적 관계의 조정능력, 사회적 지지체제 등이 포함된다.

### (5) 영적 특성

내담자가 가지는 인간관 · 초월적 존재에 대한 견해 · 삶의 목적성과 가치 · 추구하는 가치와 실제생활과의 일치성 정도, 삶과 미래에 대한 낙관과 신뢰 정도 등이 포함될 수 있다.

### (6) 환경적 특성

내담자를 둘러싼 환경으로는 가정 · 친척 · 친구 · 학교 · 직장 · 종교기관 · 기타 지역사회 등을 들 수 있다. 가정은 내담자에게 일차적인 환경으로서 내담자의 이해에 중요한 부분을 차지한다. 내담자에게 간접적인 형태로 영향을 미치는 거주환경 및 지역사회 환경 · 문화 · 종교적 환경도 고려될 수 있다.

## 3) 내담자의 이해 및 평가

내담자에 대한 평가는 '내담자의 특성과 문제를 이해하는 데 필요한 정보를 얻어내는 제반 활동'을 의미한다. 내담자와의 면담을 통해 상담자가 관찰 · 파악할 수 있는 정보는 내담자에 관한 인적 사항, 내담자의 호소문제, 파악되는 증상들, 현재의 기능상태, 사회적 지원체제 및 정도 등이다.

# 상담관계

## 1. 상담관계의 특성

### 1) 상담관계의 정의

상담관계는 내담자와의 상호작용을 통해 내담자의 긍정적인 변화를 촉진하는 노력이다. 상대방의 성장·발달·성숙·적응과 기능향상의 목적을 가진 관계이며, 상대방으로 하여금 자신의 내적 자원들을 활용하여 보다 의미 있는 삶을 살고, 잠재력을 실현하도록 도와주는 고유한 역동적 관계이다.

### 2) 상담관계의 특성

#### (1) 상담관계는 의미 있고 가치 있는 관계이다.

상담관계는 도움을 주는 사람이나 받는 사람이 다같이 만남을 의미 있게 하려고 헌신적인 태도를 취하는 것이 특징이다.

#### (2) 내담자의 변화가 상담관계의 목표이다.

모든 상담관계의 목표는 내담자에게 변화를 초래하려는 것이다. 즉 내담자가 긍정적인 방향으로 변화하도록 돕는 것을 목표로 하는 점이 특징이다.

#### (3) 상담관계는 분명한 목표와 목적을 갖는다.

상담관계에서 무엇이 다루어질 수 있으며, 상담자와 내담자가 서로 어떠한 자극과 반응을 기대할 수 있는지를 분명히 하며, 상담관계의 결과로 무엇을 달성할 수 있으며, 어떠한 책임과 한계가 따르는지가 명확하게 규정된다.

#### (4) 상담관계에서는 협동적인 노력이 이루어진다.

상담자와 내담자가 설정된 목표를 향하여 다같이 노력하는 것이 특징이다.

#### (5) 상담자는 보다 많은 통제와 책임, 전문적 능력을 가지며 내담자가 보다 중요한 존재가 된다.

상담자는 내담자의 필요를 명백하게 지각하고 문제해결을 위하여 내담자의 전인적인 성장과 발달을 돕기 위해 성숙한 성격과 전문적 지식 그리고 전문적인 기능을 지니고 있어야 한다. 그러므로 상담관계에서는 상담자가 문제에 관련된 충분한 권위와 인간적인 매력을 가질 필요가 있다.

⑹ 상담관계는 커뮤니케이션과 상호작용을 통해 이루어진다.

상담관계는 정의, 인지, 행위의 모든 측면을 커뮤니케이션의 대상으로 보며, 의식과 무의식이 모두 다루어지는 것이 특징이다. 따라서 상담관계는 대인관계 기술을 활용하는 체계적이고 계획적인 관계이다.


# 2. 상담관계의 기본 조건

상담관계는 모든 인간관계 중에서 가장 깊이 있는 심리적인 지식과 작업을 필요로 하는 전문적인 활동이기 때문에 상담관계가 이루어지기 위한 핵심 조건이 필요하다. 강조되는 자질은 진솔성, 무조건적 긍정적 존중, 공감적 이해 등이다. 이 세 가지 자질은 원래 인간중심적 이론의 주요 부분을 이루고 있으나 모든 상담 장면에서 일반적으로 수용되는 내용이기도 하다.

## 1) 전인으로서의 존중(무조건적인 긍정적 존중)

무조건적 긍정적 존중은 말 그대로 상담자가 내담자를 한 인간으로서 조건 없이 긍정적으로 대한다는 것이다. 즉, 상담자가 내담자를 자기 자신의 가치 기준에 따라 판단하거나 평가하지 않고, 그의 사회적 출신이나 경제적 상황에 구애받지 않고 한 인간으로서 존중한다는 의미이다. 인간의 존재와 가치에 대한 존중은 상담자가 갖추어야 할 가장 기본적인 태도로 상담자는 인간에 대한 인본주의적 관점에서 인간 자체와 인간문제에 깊은 관심과 애정을 가지고 진정으로 도울 수 있는 자세를 갖추어야 한다. 이는 상담자가 내담자를 어떤 조건이나 상황에 관계없이 이 세상에서 단 한 사람으로 유일하고 소중한 사람임을 인식하고, 내담자를 인격적으로 존중하며, 또한 내담자의 개인적인 존재가치에 역점을 두고 언제든지 만나서 도울 수 있는 기본자세를 갖추고 있어야 함을 의미한다.

상담이란 앞서 말한 바와 같이 대화를 통하여 내담자가 그의 현실에 대한 보다 올바른 안목을 갖고 살아갈 수 있는 길을 함께 모색하는 과정이다. 따라서 우선 무엇보다도 상담자와 내담자를 대등한 인간으로 대한다는 것이 필요하다. 즉, 내담자를 문제덩어리, 방어기제들의 응고물로서가 아니라, 그 나름의 인생관 · 희망 · 잠재력 등을 실현하고 창조해 가기 위해 애쓰는 살아 있는 사람으로 대하여야 한다. 내담자를 상담자가 고쳐주어야 할 수동적인 대상으로서가 아니라, 상담자의 도움을 받아 보다 진정한 자기 현실에 직면할 때 스스로를 변혁하고 창조할 수 있는 능동적인 사람으로 대하여야 한다. 상담자들이 능동적이고 확고한 신념 하에 내담자의 인간 자체를 긍정하고, 내담자가 잘되길 바라며 관심을 쏟을 때 그는 움츠려들었던 생기와 용기와 신념을 회복하고, 왜곡되었던 현실을 진정한 안목으로 바라보고 스스로를 변혁시킬 수 있게 될 것이다. 대부분의 많은 사람들은 남들이 자기를 어떻게 보며, 어떻게 대하는가에 따라 자기를 상당히 변모시키는 것이 사실이다. 따라서 상담자가 내담자를 아무런 사심 없이 진심으로 아끼고 존경하고 그의 문제를 같이 염려하면서 해결의 길을 모색하고 진정한 현실을 볼 수 있도록 도울 때 상담의 효과는 그만큼 더 촉진될 것이다. 따라서 내담자에 대한 이러한 전인으로서의 존중을 여러 상담자들 가운데서도 특히 로저스에 의해서 무조건적인 긍정적 존중 또는 수용이라는 말로, 실존적 상담자들은 '만남' 이라는 말로, 이동식은 '인격적 교섭' 또는 '감화' 라는 말로서 나타내고 있다.

스트립은 보다 인간 지향적이고 깊은 이해와 존경을 나타내고, 신경증적인 면들을 넘어서 인간자체를 보는 '인간적인' 치료자의 태도와 지각이 치료과정에 미치는 영향과, 보다 징후 지향적이고 보다 많은 평가를 내리고, 인간자체보다도 신경증적 방어기제와 성격구조를 명명하고, 그런 것에 반응하는 '기술적인' 치료자들의 태도와 지각이 치료과정에 미치는 영향을 비교 · 연구하였다. 그는 인간적인 태도가 전설적인 성격변화를 일으키는 인간관계 수립에 공헌을 하며, 기술적인 태도는 그런 연후에 적용될 것이라 하였다. 화이트혼과 뱃츠의 연구에 의하면, 정신분열증 환자들을 치료하는 일에 높은 성공률을 가진 치료자들은 환자들의 문제를 인간적으로 접근하고, 치료관계에서 보다 신뢰를 얻고, 보다 능동적으로 환자의 세계에 참여하였고, 낮은 성 공률을 보이는 치료자들은 정신병리에 보다 많은 관심을 가지고 수동적인 수용성을 보이며 해석을 통하여 통찰을 주고자 하였다.

그릭과 굿스타인은 자기들의 상담자가 능동적인 역할을 하고 있다고 보는 내담자들의 경우에 수동적인 역할을 하고 있다고 보는 내담자들의 경우보다 상담효과가 좋다는 것을 발견하였다. 또한 팔로프는 치료자들과의 관계가 더 잘 맺어진 내담자들이 관계가 덜 맺어진 내담자들에 비하여 더 큰 치료적 효과를 보임을 보여주었다. 이들 연구들을 살펴볼 때 내담자를 존중하고 내 담자와의 관계에 보다 열의를 보이는 상담자들이 보다 많은 성공을 거둔다고 할 수 있을 것 같다. 따라서 상담자들은 자신이 얼 마나 내담자들의 삶에 대한 꿈, 의지 등에 관심을 두는가? 전문가라는 이름 하에 문제와 방어기제를 가진 내담자를 얼마나 대등 한 인간으로 대하고 있는가? '환자'로만 취급하고 있는 것은 아닌가? 또한 과연 자신이 얼마나 열성을 가지고 내담자들과의 만 남에 뛰어드는가? 등을 숙고해야 할 것이다.

## 2) 순수한 이해(공감적 이해)

공감적 이해는 상담자와 내담자의 마음과 마음을 이어주는 소통의 가교로서 상담자가 기본적으로 갖추어야 할 기본 자질이 자 덕목이다. 공감적 이해는 내담자의 내면에서 일어나고 있는 심리적 변화와 느끼는 감정을 상담자가 민감하고 정확하게 이해 하는 것을 의미한다. 상담자와 내담자가 몸은 서로 다르지만 느끼는 감정은 서로 하나인 것처럼, 상담자가 내담자를 감정적으 로 깊이 공감한다는 것이다. 상담자가 공감적 이해를 잘 하기 위해서는 내담자의 입장에서 생각하고 판단하며 느끼는 행위가 필요하다. 따라서 상담자는 상담 장면에서 늘 상대방의 입장이 되어보는 노력이 있어야 한다.

순수한 이해는 내담자를 가능한 한 사심과 사욕, 편견 없이 있는 그대로 이해하는 일이다. 즉 사회적인 통념·관습·가치관 등이나 어떤 상담이론이나 또는 상담자 자신의 개인적인 욕심·흥미·관심사 등을 위주로 하여 내담자를 이해하고, 그런 것들 에 맞추어 그를 유도하고, 분석·평가하고, 조종 내지 통제하려 들기보다 내담자가 관심을 두고 있으며, 그가 고민하고 있는 것 들을 가능한 한 일단 그의 입장에서 함께 공감하고 이해하는 태도이다. 내담자와 동떨어진 한 관찰자로서 내담자를 탐색·분석 하여, 그의 말의 사전적인 의미를 통하여 그의 마음의 상태를 추리하려들기보다 내담자의 온정 있는 동반자로서 꾸준한 관심과 슬기로써 내담자로 하여금 그의 슬픔과 기쁨, 좌절과 희망, 아픔과 즐거움을 솔직하고 자연스럽게 표현할 수 있도록 하며, 그런 내담자의 심정 자체를 같은 입장에 서서 이해하려 하는 태도이다. 내담자로 하여금 지금까지 털어놓지 못했던 여러 가지 잘난 점·못난 점·자랑스러운 점·수치스러운 점·비밀스러운 점 등을 온정 있는 대화의 마당에 쏟아 놓고 상담자와 함께 느끼고 이해하게 하는 것이다.

상담자 자신의 호기심·지배욕·우월감·열등감·적대감 등이나 보수성이나 급진성·분노 등을 상담의 장면에서 내담자 에게 투사하는 일없이 내담자가 그의 말이나 동작·표정 등으로 표현해 내는 것들을 상세하게 알아듣는 일이 필요하다. 이러한 성실함과 이해하고자 하는 노력이 상담에서 결여될 때 내담자는 한 번 더 인생에서의 시도의 괴로운 좌절이라는 쓴 잔을 마시 고 더욱 숨통을 틀어막는 상황에 직면할 것이다. 이러한 이해하려는 태도는 모든 상담의 기본이라 할 수 있으므로, 거의 어느 학파에서건 일차적인 것으로 다루고 있으며 특히, 로저스에 의해서는 내적인 준거체제에 의한 '공감적 이해'란 말로 더욱 강조 되고 있다.

앞서 인용했던 피들러의 연구는 역시 관심을 둘 만하다. 즉, 그의 연구에 의하면 노련한 상담자들을 미숙한 상담자들과 비교 할 때 내담자들을 이해하고 그들과 대화하는 능력, 적절한 정서적 거리를 유지할 수 있는 능력, 그리고 내담자들과의 관계에서 지위에 관한 관심을 잊어버리는 능력 등에 있어 차이가 있다는 것이다. 이런 연구 결과는 곧 순수하게 내담자를 이해하고 느낄 수 있는 상담자일수록 노련하고 성공적인 상담자임을 드러내는 것으로 볼 수 있다. 따라서 상담자들은 생활이 다르고 경험이 다른 내담자를 얼마나 그의 입장에서 그가 보는 대로 그가 경험하고 느끼는 대로 그의 현실을 이해할 수 있을까? 얼마나 자신의 개인적인 편견과 감정, 욕심 등에 의하여 내담자를 왜곡하고 채색시키는 것으로부터 벗어날 수 있을까? 또한 의식 중에 혹은 무 의식 중에 사회적인 통념이나 관습의 무조건적인 대변자 구실을 하는 오류를 범하지 않을 수 있을까? 등에 대해 숙고하는 자세를 가져야 할 것이다.

## 3) 내담자 현실의 개시

상담이란 앞서 지적했듯이 대화를 통하여 진정한 자기 현실을 볼 수 있는 안목을 갖도록 돕는 작업이므로 앞서 설명한 존중과 이해의 마당에서 상담자는 자신이 파악한 내담자의 현실을 필요에 따라 적절하게 내보일 필요가 있다. 이것은 즉, 내담자의 현실을 내담자 자신이 지각하고 이해하고 있는 대로만이 아니라 내담자와는 일정한 거리를 가지는 한 관찰자로서 지각하고 이해한 바도 아울러 전달하는 것을 의미한다. 즉, 내담자가 이야기하고 의식하는 감정과 사고 내용을 반영시켜준다든지, 재진술한다든지 하는 것들만이 아니라, 질문, 해석, 도전, 비판 등을 통해서 내담자에 대한 상담자 자신의 느낌이나 이해를 전달함으로써, 또는 내담자가 별로 취해 보지 않았던 역할이나 행동을 시도하도록 격려함으로써, 내담자가 의식치 못했거나 확신하지 못했던 자신의 감정·사고·행동·가능성 또는 외부환경을 직면하고 자각하도록 하는 것이다. 그렇게 함으로써 내담자의 일상생활을 지배하는 형식화되어 버리고 습관화되어 버린 현실에 대한 감정·전제윤리 등의 맹점을 깨달음과 아울러 새로운 조망의 가능성을 믿고 이해하도록 하는 것이다.

이러한 내담자의 현실개시를 위하여 전이분석이나 꿈의 해석, 논리의 분석, 심리극, 감수성 훈련 등 여러 가지 상담 및 치료법이 발달한 것이라 할 수 있다. 상담자는 삶에 대한 확고한 신념이나 용기의 부족으로 내담자의 현실을 감히 드러내 보일 수 없지는 않은가? 혹시 설익은 충고나 대안을 제시하고 강요하는 것은 아닌가? 드러내 보이는 내담자의 현실이 사실은 상담자인 자신의 현실을 투사하고 있는 것은 아닌가? 혹은 마음씨 좋은 이야기 상대가 되어 주거나 듣기 좋은 이야기나 해 주고 있는 것은 아닌? 등에 대해 자문해 보는 자세를 가져야 할 것이다.

## 4) 상담자 자신의 개인적 자유감(일치성)

진솔성 또는 일치성이라고도 하며, 진실하고 솔직하다는 뜻으로 상담자가 내담자를 대할 때에 표면적이거나 대화 내용의 왜곡 또는 가식이나 겉치레가 없는 것을 말한다. 상담자는 상담자이며 동시에 한 인간이므로 상담자로서의 전문적 기능과 역할을 존중하면서도 동시에 그런 것들에 의해 구속당하지 않는 건전한 자연인이어야 할 것이다. 즉, 상담관계를 존중하면서 아울러 상담자 자신의 기분·느낌·생각·신체적 조건·개인적인 사정이나 주위 여건 등도 적절하게 다뤄나가야 할 것이다. 만일 상담자 자신이 순간순간의 삶의 느낌과 체험, 주위여건 등을 억제하고 무시한다면 이는 자신을 역할에 얽매인 인간으로 만들 뿐만 아니라, 또한 내담자와의 관계를 부자연스럽고 기계적이고 형식적인 관계로 만들어 버릴 수도 있기 때문이다. 상담자라 하여 언제나 따뜻하고 진지해야만 할 것이 아니라, 우리 자신이 초조할 때면 그 초조함을 표현할 수도 있고, 기쁠 때면 기뻐할 수도 있고, 불안할 때면 불안해 할 수도 있으며, 화가 날 때면 화를 낼 수도 있는 자연스럽고 인간적인 인간이어야 할 것이다. 바로 이런 성실하고 인간적인 삶의 태도가 상담에서 내담자들이 익혀야 할 목표이기도 할 것이다.

로저스는 이런 태도를 '일치성'이라는 말로 표현하면서, 바로 이것이 치료자에게 있어서 가장 기본적이며 가장 성취하기 어려운 태도라고 하였다. 쥬라드는 상담자의 투명성이 내담자의 성격의 변화에 극히 중요함을 강조하였으며, 트루악스와 카알카프는 상담자의 투명성과 내담자의 투명성은 유의미한 관계가 있으며, 이러한 투명도 혹은 자기탐색도가 클수록 건설적인 성격변화 역시 크다는 연구결과를 보고하였다. 이러한 주장들이나 연구결과는 상담자 자신의 인간으로서의 자유스런 표현이 바로 치료과정에서 중요한 역할을 보여주는 것이라 하겠다.

따라서 상담자는 상담을 해가는 가운데 얼마나 거리낌 없이 자신을 표현할 수 있는가? 피곤함, 짜증스러움을 그렇지 않은 듯이 표현하고, 상담자 자신의 의견을 말하였을 때 내담자의 비위에 거슬리지 않을까 하고 지나치게 우려하지는 않는가? 상담자 자신의 성실이나 존중이 겉치레에 불과하고 오히려 내담자의 자유스런 느낌과 체험을 방해하지는 않는가? 등에 대해 통찰할 수 있어야 한다.

# 3. 상담관계에서의 윤리적 문제

상담자와 내담자의 관계는 상담관계로 이루어진다. 상담관계에서 윤리적으로 유의해야 할 부분이 있는데, 상담자는 내담자의 비밀 보장, 신체 접촉 및 이중관계와 성적관계 등에 유의해야 한다.

## 1) 비밀보장

대부분의 내담자는 자신이 가지고 있는 문제에 대해 타인이 알게 되는 것을 꺼린다. 내담자가 상담하려는 문제 중에는 남에게 말 못할 갈등이나 고민도 있으며, 꼭 그런 문제가 아니더라도 내담자는 상담과정에서 상담자를 믿고 말한 내용이 제 3자에게 알려지는 것을 바라지 않는다. 또한 내담자는 상담자가 자신의 비밀을 완전히 보장해 주리라 믿고 상담에 임하게 된다. 따라서 상담자는 내담자의 사생활을 보호하고 상담 내용의 비밀을 절대적으로 보장해 주어야 한다. 상담자가 우연히 흘린 내담자의 정보가 여러 경로를 거쳐 내담자에게 전달된다면 내담자는 큰 상처를 받게 될 것이며, 더 이상의 상담은 이루어질 수 없을 것이다. 또한 이런 일로 인하여 상담자는 상담이라는 치료에 대해 심한 거부감을 갖게 되어 다른 상담자와의 상담도 거부하게 될 수 있다. 신중한 상담자는 내담자의 상담실 출입에 관해서도 배려해 주어야 한다. 다른 내담자와 겹치지 않도록 배려해 주고, 미리 상담실에 와서 대기할 때도 다른 내담자와 마주치지 않도록 신경 써 주는 것이 좋다. 개인정보는 상담자의 동의 없이 공개되어서는 안 된다. 그러나 상담자에 관한 비밀이나 개인정보가 사람 생명 또는 사회의 안전을 위험하거나 위협할 가능성이 있는 경우에 한하여 내담자의 동의 없이 관련 전문인이나 사회에 알릴 수 있다.

## 2) 신체적 접촉

상담자는 상담관계에서 내담자와 신체적 접촉 시 유의해야 한다. 신체적 접촉이 오해를 불러 일으키지 않도록 주의해야 한다는 것인데, 특히 내담자가 이성일 경우에는 신체적 접촉을 제한해야 하는 경우가 있다. 비성적인 접촉으로 내담자를 접한 상담자의 과반수가 상담관계에 도움을 주었다고 한 연구 결과가 있다. 적절한 비성적 신체적 접촉을 할 수 있는 경우는 모성애적 보호를 박탈당한 경험이 있는 사회적 · 정서적으로 미숙한 내담자, 슬픔이나 외상과 같이 위기에 빠진 내담자, 일반적으로 정서적 지지를 제공해야 하는 경우, 상담이 시작할 때나 끝날 때 등이다.

## 3) 성적 관계 또는 성적 접촉

상담자와 내담자의 성적관계는 상담관계에서 절대 금기사항이다. 상담자는 내담자와 이유를 불문하고 성적관계를 가져서는 안 되며, 이전에 성적관계가 있었던 사람을 내담자로 받아들이는 일 또한 있어서는 안 된다. 한국상담심리학회 상담심리사 윤리강령은 보다 더 엄격하게 성적관계에 대하여 규정하고 있는데, 제4장 나항에 "상담심리사는 상담관계가 종결된 이후 최소 2년 내에는 내담자와 성적관계를 맺지 않는다. 상담 종결 이후 2년이 지난 후에 내담자와 성적관계를 맺게 되는 경우에도 상담심리사는 이 관계가 착취적인 특성이 없다는 것을 철저하게 검증해야 한다." 라고 규정하고 있다. 대부분의 사람들은 상담자와 내담자의 성적인 관계를 비윤리적이라고 생각하고 있다. 이성 상담자와 성관계를 가진 내담자의 90%가 상담자를 불신하게 되고, 죄의식, 수치심 등으로 자살, 우울, 자아상실, 자아부적응, 알코올 및 약물 중독 등의 증세를 나타내는 것으로 보고되고 있다.

## 4) 이중 또는 다중관계

상담자는 내담자를 받아들일 때 매우 신중해야 한다. 특히 가까운 친구나 친인척 등 자신의 주변사람이 내담자가 될 경우에 이중관계가 성립될 수 있고 이로 인해 객관적이고 전문적인 상담을 기대하기가 어렵다. 왜냐하면 친구나 친인척을 대상으로 상담을 하게 되면 인간관계에 대한 생각이나 감정이 개입될 수 있어 내담자에 대한 객관성과 전문적인 판단에 예기치 못한 오류가 생길 수 있기 때문이다. 따라서 부득이한 경우 외에는 다른 전문상담자에게 친구나 친인척을 내담자로 의뢰하는 것이 바람직하다.

공적인 업무를 수행하는 공직자의 경우도 마찬가지겠지만, 특별한 경우나 부득이한 상황을 제외하고는 상담자가 내담자와 사적인 관계를 가져서는 안 된다. 그 상담자는 내담자와 상담실 이외의 장소에서 사적인 만남을 갖는 자체가 이중 또는 다중의 관계를 만드는 것이므로 절대적으로 삼가야 한다. 상담이 진행되면서 내담자는 상담자에게 선물을 제공하려 하는 경우가 생길 수 있다. 내담자로서는 자신의 고통을 덜어주고 공감해 주는 상담자에게 고마움을 표시하고 싶어서이겠지만, 상담자는 계약서에 명시되어 있는 상담료 이외의 어떠한 보수도 거절하는 것이 당연하다. 상담자는 내담자와의 관계에서 상담료 이외의 어떠한 금전적·물질적 거래도 있어서는 안 된다.

## 5) 기록·보존

상담자는 상담내용을 경우에 따라 녹음을 할 수가 있는데, 이럴 때는 상담자가 녹음하기 전에 내담자의 동의를 구해야 한다. 상담내용은 면접기록, 녹음, 녹화테이프, 심리검사지 등의 문서자료로 기록·보존되며, 상담자는 상담초기에 이러한 내용을 내담자에게 알려주어야 한다. 상담자는 상담내용과 정보를 학술적인 목적이나 사례관리의 차원에서만 사용해야 하며, 내담자가 누구인지 알 수 없도록 철저히 각색처리 해야 한다

## 6) 상담료 청구

상담료에 관한 고민이 상담자를 계속해서 괴롭힐 수 있다. 얼마의 상담료가 적당할까? 언제 상담료에 관해 언급해야 하나? 내담자로부터 직접 받아야 하나, 가족에게 받아야 하나? 상담 시작 전에 받아야 하나? 상담 종료 후에 받아야 하나? 특히 빈곤한 내담자에게 얼마의 상담료를 받아야 하나? 등등의 고민이 상담 종결될 때까지 계속될 수도 있다.

따라서 상담자는 상담료에 관한 기본 사항들을 가지고 임하는 것이 좋다. 즉 상담료에 관한 문제는 확실하게 적용하는 것이 좋다. 차후에 상담료에 관한 분쟁으로 상담의 효과를 감소시키는 불상사를 막기 위해서는 상담 시작될 때 상담료를 정확히 청구하는 것이 좋다. 곤란하다고 해서 상담료에 관한 안내를 회피하기보다 세부적인 사항까지 구체적으로 안내를 해 주는 것이 좋다. 상담자는 내담자에게 상담료 지침이나 상담자가 속한 기관의 지침을 정확히 알려줌으로써 서로의 관계에 어떠한 오해도 발생하지 않도록 미연에 철저히 방지하는 것이 좋다.

# 상담이론과 상담기법

# 정신분석

정신분석은 Sigmund Freud가 창시한 심리학의 한 체계이다. 정신분석학은 인간 행동의 기본 동기를 성적(性的) 에너지에 두고 무의식, 어린 시절의 경험, 성(性), 공격성 등을 강조하고 있다. Freud는 오랜 연구를 기반으로 하여 최초로 광범위한 성격이론과 심리치료의 체계를 세운 것으로 높이 평가받고 있다. 이후에 Freud의 성욕설에 반대하여 부분적으로 새로운 이론을 전개한 Jung이나 Adler 등과 구별하여 전통적 정신분석학파라고도 불리운다.

Freud는 모든 신경증 증상에는 해석 가능한 의미가 숨겨져 있는데, 그 의미는 어떤 심리적 외상의 고착과 무의식 세계와 관련이 있다고 보았다. 심리적인 억압이 작용하여 무의식적인 성적 욕망과 억압의 갈등과정이 증상을 형성하게 되는 것이라고 보았다. 어린 시절의 억압받았던 경험(용납될 수 없는 충동적인 자극과 흥분, 상상, 혹은 적개심, 여러 가지 수치스러운 체험 등)이 무의식 속에 내재해 있다가 나중에 부적응 행동으로 나타난다는 것이다. 따라서 Freud의 심리치료의 핵심은 무의식을 의식화하는 것이다. 인간의 행동이나 감정은 의식화되지 않는 동기에 의해서 결정된다고 보고, 의식 아래에서 꿈틀거리는 무의식의 존재를 가정하면서 이에 대해 탐구하는 학문이 정신분석학이다. 따라서 정신분석 상담은 어린 시절의 체험 중 무의식 층에 억압되어 있는 것을 자유연상, 꿈 분석 등의 방법을 통해 상기시켜 늦게라도 그 체험을 극복하게 하는 것이다.

Freud의 정신분석이론은 인간의 심리발달과정에 병리적인 심리상태의 이해에 근본적인 변화를 가져와 심리학이나 사회학, 문학, 정신의학에 새로운 패러다임을 여는 중요한 이론으로 평가받고 있다.

## 1. 주요 개념

### 1) 성격의 구조

Freud는 인간의 성격구조를 이드, 자아, 초자아로 구분하여 설명하였는데, 이러한 체제는 서로 밀접한 관계가 있고, 행동은 이들 간의 상호작용의 결과이다. 건강한 성격의 자아는 이드, 자아, 초자아의 세 구조물들이 조화와 균형을 이루는 것이다.

### (1) 이드(id, 원초아)

Freud는 이드(id, 원초아)를 성격의 기본체제로 규정하고 본능과 같이 태어날 때부터 내재되어 있다고 보았다. 이드(id, 원초아)는 다른 두 체제인 자아와 초자아에 연료를 공급하는 심리에너지의 저장소라고 볼 수 있다. 생물학적인 측면이 강하고, 본능의 욕구를 충족시키려고 작용하는 요소이다. 이드(id, 원초아)의 사고형태는 '1차적 과정'으로 객관성과 합리성이 없는 사고패턴이다. '쾌락원칙'에 따라 행동하며 참을성이 없고 즉각적인 충족을 원한다. 비도덕적이며 대부분 무의식적이지만, 긴장을 해소하여 유기체가 다시 항상성을 유지하도록 한다. 이드가 과도하게 억압당하면 기쁨이 없고 무기력한 사람이 된다.

## (2) 자아(ego)

이드의 욕구충족을 위해서 현실과의 협상이 필요하게 되는데, 이 필요에 대처하는 것이 자아(ego)의 역할이다. 이드가 외부 현실을 무시하고 무의식 수준에서 기능한다면, 자아는 객관적인 현실세계와 교섭을 하기 위해 존재한다. 즉 자아는 '현실 원리'에 따라 현실적이고 논리적 사고를 하며 환경에 적응하게 해준다. 자아는 어떤 본능을 만족시켜야 할지결정을 내리고 이드, 초자아와 현실세계 간의 갈등을 중재하는 역할을 한다. 건강한 자아는 본능적인 욕구와 초자아를 중재하며 현실과 환경을 참작하여 합리적으로 욕구를 충족시킬 방법을 만들고 적응하여 마음의 평화를 얻게 된다. 자아는 개인으로 하여금 심리적, 사회적 적응을 하게 하는 사회성 발달과 연관이 있으며 자아주체성이 발달된다.

## (3) 초자아(superego)

인간의 마음 안에서 행동의 옳고 그름을 평가하는 재판관과 같은 역할을 하는 부분인 초자아는 성격의 도덕적 무기이며, 현실보다는 이상을 나타내고 쾌락보다는 완성을 위해 투쟁한다. 다시 말하면, 자아의 기능을 관찰하고 평가하는 마음의 부분으로 양심과 같은 것이다. 초자아의 주요 관심은 옳고 그름을 결정하여 사회기관이 공인하는 도덕적 기준에 맞추어 행동할 수 있도록 하는 것이다. 따라서 초자아는 '사회적 원칙(social principle)'에 따라 작동하며, 자신의 행동이 옳은지 그른지를 가늠하면서 완벽을 추구하는 기능을 한다. 초자아는 자아를 돕는 기능으로 이드의 욕구를 평가하고 개인의 생각과 행동에 도덕적 판단을 내리고 양심의 기능을 하므로 사회의 일원으로 건강하게 살 수 있도록 돕는다.

## 2) 의식의 수준

Freud는 의식을 정신의 한 작은 부분으로 보고, 의식의 표면 아래에 존재하는 더 큰 부분을 무의식으로 보았다. 무의식의 역할을 이해하는 것은 정신분석적 행동모형을 파악하는 데 가장 중요하다.

## (1) 의식(consciousness)

개인이 어느 순간에 의식하고 있는 모든 것으로 감각, 지각, 경험, 기억 등 인식할 수 있는 정신생활과 전체 마음 중의 작은 부분을 차지한다. 즉 외부세계나 신체·정신 내부에서 오는 자극을 지각하는 마음의 부분이며, 개인이 현실에서 쉽게 알아차릴 수 있는 정신생활의 부분으로서 노력 없이 알게 되는 모든 활동이며 깨어 있을 때만 작용한다. 의식된 것들은 시간이 지나면 무의식과 전의식으로 잠재된다.

## (2) 전의식(preconsciousness)

의식과 무의식의 중간에 위치하는 마음의 부분이며, 생각과 반응이 저장되었다가 부분적으로 망각되는 마음의 일부이다. 주요기능은 완충작용으로서 무의식의 혼란된 기억이 의식계에 떠오르지 않게 하고, 자주 사용하지 않고 필요하지 않은 많은 사실들이 의식에 남아 부담이 가는 것을 방지한다. 전의식의 내용은 주의집중을 하면 의식될 수 있는 정신현상이다.

## (3) 무의식(unconsciousness)

비논리적, 비합리적이며 시공간을 초월하며 전적으로 의식 밖에 있기 때문에 전혀 지각할 수 없는 마음의 부분이다. 인간의 가장 큰 마음의 부분으로 일생동안 경험한 모든 기억, 감정, 경험, 충족되지 못한 본능적 소망들, 억압된 자료들이 저장되어 있다. 무의식은 알려지지 않은 충동이나 동기가 대부분 의식적인 행동, 감정, 사고를 결정하는 것으로 보았다. 그러므로 정신분석적 상담의 목적은 무의식적인 동기를 의식화하고 통찰하게 하는 것이다.

## 3) 성격 발달

Freud는 성격발달을 성적인 본능으로 보고 성적 욕구와 밀접한 관계가 있다고 주장하여 정신성적 발달단계(psychosexual development)라고 부른다. 정신에너지의 일종인 리비도가 핵심개념으로 성격은 이 에너지를 중심으로 발달하며, 이 에너지가 중심이 된다고 믿는 신체부위가 바뀌면서 단계별로 성격이 발달한다고 보았다. 리비도의 성의 개념에 신체적 사랑, 정신적 충동, 자기애, 부모의 사랑, 우정의 감정까지를 포함하였다. 구강기, 항문기, 남근기, 잠복기, 성기기로 나눌 수 있는데 각 단계에서 개인의 욕구가 지나치게 채워지거나 또는 욕구가 채워지지 않았을 때는 그 단계에서 고착이 형성된다. 각 단계에서 고착이 되면 성인기의 성격에도 나쁜 영향을 미친다고 보는 견해이다.

### (1) 구강기(oral stage)

이 시기는 출생에서 약 18개월까지를 말하며, 입(mouth)이 차지하는 비중이 다른 어느 신체부위보다 큰 시기로 구강기(oral stage)라고 부른다. 개인의 요구, 소망, 지각, 표현방법이 입, 입술, 혀와 그 밖의 입 근처 기관에 집중되어 있는 시기이며, 이때는 입을 통해 외부세계를 평가하게 된다. 구강활동의 두 가지 형태, 즉 먹는 활동과 깨무는 활동의 결합은 나중에 발달되는 성격특성의 원형이 된다.

이 시기에 아이는 엄마라는 존재를 자기와 분리된 대상으로 인식하고, 엄마의 보살핌의 질에 따라 아이의 욕구만족이 이루어지고 다음 단계로 순조로운 발달을 보인다. 이 시기를 적절히 지낸다면 그는 자신감, 관대함, 자급자족, 주고받음, 타인 신뢰와 남에게 의존하지 않는 긍정적인 성격기반을 이룰 수 있다. 반대로 적절한 보살핌을 받지 못한 경우에는 '구강기 성격(oral personality)'으로 고착되어진다. 구강기가 지나도 입의 욕구에 집착하는 성격으로 의존적이고 자기중심적이고 남이 자신을 도와주기만을 바라며, 억지를 쓰고 요구가 많으며 잔인하고 욕심이 많은 성격을 형성한다.

### (2) 항문기(anal stage)

1세 반에서 3세 사이에는, 항문부위가 유아 libido의 초점이 된다. 이때 아동들은 배설이 항문의 점막을 자극하여 일으키는 쾌감을 점차 더 많이 느끼게 되고, 그들의 배설물에 흥미를 느껴 그것을 갖고 놀거나 만지기를 즐긴다. 따라서 배설함으로써 성적 쾌감을 추구하려는 아이의 욕구와 청결을 유지하려는 엄마의 현실적 욕구와 갈등을 일으키게 된다. 이 시기에는 아이에 대한 부모의 태도와 대소변 훈련방법, 감정, 반응이 성격형성에 영향을 미친다.

항문기에 아이의 욕구와 발달 정도에 따라 엄마에게 수용적이며 지지적인 가운데 자연스럽게 배변훈련을 받은 아이는 자주적이고, 리더십이 있고, 자기 판단과 자기 결정으로 행동하며, 협조적과 긍지와 자존심이 높은 성격기반을 가질 확률이 높다. 반대로 엄마가 너무 일찍 배변훈련을 시키거나 지나치게 통제를 하면 아이는 엄마에 대한 두려움과 분노, 공포의 감정을 경험하게 된다. 부모에게 야단맞을까 겁내면서 칭찬 받으려고 기를 쓰고 질서정연, 완고함, 인색함, 완벽주의의 성격기반을 가질 확률이 높게 되는데, 정신분석에서 이런 성격을 항문성 성격(anal personality)이라 부른다. 또한 반대로 양가감정, 더러움, 지저분함, 반항, 분노, 가학피학성(sadomasochism)을 지닌 성격기반으로 될 확률이 높아진다.

### (3) 남근기(phallic stage)

이 시기에는 리비도의 성적에너지가 항문에서 생식기로 이동하여 남근기 또는 생식기라고 한다. 약 3세에서 6세 사이의 학령전기 아동들은 부모 · 형제 · 자매간에 갈등을 많이 느끼는 시기이므로 가족 삼각관계시기(family triangle period)라고도 한다.

Freud는 이 시기에 아동은 이성의 부모에 대한 성적추구와 동성부모에 대한 적대적 감정으로 이루어지는 오이디푸스 콤플렉스(Oedipus complex)를 나타나게 한다. 남아는 그를 질투하는 아버지가 자기 성기를 제거할 것이라는 두려움을 가지는데 이를 거세공포(castration fear)라고 하며, 즉 이 거세불안(castration anxiety)은 어머니에 대한 성적욕망과 아버지에 대한 적개심을 억압하게 하고, 또한 남아가 아버지에게 동일시(identification)하도록 하는 데 도움을 준다. 이 과정을 통해 남아는 어머니에 대한 위험한 성적충동을 안전하고 건전한 애정으로 전환시킨다. 결국 오이디푸스 콤플렉스의 억압은 초자아로 하여금 그 마지막 발달을 수행하게 한다. 남아의 경우와 마찬가지로 여아 역시 사랑의 상대인 아버지를 독점할 권리를 갖고 있지 못하다는 사실을 발견하고 아버지의 애정에 대해 어머니의 경쟁자가 되는 일렉트라 콤플렉스(electra complex)로서 어머니와의 동일시 과정에 의해 억압된다. 이 시기 여아는 그녀가 갖지 못한 남아의 남근에 대한 선망감을 갖게 된다. 이러한 남근선망(penis envy)은 남아에게 있어서의 거세불안에 대응되는 것이며, 이 두 가지를 합쳐 거세 콤플렉스(castration complex)라고 부른다.

이 남근기를 무난하게 통과한 아동은 자기가 앞으로 취할 성 정체감의 기초를 확실히 해둘 수 있고 동시에 그에게는 건전한 의미의 호기심이 늘어나서 장차 학업, 지적 성취에 쓰일 수 있으며, 자기 내부에서 오는 충동을 제어할 수 있다는 자신감이 증가하고 적당한 정도의 야심을 지니는 인격으로 발전한다. 그러나 이 시기에 아동이 오이디푸스 콤플렉스에 의한 감정이나 생각을 표현할 때 부모의 태도가 지나치게 억압하고 통제하는 태도를 보이면 죄책감이나 낮은 자존감, 자기비난으로 심한 갈등을 초래할 수 있다. 나중에 성인이 되어 정상적인 성생활의 장애가 나타날 수 있으며, 원만한 이성교제를 할 수 없게 된다.

### (4) 잠복기(latency stage)

잠복이에는 유아적인 성적 에너지인 충동이나 환상들이 무의식 속으로 잠복한 상태가 된다. 이 시기 아동들은 자기애와 내적이고 자기집착인 경향으로 유아의 성적 충동을 대신하게 된다. 즉 아동들은 스포츠나 게임, 지적활동 등과 같은 구체적이고 사회적으로 받아들여질 수 있는 일에 그들의 에너지를 전환시킬 수 있을 만큼 자유로워진다. 아동의 관심이 가족들로부터 밖으로 뻗어 나가 친구들과 선생님, 기타 사람들에게로 크게 집중하게 되고 학업에 관심을 쏟고 인생영위에 필요한 기술습득 연마에 쏟아서 적응능력을 함양한다.

이 시기를 사회화 시기라고도 하며, 동성 간의 동일화, 또래와의 집단형성이 두드러져 동성애 시기로도 본다. 이 시기가 성공적이면 적응능력이 높아지고 학업, 대인관계의 원만함에서 오는 자신감이 높아진다. 그렇지 않고 잠복기 이전 단계의 과제들이 해결되지 않은 상태로 남아 있어 성적, 공격적 충동이 잘 조절되지 못한다면 학습적응에 지장을 받아 열등감 속에 빠지게 된다.

### (5) 성기기(생식기, genital stage)

오이디푸스적인 성적 관심이 가족 이외의 이성에게로 향하는 정신적 사랑을 하게 되는 시기이다. Freud는 이 시기에 다시 한 번 오이디푸스적 감정이 의식 속으로 파고 들어오려고 위협하게 되는데, 그러한 감정들을 현실적으로 실행할 만큼 충분히 성장되어 있다고 하였다. 즉 청소년들은 직접적인 성관계보다는 스포츠나 예술활동, 취미활동, 자원봉사 활동 등으로 승화시키기도 한다. 이 시기에 Freud는 청소년들이 부모로부터 벗어나 자유로와지며 여성성, 남성성에 적합한 자아를 발견하고 파트너를 찾아 독립적인 자기 삶을 확립해야 한다고 보았다.

이 시기의 부모의 반응이 중요하며 평소에 부모가 이해를 잘하고 대화가 되며 부모와의 관계가 좋으면 부모의 말보다 행동에 의해 모델로 삼고 잘 이겨나가게 된다. 부모가 배타적이고 위엄적, 냉정하고 징벌적이면 성적 발달이 좌절되거나 잘못된 방향으로 전환되어 나갈 수 있다. 이 시기를 원만하게 보내면 개인은 성숙, 조화, 주체성을 지닌 길을 걷는다. 그렇지 못한 경우는 과거의 잘못된 발달단계 어느 하나에 사로잡혀 그 영향을 받는 성격의 소유자가 되기 쉽고 주체성의 혼돈이 온다.

## 4) 자아 방어기제

Freud의 주요 공헌 중의 하나는 방어기제를 개념화한 것이다. 자아가 기능하기 위해서는 심리에너지가 필요하기 때문에 이드의 욕구와 자아 및 초자아의 억제 사이에 복합적인 갈등이 생기게 된다. 자아는 대부분의 경우 외부세계에 만족하려 하지만 때때로 외부 세계는 자아를 위협하고 과도하게 자극하게 되는데, 이 때 불안이 나타나게 된다. 사람이 정상적이고 합리적인 방법으로 이러한 불안을 줄이거나 제거하지 못하면 자신이 의식하지 못하는 가운데 비현실적이고 비합리적인 방법으로 불안감을 제거하려고 하게 된다. 불안하거나 붕괴의 위기에 처한 자아를 보호하기 위해 인간이 무의식적으로 사용하는 사고 및 행동 수단을 자아방어기제라고 한다.

### (1) 억압(repression)

억압은 용납될 수 없는 생각이나 욕구 등을 무의식의 영역에 묻어버리는 방어기전이다. 수치스런 생각, 죄의식을 일으키는 기억, 고통스런 경험, 또는 싫은 일들을 의식에서 제거하거나 의식수준 아래로 끌어내리는 무의식적 과정이다. 억압된 내용은 무의식 속에 남아 행동의 동기로 작용하게 된다.

### (2) 억제(suppression)

억제는 의식적으로 자신의 생각과 느낌을 눌러 버리는 것으로 억압과 동일하다. 모든 방어기전의 유일한 의식적 기전이다. 이 기전은 생활의 긴장을 완화시키는 적응적인 가치를 가지고 있다.

### (3) 반동형성(reaction formation)

반동형성이란 수용할 수 없는 충동에 정반대로 행동하는 것이다. 즉 무의식의 밑바닥에 흐르는 생각, 소원, 충동이 너무나도 받아들여질 수 없는 것일 때 이와 반대되는 것을 강조함으로써 의식되지 않도록 하는 과정이다. 겉으로 보이는 행동이나 태도가 실제 마음과는 전혀 다르게 나타나는 것이다.

### (4) 동일시(identification)

동일시는 개인이 다른 사람이나 어떤 집단과의 강한 정서적 유대감을 형성하여 거기서 자신의 만족을 얻는 것으로, 자아와 초자아의 형성에 가장 큰 역할을 하며, 성격발달에 매우 중요한 기전이다.

### (5) 함입(introjection)

함입이란 남에게 향했던 모든 감정을 자신에게 향하게 하는 기전으로 '투사'의 반대말로 사용된다. 타인에게 느끼는 감정을 그대로 표현하지 못하고 그 느낌을 자신에게 돌려 자학, 우울, 자살을 시도하기도 한다.

### (6) 보상(compensation)

보상이란 바람직하지 못한 특성으로 인해 생긴 열등감을 감소시키기 위해 바람직한 특성을 강조하는 경우를 말한다. 부족한 점을 감추기 위해 약점을 지각하지 않거나 어떤 정적 특성을 발전시키는 것이다.

### (7) 합리화(rationalization)

합리화란 개인이 사회적으로 용납될 수 없는 행동에 대해 그럴듯한 이유, 변명, 구실을 붙여 개인의 행동을 정당화시키는 것이다. 즉 상처입은 자아를 설명하기 위해 타당한 이유들을 조작하는 것이다.

### (8) 대리형성(substitution)

대리형성이란 목적하던 것을 가지지 못함으로써 따라오는 좌절감에 기인한 긴장을 줄이기 위해 원래의 것과 비슷한 것을 취해 만족을 얻을 때를 말한다. 대리만족으로서 그 대상에 중점을 둔다.

### (9) 전치(이동, displacement)

전치란 무의식적인 어떤 충동, 감정, 관념이 실제 대상과는 전혀 다른 대치물로 향하게 되는 것을 말한다. 감정을 유발시키는 위협적인 사람이나 상황보다 보다 안전한 상대에게로 이동시켜서 다른 대상에게 감정을 발산시키는 것이다.

### (10) 취소(undoing)

취소란 자신이 죄책감을 느끼는 행동을 무효화하기 위해 정교한 의식화를 하는 것으로 인정할 수 없는 생각이나 행동을 부정하기 위한 반응이다.

### (11) 투사(projection)

투사는 어떤 행동이나 생각의 책임을 자신으로부터 외부 대상이나 다른 사람에게 돌리는 과정이다. 이 기전은 받아들이기에 너무 어려운 요구를 남에게 그 탓을 돌림으로써 자아를 보호하는 것이다.

### (12) 퇴행(regression)

퇴행이란 자아가 해결 곤란한 갈등에 직면할 때, 현재와 같은 갈등이 없었던 시기인 이전의 초기발달단계(어린 시절)로 되돌아가는 것을 말한다. 좌절을 겪을 때 아주 어릴 적 수준으로 행동함으로써 갈등을 피하려고 한다.

### (13) 고착(fixation)

다음 단계로 발달해 가는 것이 불안해서, 현 단계에 그냥 머물러 버리는 것을 말한다. 인간의 발달과정 중에서 특정 시기, 예를 들면 구강기에 심한 좌절을 받았거나 반대로 너무 만족한 경우, 이 시기에 무의식적으로 집착하게 되는데, 이것을 고착(fixation)이라고 한다. 인간이 그 어느 시기에 대한 고착이 강하면 강할수록 스트레스를 크게 받는 경우, 쉽게 그 시기로 퇴행하는 경향이 있다.

### (14) 해리(dissociation)

해리란 받아들이기 어려운 인격의 일부가 자아의 통제를 벗어나 독립적으로 행동하는 경우로서, 정서적 고통을 피하기 위하여 개인의 성격이나 정체감을 일시적이지만 극적으로 수정하는 것이다.

### (15) 부정(denial)

부정이란 의식화된다면 도저히 감당하지 못할 어떤 생각, 욕구, 현실적 존재를 무의식적으로 인정하지 않음으로써 자아를 보호하는 것이다.

### (16) 격리(isolation)

격리란 고통스러운 기억, 생각과 함께 하는 감정을 의식에서 몰아내는 과정으로서, 그 고통스러웠던 사실은 기억하지만 감정은 억압하는 것으로서 사실과 감정을 분리시키는 것이다.

### (17) 승화(sublimation)

승화란 방어기전 중 가장 능률적이고 창조적인 것으로서 본능의 힘, 특히 성적, 공격적 에너지를 개인적으로나 사회적으로 유용하게 돌려쓰도록 하는 기전이다. 즉 사회적으로 인정되는 형태와 방법을 통해 충동과 갈등을 발산하는 것이다.

## (18) 전환(conversion)

전환이란 무의식적 과정으로 심리적 갈등이 신체감각기관과 수의근계의 증상으로 표출되는 것이다. 이 기전은 사람으로 하여금 어려운 상황을 피하게 하는 신체적 증상을 발달시키는 기술로서 꾀병과는 다르다.

## (19) 신체화(somatization)

신체화란 심리적 갈등이 감각기관, 수의근계를 제외한 기타 신체부위의 증상으로 표출되는 경우를 말한다.

# 2. 상담목표

정신분석적 상담의 목표는 무의식을 의식화함으로써 개인의 성격구조를 수정하고, 행동이 보다 현실적으로 되도록 하며, 본능적 충동에 따르지 않도록 자아를 보다 강화시키는 것이다. 따라서 치료자는 정신분석을 통해 내담자에게 불안을 야기하는 무의식에 억압된 충동을 의식할 수 있도록 한다. 무의식의 내용을 의식화하는 과정을 통하여 내담자는 자신의 현재 행동의 적절성과 부적절성을 탐색할 수 있고, 자신의 문제행동의 원인을 통찰할 수 있게 되어 새로운 행동을 할 수 있게 된다. 프로이트가 말한 정신분석의 목적은 세 가지로 요약해 볼 수 있는데, 첫째는 신경증적 고통을 인생살이에서 흔히 만나는 현실적 고통으로 변하게 하는 것이고, 둘째는 이드가 있던 자리를 자아로 대체함으로써 자각과 함께 갈등의 해결이 이루어지는 것을 말한다. 즉, 현실 원리를 따르는 자아가 무의식에 억압된 충동을 이해하고 원초아와의 갈등을 해결하여 본능적 충동에 의해 지배되지 않고 현실적이고 합리적으로 적응하게 하는 것을 의미한다. 셋째는 정신건강을 회복시켜 사랑과 일을 할 수 있는 능력을 갖게 하는 것이다. 정신분석적 상담의 목표를 정리하면, 무의식의 내용을 의식수준으로 올려 각성시키고자 하며, 현재 행동이 적절한지 또는 부적절한지의 원인을 분석하여 내담자로 하여금 자기행동 동기를 각성하고 통찰할 수 있도록 도와서 새로운 행동을 가능하게 하는 것이다.

# 3. 상담과정

정신분석적 상담의 과정은 내담자의 문제나 상황 및 상담자의 접근방법에 따라 매우 다양하다. Fine(1982)은 정신분석적 상담 과정을 상담관계의 설정, 분석의 시작, 최초의 상담위기 경험, 상담의 심화, 반복적 학습, 종결 과정의 여섯 단계로 나누었으며, 아로우(Arlow, 2005)는 정신분석의 과정을 네 단계인 개시, 전이 발달, 훈습, 전이 해결 단계로 구분하여 제시하였다. 정신분석적 상담과정을 요약하면, 내담자와의 대화를 통한 감정의 정화, 통찰, 무의식적인 지적이나 해석, 훈습과 해석, 정서적 문제의 이해, 재교육의 순서이다.

(1) 내담자가 갈등이나 부정적 감정 등과 같은 도움을 필요로 하는 심리적 상태에 대해 이야기하기 시작한다.
(2) 상담자는 자유연상, 꿈분석, 최면 등을 통해 무의식을 의식수준으로 표상화한다.
(3) 상담자가 내담자의 언어 내용에서 갈등의 핵심, 주제내용과 관련된 행동측면을 추리한다.
(4) 상담자와 내담자 사이에서 전이가 일어난다.
(5) 상담자는 전이 장면에서 내담자의 갈등이 표출되도록 한다.
(6) 상담자는 내담자의 저항적 언어반응을 해석한다.
(7) 상담자는 해석에 대한 내담자의 반응 및 수용을 격려한다.

(8) 상담자의 해석에 의한 내담자의 자아통찰이 이루어진다.

(9) 내담자의 부정적 감정이 해소되고, 정신에너지가 발생된다.

(10) 증상 완화와 행동의 변화가 일어난다.

# 4. 상담기법

정신분석 과정에서 사용되는 주요한 상담기법인 자유연상, 꿈 분석, 정화, 전이와 역전이, 저항, 해석에 대해 살펴보기로 한다.

## 1) 자유연상

프로이트가 사용해오던 최면술을 버리고 무의식 탐구를 위해 개발한 방법이 자유연상(free association)이다. 정신분석의 과정에서 기법들 가운데서 가장 기본적인 기술로 내담자로 하여금 마음 속에 떠오르는 것이면 무엇이든지 이야기하도록 하는 방법이다. 자유연상을 통해 과거를 회상하고 충격적인 상황 속에서 느꼈던 여러 가지 감정을 발산하게 된다. 자유연상에서는 어떤 검열과 자기비판도 금지된다. 자유연상은 내담자가 방어기제를 사용하여 억압한 무의식에 숨겨진 진실을 찾기 위해 사용하는 기법이다. 연상을 통해 표현된 무의미한 여러 가지 내용이 함께 조각조각 맞추어질 때 의미를 갖게 된다.

## 2) 꿈 분석

꿈은 내담자의 무의식적인 소망과 욕구, 두려움의 표출이며 내담자의 무의식에 억압된 자료들을 풀어내는 도구로 활용된다. 잠을 자는 동안에는 무의식에 대한 자아의 방어가 약해지게 되므로 억압된 욕구와 본능적 충동들이 의식의 표면으로 보다 쉽게 떠오른다. 꿈 속에는 무의식적인 욕구, 염원 그리고 두려움이 표출된다. 따라서 내담자가 꾼 꿈은 깨어있을 때보다 훨씬 더 많은 무의식의 자료를 포함한다. 이러한 꿈의 의미를 분석하고 해석함으로써 상담자는 내담자에게 무엇이 문제인지를 이해해 나갈 수 있게 된다. 상담 과정에서 내담자는 꿈을 말하고, 꿈의 요소에 대해 자유연상을 하며, 환기된 느낌을 회상하도록 격려를 받는다.

## 3) 해석

상담자는 내담자가 자유연상에서 보고한 자료, 꿈의 자료, 실언, 증상, 전이 등의 의미를 지적하고, 설명하고, 가르친다. 그 목적은 내담자의 자아를 새로운 장면에 동화시켜 더 깊은 무의식의 자료를 밝히는 과정을 촉진시키는 것으로, 정신분석적 상담의 기본적인 절차이다. 상담자의 해석은 환자가 사용해 온 방어기제와 저항에 대한 통찰을 얻게 한다. 적절하지 못한 시기에 해석을 하게 되면 내담자의 거부와 저항을 일으킬 수 있으므로 상담자가 해석을 할 때는 시기가 매우 중요하다. 또한 해석은 내담자가 소화할 수 있을 정도의 깊이까지만 해석해야 한다는 원칙을 지켜야 한다.

## 4) 전이의 해석

전이(transference)와 역전이(counter-transference)는 정신분석의 주요한 기법이다. 왜냐하면 정신분석자는 치료과정에서 내담자로 하여금 전이를 유도하고 전이를 해결하는 작업을 수행하기 때문이다. 그리고 치료자가 내담자에게 역전이를 하고 있는 것을 이해하지 못한다면 효과적인 치료에 방해가 되기 때문이다. 정신분석의 목표는 내담자로 하여금 불안을 야기하고 있는 억압된 충동을 자각하게 하는 것이다.

전이란 내담자가 과거의 중요한 인물에 대해 느꼈던 감정을 상담자에게 옮기는 것이다. 정신분석 과정에서 내담자는 인생 초기의 의미 있는 대상(주로 부모)과의 관계에서 발생했으나 억압되어 무의식에 묻어두었던 감정, 신념, 욕망을 자기도 모르게 치료자에게 표현하는 현상이 나타난다. 이러한 전이는 정신분석적 상담의 고비가 되며, 이러한 내담자의 전이를 이해하고 어떻게 다루어 주느냐에 따라 정신분석적 상담의 성공여부가 결정된다고 볼 수 있다. 전이는 내담자가 상담자에게 부여하는 모든 투사의 총합이기 때문이다. 상담자의 적절한 중재로 전이감정이 해소되면 내담자는 과거의 여향으로부터 벗어나게 되며 보다 정서적으로 성숙한 인간이 될 수 있는 것이다. 치료자의 분석은 내담자가 이전의 의미 있는 사람으로부터 치료자에게 전이되는 감정의 실제와 환상 사이를 구별하는 것을 돕는다. 또한 내담자는 자신이 얼마나 잘못 인식하고 있고 잘못 해석하고 있으며 과거에서 현재와 관련되어 있는지를 이해하도록 돕는다. 대부분의 전이의 감정은 무의식적이며 치료자의 기술은 내담자가 이러한 왜곡된 관계를 재편성하도록 돕는다.

상담자가 내담자에게 일으키는 전이 현상을 역전이라고 한다. 즉, 상담자가 자신의 갈등으로 파생되는 왜곡된 관념이 내담자로 인하여 발달되는 경우다. 이것은 내담자를 싫어하는 감정이나 과잉애착 또는 과잉관여로 나타난다. 이러한 상담자 자신의 왜곡된 반응은 상담의 진전을 방해하기 마련이다. 따라서 효과적인 상담을 위해 상담자는 내담자의 분노, 사랑, 아첨, 비판 등의 강력한 감정을 받을 때 발생하는 역전이를 객관적으로 처리할 수 있어야 한다.

역전이는 상담자의 자기자각의 부족을 통해 상담에 영향을 미친다. 왜냐하면 역전이는 상담자가 자신의 신념, 욕구, 특성, 태도가 상담관계 형성 및 상담과정에 영향을 준다는 것을 인식하지 못하고 있다는 가정에서 일어나기 때문이다. 역전이는 전통적으로 상담자의 무의식적인 불안과 특정 갈등에 기초한 내담자에 대한 상담자의 반응으로 정의된다.

## 5) 저항의 해석

저항 현상은 사람들이 자신의 억압된 충동이나 감정들을 각성하게 되면 불안을 견뎌내기가 힘들기 때문에 그 불안으로부터 자아를 방어하려는 경향 때문에 나타나는 것이다. 상담과정에서의 저항은 내담자로 하여금 현재 상태를 유지시키고 내담자의 변화를 막는 모든 생각, 태도, 감정, 행동이다. 따라서 저항은 상담의 발전을 방해하고 내담자가 무의식적 욕구를 표출하는 것을 방해한다. 치료자의 분석과 해석으로 내담자가 느끼는 불안의 위협은 자아 방어체계를 작동시켜 저항을 통해 억압을 유지하려고 시도한다. 저항 분석의 목적은 내담자가 그 저항을 처리할 수 있도록 하기 위해서 저항의 이유들을 각성하도록 돕기 위함이다. 상담자는 내담자의 저항을 지적해서 직면하도록 해야 하며, 내담자는 자신이 실제로 갈등을 해결하기를 원한다면 이런 저항에 직면해야 한다. 상담자는 저항을 극복하는 것이 치료의 법칙임을 알고 많은 시간을 들여 저항을 해결하기 위해 부단한 노력을 기울여야 한다.

# 5. 평가

정신분석 상담의 장점과 단점은 다음과 같다.

## 1) 장점

① 인간심리를 최초로 체계적으로 연구하여 성격이론과 효과적인 심리치료 기술을 개발하였다.
② 인간정신의 무의식의 기능과 작용을 최초로 발견하여 무의식적 동기를 지적하고 그 기제를 명료화시켰다.
③ 유년기와 소년기의 초기 경험을 성격형성의 기초로 보아 조기교육의 중요성을 강조하였다.
④ 불안의 기능을 처음으로 확인하였고, 해석, 저항, 전이현상의 중요성을 강조하였다.

⑤ 정신분석에서 개발한 다양한 분석기술은 상담자가 내담자를 이해하고 갈등의 원인을 통찰할 수 있는 준거의 틀로 이용할 수 있게 하였다.

## 2) 단점

① 인간의 본능적 측면, 특히 성본능을 지나치게 강조하여 인간의 환경적·문화적인 요소의 중요성을 고려하지 못했다.

② 인간의 무의식과 과거에 집중하다 보니 현재의 영향력을 무시한 경향이 있다

③ 내담자가 비협조적이거나 심한 정신병 환자인 경우에는 상담 및 심리치료가 불가능하다.

④ 자유연상이나 꿈분석 등 주로 내담자가 말하는 내용에 대해 상담자가 해석해 주는 과정이므로 언어의 소통이 매우 중요하여 언어소통이 어려운 경우에는 한계가 있다.

⑤ 상담자의 정신분석 훈련기간이 오래 걸리고, 또한 장기간의 상담기간이 요구되기 때문에 장기간의 치료과정에 따른 시간과 경비가 엄청나다.

# 2

# 분석심리학적 치료

Freud의 정신분석학 영향을 받은 Jung은 인간의 정신 내에는 의식적으로 이해할 수 없는 무의식적인 요소들이 있으며, 독립적으로 작용한다는 사실을 발견하였다. Jung은 분석심리학에서 인간의 정신은 의식과 무의식이 하나로 통합해서 완성된 것이기 때문에 의식과 무의식은 서로 대립하기보다는 보완하는 상태에서 인간의 모든 생각과 감정 및 행동을 포함하고 있다고 주장하였다. 따라서 인간의 정신적 갈등과 불안이 해결되고 창조력을 발휘하기 위해서는 무의식과 의식의 통합, 즉 인간성격의 심리적 · 영적인 부분이 조화를 이루어야 한다고 주장하고 이 부분을 집중적으로 연구하였다. 또한 Jung은 인류역사와 함께 개인이 속한 문화적 영향을 기초로 형성된 집단무의식이라는 개념을 도출하고 그 중요성을 강조하였다. 특히 Jung은 집단이 가지고 있는 무의식의 원형 중에서 신의 형상인 자기를 찾는 과정을 연구하면서 인간의 종교성을 강조하고, 인간의 정신세계를 영적인 부분으로 확장해서 기독교 영성과 영혼치유에 대해 언급하였다.

## 1. 주요 개념

융(Jung)이 제안한 주요한 개념인 정신의 구조, 정신에너지의 원리, 원형 등은 다음과 같다.

### 1) 정신의 구조

융이 정신의 구조를 의식과 무의식으로 구분한 것은 프로이트와 비슷하지만, 융은 무의식을 개인무의식과 집단무의식으로 구분하였다. 개인무의식은 프로이트가 제안한 무의식과 유사한 개념이며 집단무의식은 융이 독창적으로 주장한 그의 이론의 가장 중요한 개념이라 할 수 있다. 그는 집단무의식을 중심으로 그의 분석심리학을 확립하였다.

### (1) 의식

우리가 직접 알고 있는 정신의 부분이 의식이다. 자아에 의해 지배되는 의식은 인간이 현실적으로 보고 듣고 느끼며, 생각하는 모든 감각적 기능과 내용들로 구성되어 있으며, 인간은 자신의 존재를 현재의 의식과 동일하게 인식하고 행동하게 된다. 융(Jung)은 프로이드의 견해와는 다르게 의식이 '빙산의 일각'처럼 정신의 작은 부분에 해당하는 것이 아니라, 정신의 대극적인 측면에서 무의식과 양극을 형성하고 있다고 주장하였다. 자아는 비록 정신 전체 속에서는 작은 부분을 차지하고 있지만 의식에 이르는 문지기라는 대단히 중요한 역할을 하고 있다. 인간은 자아를 통해 자신을 외부에 표현하고 외부 현실을 인식한다.

### (2) 개인 무의식

한 개인의 경험의 세계에서 나오는 무의식을 의미하며, 한번 의식되었지만 억압·억제되었거나 망각 또는 무시되었던 경험들이 머물고 있는 부분이다. 개인무의식은 의식에 인접해 있는 부분으로 쉽게 의식화될 수 있는 망각된 경험이나 감각경험으로 구성된다. 개인무의식의 자료는 개인의 과거경험에서 비롯된 내용이다. 이런 점에서 개인무의식은 프로이트의 전의식과 유사한 개념이지만 무의식까지 포함한 개념이라고 할 수 있다. 또한 프로이드는 유아적 경험의 억압된 장소로 보았지만 융은 개인무의식이 정지되어 있는 영역이 아니라 과거의 경험을 모아서 재편성하는 활동의 장소로 보았다. 따라서 개인무의식은 인간이 출생한 이후부터 형성된 개인적 경험의 산물로 소멸되지 않고 언제든지 의식화될 수 있는 가능성이 있는 영역이라고 할 수 있다.

### (3) 집단 무의식

융이 제안한 독창적 개념으로 분석심리학의 이론 체계에서 가장 핵심적인 개념이다. 융은 모든 인류에게 공통적으로 유전되어 온 집단무의식이 정신의 심층에 존재한다고 주장하였다. 집단무의식은 개인적 경험이 아니라 사람들이 역사와 문화를 통해 공유해 온 모든 정신적 자료의 저장소다. 융은 인간의 정신적 소인이 유전된 것으로 생각하였다. 따라서 집단무의식은 인류역사를 통해 선조로부터 물려받은 종족의 근원과 역사를 통해 반복되어 온 경험의 결과로 형성된다. 집단무의식은 직접적으로 의식화되지는 않지만 인류역사의 산물인 신화, 민속, 예술 등이 지니고 있는 영원한 주제의 현시를 통해 간접적으로 관찰될 수 있다. 따라서 집단무의식은 개인무의식보다 내용과 기능이 훨씬 더 광범위하고 풍부하며 역동적이어서 인간의 행동에 막대한 영향을 미친다고 볼 수 있다.

## 2) 정신에너지의 원리

융은 전체적 성격을 정신이라고 불렀으며, 정신에너지인 리비도를 통해 지각하고, 생각하고, 느끼고 소망하는 심리적 활동이 수행된다고 보았다. 융에게 리비도는 전반적인 '인생과정 에너지'로 프로이트의 성적 충동은 그러한 에너지의 한 측면이었다. 융은 정신에너지가 기능하는 세 가지 원리를 대립(opposition), 등가(equivalence), 균형(entropy)원리로 설명하였다.

### (1) 대립 원리

융은 정신을 대립 원리에 작동하는 실체로서 생각하였다. 융은 대립 원리는 신체에너지 내에 반대되는 힘이 대립 혹은 양극성으로 존재하여 갈등을 야기하며 이러한 갈등이 정신에너지를 생성하는 데 필요하다고 생각하였다. 즉, 융의 체계에서 정신에너지는 성격 내에 있는 힘들간의 갈등의 결과로 여겨졌다. 갈등이 없으면 에너지가 없으며 인생도 없다고 본다. 즉, 개인의 사랑과 증오는 정신 내에 존재하면서 행동으로 표현을 추구하는 긴장과 새로운 에너지를 창조한다. 이러한 대립 혹은 양극성의 갈등이 모든 행동의 일차적 동인이며 모든 에너지를 창조한다. 따라서 양극성들 간에 갈등이 커질수록 에너지는 더 많이 생성된다.

### (2) 등가 원리

융은 물리학의 열역학 법칙인 에너지 보존 원리를 정신적 기능에 적용하여 등가 원리를 가정하였다. 등가 원리는 어떤 조건을 생성하는 데 사용된 에너지는 상실되지 않고 성격의 다른 부분으로 전환되어 성격 내에서 에너지의 계속되는 재분배가 이루어진다는 것이다. 그러므로 어떤 특별한 영역에서 정신가치가 약해지거나 사라지면, 그러한 에너지는 정신 내에 다른 영역으로 전환된다. 예를 들면, 우리가 어떤 취미활동(당구)에 관심을 상실하면, 그러한 활동에 쏟았던 정신에너지가 새로운 취미활동(골프)으로 전환된다. 또한 우리가 깨어 있는 동안에 의식 활동을 위해 사용하는 정신에너지는 잠자는 동안에는 꿈으로 전환된다. 여기서 등가란 말은 에너지가 변환된 새로운 영역이 동등한 정신가치를 가져야 한다는 것을 함축한다. 에너지가 어떤 방향이나 방식으로 이동하든지 등가 원리는 그러한 에너지가 계속적으로 성격 내에서 재분배된다는 것을 제안한다.

## (3) 균형 원리

물리학에서 균형 원리는 에너지 차이의 평형을 의미한다. 예를 들면, 뜨거운 대상과 차가운 대상이 접촉하면 열은 같은 온도로 평형 상태가 될 때까지 뜨거운 대상에서 차가운 대상으로 이동한다. 융은 이러한 열역학 원리를 정신에너지에 적용하여 성격 내에 균형 혹은 평형에 대한 경향성이 있다는 균형 원리를 제안하였다. 만약 두 가지 욕망이 정신가치에서 크게 다르다면, 에너지는 보다 강한 욕망에서 약한 욕망으로 흐를 것이다. 이상적으로, 성격은 모든 측면에서 정신에너지의 동등한 분배를 가지지만, 이러한 이상적 상태는 결코 성취되지 않는다. 만약 완전한 균형 혹은 평형이 달성되면, 성격은 전혀 정신에너지를 갖지 못할 것이다. 왜냐하면 이미 지적한 것처럼, 대립 원리가 정신에너지를 생성하기 위해서 갈등을 요구하기 때문이다.

## 3) 원형

집단무의식을 구성하고 있는 인류역사를 통해 물려받은 정신적 소인이 원형이다. 원형은 인류가 여러 세대를 통해서 계속적으로 반복된 경험이 마음 속에 영구히 축적된 정신적 소인이다. 원형은 모든 인간의 정신에 존재하는 인간정신의 보편적이며 근원적인 핵이다. 즉 태어날 때부터 이미 부여되어 있는 인간의 선험적 조건으로 인간으로 하여금 인간답게 하는 가장 기본적인 조건이라 할 수 있다.

융(Jung)은 원형의 특성에 대해 "순수하고 거짓이 없는 성질인 동시에, 인간으로 하여금 말하고 행동하게 하는 성질이다. 그런 인간은 원형의 의미를 개인적으로 의식하지 않으며, 심지어 너무 무의식이어서 그 의미에 대해 한번도 생각해 보지 않은 것도 있다"고 하였다. 이와 같이 원형은 무의식적이고 상징적이며, 또한 구체적인 내용이나 과거의 기억과 같이 완전한 것도 아니기 때문에 형태를 가진 이미지나 심상이지 내용은 아니다.

상징은 원형의 내용이며 그 예로 원시적인 영상(태초의 인간과 자연 등), 신화적 영상(신, 악마, 천사 등), 사회적인 영상(출산, 부모, 지도자, 사기꾼, 죽음, 권력, 영웅, 나무, 태양, 달 등)이 있으며 원형의 수는 무수히 많다.

## (1) 페르소나(persona)

페르소나(persona)란 원래 배우들이 공연할 때 쓰는 가면이나 탈을 의미하며, 집단정신의 한 단면이다. 개인이 사회적 요구들에 대한 반응으로서 밖으로 내놓는 공적이고 위장된 모습이다. 페르소나는 환경의 요구에 조화를 이루려고 하는 적응의 원형이다. 즉, 페르소나는 개인이 사회에 대한 이해를 바탕으로 사회에서 가정하는 자신의 역할을 의미한다. 우리는 페르소나를 통해 다른 사람과 관계하면서 좋은 인상을 주거나 자신을 은폐시킨다. 겉으로 표현된 페르소나와 내면의 자기가 너무 불일치하면 표리부동한 이중적인 성격으로 사회적 적응에 곤란을 겪게 된다. 또한 자아가 페르소나와 지나치게 동일시되면 페르소나를 자신의 본 모습으로 생각하고 자신의 내면세계로부터 유리되면서 역할지향적, 형식적인 행동을 하게 된다.

## (2) 아니마와 아니무스(anima & animus)

융은 인간이 태어날 때 본질적으로 양성을 가지고 태어났다는 양성론적 입장을 취했다. 이러한 이론적 입장을 반영한 개념이 아니마와 아니무스다. 즉, 남성의 내부에 있는 여성성을 아니마라고 하고, 여성 내부에 있는 남성성을 아니무스라고 한다. 남성성의 속성은 이성(logos)이고 여성성의 속성은 사랑(eras)이다. 인간은 누구나 양성성을 갖고 태어났기 때문에 이성과 사랑을 겸비하고 있다고 볼 수 있다. 따라서 성숙된 인간이 되기 위해서 남자는 내부에 잠재해 있는 여성성, 즉 사랑을 이해하고 개발해야 하며 여자는 내부에 있는 남성성, 즉 이성을 이해하고 개발하는 것이 필요하다. 또한 인간은 본질적으로 양성동물이므로, 하나의 성으로 살아가기 위해서는 집단무의식과 외부세계인 현실에 올바로 적응해야 한다.

### (3) 그림자(shadow)

그림자는 인간의 어둡거나 사악한 측면을 나타내는 원형이다. 즉, 인류역사를 통해 의식에서 억압되어 어두운 무의식에 있는 자료 및 인간의 원초적인 동물적 욕망에 기여하는 원형이다. 그림자는 프로이드의 본능(id)과 유사하며, 인간 이전의 하등형태의 생명체로부터 진화된 부분으로 본다. 그림자는 사회가 나쁘다고 생각하는 측면이 있기는 하지만 또한 생명력, 자발성, 창조성의 원천이 되기도 하여 이로움을 주기도 한다. 그림자는 인간의 양면성, 밝고 긍정적 인면과 어둡고 부정적인 면을 반영한 원형이다. 그림자는 인간의 정신을 구성하고 있지만 자기에 포함되지 못하는 열등하고 부정적인 부분으로 악마, 또는 적 등 인간의 원죄의 근원으로 작용한다. 주로 이기심, 나태, 허약함, 비현실적 공상, 음모, 소유욕 등으로 나타나서 인간에게 절망감과 무능력을 상기시키는 기능을 한다.

### (4) 자기(self)

자기는 모든 의식과 무의식의 주인으로 인간의 의식적인 정신활동을 집행하는 주체이다. 융은 인간이 실현하기 위해 타고난 청사진을 자기로 보았다. 자기는 전체로서 인간 성격의 조화와 통합을 위해 노력하는 원형으로 사람들로 하여금 자기에게 주어진 환경에 적응하게 하며, 또한 성격발달의 주체로서 무의식 속에 있는 컴플렉스와 여러 원형들이 나타날 수 있도록 무대역할을 한다. 자기는 정신의 중심인 의식과 무의식의 양극성 사이의 평형점이다. 융의 이론에 따르면, 자기는 인생의 가장 결정적인 변화의 시기인 중년의 시기에 비로소 외부로 나타나게 되는데 이는 성격이 개성화를 통해 충분히 발달해야 하기 때문이다.

## 2. 상담목표

분석심리학의 상담목표는 내담자로 하여금 무의식적으로 작동하는 정신원리를 의식화하고 개성화 과정을 촉진하는 것이다. 융에 있어 인간의 성격발달의 목표는 개성화 혹은 자기실현이다. 개성화는 인생의 전반기에는 분화를 통해 이루어지고 인생의 후반기에는 통합을 통해 달성된다. 즉, 전체로서 집단무의식을 갖고 태어난 개인은 인생의 초기에 자기에서 분화된 자아가 인생 중반까지 발달하다가 다시 자아가 자기에게 통합되는 과정이 인생 중반 이후에 이루어진다. 따라서 상담자는 내담자를 돕기 위해 분화와 통합 과정을 통해 성격발달이 이루어지는 단계의 특징을 이해하는 것뿐만 아니라 타고난 자기의 목소리에 귀를 기울여 그것을 이해하는 것이 필요하다.

융은 프로이트보다 꿈의 해석을 상담 및 심리치료의 방법으로서 훨씬 더 중요시하였다. 무의식의 의미를 파악하는 데 꿈은 가장 의미 있는 자료로서 우리에게 상징으로서 메시지를 전달하는 것으로 본다. 꿈은 우리에게 무엇인가를 알리려고 한다. 현상학적 관점에서 꿈을 해석함으로써 자신의 무의식적 주인의 목소리를 경청하는 태도가 우리가 갖는 문제를 해결하는 데 요구된다고 볼 수 있다. 우리가 꿈을 꾸고 꿈을 실현시키려고 노력하는 것처럼 자신의 깊은 무의식의 외침인 꿈을 파악하여 부단한 자기분석을 통해 자기실현을 이루는 게 필요하다.

알게 모르게 물려받은 인류의 정신적, 문화적 유산을 통해 오늘의 우리가 존재한다. 우리가 지닌 수없이 많은 집단무의식의 원형을 파악하여 이해하는 것은 자신을 성숙시켜 자기실현으로 이끄는 데 도움이 될 것이다.

## 3. 상담과정

융은 신경증이란 개성화 혹은 자기실현을 향한 개인의 성장이 멈춘 심각한 질환이라고 믿었다. 융은 중년의 문제를 다루는 데 많은 노력을 기울였다. 때문에 융의 분석적 심리치료는 '생애 후반기 심리학'으로 불렸다. 심리치료는 내담자가 자신의 내면의 삶을 탐색함으로써 성격을 확장시켜 나갈 수 있으며 자신의 존재에 대한 영적 혹은 종교적인 태도를 개발해 나가는 과정이라고 여겼다. 융이 제안한 치료과정은 고백(confession), 명료화(elucidation), 교육(education), 변형(transformation)의 네 단계로 구분된다.

### 1) 고백 단계(인식 단계)

상담자는 내담자로 하여금 자기 내부에 존재하는 무의식의 실재와 그 안에 보존되어 있는 무의식의 부정적 · 긍정적인 내용을 깨닫게 함으로써 불안, 갈등, 죄책감, 공포 등의 부정적 내용으로부터 벗어날 수 있게 한다. 따라서 이 단계에서 내담자는 자신의 개인사를 고백함으로써 정화를 경험하며 의식적 및 무의식적 비밀을 치료자와 공유한다. 치료자는 비판적이고 공감적 태도를 유지한다. 내담자는 자신의 제한점을 치료자와 나누면서 모든 사람이 약점을 가지고 있다는 점을 자각하면서 인류와의 유대감을 느낀다. 고백을 통해 내담자와 치료자의 치료적 동맹 관계가 이루어지면서 내담자는 전이를 형성하게 된다.

### 2) 명료화 단계

이 단계의 목표는 내담자가 정서적이거나 지적으로 자신의 문제에 대한 통찰을 얻게 하는 것이다. 내담자가 갖는 증상의 의미, 아니마와 아니무스, 그림자, 현재 생활 상황과 고통 등이 명료화 된다. 또한 현재 겪는 정서적 어려움이나 비현실적 생각과 환상이 아동기에 어떻게 시작되었는가에 대한 해석이 이루어진다. 이 단계에서 전이와 역전이가 탐색된다. 전이를 이해하는 과정에서 내담자는 치료자가 명료화하는 무의식적인 내용을 표면으로 이끌어낼 수 있게 된다. 내담자는 명료화 과정을 통해 문제의 기원에 대해 알게 된다.

### 3) 교육 단계

융은 내담자가 자신의 의지로 무의식적 내용과 조화 · 협동을 이루기 위해서는 훈련과 교육이 필요하다고 하였다. 이 단계에서는 내담자가 사회적 존재로서 부적응이나 불균형적 삶을 초래한 발달 과정의 문제에 초점이 맞춰진다. 즉, 고백과 명료화 단계에선 초점이 개인무의식에 맞춰지지만 교육 단계에서는 내담자의 페르소나와 자아에 초점을 맞춰서 슬기롭게 현실적인 사회 적응을 할 수 있도록 한다.

### 4) 통합 단계(변형 단계)

이 단계에서는 내담자와 치료자간의 역동적인 상호작용을 통해 단순히 사회에 대한 적응을 넘어서 자기실현에로의 변화가 도모된다. 이런 점에서 융은 통합(변형) 단계를 자기실현기간으로 기술하였다. 이 단계에 있는 내담자는 의식적 경험과 무의식적 경험에 가치를 둔다. 요약하면, 변형 단계의 초점은 내담자의 의식과 무의식을 포함한 전체적 성격의 주인인 자기(내담자 elf)의 실현을 이루기 위한 과정, 즉 개성화를 지향하는 과정에 맞춰진다.

## 4. 상담기법

분석심리학자들이 개인을 이해하고 조력하기 위해 사용하는 기법은 객관적 검사와 투사법에서 꿈 분석의 사용에 걸쳐 다양하다. 융이 개인을 이해히는 데 사용한 주요한 네 가지 평가방법은 단어연상검사, 증상분석, 사례사, 꿈 분석이다. 꿈 이외에 다른 많은 상징을 이용하여 내담자를 조력하였다. 또한 융은 개인의 성격태도와 기능을 바탕으로 한 심리유형을 분류하였다. 이러한 융의 이론을 기초로 하여 만들어진 표준화된 성격검사로, 현재 광범위하게 적용되는 성격유형검사인 MBTI(Myers-Briggs type indicator)가 있다. 여기서는 이러한 기법들에 대해 간단하게 살펴보고자 한다.

## 1) 꿈 분석

꿈 분석은 융의 분석심리학에서 가장 중요한 방법으로 환자의 무의식을 이해하는 데 사용된다. 융은 '꿈이 무의식에 이르는 왕도' 라는 점에서 프로이트의 견해에 동의하였다. 하지만 융의 꿈 분석은 꿈의 원인 이상에 관심을 두었다는 점에서 프로이트 의 관점과 달랐다. 융은 꿈은 무의식적 소망 이상의 의미를 가지고 있다고 믿었다. 프로이트와 달리, 첫째 융은 꿈이 미래를 예 견해 준다고 보았다. 따라서 꿈은 개인으로 하여금 그가 일어나리라고 기대하는 경험과 사건을 준비하도록 도와준다고 믿었 다. 융이 제안했던 자기실현으로 이끄는 주요한 개념인 동시성(synchronicty)은 꿈의 예견성을 뒷받침해 주는 것이다. 동시성 은 두 사건이 동시에 혹은 근접한 시간에 독립적으로 일어나지만 서로 밀접하게 관련된 의미를 가지는 현상이다. 즉, 동시성은 두 사건이 논리적으로 인과관계가 없이 독립적으로 일어나지만 서로 밀접하게 관련된 의미를 가지는 현상을 의미한다. 예를 들 면, 당신이 오랫동안 보지 못했던 친구를 꿈에서 보았는데, 다음날 당신이 그 친구가 전날 밤에 죽었다는 소식을 듣는 것이다. 둘째 융은 꿈이 보상적이라고 믿었다. 즉, 꿈은 어떤 정신구조의 지나친 발달을 보상함으로써 상반 되는 정신과의 균형을 유지 하도록 도와준다고 보았다. 이런 점에서 꿈은 적응을 위한 노력이며, 성격의 결함을 교정하려는 시도다(Ryckman, 2000). 예를 들면, 몹시 수줍어하는 사람은 자신이 파티에서 매우 활동적인 역할을 하는 꿈을 꿀 수 있다. 또 한 사업에 실패한 사람이 벤처 기업을 하여 성공한 꿈을 꿀 수 있다.

융은 꿈을 해석하는 데 있어, 프로이트처럼 각각의 꿈을 따로따로 해석하지 않고 일정한 기간에 걸쳐 환자가 보고하는 일련 의 꿈들을 함께 분석하였다. 이러한 방식으로 융은 환자의 무의식에 지속된 반복되는 주제, 문제를 발견할 수 있다고 믿었다. 또한 융은 꿈이 보여 주려고 하는 가능한 의미를 밝히기 위해 확충법을 사용하였다. 특별한 상징으로 시작하여 그것에서 점점 발전해 가는 자유연상과 다르게, 확충법은 환자와 분석자가 상징들의 이해를 확장하려는 시도로 어떤 주제가 탐색될 때까지 같 은 상징들을 계속해서 재평가하고 재해석하는 치료기법이다. 융은 단일 꿈의 분석은 잘못된 해석으로 이끌 수 있지만 일련의 꿈들의 분석은 환자가 직면하는 문제에 대한 보다 정확한 해석을 달성하는 수단으로서 기여할 수 있다고 믿었다.

## 2) 상징의 사용

융의 정신 모델은 자기와 원형의 개념에 의존한다. 따라서 융은 내담자의 사고, 감정, 행동을 추동하는 역동성과 패턴을 상징 적으로 생각하고 이해할 능력을 강조하였다. 이러한 패턴은 내담자의 꿈, 증상, 환상 등에서 상징적이거나 간접적 형태로 나타 날 수 있다. 치료자가 이러한 심리적 숨은 의미를 이해할 능력은 우리의 문화적 저장고인 신화, 동화, 예술작품, 문학, 종교 등 에서 발견되는 많은 상징들을 이해함으로써 향상될 수 있다(내담자eligman, 2001).

## 3) 단어연상검사

이 검사는 개인이 어떤 자극단어에 마음에 떠오르는 단어로 반응하는 투사 기법이다. 1900년대 초에 융은 정서를 야기하리 라고 믿었던 100단어 목록을 가진 단어 연상검사로 그의 환자들이 갖는 콤플렉스를 밝히는 데 사용하였다. 융은 각 자극단어에 환자가 반응하는데 걸리는 시간 및 자극단어의 정서적 효과를 결정하기 위해 생리적 반응을 측정하였다. 융에 의해 시작된 이 래로, 피험자가 자극단어에 즉각적으로 마음에 떠오르는 어떤 단어로 반응하는 단어연상검사는 실험적 및 임상적도구로 심리 학 연구에 적용되어 왔다.

## 4) 증상분석

이 기법은 환자가 보고하는 증상에 초점을 둔다. 즉, 분석자는 환자로 하여금 증상에 대한 자유연상을 하도록 하여 그러한 내용을 해석하는 것으로 프로이트의 정화 방법과 유사하다. 환자의 증상은 분석자의 증상 원인에 대한 해석을 통해 감소되거나 사라지게 된다. 융은 이 기법이 단지 '외상 후 스트레스 장애'에 도움이 된다고 생각하였다(sharf, 2000).

## 5) 사례사

이 방법은 심리적 장애의 발달사를 추적하는데 사용된다. 융은 이 방법이 자주 환자로 하여금 태도 변화를 야기하는 데 도움이 된다는 것을 발견하였다. 융은 자신의 사례연구를 '생애사 재구성'이라고 불렀다. 융은 환자로 하여금 과거경험에 대해 회상하도록 하여 조사함으로써 현재의 신경증을 설명할 수 있는 발달패턴을 확인하여 생애사 재구성을 하도록 한다.

## 6) MBTI

성격유형을 측정하는 검사로서 MBTI가 광범위하게 사용되고 있다. MBTI는 융의 심리유형론을 근거로 하여 Katharine Cook Briggs와 Isabel Briggs Myers가 보다 쉽고 일상생활에 유용하게 활용할 수 있도록 고안한 자기보고식 성격유형지표다. 융의 심리유형론은 인간행동이 그 다양성으로 인해 종잡을 수 없는 것 같이 보여도, 사실은 아주 질서정연하고 일관된 경향이 있다는 데서 출발하였다. 그리고 인간행동의 다양성은 개인이 지각하고 판단하는 특징이 다르기 때문이라고 보았다.

MBTI의 바탕이 되는 융의 심리유형론의 요점은 각 개인이 외부로부터 정보를 수집 하고(지각기능), 자신이 수집한 정보에 근거해서 행동을 위한 결정을 내리는 데(판단기능) 있어서 각 개인이 선호하는 방법이 근본적으로 다르다는 것이다. 융의 심리유형론을 경험적으로 감각과 지각으로 구분하여 사물, 사람, 사건, 생각들을 지각하게 될 때 나타나는 차이점을 이해할 수 있도록 해 주며, 판단과정은 사고와 감정으로 구분하여 우리가 인식한 바에 의거해서 결론을 이끌어 내는 방법 간의 차이점을 알 수 있도록 해 준다.

# 5. 평가

분석심리학적 상담의 장점과 단점은 다음과 같다.

## 1) 장점

① 인간의 정신세계를 영적인 부분으로 확장해서 무의식을 연구한 융이 이론은 현대인들의 공허함과 정신적 고통을 영적 치유를 통해 해결가능하도록 제시하였다.

② 융은 프로이드보다 더 심층적으로 무의식을 연구했으며, 인간의 불안과 고뇌에 대해 깊은 관심과 애정을 가지고 인간의 심령현상을 다양한 측면에서 분석하고 연구하였다.

③ 심리적으로 질병이 있는 사람들에게 현실과 공상, 의식과 무의식, 사고와 감정, 행동을 융합해서 전체적으로 통합하기 위하여 사용되는 모든 예술치료의 근간을 제공한다.

## 2) 단점

① 융이 제시한 심리학적 · 종교적 사상과 이론은 너무 방대해서 인간에 대한 기본가정을 포함해서 전체적으로 논리적 타당성의 문제가 제기되고 있다.

② 융이 제시한 인간의 정신구조와 정신에너지의 원리, 원형 등의 개념이 학자들에 따라 다르게 이해될 수 있기 때문에 상담 및 심리치료의 이론으로 집약해서 설명하기에는 한계가 있다.

③ 기독교와 관련된 목회상담이나 기독교 상담 및 치유상담에는 학습과 적용이 가능하지만, 일반상담에서는 일부분만 사용되는 한계가 있다.

# 3

# 개인심리학적 치료

아들러(Alfred B. Adler)는 인간은 단일하며 분할할 수 없는 총체적인 존재로서 그 자체가 모순이 없는 통합된 실체로 보며 자신의 이론을 "개인심리학(individual psychology)이라고 하였다. 즉 개인심리학은 인간에 대해 현상학적 · 사회적인 관점을 가진 심리상담이론인 동시에 사회심리학이다.

아들러 개인심리학은 인간이 성격형성과 발달에 사회적 요인의 중요성을 강조하고 인간의 사회적 관심은 선천적인 것으로 본다. 또한 개인의 사회적 관계 확대와 더불어 경험하게 되는 열등감을 보상하기 위해 우월성을 추구하게 되며 이러한 과정을 통해 개인의 성격과 생활양식이 형성된다고 본다. 개인심리학적 상담에서는 내담자의 잘못된 열등감을 평가하고 사회적 관심을 확대해서 긍정적인 대인관계와 건전한 생활양식을 가질 수 있도록 변화시키고자 한다.

## 1. 주요 개념

아들러 개인심리학의 주요개념은 사회적 관심, 생활양식, 인생과제, 허구적 최종목적론, 열등감, 우월성 추구, 가족구도 및 출생순위 등이다.

### 1) 사회적 관심

개인심리학에서는 인간의 사회적 관심과 흥미를 개인의 정신건강을 측정하는 중요한 준거로 본다. 즉, 사회적 관심을 가진 사람은 정신적으로 건강하고 행복하며 사회에 기여하는 사람이다. 반면에 사회적 관심이 결여된 사람은 부적응한 사람으로 인생의 실패자다. 부적응한 사람은 단지 자신의 욕구에만 관심을 두며 사회적 맥락에서 타인 욕구의 중요성을 인식하지 못한다는 것이다. 개인심리학은 인간이 사회적 존재로서 사회에 참여하여 타인에 기여할 수 있는 이타적인 측면을 강조한다. 아들러는 개인은 본질적으로 집단에 소속되어 사회적 문제의 해결을 추구하는 사회적 존재라고 믿었다. 사회적 관심의 동의어는 지역사회에 대한 감정, 우정, 동료애, 이웃사랑, 이타적 마음 등으로 매우 다양하게 표현된다. 아들러는 "사회적 관심은 다른 사람의 눈으로 보고, 다른 사람의 귀로 듣고, 다른 사람의 마음으로 느끼는 것을 의미한다."라고 하였는데, 즉, 사회적 관심은 동감, 타인과의 동일시, 타인지향을 의미한다.

일반적으로 타인과의 협동심, 연대의식, 동료의식과 같은 사회적 관심은 가족관계를 통해 아동기 경험에서 발달하게 되며, 특히 사회적 관심의 발달에 가장 큰 영향을 미치는 사람은 부모가 된다. 일과 우정, 사랑, 결혼 등과 같은 주요 인생과업에서 성공과 성취, 만족을 느끼는 부모일수록 아동의 사회적 관심 형성과 확대를 촉진시켜 주는 역할을 하는 것으로 나타났다.

## 2) 생활양식

생활양식(life style)은 삶을 영위하는 근거가 되는 기본적 전제와 가정을 의미한다. 개인의 성격을 형성하는 체계적인 원리라고 할 수 있는 생활양식은 아들러의 개인심리학에서 최초로 사용된 개념이다. 아들러는 생활양식을 자기 또는 자아, 성격, 개성, 또는 문제에 대처하는 방법과 삶에 공헌하려는 소망 등으로 정의하였으며, 한 개인의 독특성, 삶의 목적, 자아개념, 가치, 태도 등이 포함되어 있다고 하였다. 따라서 생활양식은 한 개인이 자신이 생의 목표에 도달하기 위해서 스스로 설계한 독특한 좌표로서 개인의 성격을 움직이는 체계적 원리라고 할 수 있다. 개인의 독특한 생활양식은 그가 생각하고 느끼고 행하는 모든 것의 기반이 된다. 일단 생활양식이 형성되면, 이것은 우리의 외부 세계에 대한 전반적인 태도를 결정할 뿐 아니라 우리의 기본 성격구조가 일생을 통하여 일관성이 유지되게 한다. 이런 점에서 아들러는 생활양식은 서로 연관되어 있는 세 가지 중요한 인생과제인 직업, 사회, 사랑에 대해 개인들이 어떻게 접근하는지를 관찰함으로써 이해될 수 있다고 하였다.

아들러의 견해에 따르면, 생활양식은 대부분 네 살부터 다섯 살 때 형성되며, 이 시기 이후 개인의 생활양식은 거의 변하지 않는다. 물론 사람들은 계속 그들의 독특한 생활양식을 새로운 방식으로 나타내는 것을 배우지만, 그것은 단순히 어릴 때 정착된 기본 구조의 확대일 뿐이다. 이렇게 형성된 생활양식은 계속 유지되어 그 후의 행동의 뼈대를 이룬다. 아들러는 생활양식을 일반적인 유형으로 범주화시켰다. 이러한 생활양식은 사회적 관심과 활동수준으로 구분되는 이차원적인 모형으로 설명된다.

아들러는 사회적 관심과 활동수준에 따른 생활양식을 네 가지, 즉 지배형(the ruling type), 기생형(the getting type), 회피형(the avoiding type), 사회적 유용형(the socially useful type)으로 설명하였다. 지배형, 기생형, 회피형은 바람직하지 않은 유형으로, 사회적 관심이 부족하다는 공통점이 있으나 활동수준에서는 차이가 있다. 사회적 유용형은 바람직한 형으로 사회적 관심과 아울러 활동 수준도 높다.

### (1) 지배형

사회적 인식이 부족한 사람으로 독단적이고 공격적·활동적이며 인간중심기보다는 일 중심적인 형이다. 타인의 안녕과 복지에는 관심이 없고 자신이 모든 일과 사람을 지배하려는 태도를 가지고 있는 비사회적 유형이다. 지배형은 부모가 지배하고 통제하는 독재형으로 자녀를 양육할 때 나타나는 생활양식이다. 부모가 막무가내로 힘을 통해 자녀를 지배하고 통제할 때 자녀의 생활양식은 지배형으로 형성된다.

### (2) 기생형

타인에 붙어서 기생하는 방식으로 외부세계와 관계하며, 타인의존을 통해 자신의 욕구를 충족한다. 개인적으로 독립심과 자율성 및 책임감이 부족하며, 이로 인해 사회활동 수준이나 독자적인 발전 및 성공의 수준이 낮은 비사회적 유형이다. 이러한 생활양식은 부모가 자녀를 지나치게 과잉보호할 때 나타나는 태도다. 부모가 자식사랑이란 미명 아래 자녀를 지나치게 보호하여 독립성을 길러주지 못할 때 생기는 생활태도다.

### (3) 회피형

다른 사람의 평가와 비난, 또는 사회적 관계와 일에서의 실패를 두려워하기 때문에 사회적 활동과 관심 수준이 낮은 것이 특징이다. 회피형의 생활양식을 가진 사람은 매사에 소극적이며 부정적인 특징을 가진다. 이러한 생활양식을 가진 사람은 자신감이 없기 때문에 적극적으로 직면하는 것을 피한다. 그러나 회피형의 사람은 마냥 시도하지도 않고 불평만 하기 때문에 사회적 관심이 떨어져 고립되게 된다. 부모가 자녀교육을 할 때 자녀의 기를 꺾어 버리는 것이 이러한 회피형 생활양식을 갖게 할 수 있다. 기를 살려주는 자녀교육이 필요하다. 부모로서 사회적 관심을 갖고 매사에 적극적으로 참여하는 태도를 자녀에게 보여 주는 것이 또한 필요하다.

### (4) 사회적 유용형

심리적으로 건강한 사람으로 자신과 타인의 욕구를 동시에 만족시킬 수 있는 생활양식과 태도를 갖추고 있다. 이러한 유형은 높은 사회적 관심과 높은 수준의 활동을 보인다. 아들러 이론에서 이 형의 사람은 성숙하고 긍정적이고, 심리적으로 건강한 사람의 표본이 된다. 이들은 사회적인 관심이 많아서 자신과 타인의 욕구를 동시에 충족시키기는 한편, 인생 과제를 완수하기 위해 기꺼이 다른 사람들과 협동한다. 이들은 또한 사회 문제를 해결하기 위해서는 협동, 개인적인 용기, 타인의 안녕에 공헌하려는 의지가 필수적임을 인식하고 있다.

## 3) 인생과제

아들러는 사람이면 누구나 적어도 세 가지 주요 인생과제인 '일과 여가' '우정이나 사회적 관심' '사랑과 결혼'에 직면하게 된다고 믿었다. 그 후 수십 년간의 연구들을 통해 이 세 가지 주요 인생 과제야말로 건강과 안녕에 있어 핵심이라는 입장을 더욱 공고히 해 왔다. 네 번째 인생 과제는 '영성'으로서, 우주, 신과 관련된 개인의 영적 자아를 다루는 것이다. 다섯 번째 과제는 '자기지향성'으로 주체로서의 나와 객체로서의 나를 다루는 데 있어 개인의 성공을 다루고 있다. 자기지향성을 구성하는 열두 가지 내용은 가치감, 통제감, 현실적 신념, 정서적 자각 및 대처, 문제 해결 및 창의성, 유머감, 영양, 운동, 자기 보살핌, 스트레스 관리, 성정체감, 문화정체감이다.

## 4) 허구적 최종목적론(가공적 목적론)

아들러는 인간동기의 목적론적, 목표지향적인 측면을 강조하면서 인간의 모든 심리현상은 가공적 목적(이상)이 현실보다 더 효과적으로 작용한다고 주장하였다. 이는 가공적 목적(이상)이 현실에 근거가 없는 완전히 주관적인 무의식적인 개념에도 불구하고 삶의 목적과 방향에는 많은 영향을 미치기 때문에 인간은 과거의 경험보다는 이상적인 미래에 영향을 더 많이 받는다는 것이다. 그러므로 미래에 대한 현재의 자각이 중요하다고 강조하였다. 개인심리학에서는 모든 인간의 행동은 목적을 갖는다고 가정한다. 아들러는 목적론으로 프로이드의 결정론적인 설명을 대신하였다.

아들러는 인간의 모든 심리현상은 이 허구적 목적을 이해함으로써 설명될 수 있다고 주장하였다. 인간의 궁극적 목적은 허구로서 그것이 실현 불가능할지도 모르나 행동의 원인, 충동, 본능, 힘 등을 넘어서 행위의 최종 설명이 될 수 있다는 것이다. 즉, 최종의 목적만이 인간의 행동을 설명할 수 있다는 것이다. 이 최종의 목적 때문에 인간은 무엇을 진실로서 수용하게 될 것인가, 어떻게 행동할 것인가, 그리고 사건들을 어떻게 해석할 것인가를 위한 창조적인 힘을 갖는다.

## 5) 열등감

아들러는 인간의 열등감은 본질적인 추구욕구로 누구나 느끼게 되는 것이라고 하였다. 왜냐하면 인간은 현재보다 나은 상태인 완전성을 실현하기 위해 노력하는 존재이기 때문이다. 그리고 사회적 존재로서 다른 사람들과 비교하여 자신을 평가하기 때문이다. 더불어 아들러는 우리 각자가 자기완성을 이루기 위해 자신이 느끼는 열등감을 극복해야 한다는 것을 강조하였다. 아들러는 자기완성을 위한 필수요인으로서 열등감을 봄으로써 열등감을 긍정적인 측면에서 보았다.

개인이 열등감을 완성에 도달하기 위한 우월성 추구를 위해 사용하면 건설적 생활양식을 갖게 되어 심리적 건강을 달성한다. 이러한 사람은 자신의 부족한 점을 스스로 인정하고 그것을 극복하려는 의지와 노력을 통해 자기완성을 이루기 위해 매진한다. 즉, 심리적 건강을 위해 우리가 열등감을 지배하는 게 필요하다. 반면에 개인이 열등감으로 인해 개인적 우월성 추구에 집착하면 파괴적 생활양식을 갖게 되어 신경증에 빠지게 된다. 열등감에 사로잡혀 열등감의 노예가 된다면 그것은 열등감이 우리를 지배하게 되어 열등감 콤플렉스에 빠져버리게 된다.

아들러는 열등감 콤플렉스에 빠진 사람을 "주어진 문제를 사회적으로 유용한 방식으로 해결하기에 충분히 강하지 않은 사람"이라고 말했다. 이러한 콤플렉스는 아동기 때 어른들이 그들의 아이들을 다루는 방식에 의해 나타나는 것임을 발견했다. 아들러는 열등감 콤플렉스의 세 가지 원인을 기관열등감, 과잉보호, 양육태만이라고 하였다.

### 6) 우월성 추구

아들러는 인간의 자기 신장, 성장, 능력을 위한 모든 노력의 근원 을 열등감으로 보고, 우월성(superiority)이란 개념을 자기완성 혹은 자아실현이란 의미로 사용하였다. 우월성의 추구는 삶의 기초적인 사실로 모든 인간이 문제에 직면하였을 때 부족한 것은 보충하며, 낮은 것은 높이고, 미완성의 것은 완성하며, 무능한 것은 유능한 것으로 만드는 경향성이다. 즉, 우월성의 추구는 모든 사람의 선천적 경향성으로 일생을 통해 환경을 적절히 다스리며 동기의 지침이 되어 심리적인 활동은 물론 행동을 안내한다. 아들러는 우월성의 추구를 모든 인생의 문제 해결의 기초에서 볼 수 있으며 사람들이 인생의 문제에 부딪치는 양식에서 나타난다고 하였다. 출생에서 사망에 이르기까지 우월성 추구의 노력은 인간을 현 단계보다 높은 다음 단계의 발달로 이끌어준다. 모든 욕구는 완성을 위한 노력에서 힘을 얻고 있기 때문에 분리된 욕구란 존재하지 않는다. 아들러는 사회적 관심을 가진 바람직한 생활양식을 바탕으로 한 우월성 추구를 건강한 삶으로 보았다.

### 7) 가족구도/출생순위

아들러는 가족구도와 출생순위가 인간의 생활양식 형성에 중요하다는 것을 강조하였다. 가족에서의 위치와 부모의 관심은 개인의 생활양식 형성에 매우 중요하게 작용하며, 또한 가족분위기와 연관이 있는 가족 내의 출생순위, 즉 집안에서의 위치와 부모의 양육태도에 따라 성격에 차이가 있다는 것이다. 자녀의 수가 몇 명인가와 출생순위도 성격형성에 영향을 준다. 결혼을 해서 낳은 첫째 아이가 부부가 정말 원해서 출생하였는가의 여부, 첫째 아이가 남자인 경우 혹은 여자인 경우, 독자인 경우 등에 따라 부모가 자녀를 대하는 심리적 태도가 다를 수 있다. 그 결과로 첫째는 내성적이고 욕심이 많은 편이며 권위적이고 책임감이 강한 반면, 둘째는 외향적으로 성격이 대체로 원만한 대신에 형과의 비교를 통해 열등감과 피해의식이 있어 혁신적이고 도전적이다. 셋째 또는 막내는 의존적이고 경쟁적이고 영리한 편이다.

출생순위와 가족 내 위치에 대한 해석은, 어른이 되었을 때 세상과 상호작용하는 방식에 큰 영향을 미친다. 아동기에 타인과 관계하는 독특한 스타일을 배워서 익히게 되며, 그들은 되었을 때도 그 상호작용양식을 답습한다. 아들러 학파치료에서는 가족역동 특히 형제간의 관계를 다루는 것을 매우 중요시한다.

## 2. 상담 목표

아들러가 주장하는 사회적으로 유용한 생활양식의 의미는 정신적으로 건강한 개인들이 일과성 및 사회와 연관된 자기 자신에 대한 개인적인 관심을 사회적 관심과 일치하도록 하는 것이다. 따라서 개인주의 상담의 일반적 목표는 내담자의 사회적 관심의 증대이다. 이는 내담자의 열등 콤플렉스와 역기능적인 생활양식을 극복하고 자신과 타인에 대한 우월성 추구와 함께 사회적 관심과 흥미를 배양하며, 자신의 생활목표와 생활양식을 재구성하여 집단과 사회의 건강한 구성원으로 성장하도록 돕는 것이다. 아들러는 사람들의 주요한 문제를 세 가지 측면에서의 결여, 즉 '사회적 관심의 결여' '상식의 결여' '용기의 결여'로 보았다. 다시 말하면 아들러식 상담자들은 내담자의 문제해결을 위해 그에게 부족한 사회적 관심, 상식, 용기를 불어넣어 바람직한 삶을 영위하도록 조력한다.

아들러식 상담치료에서 상담자의 주요한 역할은 낙담한 내담자에게 용기를 불어넣는 것으로 용기를 잃고 낙담한 사람들이 가슴에 용기를 갖게 하는 것을 매우 중요하게 생각한다. 정신적으로 건강한 사람은 끊임없이 자신을 격려하면서 용기를 잃지 않는 사람이지만, 심리적으로 고통을 받고 있는 사람은 용기를 잃고 자신감과 책임감을 상실한 낙담한 사람이라고 할 수 있다. 그러므로 용기를 갖게 하는 격려치료가 중요하다.

열등감과 우월감은 동전의 양면이다. 아들러는 열등감을 어떻게 극복하느냐가 자기완성을 위해 중요하다고 보았다. 더불어 나약한 인간으로서 부딪히는 시련을 극복하기 위해서 용기가 필요하다. 특히 불완전할 수 있는 용기를 갖는 것이 열등감의 극복과 자기완성에 중요하다.

# 3. 상담 과정

## 1) 상담관계 형성

아들러학파는 상담자와 내담자가 우호적이며 대등한 관계를 형성할 것을 강조한다. 관계 형성은 협동적인 관계의 유지가 필수다. 또한 상담자들의 관심과 경청을 바탕으로 공감적 관계를 형성한다.

## 2) 내담자의 생활양식 분석과 평가

상담자는 내담자의 부적절한 생활양식에 영향을 준 요인들을 평가하고 분석한다. 내담자에 대한 평가와 분석에 사용되는 전형적인 생활양식조사 영역은 초기회상, 가족구도, 기본적 오류, 자질, 꿈의 내용 등이 포함된다.

내담자의 생애초기 자료들을 통해 자신과 타인 또는 세상과 삶에 대한 생각과 태도를 파악하고, 더 나아가 그 안에 잠재해 있는 그들의 감정, 동기, 신념, 목표를 세심하게 평가·분석해야 한다. 이러한 과정을 통해 상담자는 내담자가 자신의 과거, 현재, 미래의 행동을 연결할 수 있도록 도와서 자신의 성장을 위한 선택과 책임감을 가지고 건설적이고 생산적인 미래를 창조할 수 있도록 돕는다.

## 3) 자기이해의 독려(해석과 통찰) 및 격려과정

상담자는 파악한 생활양식조사의 내용에 대한 평가와 분석을 바탕으로 내담자의 부적응에 대한 해석을 한다. 상담자는 해석을 통해 내담자의 자기 이해와 통찰을 촉진한다. 아들러 학파의 해석은 생활양식과 관련된다. 이것은 개인의 삶의 방향과 목표에 대한 자각을 일깨우고 개인적 논리를 각성시키며 그것이 어떻게 현재 행동에 작용하는지를 알게 해 준다. 즉, 해석을 바탕으로 내담자로 하여금 자신의 잘못된 목표와 자기패배적 행동에 대한 이해와 통찰을 발달시킨다.

상담자의 해석이 정확하게 이루어져서 내담자가 문제를 이해하고 수용할 수 있다면 그의 행동이나 태도에 변화가 일어난다. 그러나 최초의 해석이 아무리 정확하다고 해도 내담자가 수용하는 일은 거의 없으며, 정확한 해석은 필연적으로 저항을 수반한다. 의심과 비판, 특별한 요구, 건망증, 태만, 침묵 등의 방법으로 표현되는 내담자의 저항행동은 상담에서 매우 중요한 행동이므로 상담자는 주의깊게 관찰해서 분석하고 해결해야 한다.

내담자의 생활양식에 대한 평가와 분석이 이루어지고 나면 상담자는 내담자의 장점, 강점, 능력 등 긍정적인 측면에도 주목할 수 있도록 격려하는 과정을 거쳐야 한다. 격려는 내담자에게 자신에 대한 긍정적인 인식과 가치감을 심어주고, 현재의 자신과 현실을 수용할 수 있도록 돕는다.

## 4) 새로운 선택을 위한 재교육 및 재방향 설정

개인심리학 상담과정의 마지막 단계는 새로운 선택을 하기 위한 재교육 및 행동화의 과정이다. 이 기간에 내담자들은 문제를 해결하고 새로운 결정을 하며 자신의 목표를 수정해야 하기 때문에 내담자가 자신의 한계를 넘어서 변화하기 위해 노력하는 실천의지가 중요하다. 따라서 상담자는 내담자를 충분히 격려함과 동시에 자신에 대해 새롭고 효과적인 방법으로 통찰할 수 있도록 지원해야 한다.

또한 상담자는 재교육을 통해 내담자가 목표를 성취할 신념과 행동에 있어 변화를 만들도록 한다. 상담자는 내담자와 함께 가능한 방법과 대안들을 선택하고 그 결과를 논의해서 이 대안이 내담자의 상담목표와 일치하는지를 평가한 후에 재교육을 실시하거나 구체적인 행동절차를 결정한다.

# 4. 상담 기법

## 1) 즉시성

상담 중에 나타나는(here and now) 내담자의 경험의 표현을 즉시성이라고 한다. 즉시성은 상담 중에 일어나는 것이 일상생활에서 생기는 것의 표본이라는 사실을 내담자가 깨닫도록 해야 한다. 언어적이거나 비언어적인 내담자의 의사소통은 치료의 목표와 연관된다. 내담자가 보이는 의사소통은 내담자에게 갑자기 나타나는 것이 아니기 때문에, 상담자가 이러한 의사소통에 대해 추측할 수 있도록 도와준다. 즉시성은 내담자들이 언어적·비언어적으로 의사소통하는 것을 알도록 도와주는 데 사용된다. 건강하고 성숙한 사람들은 일치적인 의사소통, 즉 자신이 말하고자 하는 것과 실제로 말하는 내용에 있어 일치한다.

## 2) 격려

아들러 상담의 가장 중요한 중재기법 중의 하나가 격려다. 즉, 내담자가 자신의 가치를 인식하도록 도와주는 데 초점을 맞추는 작업이다. 격려는 아들러 학파의 심리치료 과정동안 계속해서 사용되어지며, 내담자의 생활양식에 접근하고 관계를 형성하는 데 유용하다. 초기단계에서는 내담자들의 감정과 의도를 진실되게 들음으로써 상담자가 그들을 충분히 가치있게 여긴다는 것을 알도록 할 수 있고, 상담과정 중에 그들을 수용하고 평등한 참여자로 여김으로써 그들이 신뢰받고 있다고 느끼게 한다. 그들이 강점을 개발하기 위해 고안된 상담 평가 단계에서는 내담자가 자신의 일을 스스로 선택할 수 있는 능력과 자신을 변화시키려고 노력하고 있음을 알아차려 그것을 격려해야 한다. 재방향 설정 단계에서 격려는 행동과 변화를 가져오는 데 유용하다. 신념과 자기지각에 초점을 맞춤으로써, 상담자는 내담자가 열등감과 낮은 자기개념을 극복할 수 있도록 도울 수 있다. 재방향 설정 단계에서는 개인이 기꺼이 위험을 무릅쓰는 새로운 시도가 지지된다. 그러므로 격려는 상담과정의 모든 측면에서 없어서는 안 될 중요한 매우 중요한 요소이다.

## 3) '마치 ~처럼' 행동하기

많은 내담자들이 "만약 내가 그것을 할 수만 있다면....." 라고 말한다. 이 때 상담자는 내담자가 '마치 ~인 것처럼' 행동하도록 요청한다. 상담자는 내담자에게 자신이 원하는 역할이나 또는 어떤 장면의 역할을 연기하도록 설정하고 최소한 일주일 동안 내담자가 그 역할을 실제로 연기하도록 지시한다. 내담자는 이러한 역할연기를 통해 본인이 어떤 역할을 할 수 있을 뿐만 아니라 연습하는 과정에서 전혀 다른 사람이 될 수도 있다는 것을 발견하게 된다. 이 때 내담자가 경험한 일과 발견한 내용을 상담을 통해 자신의 문제를 새로운 시각으로 보게 되면서 행동의 변화와 함께 자신을 재정립하게 된다. 이 기법은 내담자가 행동이 실패할 거라고 믿는 것 때문에 두려워하는 행동을 하도록 도와준다. 만약, 내담자가 새로운 행동을 시도하기를 원하지 않는다면, 새 옷을 한 번 입어보듯이 새로운 역할을 시도해 보도록 제안한다.

## 4) 자기모습 파악하기

내담자가 자신의 목표를 이해하고 자신이 열망하는 변화된 행동을 하기 위해서는 '자기 모습을 있는 그대로 파악해 보는 것'이 필요하다. 일반적으로 사람들은 자신의 잘못된 행동을 발견한 후에 자기잘못을 인식하게 된다. 따라서 자기비난을 하지 않으면서 스스로 자신의 파괴적 행동이나 비합리적 사고를 인식하도록 하는 방법이다. 비록 처음에는 성공하지 못하고 행동을 한 후에 자기모습을 파악한다 할지라도, 행동으로 옮기기 전에 자기 모습을 파악하는 것을 연습함으로써 변화하기를 원한다. 이렇게 함에 따라, 내담자는 효과적인 변화를 실행시키는 것을 배우고 더 쉽게 자신의 목표를 성취할 수 있음을 안다.

## 5) 질문

이 상담기술은 아들러에 의해 처음 개발된 것인데, 일반적으로 내담자의 문제가 성격상 신체적인 것인지, 또는 심리적인 것인지 결정하기 위한 진단 도구로 사용되지만, 내담자가 하는 응답에 대하여 반영하거나 해석할 수 있다는 점에서 치료적 가치도 지닌다. 모든 행동은 목적이 있기 때문에 심인성 증상은 심리적인 목적을 가질 것이며, 기질적 증상은 신체적인 목적을 가질 것이다. 아들러 학파는 다음과 같은 질문을 할 수 있다. 즉, "만일 내가 당신의 증상들을 즉시 제거할 수 있는 마술지팡이나 마술 약을 가지고 있다면, 당신의 인생에서 무엇이 달라지겠습니까?" 이때 내담자가 "나는 더 자주 사교 모임에 갈 것입니다." 혹은 "나는 책을 쓸 것입니다."라고 대답한다면 그 증상은 심인성일 가능성이 크다. 만일 내담자가 "나는 이러한 격심한 고통을 받지 않겠지요."라고 반응한다면, 그 증상은 기질적일 가능성이 매우 크다.

이 질문에 대한 응답에 따라 상담자는 내담자의 문제를 다루는 방식을 달리할 수 있으며, 필요한 경우 신체적 치료를 받도록 조치를 취할 수 있다.

## 6) 내담자의 수프에 침 뱉기

이 기법은 기숙학교 아이들이 흔히 다른 사람의 음식을 차지하기 위해서 음식에 침을 뱉는 방법으로부터 유래한 것이다. 상담자가 내담자의 어떤 행동의 목적과 대가를 인식하게 되면 상담자는 곧 바로 그 행동이 총체적으로 손해되는 행동이라는 사실을 내담자에게 분명하게 보여 줌으로써 내담자가 더 이상 손해되는 게임을 하지 못하도록 한다. 예를 들면, 아이들에게 더 좋은 생활용품을 사주기 위해 자신이 열심히 일하고 있다는 사실을 아이들에게 계속 말하는 아버지가 있다고 하자. 상담자는 그가 자신의 희생적인 입장을 직면하도록 하고, 그가 아이들로부터 인정을 받으려고 한다는 사실을 보여 준다. 상담자는 그가 아이들에게 하는 자신의 이야기를 변화시키도록 설득하는 역할을 하는 것이 아니라 그가 이 방식에서 어떤 대가를 지불하고 있는지를 보여 준다. 내담자는 같은 행동을 계속할 수도 있으나, 더 이상 자기를 속일 수 없으므로 대가는 지불하지 않아도 된다.

## 7) 악동 피하기(함정 피하기)

내담자들의 고정된 관념과 성숙하지 못한 판단으로 인해 때로는 잘못된 가정을 사실로 인정하면서 일상생활의 자기패배적인 행동양상을 상담 장면에 가져오는 경우가 있다. 자기 패배적인 행동은 변화되기 어렵고 특별히 내담자에게는 중요할 것이다. 비록 이 양식이 그릇된 가정에 기초하고 있고 목표를 성취하지 못하는 결과를 가져온다 할지라도, 내담자는 낡은 행동양식을 고수하려 하게 된다. 더 나아가, 내담자는 자기 패배적인 자기지각을 유지시키기 위해서, 상담자도 다른 사람이 행동하는 것처럼 행동한다고 생각하려고 할 것이다. 예를 들면, 자신이 가치 없다고 느끼는 내담자는 다른 사람이 자신에게 했던 것처럼 상담자도 결국은 그렇게 반응하도록 상황을 조작하려 한다. 상담자는 이러한 함정에 빠지는 것을 피해야 하며 악동의 접촉을 막아야 한다. 오히려 상담자들은 내담자의 비효율적인 지각이나 행동을 언급하는 대신에 더 큰 심리적인 건강을 가져올 수 있도록 격려의 행동을 해야 한다.

## 8) 단추 누르기 기법

단추 누르기 기법은 내담자가 유쾌한 경험과 유쾌하지 않은 경험을 번갈아가면서 생각하도록 하고 각 경험과 관련된 감정에 관심을 가지도록 하는 것이다. 이 기법의 목적은 내담자에게 그들이 무엇을 생각할지를 결정하여 자신이 원하는 감정은 무엇이든지 만들어 낼 수 있다는 사실을 가르치려는 것이다. 단추 누르기 기법을 통해서 아들러 학파는 내담자가 자신이 우울을 선택했으며, 우울은 자기 생각의 산물임을 인식하도록 도와준다. 상담자는 내담자에게 아주 즐거운 사건을 회상하도록 하고, 다음에 아주 불쾌한 사건을 회상하고, 그 다음에는 또 사건이 자신이 바라는 식으로 판명되는 것을 상상하게 하는 시각적 과정을 사용할 수도 있다. 내담자에게 마지막 사건을 재현하고 사고의 산물로 창출된 감정을 덧붙이라고 한다. 상담자는 그 사람에게 두 가지 단추 즉, 우울 단추와 행복단추를 가지고 집에 가라고 하며, 그에게 앞으로 겪게 될 사건에 어느 단추를 쓸 것인지는 자기가 통제할 수 있다고 말한다.

## 9) 역설적 의도(마이더스 기법)

아들러는 변화를 위한 책략으로 역설적 전략을 처음 사용하였다. 이 기법은 '증상 처방 기법' 혹은 '반 암시'라고도 한다. 이 기법은 상담자가 내담자에게 자신의 어려운 문제나 신경증적인 증상을 과장해서 표현하게 함으로써 그들로 하여금 상황에 따른 자신의 행동을 인식하고, 또한 그 행동의 결과에 대한 책임이 자신에게 있음을 깨달을 수 있도록 하기 위한 역설적 방법이다. 역설적 의도란 내담자에게 자신을 나약하게 만드는 생각이나 행동에 의도적으로 관심을 가지고 과장하는 것을 말한다. 역설적 전략은 자기 모순적으로 보일 수도 있고, 때로는 터무니없는 치료 중재로 보일 수도 있다. 이 기법의 핵심은 내담자의 저항에 대항하기보다는 편승하는 것이다.

역설적 전략은 때로 우유부단한 사람에게도 적용된다. 예를 들면, 늑장부리는 내담자들에게 과제를 더 미루라고 말한다. 오랫동안 걱정하는 내담자들에게는 매일매일 가능한 모든 것에 대해 걱정하는 데에만 전적으로 전념하는 시간 계획을 짜도록 할 수도 있다. 교실에서 말하는 것을 두려워하는 내담자에게는 교실 뒤에 앉아서 아무 말도 하지 않도록 한다. 이 절차를 사용하여 특정 시간 동안 행동 양상을 과장하도록 함으로써, 내담자들은 자신이 이 실험에서 무엇을 배울지를 스스로 알도록 하는 것이 좋다. 역설적 의도가 사람들이 어떤 상황에서 자신이 어떻게 행동하는지를 극적으로 인식할 수 있도록 도와주고, 그 행동의 결과에 대한 책임이 자신에게 있다는 사실을 보여 주는 것이 역설적 의도의 논리다. 내담자의 저항에 반대하지 않고 오히려 동참함으로써 그 행동을 덜 매력적으로 만들어 버린다. 상담자는 내담자를 동정하고 내담자의 요구를 충족시키기 위해 문제를 과장하거나 내담자를 과잉 동정함으로써 내담자가 자신을 어리석게 느끼도록 하는 방법이다. 증상은 내담자의 눈에도 어리석은 것으로 보이게 될 것이다. 그러나 마이더스 기법을 잘못 사용하면 내담자를 불쾌하게 할 수 있기 때문에 재미있게 수행하는 것이 중요하며, 그 결과로 내담자가 자연스럽게 자신의 문제나 행동을 이해할 수 있도록 하는 것이 중요하다.

## 10) 이미지 창조(심상 만들기)

내담자 자신의 미래의 모습, 또는 원하는 일들을 단순한 공상이나 허상이 아니고 실현가능한 이미지로 창조해서 상상하게 함으로써 내담자의 변화를 촉진하기 위해 사용하는 기법이다. 이 때 사용하는 이미지는 상담자와 의논해서 자신의 사고와 신념 및 행동을 변화시키거나 생활양식을 개선할 수 있는 달성 가능한 내용이어야 한다. 다른 아들러 학파들도 비슷하게 내담자들에게 간략한 심상을 부여하는데, 이는 "하나의 그림이 천 마디의 말만큼이나 가치가 있다."는 말을 확인하는 것이다. 이러한 심상을 기억하면서 내담자는 자신의 목표들을 상기할 수 있으며, 그 후의 단계에서 자신을 비웃는데 그 심상을 사용하는 것을 배울 수 있다.

신경증적 방어를 시각적 장면으로 상상해 보는 것은 내담자에게 그의 행동이 얼마나 어리석은가를 명백히 하고 구체화하는 데 매우 도움이 될 수 있다. 역설적 의도와 밀접하게 관련되는 장면 상상하기는 내담자에게 위협적인 사회적 상황에 관련되기 시작할 때의 그 우스꽝스러운 장면을 상상해 보도록 요구하는 것이다.

### 11) 과제설정과 이행하기

　과제설정과 이행하기는 내담자가 그들의 문제에 대해 어떤 특별한 행동을 하도록 하는 단계이다. 상담자와 내담자는 때때로 문제에 대한 특별한 행동들을 계획한다. 이러한 단계들은 단순하게 대안책을 고려하는 수준을 넘어 그들이 실제로 변화하도록 해야 한다. 이 단계가 효과적이기 위해서는 과제가 명확해야 하며 이것을 내담자 스스로가 선택할 수 있어야 한다. 물론 상담자가 내담자들이 다양한 대안책들을 인식할 수 있도록 도와줄 수는 있다.

　이 과제에는 시간의 제한이 있어야 한다는 것이 핵심이다. 내담자가 특정한 과제를 제한된 시간동안 성공적으로 해 낼 수 있게 되면 상담자는 구체적인 격려를 할 수 있게 된다. 만약 내담자가 성공하지 못하면, 상담자와 내담자는 더 효과적으로 변화시킬 수 있는 계획을 세워야 한다.

### 12) 숙제 주기

　내담자가 과제를 달성하도록 돕기 위해서, 아들러 학파는 숙제를 내준다. 숙제는 대개 치료회기 동안에 충분히 해낼 수 있는 것들이다. 상담자가 내담자의 인생에 직접적으로 끼어들지 않기 위해서 숙제는 주의 깊게 내준다.

### 13) 타인을 즐겁게 하기

　상담자는 강제로 내담자를 세상으로 나가도록 해서 다른 사람을 위해 유익한 일을 하고 돌아오도록 지시하는 기법이다. 내담자의 열등감을 유발해서 사회적 발달에 방해가 되는 요인 중의 하나가 사회적 관심의 상실이기 때문이다. 이 기법의 목적은 내담자로 하여금 타인을 위하는 일을 하게 함으로써 사회적 관계 속에서 자신의 존재를 발견하고 그 느낌을 통해 열등감을 경감하고 사회성 발달을 촉진하기 위한 것이다.

## 5. 평가

　개인 심리상담의 장점과 단점은 다음과 같다.

### 1) 장점

　　① 개인심리학의 가장 큰 공헌은 개인심리학의 이론들이 '상식'으로 이해되어 다른 이론과 통합될 수 있다는 것이다.
　　② 개인심리학의 주요개념(열등감, 우월 컴플렉스, 출생순위, 생활양식, 창조적 자아, 사회적 관심 등)은 일반상담 및 치료개념으로 적용되고 있다.
　　③ 인간의 잠재력과 가능성에 대한 신념을 강조하고 격려하는 방법의 상담으로 정신건강에 관련되는 접근법으로 모든 상담 분야에서 매우 유익하게 활용되고 있다.
　　④ 환경 속의 인간이라는 개념을 통해 문화적 요인을 탐색할 수 있기 때문에 여러 민족의 체계와도 조화될 수 있는 이론이다.

### 2) 단점

　　① 기본 개념에 대한 과학적 연구가 없기 때문에 정확성, 검증성, 경험적 타당성이 부족하다.
　　② 복잡한 인간문제를 너무 단순화하여 상식에 의존하여 해석하므로 적용이 단순하다.

③ 아동과 가족에 국한된 특수한 방식이라는 고정관념 때문에 성인상담에 적용하는 유용성에 대해 의문을 가지고 있다.

④ 급한 문제해결이 필요한 내담자의 경우에 자신의 아동기와 초기기억을 회상해야 하는 등 적용에 어려움이 있다.

⑤ 아동기와 초기기억 및 꿈 해석에 대한 정확성과 객관성에 문제가 있다.

# 4

# 인간중심치료

처음에는 비지시적 상담(1940)으로 불리우다 후에 내담자중심 상담(1951)으로, 그리고 최근에는 인간중심 상담(1974)으로 개칭된 이 상담론은 Carl Rogers에 의해 창안되었다. Rogers는 정신분석을 비롯한 기존의 상담이론과 상담절차를 배제하고 내담자 중심의 허용적이고 비간섭적인 상담을 이끌어야 한다고 강조하였다. 또한 내담자는 상담자가 제시하는 분석과 해석 및 지시를 수동적으로 받아들이는 사람이 아니라 자신의 문제를 가장 알고 있으며 문제를 해결해 나갈 수 있는 능력도 충분히 가지고 있다고 강조하였다.

모든 인간은 태어나면서부터 내면의 잠재력을 실현하려는 선천적 경향성을 가지고 있어 각자의 계속적인 성장에 궁극적 관심을 갖고 있다는 인간관을 갖고 있다. 따라서 상담 혹은 심리치료란 이처럼 개인 속에 이미 존재하고 있는 잠재능력을, 제약되고 왜곡된 상태로부터 해방시킴으로써 충분히 역할을 수행할 수 있는 성숙한 인간으로의 성장을 조력하는 것으로 보고 있다.

인간중심상담에서는 상담자의 이론적 지식이나 기법보다는 상담자의 태도와 인간적 특성이 강조되는데, 상담자는 '무조건적인 수용', '공감적 이해', '일치성'의 태도를 내담자에게 전달하여 신뢰롭고 허용적인 분위기를 조성하는 인간관계를 통해 내담자의 변화와 성장이 실현되도록 해야 된다는 것이다.

## 1. 주요 개념

로저스의 상담이론을 이해하는데 중요한 구성개념은 현상학적 장, 유기체, 자아, 실현화 경향성, 가치의 조건화 등이다.

### 1) 현상학과 현상학적 장

눈에 보이는 객관적 세계가 아니라 어떻게 받아들이는가의 주관적 세계가 행동의 원천이 된다고 보는 견해를 현상학이라 하고 그런 주관적 세계가 '현상학적 장'이다. 로저스의 인간 이해를 위한 철학적 입장은 현상학의 영향을 받아 형성되었다. 즉, 현상학자에게 중요한 것은 대상이나 사건 그 자체가 아니라 개인이 대상이나 사건을 어떻게 지각하고 이해하는 것인가이다. 개인의 행동양식은 외적인 현실에 의해서 결정되는 것이 아니고 오히려 주관적 현실, 즉 현상학적 장에 의하여 좌우된다고 본다.

### 2) 유기체

로저스는 현상학적으로 인간을 설명하기 위하여 '유기체'라는 명칭을 사용하였다. 유기체란 그 개인의 사상, 행동 및 신체적 존재 모두를 포함하는 전체로서의 개인을 지칭한다. 유기체, 즉 개인은 계속적으로 변화하고 있는 세계 속에서 자신이 경험하고 지각한 장에 대하여 반응한다.

## 3) 자아

로저스의 성격이론에서 핵심적인 구조적 개념이 자아(self)다. 로저스는 개인은 외적 대상을 지각하고 경험하면서 그것에 의미를 부여하는 존재임을 강조한다. '자기' 란 개인 자신의 존재각성 또는 기능작용의 각성을 의미한다. 자아발달을 통해서 개인은 자기에게 속한 것 혹은 자신이 지각하는 다른 모든 대상들 사이를 구별할 수 있게 된다. 로저스는 자아가 불안정하며 끊임없이 변화하는 실체라는 점에서 과정으로서의 자아를 강조하였다. 그러나 비록 자아가 개인의 현상적 장의 일부로 계속해서 변화하지만 개인마다 일정한 양식으로 조직화되고 통합된 형태를 유지하고 있기 때문에 자아는 세상에 대한 지각과 행동의 근거가 된다. 자아는 현재 자기모습에 대한 지각인 현실자아와 개인이 앞으로 소유하기를 원해서 높은 가치를 부여하는 이상자아가 있다.

## 4) 실현화 경향성

Rogers는 모든 인간은 성장과 자기증진을 위하여 끊임없이 노력하며 생활 속에서 직면하게 되는 고통이나 성장방해 요인을 극복할 수 있는 성장 지향적 유기체라고 보았다. 실현화 경향성은 사람이나 동물뿐만 아니라 모든 살아있는 것에서 볼 수 있다. 모든 생명을 묘사함에 있어, 로저스는 유기체가 극단적으로 적대적인 조건하에서 생존하게 할 뿐만 아니라 적응하고, 발달하고, 성장하도록 하는 저항할 수 없는 힘의 존재에 대한 그의 믿음을 '생의 집착' 및 '생의 추진력' 이라고 표현하였다.

실현화란 개념은 유기체가 단순한 실체에서 복잡한 실체로 성장해 나가고, 의존성에서 독립성으로, 고정성과 경직성에서 유연성과 융통성으로 변화하고자 하며, 자유롭게 표현하고자 하는 유기체의 경향성을 나타낸다. 실현화는 개인이 욕구와 긴장을 줄이려는 경향성을 포함하지만, 그것은 유기체를 향상시키는 활동으로부터 도출된 기쁨과 만족을 강조한다. 실현화 경향성은 성숙의 단계에 포함된 성장의 모든 국면에 영향을 준다.

### (1) 자아실현 경향성

로저스는 인간은 자아를 유지하고, 향상시키고, 실현화시킬 경향성에 의해 동기화되어 있다고 믿었다. 평생을 지속하는 과정으로서 한 인간이 자신이 되어가는 과정이며, 그 개인의 독특한 특성들과 잠재력을 발달시켜 가는 과정이다. 자아실현은 경험이나 학습에 의하여 도움을 받을 수도 있고, 또는 방해를 받을 수도 있다. 자아실현이란 완전한 최종의 상태를 말하는 것이 아니고, 죽을 때까지 계속되는 과정으로 보았다.

## 5) 가치의 조건화

로저스의 성격형성을 이해하는 데 중요한 개념이 '가치의 조건화' 다. 로저스가 "경험은 나에게 최고의 권위다." 라고 말한 것처럼 우리 각자는 경험을 통해 가치를 형성하는 것이 중요하다. 그런데 연약한 존재로서 아동은 그에게 가장 영향력 있는 부모의 양육 태도에 따라 가치의 조건화를 형성한다.

아동은 기본적 욕구인 '긍정적 자기존중' 을 얻기 위해 노력한다. 그리고 이러한 긍정적 자기존중 때문에 가치의 조건화 태도를 형성하게 된다. 이렇게 형성된 가치의 조건화는 유기체가 경험을 통해 실현화 경향성을 성취하는 것을 방해하는 주요한 원인이 된다. 왜냐하면 가치의 조건화는 아동이 주관적으로 경험하는 사실을 왜곡하고 부정하게 만들기 때문이다. 아동은 의미 있는 대상(예를 들면, 부모)으로부터 긍정적 자기존중을 받기를 원한다. 부모는 자신의 판단에 따라 아동에게 해야 할 것과 하지 말아야 할 것을 정해 놓는다. 아동은 부모가 원하는 것을 할 때만 긍정적 자기존중을 받게 되고 착한 아이가 된다. 부모가 원하지 않는 것을 하면 나쁜 아이가 된다. 나쁜 아이가 되는 것은 긍정적 자기관심을 얻지 못하게 한다. 그러므로 아동은 나쁜 아이가 되지 않기 위해 자기가 경험하는 사실을 왜곡하고 부정하게 된다. 다시 말하면 부모로부터 긍정적 자기존중을 받기 위해 자기가 하는 경험에 폐쇄적이 되어 실현화 경향성을 방해받게 된다는 것이다.

갈등, 불안, 공포 등의 정서적 문제도 가치의 조건화와 관련되어 있다. 내사된 가치의 조건화로 인해 긍정적 자기존중을 받으려는 욕구는 그것에 반하는 어떤 경험을 회피하고, 왜곡하고, 부정해 왔다. 이러한 가치의 조건화에 따른 행동은 실현화 경향성을 이루려는 유기체의 경험과 마찰하게 된다. 이런 마찰은 위협으로 느껴지며 갈등과 불안을 야기한다. 의미 있는 대상으로부터 주입된 이러이러한 행동을 하면 '나쁜' 아이라는 가치의 조건화가 실존적 존재로서 주관적인 내적 경험과 불일치를 이루게 된다. 이런 불일치는 긍정적 자기존중을 잃지 않을까 하는 위협으로 느껴지고 불안과 두려움을 야기하게 된다.

## 6) 충분히 기능하는 사람(완전기능인)

Rogers는 인간중심상담의 목표를 모든 경험에 완전하게 개방적이며, 긍정적인 자기존중을 경험하면서 자신이 잠재력과 능력을 충분히 발휘할 수 있는 완전하게 기능하는 인간(fully functioning person)이 되도록 하는 것이라고 하였다. Rogers가 제시한 완전하게 기능하는 인간(fully functioning person)의 특징은 다음과 같다.

1. 모든 경험에 대해 개방적이다.
2. 현재의 순간을 자각하는 실존적 삶을 영위한다.
3. 자신에 대한 충분한 신뢰로 타인의 판단에 의해 행동하는 것이 아니라, 자신의 경험과 판단에 따라 행동하며, 이성적 · 합리적 행동에 도달할 수 있는 능력을 가지고 있다.
4. 자신이 자유롭게 선택한 행동과 그 결과에 책임을 지면서 인생을 효율적으로 즐기면서 산다.
5. 사회규범에 구속되거나 문화적 배경에 억압받지 않는 반면에, 주어진 환경 속에서 건설적이고 창조적인 삶을 산다.

# 2. 상담 목표

인간중심치료의 목표는 인간의 문제보다는 인간 자체에 초점을 맞추기 때문에 문제해결보다는 문제를 극복할 수 있도록 성장을 도와서 완전히 기능할 수 있는 인간이 되도록 하는 것이다. 즉 내담자의 자기개념과 유기체적 경험 간의 불일치를 제거하고, 내담자가 느끼는 자아에 대한 위협과 그것을 방어하려는 방어기제를 해체하여 충분히 기능하는 인간이 되도록 돕는 것을 상담의 목표로 삼는다는 것이다. 이를 위해서 상담자는 먼저 내담자가 사회화 과정을 통해 발달된 가면을 벗고 자신을 개방해서 지금까지 경험해 보지 못한 왜곡된 자아개념이나 방어적인 태도 등을 모두 경험하도록 한다. 경험 후에는 내담자 자신의 진실된 지각과 신념에 도전해서 새로운 경험에 접촉하도록 격려한다.

상담자는 신뢰할 수 있는 분위기를 조성하여 내담자가 거리낌 없이 자기를 표현하도록 함으로써 자신이 내면세계(욕망, 감정, 가치관 등)를 이해하고 자신의 문제를 파악할 수 있도록 돕는다.

# 3. 상담 과정

내담자가 잠재된 능력을 발휘하여 스스로 건강한 사람으로 변화되기 위한 상담과정은 다음과 같다.

- 1단계 내담자가 도움을 받기 위해 상담자를 방문하는 단계
- 2단계 상담자와 내담자가 상담관계를 확립하고 내담자 중심이 상담상황을 결정하고 분위기를 조성하는 단계
- 3단계 내담자는 상담자의 긍정적 관심과 경청 속에서 자신의 문제를 이야기 하면서 과거의 부정적 감정과 문제들을 경험하는 단계
- 4단계 상담자는 내담자에 대한 무조건적 수용의 태도로 내담자가 표현하는 부정적 감정을 모두 받아들여 이해하고 정리하는 단계
- 5단계 내담자가 자발적으로 표현한 부정적 감정과 긍정적인 감정이 서로 충돌하면서 갈등이 유발하는 동시에 긍정적 감정을 표현하고자 하는 욕구가 발생하는 단계
- 6단계 상담자가 내담자가 표현한 긍정적 감정을 무조건적으로 수용하는 단계
- 7단계 내담자가 자기이해와 탐색을 통해 자신의 문제에 대해 통찰력을 경험하는 단계
- 8단계 내담자가 자신의 행위를 선택하고 결정하는 단계
- 9단계 내담자가 자신감을 느끼고 자신이 선택한 행동을 실천으로 옮기는 단계
- 10단계 내담자가 정확한 자기이해와 긍정적인 태도를 형성하는 단계
- 11단계 내담자가 자신에 대한 신뢰와 자신감을 회복하는 단계
- 12단계 내담자의 문제가 해결되고 상담이 종결되는 단계

# 4. 상담 기법

인간중심 상담에서는 상담기법보다는 상담자의 철학이나 태도를, 그리고 상담자의 언행보다는 오히려 상담관계를 강조한다. 상담의 기술에 있어서 상담자의 태도로 나타나야 할 몇 가지 조건과 역할은 다음과 같다.

## 1) 진실성(genuineness, realness ; 일치성, congruence)

일치성은 상담관계에서 상담자가 순간순간 경험하는 자신의 감정이나, 태도를 있는 그대로진술하게 인정하고 개방하는 것을 의미한다. 이는 상담기법이기보다는 내담자의 진술한 태도자체를 경험하는 것을 말한다. 상담자의 진실한 태도는 내담자와 더불어 순수한 인간적 만남을 가능하게 하고, 내담자의 개방적인 자기 탐색을 촉진, 격려하게 된다.

상담의 과정 중 상담자가 내담자와의 관계에서 경험하는 부정적인 감정을 표현할 때는 내담자가 상담자를 비난하는 것이 아니고, 상담자 자신의 문제로 인정하고 표현해야 한다. 왜냐하면 그러한 감정은 내담자와의 관계에서 발생한 것이지만 문제거리로 여기고 있는 것은 사실상 상담자 자신이기 때문이다. 상담자가 상담과정에서 매 순간에 경험하고 느끼는 감정을 자각하여 사실 그대로 표현하는 것은 쉬운 일이 아니다. 상담자가 조력자로서 내담자에 집중해서 '지금-여기'에서 진술하게 느끼는 다양한 감정을 알아채는 것은 쉽지 않다. 일치성을 유지하기 위해 상담자는 높은 수준의 자각, 자기수용, 자기신뢰를 갖는 게 필요하다.

일치성 태도를 가진 상담자는 경험하는 유기체로서 내담자와 인간 대 인간의 만남이 되도록 개방적으로 직면해야 한다. 상담관계에서 일치성을 유지하며 솔선수범하여 일관되게 실제적이 되려고 하는 상담자의 자세는 내담자를 신뢰하게 만든다. 이와 같은 상담자의 진솔한 태도는 내담자와의 인간 대 인간의 만남을 가능하게 한다. 또한 상담자는 내담자에게 모델로서 본보기가 된다. 결과적으로 상담자의 일치성 태도는 내담자로 하여금 개방적 자기탐색을 촉진하여 그가 지금-여기에서 경험하는 감정을 자각하도록 하는 요인이 된다.

## 2) 무조건적인 긍정적 관심(unconditional positive regard)

상담자가 내담자를 평가·판단하지 않고 내담자가 나타내는 어떤 감정이나 행동, 특성들도 그대로 수용하며 그를 소중히 여기고 존중하는 태도이다. Rogers는 내담자가 어떤 상태에 놓여 있건 간에 그를 향해 무조건적으로 긍정하고 수용적인 태도를 보이게 되면, 상담적 변화의 가능성이 더 커진다고 주장한다. 그래서 인간중심 상담에서 상담자는 실현 경향성을 갖고 있는 유기체에 대한 신뢰에 근거하여 충고나 지시 그리고 해석 같은 방법 대신에 비판단적인 이해와 진실한 반응으로, 그리고 가끔은 무조건적인 긍정적 관심으로 내담자를 대해야 한다.

무조건적 긍정적 존중의 내용을 기술하는 동의어는 비소유적 온화, 돌봄, 칭찬, 수용, 존경 등이다. 로저스가 제안한 무조건적 긍정적 존중은 올바른 양육조건이 주어지면 내담자가 건설적 변화를 위한 잠재력을 실현할 수 있다는 깊은 인간 신뢰와 관련되어 있다. 아무 조건 없이 인간의 행동을 수용하고 존중하는 태도를 갖는 것은 상담자가 인간을 신뢰하는 확고한 철학적 신념이 없이는 불가능하다. 때문에 상담자로서 내담자를 변화시키기 위해 인간을 보는 근본적인 태도와 신념의 변화가 우선되어야 한다.

인간중심 접근에서 무조건적 긍정적 존중은 상담관계에서 인간의 가치와 의미성에 대한 상담자의 태도가 얼마나 중요한가를 강조한 개념이다. 상담자가 실현화 경향성을 가진 존재로서 내담자를 철저하게 믿는 태도는 그로 하여금 자신을 믿고 자기 성장을 이루도록 하는 촉진적 조건으로 작용한다. 상담자가 보여 주는 무조건적 긍정적 존중을 통해 내담자는 그동안 자신에게 의미 있는 사람(예를 들면, 부모나 교사)에게 긍정적 존중을 얻기 위해 형성한 가치의 조건화 태도를 서서히 바꾸기 시작한다. 즉, 가치의 조건화에 의해 자신이 왜곡하고 부정해 왔던 경험을 보다 개방적으로 탐색하기 시작한다.

## 3) 정확한 공감적 이해(accurate empathic understanding)

공감적 이해는 상대방이 주관적으로 경험하는 사적 세계를 정확하고 민감하게 이해하는 것이다. 즉 상담자와 내담자가 상호작용하는 동안에 발생하는 내담자의 경험들과 감정, 그리고 그러한 경험과 감정들의 의미를 민감하고 정확하게 이해하려는 노력을 말한다. 정확한 공감적 이해는 내담자로 하여금 있는 그대로의 자신에게 보다 더 가깝게 접근해 갈 수 있도록 격려하고, 보다 깊이 있게 그리고 강한 경험을 할 수 있도록 도와서 내담자가 자신 내에 존재하는 자아와 유기체적 경험 간의 불일치성을 인지하고 해결할 수 있도록 하는 것이다.

많은 사람들은 자신이 경험하는 특이한 내용을 이 세상에서 누구도 이해해 주지 못하리라고 생각하기 때문에 그러한 내용을 비밀스럽게 간직한다. 비밀스런 내용을 누군가 알면 큰일이 날 것 같기 때문에 견고하게 아성을 쌓아 지킨다. 내담자가 지키는 이러한 아성을 무너뜨릴 수 있는 것은 상담자가 내담자의 입장에서 그를 공감적으로 이해하는 것이다.

공감적 이해는 상담자가 내담자가 될 수는 없지만 그러나 마치 내담자인 것처럼 내담자의 내적 참조 틀에 근거해서 그가 경험하는 감정을 파악하고 이해하는 것이다.

# 5. 평가

인간중심 상담의 장점과 단점은 다음과 같다.

## 1) 장점

(1) 상담의 초점을 기법 중심에서 상담관계 중심으로 변화시켰다.
(2) 개인상담, 집단상담, 가족상담의 발전에도 영향을 미쳤다.

(3) 고도로 훈련된 전문가들만의 독점물이었던 상담을 모든 사람이 이해할 수 있고, 활용할 수 있는 방향으로 발전시켰다. 진실성, 무조건적인 긍정적 관심, 공감적 이해 등은 누구나 이해할 수 있는 효과적인 기법이다.

(4) 상담자의 무비판적 · 수용적 태도를 중시하였다.

(5) 내담자의 통합성과 개성 존중의 증대, 내담자의 과거보다 지금 - 여기의 강조 등과 같은 경향으로 인간발달에 큰 영향을 주었다.

(6) 상담자들이 자유롭게 자신의 상담양식을 개발하여 다양한 방식으로 상담을 할 수 있게 되었다.

## 2) 단점

(1) 상담자의 인간적인 태도를 강조하는 인간중심 상담은 내담자의 특정문제를 해결하는 상담의 접근법으로는 너무 간단하고 전문기법이 부족하다는 것이다.

(2) 인간중심상담에서 강조하는 경청, 수용, 반영 등은 상담의 조건으로는 적당하지만, 내담자문제와 관련된 심리요인을 탐색하는 상담 및 기법으로는 한계가 있다.

(3) 내담자 중심의 상담으로 상담자가 자신의 인간적인 특성과 전문성을 반영한 전문상담을 진행하기가 어렵다

(4) 현상학적 이론의 한계이다. 인간중심상담의 이론 · 가설 · 절차 · 기법들이 경험적 연구에 기초하기 때문에 이론의 체계성과 상담의 효과성에 대한 문제와 적용에 한계가 있다. 현상학에서는 객관적 환경은 똑같아도 수용 방법이 변하면 행동이 변한다고 본다. 그러나 이런 생각은 환경의 작용을 경시할 위험이 있다. 가령, 휴학, 전학 등 환경을 조정하는 쪽이 문제해결에 쉬운 데도 현상학에서는 본인의 내적 심리상황(인지세계)의 변화만을 고집하기 쉽다.

(5) 내담자의 감정표현을 강조하고 있는 반면에 지적 및 인지적 요인들을 무시하는 경향이 있다.

(6) 상담과정에서 상담자는 전적으로 가치 중립적이어야 한다고 주장하지만, 대인 관계에서 전적으로 가치를 배제한다는 것이 과연 가능한가의 의문이 제기되고 있다.

# 게슈탈트 치료

게슈탈트(Gestalt)란 '전체' 또는 '형태' 라는 뜻의 독일어다. 그래서 우리나라에서는 게슈탈트 상담을 형태요법이라고도 부른다. Fritz salomon Perls(1983~1970)에 의해 창안된 형태치료는 인간은 현상학적이며 실존적 존재로서 내담자가 자신의 경험을 통찰함으로써 증가하게 되는 인식과 책임감에 초점을 두는 상담이다. 상담 및 심리치료의 방법으로 특히 1960년대부터 미국에서 크게 유행하여 심리치료, 개인 및 집단상담, 가족상담, 참 만남운동에 많은 영향을 끼쳤다.

형태요법 상담은 형태주의 심리학(Gestalt psychology)에서 강조하는 전체성이나 완성에 대해 똑같은 관심을 가지며, '전체로서의 유기체' 를 다루고 '여기 그리고 지금(here and now)' 에 초점을 둔다. 형태요법 상담은 경험적 · 실존적 · 실험적인 접근으로 상담자와 내담자의 진실한 접촉을 통해 개인이 매순간 느끼는 감정을 표현하도록 촉진해서 독립적 선택능력과 책임감을 갖춘 능동적 인간으로 변화시키는 것이다.

게슈탈트 치료는 우리가 주어진 상황에서 자신에게 일어난 일을 충분히 자각하면 그 상황에서 필요한 게슈탈트를 형성하므로 적절하게 주어진 문제를 처리할 수 있다고 가정한다. 우리가 오관을 통해 주어진 상황에서 매 순간 경험하는 것을 충분히 자각하여 처리할 수 있을 때 유기체로서 바람직한 적응이 이루어진다. 펄스는 게슈탈트 치료의 철학적 입장을 상태주의 + 자각이라고 하였다. 즉, 실존주의적 의미인 '있는 그대로' 를 강조하는 상태주의와 유기체의 지혜를 신뢰하여 유기체가 매 순간 변화를 알아차리는 자각(awareness)을 게슈탈트 치료의 근거로 삼는다. 이는 매순간 생성되는 게슈탈트를 자각하여 그것을 해결하면 다시 새로운 게슈탈트가 형성되어 지금-여기에서 생성되는 게슈탈트를 해결함으로써만이 전체를 통합할 수 있다는 것이다.

## 1. 주요 개념

게슈탈트 치료를 이해하는 데 필요한 주요 개념은 접촉, 지금-여기, 자각과 책임감, 미해결 과제와 회피, 신경증 층, 접촉경계 장애 등이다.

### 1) 접촉

펄스는 유기체의 자각 혹은 알아차림을 통한 접촉 결여를 주요한 문제로 보았다. 그가 지적한 접촉경계의 장애는 우리의 성숙과 문제해결을 방해한다. 원만하고 건강한 삶을 유지하기 위해 가장 시급한 게슈탈트의 완성을 위해 우리의 에너지가 봉쇄되지 않고 사용되는 것이 요구되는데, 환경과의 접촉(contact)을 통해 가장 시급하게 필요한 게슈탈트를 완성하지 못하면 문제가 된다고 하였다. 그러므로 접촉을 방해하고 에너지의 흐름을 방해하는 것이 우리가 갖은 잠재력을 충분히 발휘하지 못하도록 하고 게슈탈트의 완성을 방해하지 못하도록 하는 훈련이 필요하다. 즉, 학교나 직장에서 자신이 해야 할 일을 수행하는데 집에서 있었던 좋지 않았던 일이 계속해서 당신을 괴롭힌다면 문제이다. 건강한 삶을 위해 시급한 게슈탈트의 완성을 통한 게슈탈트의 순환이 계속되는 것이 필요하다.

## 2) 지금 - 여기(Here and Now)

펄스의 가장 중요한 공헌은 현재를 온전히 음미하고 경험하는 학습을 강조했다는 점이다. 현재만이 유일하게 중요한 시제다. 과거는 지나가 버렸고, 미래는 아직 오지 않았기 때문에 현재가 중요하며, 현재는 한 개인의 실존이라고 하였다. 그러므로 지금 - 현재의 나를 제대로 이해하지 못하면 과거나 미래로 도피하게 되면서, 현재 나의 삶을 올바로 경험하지 못하게 된다. 그러나 대부분의 사람들은 현재의 힘을 상실하고 과거를 생각하거나, 미래를 위한 끊임없는 계획과 대비책에 연연하며 살고 있다는 것이다.

게슈탈트 치료는 지금 - 여기에 초점을 두는 접근방식이다. 따라서 대부분의 게슈탈트 기법들은 내담자가 직접적인 접촉을 통해 경험하면서 그 순간에 느낌들의 자각을 증가시킬 수 있는 쪽으로 고안되었다.

## 3) 자각(자기 각성)

자각이란 개인이 생각하고, 느끼고, 감지하고, 행동하는 것을 인식하는 과정이다. 게슈탈트치료에서 상담자의 과업은 내담자로 하여금 자신의 경험을 지금 - 여기에 개방하도록 촉진하고, 그러한 경험을 어떻게 그리고 무엇을 자각할 것인가를 돕는 것이다. 즉, 경험의 흐름에 머무름으로써 내담자들은 세계에서 그들이 어떻게 기능하는가를 발견할 것이다.

자신의 존재에 대해 현재중심적인 지금 - 여기에 대한 자각을 얻기 위해서는 내담자의 움직임, 자세, 언어유형, 목소리, 제스처, 타인과의 상호작용에 주목하는 외현적인 것을 강조한다. 많은 사람들이 외현적인 것을 보지 못하기 때문에 게슈탈트 치료자는 내담자가 어떻게 그들의 감각을 전적으로 사용할 것인지를 배우고, 외현적인 것을 어떻게 회피하고 있는지 알게 하며, 지금-여기에 개방하는 것에 도전시킨다. 건강한 사람은 자신의 사고와 감정 및 행동에 대한 각성과 함께 세계에 대한 각성이 정확한 사람이라고 할 수 있다.

## 4) 미해결과제

개인의 욕구를 해결하지 못해 게슈탈트(형태)를 완성하지 못하면 미해결 과제를 갖게 된다. 이러한 미해결 과제는 분노, 증오, 노여움, 고통, 불안, 죄책감, 회한과 같은 표현되지 않은 감정으로 나타난다. 미해결 과제나 표현되지 않은 정서가 지금 상황에서 지각되지 않고 다루어지지 않는다면 그것들은 현재의 자각과 효과적인 기능을 계속 방해한다. 이러한 미해결 과제는 기본적으로 해결을 추구한다. 만일 특정 시간동안 계속적인 자각에 머물러 있다면 의미 있는 미해결 과제가 출현할 것이다. 내담자는 경험하고 있는 것과 회피하고 있는 것을 자각함으로써 자신의 현재 상황에 충격을 준 미해결 상황을 해결할 수 있다. 펄스에 의하면, 원한이 가장 부정적인 미해결과제로 죄책감과 적대감을 형성해서 현실세계 적응과 대인관계에 부정적인 영향을 미치게 된다고 하였다. 따라서 내담자가 과거에 표현해 보지 못한 미해결 감정들을 현재 상담 과정에서 표현하도록 격려해서 내담자의 재인식과 자각을 통해 현실에 직면해서 해결할 수 있도록 해야 한다.

## 5) 책임과 회피

펄스는 인간은 심리적으로 불편한 감정을 경험하고 직면하여 이를 해결하려고 노력하기보다는 회피하려는 경향이 있다고 하였다. 상담자는 게슈탈트 치료를 통해 내담자들이 경험하고 행동하는 것은 무엇이건 간에 타인에게 탓을 돌리지 않고 자신이 책임을 지도록 한다. 개인의 책임감은 의무를 수행하는 것과 다르다. 성숙한 인간은 타인의 기대에 부합하려 하지 않고, 타인에게 보은하면서 살리려고 노력하지도 않는다. 그들은 자신의 기대와 진실로 자기 자신이 되는 것에 관심이 있다.

우리가 개인적인 책임감을 증진시키는 방법 중의 하나는 우리가 타인에게 자신의 책임을 떠맡기는 방식을 자각하는 것이고, 타인이 우리에게 기대하리라 생각하는 것으로부터 우리를 분리시켜서 자신의 기대로 살 수 있는 현명한 결정을 하는 것이다.

한편 미해결 과제와 관련된 개념이 회피다. 회피는 사람들이 미해결 과제를 직면한다거나 미해결 상황과 관련 있는 불편한 정서를 경험하는 것을 방해하는 데 사용하는 수단이다. 또한 회피는 사람들로 하여금 변화에 필요한 것을 실행하기보다는 고통스러운 정서를 경험할 수 있는 기회를 박탈하기 때문에, 난국을 극복할 수 없게 하며, 그들의 성장가능성을 방해한다.

그래서 게슈탈트 치료는 전에는 결코 직접적으로 표현한 적이 없는 강렬한 감정을 상담 회기의 현재 상황에서 표현하도록 격려한다. 만약 내담자가 증오나 원한의 감정을 접하는 게 두렵다고 말하면, 상담자는 그의 증오와 원한의 부분이 되어 부정적 감정을 표현해 줌으로써 그를 격려할 수 있게 된다. 떨쳐버리기 어려웠던 자신의 이런 면을 경험함으로써 내담자는 통합하기 시작하고 성장을 방해하였던 장애를 뛰어넘게 된다. 그리고 회피를 극복함으로써 내담자는 현재 생활을 방해하는 미해결과제를 처리할 수 있게 되어 건강하고 통합된 존재로 나아가게 된다.

## 6) 신경증 층

펄스는 인간의 인격을 양파껍질에 비유하여 설명하면서 인간이 심리적 성숙을 얻기 위해 다섯 가지 신경증 층을 벗겨야 한다고 주장하였다.

### (1) 허위 층

진실한 마음없이 다른 사람들을 상투적으로 대하는 거짓된 상태를 의미한다. 이 단계에서 사람들은 서로 형식적이고 의례적인 규범에 따라 피상적으로 만난다. 치료의 초기에 내담자는 표면적으로는 세련된 행동을 보이고 적응적인 행동을 보이지만 자신을 깊이 노출시키지 않으므로 진정한 변화는 일어나지 않는다.

### (2) 공포 층

일반적으로 사람들은 자신의 실제모습을 인정하지 않으려고 저항하게 되면서 심리적으로 위협감을 느끼게 된다. 즉 자신의 원래 모습이 외부로 노출될 때 느끼는 수치심이나 열등감 또는 타인들로부터 당하게 되는 거부감은 공포감을 조성해서 자신의 고유한 모습보다는 타인에게 보이는 모습이나 행동에 주의하게 된다는 것이다. 개인이 자신의 고유한 모습으로 살아가지 않고 부모나 주위환경의 기대 역할에 따라 행동하며 살아가는 단계다. 이 단계에 있는 개인은 환경에 적응하기 위해 자신의 욕구를 억압하고 주위에서 바라는 역할행동을 연기하며 산다. 그리고 그는 자신이 하는 행동이 연기라는 것을 망각하고 그것이 진정한 자신인 줄 착각하고 산다. 이러한 역할연기의 전형적인 예를 들면, 모범생, 지도자, 구세주, 협조자, 중재자 등이 있다. 많은 사람들은 진정한 자신과 만나는 것을 매우 두려워한다. 그것은 내사된 사회규범과 부모의 목소리가 그들의 내면에서 끊임없이 그들을 위협하기 때문이다.

### (3) 난국 층

개인이 난관에 부딪치면서 자신의 욕구를 나타내기 위해 지금까지 해 왔던 역할연기를 그만두고 자립을 시도하지만 동시에 심한 공포를 체험하게 되면서 무력감을 느끼게 되는 단계이다. 내담자는 지금까지 환경으로부터 도움을 받기 위해 역할연기를 해 왔으나 상담과정을 통해 역할연기의 무의미성을 깨닫고 역할연기는 포기했지만 다른 한편으로는 아직 스스로 자립할 수 있는 능력이 생기지 않은 상태이므로 실존적인 딜레마에 빠지게 되어 심한 허탈감과 공포감을 체험하게 된다. 개인은 이러한 공포감과 공허감을 만나는 것이 두렵기 때문에 내담자는 "갑자기 모든 게 혼란스럽다." "도대체 무엇이 무엇인지 모르겠다." "앞으로 어떻게 해야 좋을지 모르겠다." "마음이 공허하다." "쉬고 싶다." 등의 표현을 하면서 이 단계에 들어서기를 회피하려고 한다. 이때 상담자는 내담자로 하여금 이러한 상태를 피하지 말고 직면하여 견뎌내도록 격려해야 한다. 내담자가 이러한 혼돈 상태와 공백상태를 참고 통과하게 되면 변화가 일어나면서 새로운 돌파구가 열린다.

### (4) 내적 파열 층

이 단계에서 개인은 자신의 욕구를 인식하지만 겉으로 나타내지 못하고 안으로 억압하는 상태에 있게 된다. 개인은 자신이 억압하고 차단해 왔던 욕구와 감정을 알아차리게 된다. 그런데 이러한 유기체 에너지들은 오랫동안 차단되어 왔던 것들이기 때문에 상당한 파괴력을 가지고 있다. 개인은 이러한 파괴적 에너지를 외부로 발산하면 타인과의 관계가 악화될 것이라는 두려움을 갖고 있기 때문에 자신의 감정을 표현하지 않고 억제하며 타인에게 분노를 표현하는 대신에 자기 자신에게 공격성을 돌려 자신을 비난하고 질책하는 행위를 한다. 그럼에도 불구하고 자신도 모르게 방어가 해제되고 자신이 노출되면서 조금씩 실제의 자기와 접촉이 가능하게 된다.

### (5) 폭발 층

개인이 감정과 욕구를 더 이상 억압하지 않고 직접 외부대상에게 표현하는 상태이다. 개인은 자신의 욕구와 감정을 분명하게 알아차려 강한 게슈탈트를 형성하여 환경과의 접촉을 통해 해결한다. 또한 이전에 억압하고 차단했던 미해결 과제들을 전경으로 떠올려 해결한다. 내담자가 이 단계에 도달하면 상담이 종결된다. 그들은 이제까지 자신을 지탱해왔던 유아적인 욕구와 어리석은 생각을 포기하고, 자신의 과거 삶에 대해 슬퍼하며 흐느껴 울기도 하고, 이제까지 억압해 왔던 분노감정을 표출하기도 한다. 이러한 과정에서 내담자는 종종 깊은 단계의 치료적 작업을 통과하기도 하는데 이때 그들은 온몸으로 자신의 억압되었던 감정을 표출하기도 한다.

이상의 다섯 가지 신경증 층을 개인의 성격변화의 단계와 게슈탈트 치료 핵심개념인 알아차림 및 접촉과 관련해 살펴볼 수 있다. 즉, 허위 층과 공포 층은 게슈탈트 형성이 잘 안 되는 단계이고 난국 층은 게슈탈트 형성은 되었으나 에너지 동원이 잘 되지 않는 단계다. 그리고 내적 파열 층은 에너지 동원은 되었지만 행동으로 옮기는 단계에서 차단되어 게슈탈트가 완결되지 않은 상태며, 폭발 층은 마침내 개인이 게슈탈트를 순조롭게 해소하고 해결 짓는 단계라고 할 수 있다.

## 7) 접촉경계 장애

펄스는 유기체의 자각 혹은 알아차림을 방해하는 접촉의 결여를 주요한 문제로 보았다. 게슈탈트에서 저항이란 우리가 온전하고 진실하게 현재를 경험하는 것을 방해하는 방어기제라고 본다. 자각을 통한 접촉을 방해하는 장애기제 혹은 저항적 의사소통의 통로는 프로이트가 제안한 개념인 방어기제와 유사하다. 펄스와 그의 추종자들이 설명한 접촉경계 장애의 주요한 기제는 내사, 투사, 반전, 편향, 합류 등이다.

### (1) 내사

내사(introjection)는 타인의 신념과 기준을 우리 자신이 가지고 있는 것과 융화함이 없이 무비판적으로 수용하는 것을 말한다. 내가 접촉하여 이해하지 못하고 나의 것으로 만들지 못했다면 그것은 내가 되지 못하고 나의 것이 되지 못한다.

### (2) 투사

투사(projection)는 내사의 반대다. 투사는 내가 가진 것을 부인하고 남에게 돌려서 접촉을 피하는 것이다. 내가 접촉하기 싫어한 나의 어떤 면을 타인에게서 봄으로써 자신이 느끼는 감정이나 자기를 부정하는 것이다. 자신이 가지고 있는 불안과 두려움을 접촉하여 있는 그대로 받아들이고 그것을 극복하는 노력이 투사를 해결하는 길이다.

### (3) 반전

반전(retroflection)은 개인이 타인이나 환경을 향해 표출해야 할 것을 자신에게 하는 것이다. 우리 각자는 유기체로서 외부 환경과의 상호작용을 하며 살아간다. 우리가 대하는 사람에게 적절하게 자기를 표현하는 것이 대인관계에서 매우 중요하다. 그러나 반전을 기제로 사용하는 사람은 자신의 감정을 타인에게 표현하지 못하고 방향을 바꾸어 자신에게 표현하는 사람이다. 예를 들면, 심하게 처벌적이고 공격적인 부모의 영향을 받으면서 성장한 사람이 습관적으로 처벌에 대한 두려움으로 타인에게 감히 자기의 감정을 표현하지 못한 경우다. 누군가에게 화가 난 경우, 이런 사람은 자신의 에너지 방향을 직접 관련된 당사자에게 돌려 화를 내지 못하고 자신을 공격하고 자신을 고문한다.

### (4) 융합

펄스는 융합(confluence)이란 밀접한 관계에 있는 두 사람이 서로 간에 차이점이 없다고 느끼도록 합의함으로써 발생하는 접촉경계 혼란이라고 말했다. 즉, 갑이 행복하다고 느끼면 을도 행복하다고 느끼고 갑이 불행하다고 느끼면 을도 함께 불행을 느끼는 마치 일심동체의 관계와 같은 것이다. 따라서 그들은 서로 간에 어떤 갈등이나 불일치도 용납하지 못한다. 그들은 오랫동안 서로 길들여진 관계에 익숙해져 있기 때문에 그러한 균형을 깨뜨리는 행동은 금기로 되어 있다. 즉, 각자의 개성과 자유를 포기한 대가로 얻은 안정을 깨뜨리려는 행위는 서로에 대하여 암묵적인 '계약' 을 위반하는 것이므로 상대편의 분노와 짜증을 사게 되며 따라서 융합관계를 깨뜨리는 쪽은 심한 죄책감을 느낀다. 그들은 단지 차가운 외부의 대기에 직접 노출되지 않을 목적으로 두껍고 단단한 껍질을 만들어 그 속에 안주하고 있을 뿐이다. 융합으로 인해 경계를 갖지 못할 때, 개인은 자신의 욕구와 감정을 제대로 해소할 수가 없고 따라 서 그러한 삶은 미해결 과제를 축적시킨다.

### (5) 편향

개인적으로 감당하기 힘든 내적 갈등이 외부 환경적 자극에 노출될 때, 이러한 경험으로부터 압도당하지 않기 위해 자신의 감각을 둔화시킴으로써 자신 및 환경과의 접촉을 약화시키는데 이를 편향(confluence)이라고 한다. 즉 과거의 고통스러운 충격 경험이었던 것들, 즉 계속적인 애정결핍이나 상처받은 자존심 혹은 내적인 갈등들을 극복하기 위해 편향을 사용하여 알아차림과 접촉을 차단하는 것이다. 이러한 행동은 흔히 지식인들에게서 많이 볼 수 있다. 예를 들면, 말을 장황하게 하거나 초점을 흐트리는 것, 말하면서 상대편을 쳐다보지 않거나 실없이 웃는 것, 구체적으로 말하지 않고 추상적인 차원에서 맴도는 것, 자신의 감각을 차단시키는 것 등이 있다.

## 2. 상담 목표

게슈탈트치료의 일차적 목표는 내담자가 성숙하여 자신의 삶을 책임지고 접촉을 통해 게슈탈트를 완성하도록 조력하는 것이다. 또 다른 목표는 내담자가 느끼는 불안을 삶의 부분으로서 수용하고 처리하도록 조력하는 것이다.

게슈탈트 상담을 통해 내담자는 에너지의 집중을 통해 하고자 하는 일을 성취할 수 있도록 조력한다. 심리적 문제를 가진 많은 내담자에게 에너지의 집중을 방해하는 주요한 내용이 이전에 완성하지 못한 미해결 과제다. 상담자는 내담자가 과거에 가졌던 미해결 과제를 현재로 가져와 그것을 충분히 이해하고 해결하게 함으로써 과거의 어떤 일에 집착하지 않고 자신의 현재의 일에 집중할 수 있게 한다.

게슈탈트 상담자는 내담자가 가진 다양한 양극성에 대한 자각의 확장을 촉진한다. 내담자가 현재 무엇을 하고 있으며, 어떻게 하는지를 자각하게 하는 동시에, 자신을 수용하고 존중하는 것을 배우게 하는 것이다.

요약하면, 게슈탈트 치료의 목표는 내담자가 회피하거나 두려워하고 갈등을 겪는 것과 같은 모든 심리적 문제를 접촉을 통한 자각으로 통합을 달성하도록 하는 것이다.

# 3. 상담과정

게슈탈트치료 발달에 공헌한 폴스터(Miriam Polster, 1987)는 세 단계 변화과정을 다음과 같이 제안하였다.

## 1) 발견 단계

내담자의 현재 자신에 대한 인식확장과 외부접촉이 확대되면서 이 단계에서 내담자는 이전에는 깨닫지 못했던 자신, 문제, 상황에 대한 새로운 관점을 발견하게 된다.

## 2) 조절 단계

이 단계에서 내담자는 자신의 오래된 정체감을 바꿈으로써, 자신이 새로운 선택을 하는 것이 가능하고 새로운 방식으로 시도할 수 있다는 것을 깨닫게 된다. 또한 내담자는 새로운 행동을 선택하고 반복연습을 통해 어려운 상황에 대처하는 기술을 획득해서 자신과 환경을 조절하기 위해 노력하게 되는데, 이 과정에서 상담자의 치료적 지지가 매우 중요하다.

## 3) 동화 단계

마지막 단계에서, 내담자는 새로운 행동을 선택하고 시도하는 것에서 자신의 환경을 변화하는 방법을 학습하는 것으로 발전한다. 또한 자신이 원하는 것을 환경 속에서 자유롭게 선택할 수 있게 되면서 자신의 욕구와 능력을 최대화하기 위해 노력하게 된다. 이 시점에서 내담자는 타인에게서 자신이 원하는 것을 얻는 데 적절한 자기표현을 하게 된다.

# 4. 상담기법

게슈탈트 치료자는 내담자의 자각 혹은 알아차림을 향상시키기 위해 다양한 기법을 창조적으로 사용한다. 게슈탈트 치료에서 주로 사용하는 기법은 다음과 같은 것들이 있다.

## 1) 언어표현 바꾸기

게슈탈트 치료자는 내담자로 하여금 간접적이고 모호한 단어를 사용하는 것 대신에 내담자 자신과 자신의 성장에 책임감을 주는 단어들을 사용하게 한다. 우리가 말하는 유형은 종종 우리의 감정, 사고, 태도를 표현하기 때문에 이런 말하는 습관에 주의함으로써 자각을 높일 수 있다. 사람들은 종종 책임지는 것이 싫음을 위장하기 위해서 교묘한 언어를 사용하는 경우가 있다. 그 예로서 "할 수 없다" 라는 말을 한 내담자가 하였다면, 이것은 종종 "하지 않겠다" 는 말을 위장하기 위해 한 말일 수도 있어 자신의 책임을 회피하려는 행위가 될 수도 있다. 이에 상담자는 "하지 않겠다" 라는 진짜 자기감정을 표현하게 함으로써, 각 집단성원이 스스로 선택하며 자신의 행동에 대한 책임감과 통제감을 가지도록 도와 준다.

### (1) 일인칭 대명사로 바꾸기

'그것' 과 '당신' 대신 '나' 로 바꾸기, 삼인칭이나 이인칭으로 시작하는 '그것' 과 '당신' 같은 대명사를 일인칭인 '나' 로 바꾸는 것은 개인에게 상황에 대한 책임감을 부여한다.

## (2) 동사 바꾸기

① '내가 ~할 수 없다' 대신 '나는 ~하지 않겠다' 로 바꾸기.

내담자가 자신이 실제로는 "나는 ~하지 않겠다." 라는 의미를 나타내고자 할 때 "내가 ~할 수 없다" 라고 말한다. 만일 상담자가 일관성 있고 온화하게 "내가 ~할 수 없다" 대신 "나는 ~하지 않겠다." 로 대체하도록 권유하면 내담자는 자신의 결정에 책임을 지고 자신의 힘을 수용하게 된다.

② '내가 ~해야 한다' 대신 '나는 ~하기를 선택한다' 로 바꾸기.

내담자는 "내가 ~해야 한다." 를 언급하는 빈도와 그것들의 사용에서 오는 긴급함, 요구, 불안을 함축하지만 "나는 ~하기를 선택한다." 는 그렇지 않다. "나는 ~ 하기를 선택한다." 라는 표현은 내담자에게 선택에 대한 책임감을 준다.

③ '나는 ~가 필요하다' 대신 '나는 ~을 바란다' 로 바꾸기.

원하는 것의 목록은 보통 필요의 목록 보다 더 길다. 예를 들면, 상담자는 내담자가 "나는 유명해질 필요가 있다." 라고 말하는 것보다 "나는 유명해지기를 바란다." 라고 표현하도록 한다. "나는 ~을 바란다." 라는 표현이 "나는 ~가 필요하다." 라는 표현보다 더 정확하고, 덜 긴급하고, 불안을 덜 야기한다.

## (3) 질문형을 진술형으로 바꿔 말하기

사람들은 정보획득을 목적으로 질문하지 않고 자신의 느낌을 분명히 밝히기 어려울 때 질문을 사용하게 되는 경우가 있다. 이러한 질문은 의미전달과 정직한 의사소통에 있어 방해요인이 된다. 예를 들면, 한 구성원이 "나의 문제는 ~한 데서 발생하는 것 같아요." 라고 이야기했을 때, 다른 구성원이 "당신은 그것이 정말 당신 문제의 원인이라고 생각하십니까?" 라고 질문을 할 수 있는데 이 질문은 표면상 정직한 질문으로 보이지만, 실제로는 집단구성원의 문제에 대한 견해에 대해 반대한다는 뜻을 포함하고 있는 것이다. 이때 상담자는 질문을 한 사람으로 하여금 질문의 진술형을 바꾸어 자신의 의견을 직접적으로 표현하도록 돕는 역할을 한다.

## 2) 신체 행동을 통한 자각

내담자는 문제를 표출하기 위해서 신체언어나 몸짓을 사용하게 된다. 이러한 신체적 언어나 몸짓이 상담자에게는 주의해서 관찰해야 할 주요한 단서가 되므로 그러한 단서들을 지적해 준다. 이러한 지적은 내담자로 하여금 자신의 행동의 의미를 스스로 파악할 수 있게 하므로 상담자가 해석해 줄 필요가 없게 된다. 예를 들어, 어떤 사람이 입술을 꽉 물고 있다면 상담자는 그 사실을 지적하되 그 구성원의 행동을 해석하지 않고 그 구성원 스스로가 자신의 행동의 의미를 이야기하도록 한다. 형태요법 상담자들은 신체언어를 중요시하며 마음과 신체가 강하게 상호 관련되어 있어 마음 속에서 일어나 일들이 신체를 통해 표현됨을 강조한다.

패슨스(Passons, 1975)는 상담자가 치료에서 내담자의 신체 행동에 주목해야 하는 네 가지 이유를 다음과 같이 들었다. 첫째, 신체행동은 주어진 순간에서 개인의 표현이다. 둘째, 일반적으로 사람들은 그들의 몸짓을 주시하기보다는 그들이 말하는 것을 듣는 것에 보다 관심을 갖는 경향이 있다. 셋째, 신체 행동은 보통은 자발적이다. 반면 언어적 행동은 사전에 생각되어지는 것이다. 넷째, 통합된 방식으로 기능하는 개인은 신체 행동과 언어적 표현들이 잘 조화된다.

효과적인 상담자는 의사소통에 있어서 언어적인 수준 뿐만 아니라 말의 배후에 있는 목소리의 크기, 고저, 강약, 전달속도와 같은 의미까지도 예리하게 듣는다. 상담자는 특히 내담자의 신체 행동이 언어적 표현과 일치하지 않을 때 그러한 불일치를 지적하여 내담자의 자각을 확장시킨다.

### 3) 과장하기

내담자가 어떤 상황에서 자신의 감정을 느끼지만 정도와 깊이가 미약하여 그 감정을 명확히 자각하지 못하고 있을 때, 감정 자각을 돕기 위해 상담자가 내담자의 어떤 행동이나 언어를 과장하여 표현하게 하는 기법이다. 예를 들어 어떤 신체동작이 내담자가 그 상황에서 가지고 있는 감정과 관련있다고 판단되면 상담자는 내담자의 그 신체동작을 과장하여 표현하게 한다. 그리하여 내담자가 신체언어로 보내는 미묘한 신호와 단서에 대해 보다 잘 지각할 수 있도록 돕기 위함이다. 움직임이나 제스처를 반복적으로 과장함으로써 내담자는 행동과 관련된 감정을 보다 강렬하게 경험하고 그것의 내적 의미를 보다 잘 자각한다.

### 4) 차례로 돌아가기(making rounds)

상담자가 판단하기에 '뜨거운 자리'에 있는 집단성원이 다루는 내용이 다른 집단성원들의 참여를 필요로 하는 내용이면, 그 내용에 대해 모든 구성원들이 반응을 하게 하는 기술이다. 예를 들어, 열등의식을 느끼는 한 구성원이 다른 집단성원 한 사람 한 사람에게 "나는 못난 사람입니다."라고 말하고 나머지 집단성원은 자유롭게 그 사람에게 해 주고 싶은 말을 하는 기법이다. 이 기법을 통해 그 성원은 주어진 상황에서의 특별한 기분이나 느낌, 신체감각을 의식하며 동시에 이전에 자신이 수용하지 못했던 여러 가지 측면들을 자각하고 직면하게 된다. 즉, 이 기법은 집단성원으로 하여금 점차적으로 자기 자신의 다양한 면들을 발견하도록 함으로써 자아발견을 학습하게 하는 기법이다.

### 5) 역할 전환(role reversals)

상담자는 집단성원에게 평상시의 행동유형과는 정반대로 행동할 수 있음을 이해시키기 위해서 역할 전환의 기술을 사용할 수 있다. 예를 들어, 거절을 못하고 극도로 남을 기쁘게 해 주려고 애쓰는 사람에게 자기주장훈련을 시킴으로써 자신의 일부분으로서의 자기 주장의 측면이 있음을 새롭게 수용하도록 돕는다.

게슈탈트 집단에서 구성원들은 그들이 사회적 역할을 수용하는 데 있어서 보다 많은 자각을 위해 역할연습을 집단에서 공유한다. 그렇게 함으로써 구성원들은 어떻게 하면 타인을 즐겁게 하고, 인정받고 수용받기 위해서는 어느 정도이어야 하며, 타인과 소외되지 않기 위해서는 얼마나 노력해야 하는지 알게 된다. 그리고 그들은 이런 역할 연습이 효과가 있는지 결정할 수 있게 된다.

### 6) 책임지기

게슈탈트 치료자는 우리 각자의 사고, 감정, 행동에 스스로 책임질 것을 강조한다. 즉, 우리의 사고, 감정, 행동을 지각하고, 우리가 경험한 것을 타인에게 책임 지우는 일없이 자신이 책임질 것을 강조한다. 책임지는 것은 우리의 투사를 알아차리고, 우리가 투사한 것이 되는 것을 의미한다.

책임지기 기법은 타인에게 투사하는 대신, "나는 ~에 대하여 책임을 진다."로써 자신의 감정을 소유하고 알아차리도록 돕기 위해 고안된 것이다. 게슈탈트 집단상담의 목표 중의 하나는 구성원들이 스스로 책임을 지도록 하는 것이고 리더는 구성원들의 책임회피를 계속적으로 직면시켜 타인에게 그들의 감정을 투사하는 대신 자신의 감정을 수용하고 인식할 수 있도록 하는 데 있다.

### 7) 대화하기(대화 게임)

게슈탈트 치료의 목적은 인정하지 않았던 자신의 성격 측면을 수용하고 기능을 통합하는 데 있다. 때문에 상담자는 성격기능의 분할과 양극성에 세밀한 주의를 한다. 독특한 게슈탈트 기법인 환상 대화법은 내적 분열과 궁극적인 성격을 통합하는 자각을 증진하기 위한 것이다. 예를 들면, 부드러운/거친, 남성다운/여성다운, 사랑스러운/증오스러운, 공격적인/수동적인 것과 같이 양극성 사이에서 대화하거나 부모나 다른 의미 있는 사람, 상상화한 다른 사람, 무생물과 대화하는 유형이 있다.

상담자는 내담자의 분열된 자기를 빈 의자에 바꾸어가며 앉히고 서로 간에 대화를 시킨다. 그렇게 하여 무의식적이고 내적인 대화를 의식적이고 외적인 대화로 만들 수 있으며, 대화를 통하여 서로간의 갈등을 줄일 수 있게 된다.

### (1) 빈 의자 기법(empty chair)

이 기법은 게슈탈트 상담에서 가장 많이 사용하는 기법 중 하나이며, 현재 상담에 참여하지 않은 사람과 상호작용을 할 필요가 있을 때 사용된다. 내담자는 그 인물이 맞은 편 빈 의자에 앉아 있다고 상상하면서 그 인물과 대화를 한다. 막연히 그 인물에 대해 이야기하는 것보다 그 사람과 직접 대화를 나누는 형식을 취함으로써 자신과 그 사람과의 관계를 직접 탐색해 볼 수 있는 장점이 있다. 역할을 바꾸어 가면서 대화를 해 봄으로써 상대방의 시각과 감정을 이해하고 공감할 수 있는 장점도 있다.

### (2) 뜨거운 자리(hot seat)

개인의 자아각성을 촉진시키기 위해 활용되는 기술로서 먼저 구성원에게 '뜨거운 자리'에 대해 설명을 해 주고 나서 해결하고 싶은 문제가 있는 성원으로 하여금 상담자와 마주보이는 빈자리에 앉게 한다. 이때 빈자리가 바로 '뜨거운 자리'가 되는 것이고 흔히 '도마 위에 앉는 식'의 장면이 연출되는 것이다.

뜨거운 자리에 앉은 집단성원은 자신을 괴롭히는 특정한 문제에 대해 이야기하게 되며, 상담자는 시간의 흐름(10~30분)에 관여치 않고 문제가 해결될 때까지 직접적이고 때로는 공격적인 상호작용을 계속한다. 이러한 상호작용은 문제를 표출한 개인과 상담자 사이에만 일어나며 다른 구성원들은 특별한 허락 없이는 이들의 상호작용을 방해하지 않도록 하는 규칙이 세워진다.

## 8) 환상기법

집단에서 다양한 환상상황을 실험하는 것은 의미 있는 성장으로 이끈다. 환상은 개인적 자각을 돕는다. 환상은 구성원들이 지나치게 위축되어 있어 구체적인 용어로 문제를 다루어야 할 때 사용할 수 있다. 예를 들어, 주장적인 것을 두려워하는 구성원은 자신이 지금 주장적인 상황에 있는 것처럼 상상할 수 있다. 그래서 그들이 수동적이었을 때의 느낌과 그들이 원하는 대로 요청할 수 있었을 때의 느낌을 비교한다. 누군가에게 자신의 생각과 느낌을 표현하는 것을 두려워하는 구성원들은 그들이 말하고 싶어 하는 모든 것을 말할 수 있는 환상 상황이 제시되면 좋아하고, 표현하는 데도 두려워하지 않는다.

환상은 부끄러움과 죄책감을 표현하고, 탐색하는 데 이용할 수 있다. "나는 비밀이 하나 있어요."라는 식으로 리더는 구성원의 잘 지켜진 비밀에 대해 상상해 보도록 한다. 그들은 집단에서 실제로 비밀을 폭로하는 것이 아니라 타인에게 그 비밀이 노출된 것을 스스로 상상하고 나서 그에 대한 느낌을 탐색한다. 내담자는 자신만이 가지고 있다고 생각했던 비밀을 타인들 앞에서 직접 공개하면서 마음의 부담을 경감하게 되는 동시에, 수치심과 죄책감에 대한 새로운 자각을 할 수 있게 된다.

## 9) 꿈 작업

게슈탈트 상담에서는 꿈을 내담자의 욕구나 충동 혹은 감정이 외부로 투사된 것으로 본다. 따라서 상담자는 내담자가 투사한 것들을 동일시하게 하여 이제까지 억압하고 회피해 왔던 자신의 욕구와 충동 및 감정을 다시 접촉하고 통합하도록 해 준다. 꿈의 모든 세부 사항(기억나는 사람이나 사건, 분위기)들의 목록을 작성하여 가능한 한 전적으로 이런 부분이 되어 보고, 자신의 감정과 반대되는 면을 서서히 자각해 보는 것이다. 결과적으로 개인은 내적 불일치를 평가 및 수용하고 그러한 갈등보다 깊은 동화와 통합을 이루도록 꿈 작업의 조각들을 통합한다.

꿈의 분석과 해석을 피하고, 대신 그러한 모든 부분이 되어 보고 경험하는 것을 강조하는 것은 내담자가 꿈의 실존적 메시지에 보다 가까이 접근하게 도와준다. 프로이트가 꿈은 무의식에 이르는 왕도라고 했다면, 펄스는 "꿈은 통합에 이르는 왕도다."

라고 했다

## 10) 지금(now), 어떻게(how)

'지금' 이란 용어는 그 상황에 존재하는 모든 것을 포괄하는 것으로 당장 경험한 내용에 대한 즉각적인 자각을 의미하며 '어떻게' 는 감정을 경험하는 방식을 강조하는 것이다.

상담자는 내담자로 하여금 자신의 말 속에 포함된 감정을 이야기하게 한다. 또 상담자는 내담자가 어떤 종류의 감정도 회피하지 않고 그 감정상태에 머물러 있도록 격려하는 '그 자리에 머무르기의 기법(stay with it technique)' 을 사용하기도 한다. 이 기법의 예를 들면, 공포증을 가진 집단성원에게 공포를 일으키는 상황을 회피하는 대신 계속 공포상태에 머물러 있게 함으로써 충분히 공포를 체험하게 하여 공포에 의해 조정되는 대신 공포를 스스로 극복하도록 돕는다.

## 11) 고마움과 원망 표현하기

집단성원들로 하여금 서로에 대한 원망과 감사를 모두 표현하게 하여 집단 내에서의 성장을 촉진시키는 기술이다. 이렇게 함으로써 각 집단성원들은 다른 성원들과 항상 긍정적으로 혹은 항상 부정적으로만 접촉하는 있는 것이 아님을 알게 되고, 동시에 자기 자신에게도 다른 구성원들이 싫어하는 면과 좋아하는 면이 동시에 존재하고 있음을 인식하게 한다.

## 12) 미완성의 과제 완성하기

이 기술은 과거의 일을 현재의 사고와 감정 속에서 회상하는 기술이다. Gestalt 이론에서는 개인이 과거에 충분히 깨닫지 못했던 슬픔이나 분노, 상실감 등을 미완성 과제로 보고 있으며, 이런 미완성의 과제들은 개인의 배경으로 남아 개인에게 자각된 못한 채 실제 접촉기능을 방해하게 된다. 그러므로 상담자는 집단성원으로 하여금 미완성 과제들을 다루어 그러한 과제들을 완성시키도록 돕는다.

# 5. 평가

게슈탈트 상담의 장점과 단점은 다음과 같다.

## 1) 장점

① 게슈탈트 상담에서는 내담자의 문제를 단순히 상담하는 데에만 그치는 것이 아니라, 내담자의 실존에 초점을 맞추고 자기신뢰를 통해 성장할 수 있도록 돕는다.
② 내담자 내부의 양극적인 갈등과 과거의 미해결 과제로 인한 심리적 고통을 상담 현장으로 가져와 내담자의 재경험을 통해 자각과 통합을 달성하는 매우 역동적인 접근법이다.
③ 게슈탈트 상담에서는 내담자에게 꿈을 해석해 주기보다는 꿈의 실존적 메시지를 내담자가 발견할 수 있도록 도와주는 접근법이다.

## 2) 단점

① 게슈탈트 상담에서는 내담자의 사고보다는 감정의 인식과 표출을 강조한다. 따라서 게슈탈트 상담이 내담자가 인지적 측면을 무시한다는 비판이 따르게 된다.

② 게슈탈트 상담이 효과적이기 위해서는 상담자가 높은 수준의 인간적 성숙을 이루어야 한다. 상담자 자신이 현재 순간에 존재하면서 자신을 충분히 인식하고 이해하는 것을 포함하여, 내담자의 문제를 정확하게 파악할 수 있는 능력과 치료기술을 가져야 한다는 것이다. 단지 게슈탈트 상담의 전문용어를 학습하고, 그 기법을 습득하였다고 하여 유능한 상담자가 되는 것은 아니라는 것이다.

③ 게슈탈트 상담이 효과적이기 위해서는 내담자가 충분한 준비가 되어있어야 한다는 것이다. 따라서 게슈탈트 상담은 모든 내담자에게 적용될 수 있는 것은 아니며, 심리적으로 심하게 혼란되어 있는 사람들에게는 사용하는 데 한계가 있다.

# 6

# 실존주의 치료

　실존주의 상담은 특정의 학파나 구체적인 상담과정이나 기법으로 정의된 상담이론은 아니다. 1940~1950년대에 유럽이 실존ㆍ인본주의 철학자와 정신의학자들이 정신분석과 행동치료에 대응하기 위해 개발된 이론이다. 인간을 과거의 문제나 환경조건에 의해 결정되는 희생적인 존재가 아니라, 개인적 삶의 주인으로서 자신의 선택과 행위에 책임을 질 수 있는 존재로 보고, 인간의 본질과 존재 및 의미에 초점을 두고 있다. 실존이란 인간 존재의 특유한 존재방식을 뜻한다. 실존은 현실의 존재, 사실의 존재, 진실의 존재에 대한 새로운 표현이라고 할 수 있다. 인간은 사전에 그 무엇에 의해서도 규정되어 있지 않기 때문에 자신을 규정할 수 있는 힘은 오로지 자신에게만 있다고 본다. 실존적 접근에서 기본적인 인간조건을 결정하는 범주에 속하는 것은 자각의 능력, 자유와 책임감, 자신의 정체성을 창조하고 다른 사람과 의미 있는 관계를 확립하는 것, 의미, 목적, 가치와 목표의 탐구, 삶의 조건으로서 불안, 죽음의 자각이다(Corey, 1996).

　실존주의 철학의 대표적인 학자로는 다음과 같은 인물들이 있다.

## 1) 키르케고르

　키르케고르는 유럽의 사상계를 휩쓸고 있었던 헤겔의 관념철학적 사변에 대항하여 실존하는 개인의 내면세계를 철학적 사색의 근본문제로 등장시킨 최초의 철학자다. "인간의 주관성은 인간의 진리다." 이 논제가 바로 인간 실존에 관한 키르케고르의 결론이다. 키르케고르 이전의 철학은 거의 언제나 거시적인 일반문제를 추구하고 있다는 점에서 공통점을 가지고 있었다. 그러나 키르케고르는 진정한 생의 문제들이란 반드시 이른바 '실천적인 개별문제'의 형태를 띠고 있다고 보았다. 이런 문제가 곧 '실존적'인 문제다. 일반적으로 키르케고르를 최초의 실존주의자라고 부르는 것도 이 때문이다. 키르케고르에게 '실존'이란 있어서도 실존이란 객관화될 수 없고 대상화될 수 없는 내면성 그리고 주체성을 지니고 있는 존재였다. 그에게 있어서 실존한다는 것은 우선 무엇보다도 단독자임을 뜻했으며 신 앞에 서 있는 나와 하나님 사이에는 아무것도 없다는 것이다.

## 2) 니체

　니체는 "신은 죽었다."라는 명제를 통해 그 시대의 모든 그리스도적인 가치를 부정하였다. 그러나 이 부정은 '모든 것을 부정하여 더 이상 부정할 것이 없는 상태'에서 새로운 가치를 창조하기 위한 건설적인 부정이었다. "지금까지의 가치에 부착되어 온 인간은 이제 극복되지 않으면 안 된다." 이 말을 통해 그는 새로운 인간상으로 초인을 제시하고 있다. 니체가 이상으로 삼는 초인은 종교적이고 초월적인 도덕을 거부하는 현세 중심적인 인간인 동시에 민주주의적인 이상을 거부하는 엘리트의 상징이다. 니체는 신의 죽음으로부터 나타나는 허무주의를 스스로 극복하라고 이야기한다. 그는 이 세상을 무한히 회귀하는 것으로 보고 세계를 있는 그 자체로 수용해야 한다고 주장한다. 이 세상은 영원히 계속 오기 때문에 후회가 없기 때문이다. 결국 니체의 초인은 아무 주저 없이 스스로의 의지에 따라서 가치를 변혁하고 새로운 가치를 만들어 내는 사람이다. 니체는 인간을 고정적이지 않고 어디에로인가 생성되어 나아가는 존재로 파악한다.

### 3) 하이데거

하이데거는 그의 주저인 '존재와 시간(Being and time)' 에서 현상학적인 관점에서 인간에 대한 이해를 시도하였다. 하이데거는 막연하나마 존재를 이해하고 있는 인간을 '현존재(Dasein)' 라 하였다. 이러한 현존재는 단순히 사물이나 도구적 존재자가 아님을 보여 준다. 일상인으로서의 현존재는 평균화되고 책임을 지지 않는 몰개성적인 인간으로 전락하여 버린다. 이러한 일상인은 불안에서 헤어날 수 없다. 일상인으로서의 현존재가 불안으로부터 벗어나려면 본래적인 자기를 근원적으로 이해하고 본래적인 자기로서 존재할 것을 결단하지 않으면 안 된다. 이와 같이 본래적인 자기에로 자기 자신을 내어던지는 것을 기투(企投)라고 하였다. 이러한 기투에 의해 본래적인 존재방식을 찾는 것이 실존이다.

### 4) 메이

메이는 미국에서 가장 널리 알려진 실존주의적 상담자로 현대사회에서 인간이 직면하는 불안과 고독에 관심을 가졌다. 존재론적 입장에서 인간에 대한 이해를 추구하였다. 메이는 데카르트(Descartes)의 "나는 생각한다. 그러므로 나는 존재한다." 라는 말을 바꾸어 "나는 존재한다. 그러므로 나는 생각하고, 느끼고, 행동한다."(I am, therefore I think, I feel, and I do)라고 표현하였다. 메이는 인간(human being)이란 용어에서 존재(being)는 진행형으로 어떤 것이 되어가는 과정을 함축하고 있으며 명사로 이해한다면 잠재력의 원천을 의미한다고 지적하였다. 인간은 다른 생물과 달리 자기에 대한 의식을 하는 존재임을 강조하였다. 인간은 자기 자신이 되려면 자신에 대해 자각해야 하며, 자신에 대해 책임을 져야 하는 특별한 존재다.

## 1. 주요개념

실존주의적 상담은 실존적 존재로서 인간이 갖는 궁극적 관심사에 대한 자각이 불안을 야기한다고 본다. 이러한 실존적 불안이나 갈등은 인생의 피할 수 없는 부분이다. 사람들은 각기 실존의 궁극적 관심사에 따른 불안을 다루는 다른 양식을 발달시킨다. 불안을 다루는 양식이 자신의 성숙을 위해 건설적인가 아닌가는 불안을 어떻게 이해하느냐에 따라 달라진다. 안전을 추구하기 위해 지나친 방어기제를 사용하여 피할 수 없는 불안을 다루려고 하는 것은 다양한 심리적 문제를 야기한다.

실존적 관점에서 불안은 인간존재의 기본특징 중 하나다. 그러므로 이것은 오히려 성장을 위한 강한 동기가 될 수 있다. 우리가 성장하기 위해서 친근하고 안전한 생활방식을 새롭고 미지의 것으로 변화시켜야 한다는 것, 그 자체가 불안의 원천이다. 따라서 불안은 성장을 위해 치러야 할 대가다. 여기에서는 실존주의 상담자들이 가정하는 실존의 방식과 실존적 불안이나 갈등을 야기하는 궁극적 관심사와 관련된 주요개념을 살펴보기로 한다.

### 1) 실존의 방식

실존주의자들은 세계 내에서 실존의 방식을 확인하였다. 즉, 인간은 동시에 '주변세계' '공존세계' '고유세계' '영적 세계'에 존재한다. 인간 세계는 한사람이 그 안에 존재하며, 일반적으로 알지 못하는 사이에 그것의 설계에 참여하는 의미 있는 관계구조다. 즉, 동일한 과거나 현재의 주변 상황이 사람에 따라서는 매우 다른 것을 의미할 수 있다. 따라서 세계는 개인의 실존 조건을 결정하는 과거의 사건과 그 사람에게 작용하는 매우 다양한 결정론적 영향을 모두 포함한다. 그러나 그것은 개인이 그것들을 인식하고, 틀을 만들고, 계속해서 재형성하는 것과 같이 개인의 그들에 대한 관계다. 한 사람의 세계를 인식한다는 것은 동시에 그것을 설계해 나가고, 그의 세계를 구성해 나간다는 것을 의미하기 때문에 실존 심리치료의 관점에서 보면, 네 가지 양식의 세계가 있다. 이러한 네 가지 실존의 방식은 다음과 같다.

### (1) 주변세계

이것은 인간이 접하며 살아가는 환경 혹은 생물학적 세계를 의미한다. 모든 유기체는 주변세계를 갖는다. 동물과 인간에게 주변세계는 생물학적 욕구, 충동 및 본능을 포함한다. 실존 분석가들은 자연세계의 현실을 받아들인다.

### (2) 공존세계

이것은 인간이 사회적 존재로서 더불어 살아간다는 뜻으로 인간관계 영역에 관심을 두는 것을 의미한다. 개인은 타인과의 관계로서 이루어지는 공동체의 세계에 존재한다. 성격이론의 대인관계학파는 주로 공존세계에 의지하며 대인관계로서의 사랑을 다루는데 친구라는 단어의 의미에 관한 설리반(Sullivan)의 개념과 소외된 현대 사회에서 사랑의 어려움을 분석한 프롬(Fromm)의 개념에서는 특히 더 그러하다.

### (3) 고유세계

실존의 방식으로서 고유세계는 자신의 세계이며 개인이 자신에게 가지는 관계를 의미한다. 고유세계는 자각, 즉 자기 관계성을 전제하고 있으며, 오로지 인간에게만 나타나는 것이다.

### (4) 영적 세계

실존적 존재로서 인간 각자가 갖는 믿음이나 신념세계로 영적 혹은 종교적 가치와의 관계를 의미한다. 이것은 세계에 대한 믿음의 중요성을 강조한 것으로 최근에 듀젠스미스(Van Deurzen-smith, 1998)가 주장하였다. 이러한 믿음은 본질적으로 종교적 혹은 영적이다. 영적 세계는 이상적 세계이며 개인이 세계가 되기를 원하는 방식이다.

요약하면, 주변세계는 개인이 던져진 세계이며, 공존세계는 인간만이 갖는 대인계세이며, 고유세계는 자신의 세계이며, 영적 세계는 세계에 대한 믿음을 의미한다. 이러한 실존의 방식에 따라 우리는 매 순간에 주변세계인환경 내에서, 공존세계인 대인관계를 맺으면서, 고유세계인 자기자각을 하면서, 그리고 영적 세계인 영적 가치를 믿으며 살아간다고 볼 수 있다. 상담자는 내담자의 어떤 존재의 방식이 가장 문제인가를 파악하여 그를 조력하는 것이 필요하다.

다음으로 실존주의 상담자들이 내담자의 궁극적 관심사와 관련하여 중요하게 생각하는 네 가지 주제인 자유와 책임, 삶의 의미성, 죽음과 비존재, 진실성에 대해 알아보기로 한다.

## 2) 자유와 책임

첫째 자유와 책임이다. 인간은 선택할 수 있는 자유를 가진 자기 결정적인 존재다. 인간은 근본적으로 자유롭기 때문에 삶의 방향을 지시하고 운명을 이루어 나가는 데 책임을 져야만 한다. 실존주의적 상담은 자유, 자기결정, 의지, 결단을 인간존재의 중심부에 둔다. 만약 의식과 자유가 인간으로부터 제거된다면 더 이상 인간으로서 존재되지 아니한다. 왜냐하면 이것이 바로 인간에게 인간됨을 부여하는 능력이기 때문이다.

실존적 견해는 개인이 스스로의 결단으로 자신의 운명을 결정하고 자신의 존재를 개척하는 것이다. 개인은 그가 되고자 결심하는 대로 되기에 그의 인생행로에 대해 책임을 져야 한다. 틸리히는 "사람은 결정하는 바로 그 순간에만 참다운 인간이 된다."라고 하였으며 사르트르는 "우리는 우리의 선택이다."라고 하였다. 니체는 자유를 '참다운 존재가 되는 능력'으로 묘사했다. 키르케고르가 말한 '자아를 선택하는 것'은 인간 자신의 인생과 존재에 대하여 책임을 지는 것을 의미한다. 야스퍼스는 '우리는 결정하는 존재'라고 하였다.

자유는 자신의 발전에 관계하고 여러 선택 중에서 선택하는 능력이다. 확실히 자유에는 한계가 있고 선택은 외부요인들에 의해서 제한된다. 메이(May, 1961)는 "인간을 희생시키는 힘이 아무리 크다 할지라도 인간은 그가 희생물이 되고 있다는 것을 알며, 어떻게 해서든지 자기운명에 관련된 것에 대하여 영향을 미치려고 하는 능력을 갖고 있다."라고 하였다. 프랭클은 인간의 자유와 책임을 강조하면서 다음과 같이 표현했다. "궁극적으로 인생은 자신의 문제에 대한 올바른 해답을 발견하고, 각 개인에게 계속적으로 부여되는 과업을 성취하는 책임을 지는 것을 뜻한다." 사람으로부터 빼앗을 수 없는 것은 그 사람의 자유다. 우리는 어떤 주어진 환경 내에서 적어도 우리의 태도를 선택할 수 있다. 우리는 우리가 이루려고 선택한 것을 이루어 가는 자기결정을 하는 존재다. 아마도 상담과 심리치료에서 중심이 되는 문제는 자유와 책임의 문제일 것이다. 이 핵심적인 실존적 주제는 우리가 우리 자신을 창조하는 것이다. 선택하는 것으로 인해 우리는 우리 자신의 현재와 미래의 설계자다. 사실상 우리는 운명적으로 자유와, 스스로 택한 이 자유에 수반되는 불안에 처하게 된다. 실존주의자는 각 개인이 갖고 있는 자유와 책임에 대한 인식 없이는 상담과 심리치료의 기초를 발견할 수 없다. 상담자는 내담자들이 비록 그들 인생의 대부분을 선택하는 자유를 피하고 살아왔지만 선택을 행사하기 시작할 수 있다는 것을 가르칠 필요가 있다(한기태 역, 1990).

### 3) 삶의 의미성

둘째 삶의 의미성이다. 삶의 중요성과 목적을 향한 노력은 인간의 독특한 특성이다. 우리는 의미와 개인 정체감을 찾는다. 그리고 실존적 질문 등을 할 수 있다. 나는 누구인가, 어디에서 왜 왔는가, 내가 왜 여기에 있는가, 내 삶의 목적과 의미는 무엇인가? 실존주의자에 의하면 삶은 그 자체 내에 긍정적 의미를 가지고 있지 않고, 우리들이 의미를 어떻게 창조하느냐에 달려있다. 종종 의미 없고 모순되기조차 하게 보이는 세상 속에서 우리가 이전에 도전하지 않았던 가치에 도전하고, 우리 자신의 새로운 국면을 발견하고 갈등과 모순에서 화해하려고 노력한다. 그리고 이런 일을 하는 가운데서, 우리는 세상 속에서 우리의 의미를 창조한다.

결실 있는 생활을 위한 인간의 진정한 노력에 바탕이 되는 동기는 의미를 가지려고 하는 의지다. 생활에서 의미를 발견하려고 하는 강렬한 내부의 욕망은 행동에 불을 당겨주는 것이다. 이러한 욕망이 없거나 생활에 완전히 무관심한 태도를 가지는 것이 프랭클이 말한 대로 '실존적인 공허'다. 이러한 내면이 텅 빈 상태의 공허는 정신의학에 중대한 도전으로 나타난다. 자신을 의미 있게 하고 유효한 행동을 하게 하는 내면적인 힘을 얻기 위해서는 이러한 공허를 극복하기 위한 노력을 해야 한다. 수많은 인간의 어려움은 생존의 의미를 발견할 수 없는 데서 온다. 내면적인 공허는 그의 존재를 가치 없는 것으로 규정 지우고 또 가치 없다는 느낌을 갖게 한다. 실존적 공허는 극단적인 권태, 불확실성 그리고 혼돈의 결과로 지속된다. 비록 이러한 것들이 정신적인 고통 중의 하나이긴 하지만 이런 것들로 인해 반드시 정신적인 질병이 생기는 것은 아니다. 이러한 고통은 자기의 행복과 능력에 대해서 최대의 관심을 갖게 하는 면도 있지만, 행동과 능력에 아주 중대한 방해가 되기도 한다. 공허를 극복하려는 동기가 충분히 생기게 되면 삶의 의미를 찾게 될 것이고 계속 그 의미를 추구하게 될 것이다. 또한 활동성과 생산성의 욕구도 발전하게 될 것이다. 이러한 추구는 긴장을 완화시키기보다는 오히려 증대시켜 줄 것이지만, 정신건강이란 긴장이 적절한 수준으로 유지될 때 가능한 것이기 때문에 오히려 좋은 일이다(이형득 외, 1993).

### 4) 죽음과 비존재

셋째 죽음과 비존재다. 실존철학의 가장 중요한 문제는 죽음이다. 인간은 역시 미래의 언젠가는 자신이 죽는다는 것을 스스로 자각한다. 죽음은 나에게 엄습해 오는 기분 나쁜 무엇이다. 따라서 실존이 불가능하게 되는 가능성이다.

죽음은 가장 자기적인 것이다. 누구에 의해서도 대신 죽어 주기를 바랄 수 없는 언제나 자기가 맞이해야 할 사건이다. 이처럼 죽음은 자기의 궁극적인 가능성이다. 다음에 죽음은 모든 교섭의 단절이다. 죽음은 자기 자신에 관한 것이요, 다른 무엇과도 교섭할 수가 없다. 그러나 죽음은 언제 일어날지 모르는 불안이다. 이런 의미에 있어서 실존은 죽음에의 존재요, 종말에의 존재다. 그러므로 유한한 존재이며 그 밑바닥에는 무가 잠겨 있다. 이 무 때문에 실존은 불안하다. 그러나 실존은 자기를 기만함이 없이 결단을 내리고 이러한 유한적 실존인 실존방식을 엄연히 받아들여야 한다. 사람의 양심이란 일상인의 일상성 속에 은폐된 미래의 자기가 스스로를 구하고 그것을 결의하기를 강요하는 외침의 소리다. 이 양심의 소리는 자기를 향해 외친다. 이 결의는 죽음에의 불안을 그대로 죽음에의 자유가 되게 한다. 이 결의란 자기가 열리는 일이기 때문에 그는 도리어 자기의 환경과 대결하고 바른 행위를 할 수 있게 된다(성진기, 1980).

　　실존주의자들은 죽음을 부정적으로 보지 않는다. 인간의 현저한 특성 중의 하나는 미래의 개념과 죽음의 불가피성을 터득할 수 있다는 것이다. 점차적인 비존재의 인식 그것이 존재에 의미를 준다. 왜냐하면 그것은 모든 인간의 행위를 중요하게 하기 때문이다. 실존주의자들은 삶이 시간의 제한을 받기 때문에 의미를 가지고 있다고 주장한다. 만약 우리가 우리의 능력을 실현화시키는 영원한 시간을 가지고 있다면 조급해 할 필요가 없기 때문이다. 그러나 우리의 시간성 때문에 죽음은 우리에게 진지하게 생을 살아가도록 자극한다. 죽음의 불가피성은 생의 가능성을 제한시킨다. 현재는 귀중한 것이다. 왜냐하면 우리가 실제로 가진 전부이기 때문이다.

　　죽음에 대한 두려움과 생에 대한 두려움은 서로 관련된다. 죽음에 대한 두려움은 두 팔을 벌려 생을 완전히 받아들이는 것을 두려워하는 우리 중의 어떤 이에게 불안스럽게 다가온다. 그러나 만약 가능한 한 최대로 현재의 생을 긍정하며 살아가도록 시도한다면 생의 종결에 사로잡히지는 않을 것이다. 우리 중 죽음을 두려워하는 사람은 삶도 무서워한다. "결코 참된 삶을 살지 않았기 때문에 죽음을 두려워한다."라고 말할 수 있는 것처럼 우리 중 어떤 이는 자신의 죽음을 실제로 직면하는 것을 두려워하기 때문에 점차적으로 비존재가 된다는 사실로부터 도피하려고 한다. 그러나 우리가 허무와 직면하는 것으로부터 도피하려고 노력하면 우리는 대가를 치러야만 한다. 메이(May, 1961)는 "죽음을 부정하는 데 치러야 하는 대가는 막연한 불안과 자아격리다. 자신을 완전히 이해하기 위해서 인간은 죽음에 직면해야만 하고 개인적인 죽음에 직면해야만 한다."라고 말한다.

　　프랭클(Frankl, 1959)은 메이의 견해에 동의하면서 죽음은 "인간실존에 의미를 준다."라고 말한다. 그는 "만약 우리가 불멸하다면 우리는 영원히 행동을 지속할 수 있다. 그러나 우리가 유한하기 때문에 우리가 지금 하는 것들은 특별한 의미를 갖는다."라고 지적하였다.

## 5) 진실성

　　넷째 진실성이다. 신학자인 틸리히(Tillich, 1952)는 '존재할 용기'란 말을 사용하여 우리 자신을 긍정하고 내부에서부터 살 수 있도록 하는 힘이 용기라고 하였다. 우리존재 내의 깊은 핵심을 발견, 창조, 유지하는 것은 어렵고 끝이 없는 노력이다. 진실적인 존재로 있다는 것은 우리를 정의하고 긍정하는 데 필수적인 어떤 것이든지 한다는 것을 의미한다. 개인은 진실적 실존 속에서 언젠가 일어나게 될 비존재의 가능성에 직접적으로 직면하게 되고 불확실성에 직면해서 결정하고 그에 대한 책임을 진다.

　　킨(Keen, 1970)은 "진실적 존재는 불안에서 태어난다."라고 말했다. 여기서의 불안은 우리가 옳은 선택을 했는지 또 행위에의 용기를 아직 결정하지 못했는지를 전혀 모르는 불안이다. 이 길이냐? 저 길이냐? 인지적 모호성의 조건 아래서 어떤 가치나 다른 가치를 선택하는 것은 자신에 대해 통제를 갖는 것이고, 타당하게 자기 자신을 세우는 것이다.

　　우리가 진실적 실존에 이를 때, 우리는 계속적으로 우리가 될 수 있는 능력이 있는 개인이 되는 것이다. 진실적으로 사는 것은 우리의 한계를 알고 받아들이는 것을 또한 수반한다. 비진실성에 관련된 개념이 죄책감이다. 실존적 죄책감은 불완전감과 우리의 완전한 잠재력을 쓰지 못하고 있다는 것을 아는 것에서 온다. 궁극적으로 존재의 자각에 대한 상실은 심리적인 병이 된다.

## 2. 상담목표

상담자는 내담자가 충분히 진실한 삶을 영위하지 않은 방식을 인정하고 실존적 존재로서 되고자 하는 것에 이를 수 있는 선택을 하도록 조력한다. 뷰젠탈(Bugental, 1990)이 제시한 세 가지 주요한 상담목표는 다음과 같다.

첫째, 상담자는 내담자가 상담과정 그 자체에 충분히 참여하고 있지 않다는 것을 인식하도록 하고 이러한 삶의 패턴이 자신의 생활 속에서 그를 어떻게 제한할 수 있는가를 이해하도록 조력한다.

둘째, 상담자는 내담자가 오랫동안 회피해왔던 불안에 직면하도록 지지해준다.

셋째, 상담자는 내담자가 보다 진솔한 삶의 접촉을 이룰 수 있는 방법으로 자신과 자신의 세계를 재정의 하도록 조력한다.

인간은 자기를 의식할 능력을 갖고 있다. 이것은 당면한 상황을 초월하고 사고하고 선택하는 구별된 인간 활동의 기초를 형성한다. 인간은 자신에 대한 자각을 갖고 있다는 점에서 다른 동물들과 구별된다. 인간은 자신의 존재를 객관적으로 재고할 수 있다. 사람이 자각을 확대하는 것은 삶을 충분히 경험하는 능력을 증가시키는 것이다. 상담자는 내담자로 하여금 자각을 통해 자신의 문제를 직시할 수 있도록 돕는다.

우리의 자각이 크면 클수록 자유의 가능성은 커진다. 인간존재를 희생시키려는 힘이 아무리 강할지라도, 인간은 자신이 희생되고 있다는 것을 알 수 있는 능력을 가지고 있고, 우리들의 자각에 의해 선택과 행위에 대한 자유와 연관된 책임을 우리는 인식하게 된다. 그러므로 우리는 자신의 운명에 대해 어떤 방식으로든 영향을 끼칠 능력을 가지고 있다.

실존주의적 상담의 목표는 내담자 쪽에서 자기존재의 본질에 대하여 각성하고 현재 자기가 경험하고 있는 정서적 장애의 원인이 자기상실 내지 논리의 불합리성에 있다는 것을 각성하게 해 주는 데에 있다. 그리하여 내담자가 비록 제한된 세계 내에서의 존재일망정 이 세상에 던져진 삶을 수동적으로 살아갈 것이 아니라 자기 나름대로의 주관을 가지고 능동적으로 삶의 방향을 선택하도록 도와주는 데 있다.

내담자가 자기의 세계를 수용함으로써 한계상황을 초월하도록 돕기 위해서 상담자는 내담자가 자신의 무한한 잠재능력을 깨닫고, 자기에게 주어진 선택과 책임을 통하여 자유를 향유할 때야 가능하다는 것을 깨닫도록 인도한다. 실존주의적 상담자는 내담자의 자각을 최대화 함으로써 내담자가 삶의 의미와 목적을 스스로 발견하도록 돕고 자기 인생에 대한 확고한 방향설정과 결단을 내리도록 도와주는 것에 그 목적을 둔다.

따라서 실존주의적 상담자는 기본적으로 내담자의 주관적인 세계를 이해하는 데 관심을 가져야 한다. 왜냐하면 사람들이 새로운 이해와 선택을 하도록 하기 위해서다. 내담자 과거의 재생을 돕는 것이 아니라 현재의 인생 상황에 초점을 맞춘다. 전형적으로 실존치료자들은 그들이 사용하는 방법에서 넓은 폭을 보인다.

상담자는 특히 내담자가 회피하는 책임성에 관심을 가져야 한다. 상담자는 개인적 책임성을 수용하도록 내담자를 초대해야 한다. 실존적 접근에 관심이 있는 치료자들은 흔히 위축된 실존이라고 부를 수 있는 사람들을 다룬다. 이런 내담자들은 그들 자신에 대한 인식에 제한점을 가지고 있다. 상담자의 주된 임무는 위축된 존재로 살아가는 방식을 가진 내담자와 직면하여 그들이 이런 상태를 만들어 내는 데 자신이 공헌하고 있음을 인식하도록 도와야 한다(홍경자, 1988).

인생을 흔히 배에 비유한다. 망망대해에 던져진 배처럼 우리도 이 세상에 던져졌다. 배는 가야 할 목적지인 항구를 찾아간다. 배의 항해는 되풀이될 수 있지만 인생 항해는 일회적이다. 인생의 종착지가 죽음인 것을 우리는 알고 있다. 인생항해의 책임자로서 목적지까지 도달하기 전에 일어날 수 있는 모든 가능성에 대해 매번 슬기로운 선택을 해야 한다. 어떤 항로를 택할 것인가도 전적으로 당신에게 달려 있다. 순풍에 돛을 단 것 같을 때도 있지만 거센 파도가 휘몰아치는 역경의 시간도 있다. 가도 가도 바다만 보이는 단조로운 항해에 권태를 느낄 때도 새로운 환경에 경이로움을 느낄 때도있다.

우리는 유한한 시간 속에 던져졌다. 실존적 존재로서 자신이 가진 궁극적 관심사에 대한 이해와 수용이 요구된다. 궁극적 관심사에 따른 실존적 불안을 수용하고 대처하는 게 요구된다. 회피와 도피보다는 충분한 자각을 통해 현명한 선택을 필요로 한다. 배는 이미 떠나버렸다. 다시 배를 탈수도 다른 배로 바꿔 탈 수도 없다. 우리는 배에서 내릴 때까지 일어나는 모든 일에 책임을 져야 한다는 사실을 알고 있다.

## 3. 상담과정

당신을 번뇌, 고통, 걱정에 빠지게 하는 궁극적 관심사는 무엇인가? 실존주의적 상담에서는 내담자가 갖은 문제가 실존의 궁극적 관심사에 관련되어 나타나는 것이라고 본다. 얄롬(1980)은 "실존적 심리치료는 개인의 실존에 뿌리를 둔 걱정에 초점을 둔 역동적 치료다." 라고 정의하였다. 상담자는 궁극적 관심사에 대한 내담자의 자각이 어떻게 그의 심리적 문제와 관련되어 있는가를 파악하여 내담자를 조력한다.

빈스반거를 위시한 많은 실존주의 상담자들은 경우에 따라서 정신분석적 기법들을 활용하기도 하지만 대체로 이들은 치료적인 면보다는 내담자의 문제 사례를 실존적 개념으로 분석하는 데 주안점을 두고 있다. 따라서 이 상담과정에서는 인간의 실존적, 정신적 본질에 주의를 기울인다. 이것은 실존주의적 접근에 대해서 광범위하고 철학적이며 융통성 있는 상담기술을 시사해 주고 있다. 다시 말하면 이 접근의 방법은 어떤 한 가지 기술로 제한되는 것이 아니라, 오히려 인간에 관한 철학적, 심리학적, 정신적인 모든 영역에 관련되는 다양한 기술들이 활용될 수 있다는 것이다(이형득 외, 1993).

## 4. 상담기법

대부분의 실존주의적 상담자들은 특별한 기법을 사용하거나 강조하지 않는다. 상담자와 내담자가 실존대 실존으로서 인간적 만남을 바탕으로 내담자가 겪은 실존적 불안을 다룬다. 상담자는 내담자가 겪는 실존적 공허감이 그의 궁극적 관심사와 관련되어 있다는 전제에서 그러한 문제를 진술하게 직면할 수 있도록 격려한다. 따라서 여기서는 대표적인 실존주의적 상담자인 얄롬이 제안한 궁극적 관심사를 살펴보자. 그가 제안한 네 가지 궁극적 관심사는 죽음, 자유, 고립, 무의미성이다. 그는 개인이 이들 각각과 직면하게 될 때, 실존적인 준거들로부터 나온 내적 갈등의 내용이 구성된다고 보았다. 그가 제안한 네 가지 궁극적 관심사를 간략하게 살펴보면 다음과 같다.

### 1) 죽음

가장 분명하고 쉽게 직관적으로 알게 되는 관심사로, 우리는 이에 대해 무서운 공포를 가지고 반응한다. 이에 관련해 실존적인 관점에서 내적 갈등의 핵심은 불가피한 죽음에 대한 개인의 자각과 삶을 지속시키려는 동시적 소망 사이에 있다. 이 죽음에 대한 공포에 대처하기 위해 개인은 죽음 자각에 대항하는 방어를 곤두세운다. 그러한 방어는 불안에 기초하고, 이는 성격구조를 조성하며, 부적응적인 경우 임상적 증상을 일으킨다. 다시 말하면, 증상과 부적응적인 성격구조는 죽음에 대한 개인적 공포에 그 원천을 두고 있다.

### 2) 자유

자유란 인간이 그 자신의 세계, 자신의 인생 설계, 자신의 선택과 행동에 책임이 있다는 사실을 말한다. 자유에 대한 이러한 실존적 견해에는 놀라운 함축적 의미가 있다. 하이데거와 사르트르가 주장했듯, 우리가 우리 자신을 창조하며, 우리 자신의 세계를 창조한다는 점이 사실이라면, 그것은 우리가 아무런 근거를 가지고 있지 않다는 것을 뜻한다. 즉, 심연, 공허, 무(無)만이 있다. 내부의 중요한 역동적 갈등은 자유를 직면함으로써 생긴다. 갈등은 한편으로는 자유와 근거 없음에 대한 자각에서 생기며, 다른 한편으로는 근거와 구조에 대한 우리의 깊은 욕구와 소망에서 생긴다. 자유의 개념에는 책임과 의지의 측면을 수반한다. 사람들은 생활환경에 대한 그들의 책임을 기꺼이 수용하는 정도에 큰 차이가 있고, 책임을 거부하는 양식에서도 차이가 있다. 의지란 책임에서 행동으로 가는 통로다. 의지는 처음에는 소망하고 다음에는 결정하는 것이다. 자신의 소망을 제대로 파악하는 데에 장애를 가진 사람도 있고, 명확히 표현된 소망을 결정하거나 선택하는 데 장애가 있는 사람도 있다.

### 3) 고립

개인 간의 고립은 자신과 타인 사이에 존재하는 심연을 말하고 개인 내 고립은 우리가 자신의 부분들로부터 고립되어 있다는 사실을 말한다. 자기의 영역이 자각과 심리치료의 목적은 개인이 자기의 분열된 부분들을 재생하도록 돕는 것이다. 실존적 고립은 다른 개인들이나 세계로부터의 근본적인 고립이다. 우리들 각각은 홀로 실존에 들어가야 하며 혼자서 그것에서 벗어나야 한다. 죽음에 직면하는 것보다 더 강하게 실존적 고립을 생각나게 하는 것은 없다. 죽음에 직면한 사람들은 반드시 갑작스럽게 고립을 자각하게 된다. 여기에서의 역동적 갈등은 근본적인 고립에 대한 자각과 보호받고 싶은 소망 사이에 있으며 더 큰 전체에 융화되고 그 부분이 되려는 소망 사이에 있다. 대인관계와 관련된 정신적 문제들 속에는 대부분 실존적 고립에 대한 두려움이 기저하고 있다. 자신의 자아경계를 누그러뜨리고 다른 사람의 일부가 되면서 개인적인 성장을 피하고 성장에 수반되는 고립감을 피한다. 사랑에 빠지는 것이나 강박적인 성욕도 무서운 고립에 대한 일반적인 반응이다.

### 4) 무의미성

모든 인간이 죽어야 하고, 자신의 세계를 세워야 하고, 상이한 우주 안에서 혼자 있어야 한다면, 인생이 지닐 수 있는 의미는 무엇이고, 왜 사는지, 어떻게 살아야 하는지에 대한 의문을 갖게 된다. 이는 '자기 창조적 삶의 의미는 자신의 인생을 지탱할 수 있을 만큼 충분히 튼튼한가?' 하는 질문이다. 인간은 의미를 필요로 하는 것 같다. 실존적 상황에 직면하면 유형화되지 않은 세상에서 개인은 대단히 불안정하게 되고, 존재의 패턴, 존재에 대한 설명, 존재의 의미를 찾는다. 또한 의미 도식에서 우리는 가치의 위계를 만든다. 가치는 우리가 사는 이유와 사는 방법을 말해준다.

## 5. 평가

실존주의 상담의 장점과 단점은 다음과 같다.

### 1) 장점

① 개인의 주체성과 자유, 책임을 강조함으로써 현대인들로 하여금 소극적이거나 무력한 삶 대신에 보다 능동적으로 살아가도록 한다.
② 기계적이고 동물적인 인간관을 반대하고 독특성을 지닌 자유와 책임을 갖고 가치를 창조하고 삶의 의미와 보람을 추구하는 존재로서의 긍정적인 인간관을 제시하였다.

### 2) 단점

① 과학적 검증이 어려운 철학적인 측면에 치중하였다.
② 인간을 사회적, 심리적으로 높은 수준에서 기능하는 존재로 보고 있지만, 낮은 수준에 있는 사람이나 위기 상황에 있는 사람 또는 가난한 사람에게 적용하는 데는 한계가 있다.

# 7

# 의미치료

이 이론(Logotherapy)의 주창자인 Victor E. Frankl(1905~ )은 Austria의 Vienna에서 출생하고 교육받았다. 1942~1945년에 독일의 아우슈비츠(Auschwitz)와 다카(Dachau)에서 집단 수용소 생활을 했으며, 수용소에서 부모, 형제, 아내가 희생되었다. 수용소에서 그는 실존철학자들에 의해 표현된 진리를 관찰했고 개인적으로 체험했다. 그런 진리 중의 하나가 사랑은 궁극적이며 인간이 존중해야 할 가장 높은 목표라는 것이다. 그는 인간의 구제는 사랑을 통해 이루어진다고 믿었다. 그는 어떤 최악의 상황에서도 인간이 삶의 의미와 사명을 확실히 느끼면 살아갈 수 있고 정신적 자유와 마음의 독립도 얻을 수 있다고 믿었다. 그는 인간 존재의 본질은 의미와 목표를 추구라는 것으로 보았으며, 인간은 가치를 추구함으로써, 그리고 고통을 체험함으로써 의미를 배울 수 있다고 하였다.

## 1. 주요 개념

인간을 설명하는 의미치료 체계의 주춧돌이 되는 세 가지 개념은 '의지의 자유' '의미에 대한 의지' '삶의 의미' 다.

### 1) 의지의 자유

의지의 자유는 인간의지의 자유를 의미한다. 인간의지는 유한한 존재의 의지다. 인간의 자유는 조건으로로부터의 자유가 아니라 어떤 조건에 대해 취할 자유다. 이런 점에서 인간이 조건이나 결정적 요인에 의해 지배된다는 입장을 반대한다. 프랭클은 인간은 어떤 환경에서도 자신의 마음으로 자기가 어떻게 될 것인지 유지하며 살아남게 되는 방식을 선택할 의지의 자유가 있다고 하였다. 그는 심지어 수용소에서도 그의 인간적인 위엄을 유지할 수 있었다. 인간은 심지어 최악의 상황으로부터 자신을 분리할 수 있는 독특한 능력을 가지고 있다고 본다.

### 2) 의미에 대한 의지

의미에 대한 의지는 인간에게 삶의 기본적인 동기다. 인간은 인생 항로의 끝에서 마지막 숨을 거둘 때까지 의미를 탐색할 욕구에 직면한다. 프랭클은 "인간의 의미 탐구가 삶의 일차적 힘이다. 의미는 독특하고 구체적이며 단지 자신에 의해서만 충족될 수 있다. 이러한 의미는 자신의 의미에 대한 의지를 만족시킴으로써 성취된다." 라고 표현하였다.

의미에 대한 의지는 본능적 충동을 달성하는 것이 아니며, 평형을 이루기 위해 긴장감소를 하려는 것도 아니다. 사람이 필요로 하는 것은 긴장이 없는 상태가 아니라 그에게 가치가 있는 어떤 의미를 추구하는 긴장이다. 인간의 자기실현은 그가 추구하는 의미가 충족되는 정도에 따라 결정된다.

### 3) 삶의 의미

프랭클은 실존으로서 인간은 주어진 생활 상황에 내재한 잠재적 의미를 충족하는 데 책임이 있는 존재를 의미한다고 지적하였다. 삶 자체는 항상 우리에게 무엇인가를 묻는다. 만약 삶에 의미가 있다면 고통에도 의미가 있을 것이라고 추리한다. 왜냐하면 고통도 삶을 근절할 수 없는 한 부분이기 때문이다. 삶의 의미탐구는 의미치료의 본질이다. 우리가 삶의 의미를 발견하지 못했거나 자기가 뜻하는 삶을 살지 못했을 때 무의미나 공허감을 느낀다. 프랭클은 이렇게 될 때 우리가 실존적 공허감이나 실존적 욕구불만의 상태에 빠진다고 한다. 삶의 의미에 관한 물음은 무엇보다도 인간의 본질적인 것이다.

역시 죽음의 의미도 의미치료에서 중요하다. 삶과 죽음은 동전의 양면이다. 죽음은 삶의 의미를 박탈하지 않는다. 만약 인간이 죽지 않는다면, 우리들은 하는 일을 마냥 미룰 것이다. 죽음은 삶에 속해 있고 삶에 의미를 준다. 인간의 책임감은 인간의 유한성에서 비롯된다. 죽음은 삶에 무의미를 주지 않고 오히려 삶에 의미를 부여한다. 삶이 무한하다면 모든 일이 연기될 수 있고 행동이나 선택 혹은 결정의 필요성은 약화되며 책임감도 적어진다. 삶이 유한하기 때문에 우리에게 주어진 일회적 삶은 귀중한 의미를 갖게 된다.

## 2. 상담목표

의미치료 상담자는 인간적 만남의 관계를 바탕으로 내담자가 실존적 공허 상태를 벗어나 삶의 의미를 발견하도록 조력한다. 내담자가 가진 의미에 대한 의지를 통해 삶에서 무의미가 아니라 의미를 보도록 한다. 상담자는 의미치료를 통해 내담자가 자신을 보는 기본적 태도를 바꾸게 한다. 프랭클은 기본적 인간욕구를 '자기탐구' 라기 보다 '의미탐구' 로 본다. 인간은 본질적으로 자기 자신을 뛰어넘어 타인과 세계에서 의미를 찾을 수 있는 존재다. 사람들이 어떤 의미를 충만하거나 다른 사람과 사랑스런 참만남을 통해서 자기의 경계를 초월할 때 가장 인간적인 존재가 된다고 본다.

프랭클은 실존주의 철학에 근거하여 인간을 의미를 추구하는 존재로 보았으며 실존적 공허가 정신질환의 원인이라고 하였다. 그의 의미치료는 개인의 의미와 사랑과 고난의 의미, 그리고 가치의 가능성을 충분히 의식하고 존재의 의미에 직면하여 극복하도록 도와주는 것이라 하였다. 의미치료 상담자는 내담자를 도와서 그의 존재의 의미, 목표나 목적을 발견하도록 하는 것이며 그의 삶에서 최상의 가능한 행동을 달성하도록 하는 것이다. 상담자는 개인이 그의 과제를 달성하는 데 대한 책임을 이해하도록 돕는다.

상담자는 내담자가 의미를 탐구하도록 조력하는 데 초점을 맞추기 이전에 "나의 삶은 의미가 없어요." 라고 말하는 그의 실존적 좌절이나 실존적 공허가 무엇에서 비롯되었는가를 탐색하는 것이 필요하다. 더불어 상담자는 "당신이 두 번째의 인생을 사는 것처럼 살아라. 첫 번째의 삶을 좋지 않게 진행해 왔다면 이번에는 어떻게 행동하겠는가?" 와 같은 질문을 통해 내담자가 삶의 유한성과 책임감의 중요성에 대한 실존적 자각을 향상하도록 노력한다.

# 3. 상담과정

## 1) 상황 대응 방법

모든 심리적 문제는 신체적·심리적 및 영적 요인을 표함한다. 따라서 각 요인의 실상을 파악하고 어느 요인이 보다 중요한 원인인가를 정확하게 진단하는 단계이다.

## 2) 증상의 인식

증상이나 질환 자체보다 그 증상에 대한 내담자의 태도가 중요하므로 의미요법에서는 내담자의 태도를 집중적으로 다룬다.

## 3) 원인의 탐색

실존적 갈등, 실존적 공허를 가져오게 된 원인을 탐색하는 단계이다.

## 4) 원인과 증상의 관계성 발견

과거에 경험한 상황과 그에 따른 예기불안으로 인하여 내담자는 공포가 발생할 것으로 에상되는 상황을 피하려고 하게 될 것이다.

## 5) 반성 제거 혹은 역설적 지향의 사용

증상을 다루고 자아실현, 자아향상이 방향으로 나아가게 하는 상담목표를 달성한다.

# 4. 상담기법

의미치료 상담자가 사용하는 주요한 두 가지 기법으로 '역설적 의도'와 '탈숙고'가 있다. 이 두 기법은 의미치료의 핵심개념인 자기초월과 자기분리를 할 수 있는 인간의 본질적 능력에 근거하고 있다.

## 1) 역설적 의도(역설적 지향)

내담자의 공포에 대한 공포의 가장 일반적인 반응은 공포에 대한 도피다. 즉, 내담자는 자신에게 불안을 야기하곤 했던 상황을 피하려고 한다. 의미치료는 이러한 공포나 기대불안에 초점을 맞추는 방법으로 공포의 공포는 공포로부터 도피를 유도한다는 것을 가르친다. 내담자가 이러한 악순환으로부터 탈피하도록 하기 위해서는 불안이나 공포로부터 도피가 아니라 직면하도록 하는 것이다. 즉, 역설적 의도는 내담자가 두려워하는 그 일 자체를 하도록 하거나 일어나기를 소망하도록 촉진되는 과정이라고 정의될 수 있다. "불안신경증과 공포상태는 예상불안, 즉 내담자가 두려워하는 상태를 실제로 발생시킨다."는 것을 역(逆)이용한다. 이는 순간적으로 공포를 예상하도록 요구하거나 격려한다. 그리고 상황에 대한 자신의 태도를 바꾸도록 한다. 이렇게 하면 신경증상에 대한 태도의 변화를 가져오고 자신을 증상에서 분리, 신경증에서 해방되도록 한다. 이 방법은 중증이거나 오래된 경우에 성공적이다. 이는 근본적으로 행동 변용이라기보다는 자신의 실존적인 재정립을 뜻한다. 예를 들면, 당신이 중학교 때 발표를 하다가 너무 불안해 말을 더듬어서 창피를 당하였다고 가정하자. 당신이 다시 말을 더듬지 않을까 하는 발표불안(예기불안)은 당신이 발표하는 것을 피하도록 해 왔을 것이다. 이런 경우에 당신의 실수(말더듬)에 대한 지나친 주의는 당신이 발표를 하지 못하도록 해 왔다. 상담자는 당신에게 '실수(말더듬)를 하지 말자가 아니라 실수를 해라.'라는 것을 요구한다.

이것은 역설적 의도로서 불안을 해결하기 위해서 불안에 직면하여 불안이 무엇인지를 알아야 한다는 것을 함축한다.

## 2) 탈숙고(반성 제거)

지나친 주의력, 의도성 및 자기관찰 등을 다루는 것이다. 이는 문제를 의도적으로 무시해 버리는 것이다. 이와 같은 무시 혹은 역반사 작용은 내담자의 인식이 적극적인 방향으로 진행되는 정도에 따라 효과가 생긴다.

이 기법은 '지나친 의도'처럼 '지나친 숙고'(hyperreflection)로 인한 기대불안의 악순환에서 벗어나게 하기 위해 사용된다. 프랭클이 소개한 다음의 이야기는 지나친 주의나 숙고가 의미하는 바를 깨닫게 해 준다. "지네가 있었는데 그의 적이 지네에게 "너의 다리들이 어떤 순서로 움직이는가?'라고 물었다. 지네가 그러한 질문에 주의를 기울였을 때, 지네는 전혀 움직일 수가 없었다. 당신이 가진 문제에 지나친 숙고는 당신의 자발성과 활동성에 방해가 된다. 탈숙고는 지나친 숙고를 상쇄시킴으로써 당신의 자발성과 활동성을 회복시켜 준다.

# 5. 평가

의미요법 상담의 장점과 단점은 다음과 같다.

## 1) 장점

(1) 상담에서의 인간 대 인간의 관계를 강조한 것이다.이러한 점은 기계적으로 상담할 때 야기되는 비인간적 심리치료의 가능성을 줄여 준다. 자유와 책임을 강조하는 부분이나 자기 인식을 가지고 선택함으로써 자신의 삶을 재설계할 수 있는 인간의 능력을 인정하였다는 점이 특히 장점으로 볼 수 있다. 이 상담은 현재의 상황과 문제를 강조하기 때문에 개인적으로 독특한 치료양식을 형성할 수 있다는 철학적 기초를 제공해 준다.

(2) 실존주의 상담은 상담가들이 구체적인 기법에 얽매이지 않는 대신에 다른 학파들의 기법들을 응용할 수 있다는 장점이 있다.

(3) 경제적이고(기본 가정이 몇 개 밖에 안 된다)이해하기가 쉽다(자신의 경험에 대한 고찰을 통하여 개인이 지각할 수 있는 실제 자료에 기초한다). 따라서 인간의 노력과 가치가 일치하는 인본주의적 모델이다.

(4) 인간의 실존문제와 관련하여 죽음의 문제를 다루면서 죽음은 두렵고 부정적인 것이 아니라, 삶에 활력을 줄 수 있는 긍정적인 측면에서 새로운 관점을 제시함으로써 죽음이 주는 기본적 불안을 해결하였다.

## 2) 단점

(1) 어떤 경우 성공적으로 사용할 수 있지만 모든 내담자에게 성공적으로 사용할 수 있는 것은 아니다. 즉, 인간들은 너무 복잡해서 한 접근방식으로 충분히 해결될 수 있는 존재가 아니다. 신앙과 정신세계에 관심이 높은 사람에게만 효과적이다.

(2) 많은 개념들이 너무 추상적이고 상담의 실제에 적용하기 어렵다는 것이다. 즉, Kierkegaard, Nietzsche, Heideggar, sartre 등 실존주의 이론가들이 상담자들과 내담자들을 위하여 글을 쓰지는 않았다. 철학적 기초가 없는 초보자들은 많은 실존주의 개념들을 알 수 없다고 보는 경향이 있다. 이 이론은 먼저 내담자 이해를 강조하고 상담기법은 후에 따라오는 것으로 간주한다. 이 상담은 기법이 거의 없기에 상담자들이 자신의 새로운 절차를 만들거나 다른 학파의 상담에서 기법을 빌려와야 한다.

(3) 어떤 내담자에게는 철학적 통찰이 적절하지 않을 수 있다.

# 8

# 현실치료

현실요법 상담(Reality therapy : RT)은 1950년대 William Glasser에 의해 연구·소개된 이론이다. 기본 가정은 우리 모두가 성장할 수 있는 힘(Growth force)을 가지고 있으며, 이 힘이 우리의 환경을 통제하면서 자신의 욕구를 충족시키고 '성공적인 정체감'을 발전시킬 수 있다는 데 있다. 인간의 현재행동은 외부세계를 조정하기 위해 개인적으로 선택한 행동이라는 입장을 취하므로, 현재의 여러 가지 행동에 대한 책임, 즉 현재 진행 중에 있는 행동에 초점을 맞추는 상담 방법이다.

상담자는 내담자가 현실을 지시하고 자기 자신이나 타인에게 피해를 주지 않고 성공적인 정체감을 획득하여 자기의 환경과 자신을 통제할 수 있도록 돕는다. 즉, 내담자의 행동과 '지금, 그리고 책임'을 강조한다. 현실요법 상담에서는 많은 사람들이 여러 가지 삶의 현장에 활용할 수 있는 실용적이고 구체적인 이론과 방법을 가르쳐 주어 성숙한 인간으로서의 삶을 영위할 수 있도록 돕는데 목표를 둔다.

현실치료는 인간이 자신의 욕구나 바람에 따라 자신이 하고자 하는 행동을 결정하고 더 나아가 자신의 인생을 선택하고 결정한다는 점에서 표면적으로 실존주의적인 입장을 취하고 있다.

## 1. 주요 개념

현실치료를 이해하는 데 필요한 주요개념으로 기본 욕구, 통제이론, 전체 행동, 선택이론의 원리 등이 있다.

### 1) 기본 욕구

글래서가 가정하는 다섯 가지 기본 욕구인 소속감, 힘, 즐거움, 자유, 생존욕구에 대해서 살펴보고자 한다.

#### (1) 생존 욕구

인간은 생리적 욕구가 충족되기를 원한다. 이것은 인간이 생물학적 존재로서 생존에 대한 욕구다. 이것은 살고자 하고 생식을 통한 자기 확장을 하고자 하는 속성을 의미한다. 이 욕구는 호흡, 소화, 땀 흘리는 것, 혈압조절 등, 신체구조를 움직이고 건강하게 유지하도록 하는 중요한 과업을 수행하고 있다.

#### (2) 힘 욕구

인간은 힘에 대한 욕구를 충족시키고자 한다. 현실치료에서 말하는 힘에 대한 유사어는 성취감, 존중, 인정, 기술, 능력 등을 의미한다. 이러한 힘에 대한 욕구는 우리 각자가 중요한 존재이고 싶어하는 속성을 가지고 있다는 것을 의미한다. 인간 개개인은 자신의 환경에 영향을 끼치며 적어도 어느 정도는 환경을 통제하고 싶어 한다. 우리는 만사가 우리의 뜻대로 되기를 바라며, 그러한 힘이 우리에게 있기를 바란다. 모든 살아 있는 피조물 중에서 인간만이 힘 욕구를 끝까지 포기하려 하지 않는다. 힘에 대한 욕구에 매력을 느끼게 되면 종종 소속에 대한 욕구 등 다른 욕구와 직접적인 갈등의 원인을 경험하게 된다.

### (3) 즐거움 욕구

인간은 즐거움 욕구를 충족시키기를 원한다. 즐거움의 유사어는 흥미, 기쁨, 학습, 웃음 등이다. 이것은 인간이 많은 새로운 것을 배우고 놀이를 통해 즐기고자 하는 속성을 가지고 있다는 것을 말한다. 글래서는 인간의 즐거움에 대한 욕구는 기본적이고 유전적인 것이라고 확신한다. 이 즐거움 욕구를 충족시키기 위해 때로는 생명의 위험도 감수하면서 자신의 생활방식을 과감히 바꾸어 나가는 것을 볼 수 있다. 예를 들면, 암벽 타기나 번지 점프 등이다.

즐거움에 대한 욕구충족 활동의 유형에는 단순한 놀이도 있지만, 학습도 우리에게 매우 중요한 즐거움을 제공하는 욕구충족 활동이다. 인간은 다른 동물과 달리 즐거움에 대한 욕구가 충족되면 웃는다. 글래서는 인간이 웃는 주된 이유는 웃는 순간에 즐거움을 추구하려는 욕구가 충족되었다는 강한 느낌을 경험하기 때문이라고 생각한다. 즐거움은 인간생활에 있어 절대 필요한 활력소이므로 우리는 늘 즐거움이 더한 삶을 원한다. 그런데 즐거움을 추구하는 욕구와 다른 욕구들 간에도 마찬가지로 갈등이 있을 수 있다. 예를 들면, 어떤 사람은 공부가 재미있어서 소속감 욕구 충족을 포기하고 결혼을 지연시킬 수도 있다.

### (4) 자유 욕구

인간은 자유 욕구를 충족시키기를 원한다. 여기서 말하는 자유의 유사어는 선택, 독립, 자율성 등을 의미한다. 이것은 인간이 이동하고 선택하는 것을 마음대로 하고 싶어 하고 내적으로 자유롭고 싶어 하는 속성을 말한다. 자유란 각자가 원하는 곳에서 살고 대인관계와 종교 활동 등을 포함한 삶의 모든 영역에서 어떤 방법으로 삶을 영위해 나갈지 선택하고 자신의 의사를 마음대로 표현하고 싶어 하는 욕구를 말한다. 하지만 자신의 자유 욕구 충족을 하는 데 있어서 다른 사람의 자유를 침범하지 않도록 타협을 통하여 이웃과 함께 살 수 있는 절충안을 찾아내야만 한다. 즉, 우리의 모든 욕구를 충족시키려면 지속적으로 남의 권리를 인정해 주고 나의 권리를 인정받는 것에 대한 합리적인 이해와 자기선택에 대한 책임을 지려는 의지가 필요하다.

### (5) 소속감 욕구

인간은 소속감 욕구를 충족시키고자 한다. 소속감의 유사어는 사랑, 우정, 돌봄, 관심, 참여 등이다. 이것은 인간이 사회적 동물로서 가정, 학교, 직장, 사회에 소속되어 다른 사람과의 관계를 유지하면서 사랑을 주고받고자 하는 인간의 속성을 말한다.

글래서는 소속하고 싶은 욕구를 세 가지 형태, 즉 사회집단에 소속하고 싶은 욕구, 직장에서 동료들에게 소속하고 싶은 욕구, 가족에게 소속하고 싶은 욕구로 분류하였다. 그 이유는 욕구의 충족은 여러 환경에서 일어나기 때문이다. 소속감 욕구는 생리적 욕구와 같이 절박한 욕구는 아니지만, 사회적 동물로서의 인간에게 삶의 기초가 되는 욕구이다.

이상에서 지적한 인간의 기본 욕구는 다음과 같은 몇 가지 특징을 가지고 있다. 이러한 욕구는 타고난 것이다. 이러한 욕구는 일반적인 것이다. 이러한 욕구는 보편적인 것이다. 이러한 욕구는 중복적인 것이다. 이러한 욕구는 상호 갈등적이다. 이러한 욕구는 대인 갈등적이다. 개인의 욕구는 순간적으로 충족되었다가 다시 불충분한 상태로 가기 때문에 계속 충족된 상태로 지속되기는 어렵다. 충족상태가 지속될 수 없기 때문에 이것이 동기의 근원이 된다.

인간은 위의 다섯 가지 기본 욕구 중에서 우선순위를 결정하는 데 있어서 끊임없이 갈등을 느끼며 이를 해소하려고 시도한다. 우리는 다섯 가지 기본적 욕구를 충족시키기 위해 끊임없이 어떤 행동을 해야만 한다. 우리는 각자 매 순간 최선이라고 판단되는 행동을 한다. 자신이 판단하고 결정한 것이 현명할 수도 어리석을 수도 있다. 우리는 주관적이기는 하지만 자기 나름대로 창의적인 방법을 찾아 자신의 기본적 욕구를 충족시킨다. 개인의 욕구는 유전적인 속성이기 때문에 모든 사람이 공통적으로 가지고 태어나지만 그 욕구를 채우는 방법은 개인마다 특이하고 차이가 있다.

## 2) 통제이론

통제이론은 우리 자신의 내적 동기가 우리의 행동을 통제한다는 심리학적 이론이다. 난방기구나 에어컨의 자동온도조절장치가 알맞은 온도를 유지하기 위해 그 기구의 동작을 조정하는 것처럼 인간이 두뇌가 하나의 통제체제처럼 작용한다는 이론이다. 통제이론은 우리가 우리의 욕구를 만족시키는 내적 세계인 지각 혹은 사진첩(picture album)을 창조하며 이러한 지각에 따라 행동이 생성된다고 가정한다. 그러므로 우리의 행동은 우리의 욕구를 최선으로 만족시키도록 세계와 세계의 부분으로서 우리 자신을 통제하려는 최선의 시도다.

글래서가 가정한 다섯 가지 기본 욕구인 생존, 소속감 혹은 사랑, 힘 혹은 성취, 즐거움, 자유의 욕구를 충족시키기 위해 우리는 뇌의 지시를 받아 행동을 한다. 인간은 누구나 보편적인 이러한 욕구를 충족시키기 원한다. 그리고 이러한 욕구충족의 바람은 개개인에 따라 독특한 사진첩으로 발달되어 개인의 행동을 통제하게 된다.

## 3) 전체행동(행동체계)

인간의 행동체계는 행동하기(doing), 생각하기(Chinking), 느끼기(feeling), 그리고 생물학적 행동(biological behavior)으로 구성되어 있다고 보았다. 이러한 인간의 행동체계를 자동차의 네 바퀴에 비유하여 설명하고 있다. 앞 두 바퀴는 행동하기와 생각하기이며 따르는 두 개의 뒷바퀴는 느끼기와 생리적 행동이다. 행동체계를 구성하는 전체행동의 네 가지 구성요소는 서로 유기적으로 관련되어 인간의 기본 욕구를 충족시키려고 한다.

## 4) 선택이론의 원리

선택이론은 개인의 자유를 강조하는 이론이다. 글래서(Glasser, 1998)는 그의 저서인 『선택이론: 개인적 자유에 대한 새로운 심리학』(Choice theory : A New Psychology of Personal Freedom)에서 우리는 우리가 하는 모든 것을 선택할 수 있다고 주장하였다. 따라서 선택이론에서는 개인이 느끼는 불행과 흔히 정신병으로 여겨지는 행동까지도 선택할 수 있다고 본다. Glasser의 선택이론 열 가지 원리는 다음과 같다.

- 원리 1: 우리의 행동을 통제할 수 있는 사람은 우리 자신이다. 누구도 우리에게 우리가 원하지 않는 것을 하게 할 수 없다. 우리가 우리 자신의 행동을 통제할 수 있다는 것을 깨닫기 시작할 때, 우리는 곧바로 우리의 개인적 자유를 새롭게 정의하며 훨씬 많은 자유를 가진다는 것을 알게 된다.
- 원리 2: 우리가 타인에게서 얻을 수 있는 모든 것은 정보다. 우리가 얻은 정보를 어떻게 처리할 것인가는 우리의 선택이다.
- 원리 3: 지속되는 모든 심리적 문제는 관계 문제다. 고통, 피로, 만성적 질병과 같은 다른 많은 문제들의 부분적 원인은 관계 문제다.
- 원리 4: 관계 문제는 항상 개인이 현재 영위하는 삶의 일부분이다.
- 원리 5: 과거에 일어난 고통스러운 일이 현재 우리 자신에게 많은 영향을 주고 있지만, 이러한 고통스런 과거를 다시 들추어내는 것은 현재 우리가 할 필요가 있는 것에 거의 기여할 수 없다. 즉, 중요한 관계를 향상시킬 수 없다.
- 원리 6: 우리는 기본 욕구인 생존, 사랑과 소속감, 힘, 자유, 즐거움에 의해 행동한다.
- 원리 7: 우리는 단지 각자의 질적 세계에 있는 사진첩을 만족시킴으로써 이러한 기본 욕구를 충족시킬 수 있다.
- 원리 8: 평생 우리가 할 수 있는 모든 것은 행동이다. 모든 행동은 행동하기, 생각하기, 느끼기, 생물학적 행동으로 구성된

전체행동이다.
- 원리 9: 모든 전체행동은 동사, 보통 부정사와 동명사로 나타내지며 가장 쉽게 인식할 수 있는 용어로 표현된다. 예를 들면, '나는 우울로 고통 받고 있다.' 대신에 '나는 우울하기를 선택하고 있다.' 로, '나는 우울해졌다.' 대신에 '나는 우울하고 있다.' 로 표현한다.
- 원리 10: 모든 전체행동은 선택되지만 우리는 단지 행동하기와 생각하기를 직접적으로 통제할 수 있다. 하지만 우리는 행동하기와 생각하기를 선택하는 방법을 통해서 간접적으로 우리의 느끼기와 생물학적 행동을 통제할 수 있다.

# 2. 상담목표

현실치료의 목표는 내담자가 책임질 수 있고 만족한 방법으로 자신의 심리적 욕구인 소속감, 힘, 자유, 흥미를 달성하도록 조력하는 것이다. 현실치료의 주요한 상담목표는 일차적으로 내담자가 정말 원하는 것이 무엇인지를 그의 기본 욕구를 바탕으로 파악하도록 하는 것이다. 내담자의 바람을 파악한 후 상담자는 바람직한 방법으로 이러한 바람을 달성할 수 있도록 조력한다.

내담자가 바람직한 방법으로 욕구를 달성할 수 있도록 하는 데 있어 현실치료에서는 3R, 즉 책임감(Responsibility), 현실(Reality), 옳거나 틀림(Right or wrong)을 강조한다.

## 1) 책임감

현실치료접근의 기본이 되는 것은 개인적 책임이다. 즉, 개인적 책임을 지지 않는데서 개인에게 문제가 생긴다고 보고 있다. 글래서는 책임이란 "다른 사람이 그의 욕구를 충족시키는 것을 방해하지 않으면서 자신의 욕구를 충족시키는 능력"이라고 정의한다. 현실치료에서는 정신건강과 책임감을 같은 것으로 본다. 즉, 책임을 잘 질수록 더 건강하고, 책임을 지지 않을수록 더 건강하지 않다.

## 2) 현실감

현실치료에서 책임을 받아들인다는 것은 바로 개인이 현실을 직면해야 함을 말한다. 책임은 현실의 직면과 직결된다. 때문에 현실세계를 정확하게 받아들여야만 하고, 더 나아가 현실세계가 정해 주는 어떤 범위 내에서만이 자신의 욕구충족이 가능하다는 점을 이해해야 한다. 현실치료를 적용하는 상담자들은 내담자가 현실, 즉 그들이 현재 행동을 직면해야만 한다고 주장한다. 현실치료는 내담자가 더욱 책임 있는 행동을 함으로써 자신의 문제를 해결할 수 있는 현실을 직면하도록 돕는 것이다.

## 3) 옳거나 그름

개인의 기본 욕구를 만족시키는 행동을 하는 데 있어 도덕적 판단이 있어야 함을 의미한다. 개인은 사회 속에서 자신의 행동에 대한 가치판단을 통해 현실적으로 욕구충족을 한다. 현실치료는 다른 사람들에게 해가 되지 않는 옳은 판단을 통해 자신의 욕구를 충족할 것을 강조한다.

# 3. 상담 과정

글래서가 제안한 현실치료의 상담과정은 다음과 같다.

## 1) 내담자와의 관계형성

상담자와 내담자가 친구처럼 개인적으로 친밀한 관계를 형성하는 과정이다. 먼저 내담자에게 열중하고, 친화관계를 수립하거나 단순히 친해지려고 노력하여 관계형성을 한다. 두 사람간의 강한 유대관계를 바탕으로 하여 내담자가 상담자를 돕는 이로서 마음속으로 받아들이도록 한다. 내담자와의 관계는 내담자에 대한 상담자의 책임을 전제로 하지 않으며, 또한 내담자가 상담자에게 의지한다는 의미도 아니다.

내담자가 상담관계에 자발적으로 참여할 수 있는 원만한 관계를 형성하기 위해 상담자는 다음과 같이 할 수 있다.

① 내담자에게 주의를 기울여 경청한다.
② 항상 정중하고, 항상 신념을 가지고, 항상 열성적이고, 항상 확고하고, 항상 진실한 태도를 나타낸다.
③ 내담자의 행동에 대하여 판단을 보류한다.
④ 역설적 기법과 같은 독창적인 질문으로 내담자를 통제해야 한다.
⑤ 유머를 사용한다.
⑥ 자기답게, 개성있게 상담을 진행한다.
⑦ 자기를 개방한다.
⑧ 은유적인 행동을 관찰한다.
⑨ 문제의 핵심을 찾는다.

## 2) 내담자의 현재 행동 파악

내담자는 보다 책임 있는 방식으로 삶을 시작할 수 있기 위하여 자신의 행동을 자각하는 것이 필요하다. 따라서 내담자의 바람, 욕구, 지각이 탐색된다. 더불어 그가 그러한 바람을 달성하기 위해 현재 하고 있는 행동이 탐색된다. 내담자가 현재 하고 있는 것, 즉 통제이론 용어로 지금하기로 선택하고 있는 것에 초점을 맞추도록 하는 시도다. 여기서 상담자는 첫째 단계의 내용을 언급하면서 내담자에게 원하는 것을 얻기 위해 지금 무엇을 하고 있는가를 묻는다.

## 3) 내담자가 자신의 행동 평가하기

내담자의 현재 행동이 그의 욕구를 충족하는 데 도움이 되는가의 여부를 평가하게 한다. 내담자로 하여금 스스로 선택한 것임을 알게 된 행동이 자기가 원하는 것을 얻는 데에 도움이 되는지, 방해가 되는지를 평가하도록 하는 것이다.

## 4) 내담자가 자신의 행동을 계획하기

내담자가 자신의 행동을 평가한 후에 비효율적이고 부정적인 행동들을 찾아내어 이를 효과적이고 긍정적인 행동으로 수정하기 위해 계획을 수립할 수 있도록 한다. 내담자로 하여금 자기 자신의 행동을 판단하도록 하며, 어려움과 실패를 초래한 자신의 행동이 무엇인지를 찾아내도록 해야 된다고 한다. 상담자의 역할은 내담자가 더 효과적으로 작용할 수 있는 방법에 관한 지식을 갖게 하는 것이며 내담자가 스스로 좋지 못한 선택을 하고 있음을 인정할 때 그가 더 나은 선택을 하도록 안내하는 것이다.

① 자신의 욕구나 소원의 충족과 관련된 긍정적인 것과 부정적인 것을 찾아낸다.
② 부정적인 것에 대한 책임 소재 및 문제점을 확인한다.
③ 긍정적인 것을 실행할 수 있는 시간, 장소, 방법에 대한 구체적인 계획을 수립한다.

### 5) 계획 실천에 대한 약속하기

내담자가 자신이 수립한 계획에 따라 행동할 것에 대한 약속을 얻어낸다. 일단 계획이 세워지면 상담자는 내담자에게 그 계획을 끝까지 수행하는 노력을 하겠다는 다짐을 요구해야 한다. 내담자가 약속을 할 때 그것이 확고해지는 이유는 그 약속 후 상담자가 내담자의 내부세계에서 욕구충족 지각의 대상이 되기 때문이다. 서약원리는 계획을 성공적으로 수행하려는 내담자의 동기를 높여 주며, 내담자가 행동을 시작하도록 격려하고 강화한다.

### 6) 변명에 대한 불수용(변명 허용 않기)

내담자가 계획에 대한 이행을 하지 않고 변명할 경우 이를 수용하지 않는다. 현실치료 상담자는 변명 혹은 계획이 수행되지 않은 이유를 들어주게 되면 내담자가 자신의 계획에 대해 불신하고 실행을 지속하지 않게 되기 때문이다. 행동계획은 타당하고 서약서도 합리적인데 실패한 경우 되돌아보지 말고 '이번에 당신이 학습한 것을 바탕으로 다음번에 계획을 성공적으로 수행하기 위해 어떻게 할 예정입니까?' 라고 물어야 한다.

### 7) 처벌의 금지

비합리적인 행동에 대해 동의할 수 없어도 처벌하지는 않는다. 상담자는 내담자를 비판하거나, 논쟁하거나, 처벌하지 않는다는 것이다. 상담자는 내담자가 약속한 바를 지킬 수 있는 행동을 촉진하며 처벌자가 아니라 지지자의 역할을 견지한다.

### 8) 절대 포기하지 않기

상담자는 내담자가 어떠한 말이나 행동을 하더라도 그의 변화 가능성에 대해 끝까지 희망을 버리지 않는다. 사람들이 스스로 효과적인 통제력을 얻을 수 있다는 것을 깨닫게 되기까지는 오랜 시간이 걸린다. 왜냐하면 사람들은 비효과적인 방법으로 세상을 통제하는데 익숙해져 있기 때문이다. 상담자는 내담자에 대한 긍정적인 시각과 함께 가능성을 기대하며 내담자를 결코 포기하지 않는다.

## 4. 상담 기법

### 1) 질문하기

현실치료에서 내담자로 하여금 자신이 현재 하고 있는 행동 파악하고 구체적 계획을 수립할 수 있도록 구체적인 질문을 사용하기 때문에 상담자는 숙련된 질문을 할 수 있도록 훈련받아야 한다. 상담자의 질문은 내담자의 내적 세계(바람, 욕구, 지각)를 이해하도록 돕는다. 효과적인 질문은 내담자가 자신의 행동에 초점을 맞추고, 그러한 행동을 평가하고 계획히도록 한다. 또한 질문은 내담자에게 선택하도록 하며 선택을 통해 자신의 삶을 변화시키는 방법을 통제하도록 돕는다.

### 2) 직면하기

현실치료 상담자는 기본적으로 내담자의 변명을 수용하지 않고 결코 포기하지 않는 태도를 취하기 때문에 직면하기는 상담과정에서 필수적이다. 상담자는 내담자가 현실적 책임과 관련된 모순점을 보이면 직면하기를 사용한다. 직면하기를 통해 내담자의 변명을 다룰 때 긍정적 태도를 유지하면서 변명을 수용하지 않는다. 상담자는 내담자를 비판하거나 그와 논쟁하지 않으면서 내담자가 자신의 전체행동을 탐색해서 효과적인 계획을 수립하도록 한다.

## 3) 역설적 기법

일반적으로 현실요법에서는 직접적이고 직설적인 기법을 사용하지만 때로는 내담자에게 모순된 요구나 지시를 주어 그를 딜레마에 빠지게 하는 역설적 기법을 사용하기도 한다. 예를 들면, 실수하지 않으려고 강박적으로 생각하는 내담자에게 실수를 하도록 요구할 수 있다. 만약 내담자가 상담자의 제안대로 실수를 하려고 시도하면, 내담자는 문제에 대한 통제를 입증했다고 볼 수 있다. 만약 내담자가 상담자의 제안에 저항하면 그 행동은 통제되고 제거된다.

역설의 두 가지 유형은 '틀 바꾸기(reframing)'와 증상처방이다. 틀 바꾸기는 내담자가 어떤 상황이나 주제에 대해 생각하는 방식을 변화하도록 조력하는 것이다. 즉, 내담자가 이전에 바람직하지 않았던 행동을 바람직한 행동으로 보도록 조력한다. 증상 처방은 내담자가 증상을 선택하도록 지시하거나 요구하는 것을 말한다. 예를 들면, 얼굴이 붉어져서 타인에게 말을 못하는 사람에게 그가 얼마나 많이 그리고 자주 붉어지는가를 다른 사람에게 말하도록 하는 것이다.

## 4) 유머 사용하기

현실치료는 즐거움이나 흥미를 기본 욕구로 강조한다. 상담자와 내담자가 농담을 공유한다는 것은 서로가 동등한 입장에서 흥미 욕구를 공유한다는 것을 의미한다. 상담자가 유머를 통해 내담자와 친근한 관계를 유지함으로써 내담자의 소속감 욕구를 충족시킬 수 있다.

# 5. 평가

현실요법의 장점과 단점은 다음과 같다.

## 1) 장점

① 현실치료는 질병을 거부하고 개인의 통제능력과 책임감을 강조하기 때문에 불우한 환경이나 소년원 같은 시설에 있는 청소년에게 환경을 탓하기보다 자신에게 책임이 있다는 것을 깨닫게 한다.
② 내담자가 자신의 행동 변화정도에 대해 스스로 평가할 수 있다는 점이다.
③ 상담기간이 다른 상담에 비해 짧다. 현실치료는 자신의 문제에 대한 현실적인 의식수준에서 판단하고 직면하기 때문에 비교적 단기간에 효과를 볼 수 있다.
④ 내담자의 의식적 행동의 문제를 다루기 때문에 어린이를 포함해서 노인층에 이르기까지 모든 계층의 내담자에게 광범위하게 적용할 수 있다.

## 2) 단점

① 내담자의 무의식적 동기나 과거를 지나치게 무시한다는 점이다. 현실치료는 과거를 인정하면서도 현재의 행동변화를 위해서는 불필요하다고 보고 있는데, 이는 이론상 맞지 않다.
② 현실적으로는 자신의 행동에 책임을 질 수 없는 사람도 있고, 또한 완전히 책임을 질 수 있는 사람도 없다는 것이다.
③ 현실치료는 단순하고 직접적인 기법을 사용함으로써 내담자의 미해결감정은 탐색하지 않고 현재의 문제해결에만 초점을 둔다는 단점이 있다. 따라서 내담자의 표면적 관심만을 다룸으로써 내담자의 보다 근본적인 문제를 간과할 위험이 있다는 것이다.

# 9

# 인지 · 정서 · 행동치료

이 상담론은 합리적-정서적 상담론(RET-Rational Emotive therapy)으로 일컬어지기도 하며, 임상심리학자인 Albert Ellis가 1950년대에 발전시킨 성격이론 및 심리치료이론이다. 엘리스는 인지 · 정서 · 행동치료가 인본주의적 심리치료라고 주장한다. 인간이 합리적 삶을 이끌기 위한 기본적 원리는 자신의 어떤 수행에 의해서 자신을 평가하는 것이 아니라 자신의 실존적 존재를 있는 그대로 수용하는 것이라고 하였다. 따라서 엘리스는 인간이 가진 문제해결을 위한 가장 인본주의적 접근인 인지 · 정서 · 행동치료를 따른다면, 자신과 타인을 인간으로서 무조건적으로 수용하는 것이라고 주장한다.

인지 · 정서 · 행동치료에서는 인간이 합리적 사고와 비합리적 사고의 잠재성을 가지고 태어났다고 가정한다. 즉, 인간은 타고난 합리적 신념에 의해 자신을 성숙하게 하거나 실현시킬 수 있으며 동시에 타고난 비합리적 신념에 의해 자신의 성숙을 방해하거나 자신을 파괴할 수 있다고 본다. 인간이 생물학적 경향성으로 대립되는 합리적 사고와 비합리적 사고를 타고났다는 엘리스의 주장은 성선설과 성악설을 동시에 강조하고 있다고 볼 수 있다. 인간은 자신을 파괴할 수 있는 잠재적 경향성인 비합리적 신념을 갖고 태어났기 때문에 이것을 바꾸는 작업이 그렇게 용이하지는 않다고 본다. 따라서 상담자가 인간으로서 내담자를 수용한 후 논리적인 칼날로 내담자의 자기 파괴적인 비합리적 신념을 잘라낼 수 있는 예지가 필요하다.

엘리스는 인간은 끊임없이 자기대화와 자기평가를 하면서 자신의 삶을 유지한다고 본다. 합리적 신념에 의한 자기대화와 자기평가는 당신이 선택한 건전한 인생목표를 달성하게 해 줄 것이다. 그러나 비합리적 신념에 의한 자기대화와 자기평가를 당신이 부적절한 정서를 느끼고 역기능적 행동을 수행하도록 하게 할 것이다.

## 1. 주요 개념

엘리스의 주요 개념은 당위주의, 비합리적 신념, ABC 이론, ABCDEF 모델 등이다.

### 1) 성격의 세 가지 측면

#### (1) 성격의 생리적 측면

엘리스는 인간 성격의 생물학적 측면을 강조한다. 엘리스에 따르면, 인간은 선천적으로 개인적 운명을 변화시킬 수 있는 긍정적인 힘을 가지고 있으며, 이는 자신이 원하는 것은 반드시 이루고자 하는 강한 욕망이나 주장으로 나타난다고 하였다. 그와 동시에 사람들이 비합리적으로 생각하고 스스로에게 해를 끼치려는 예외적으로 강력한 선천적 경향성도 가지고 있다고 본다.

### (2) 성격의 사회적 측면

인간의 사회적 관심과 흥미는 선천적인 것으로 개인의 성격과 심리건강에 매우 중요한 요인으로 작용한다는 아들러의 영향을 받은 엘리스는 내담자를 심리적으로 건강하게 하기 위해서는 사회적인 관심이 있어야 한다고 강조하였다.

즉 타인이 자신을 인정하고 승인한다고 믿고 있을 때, 보통 자기 자신을 '선량하고' '가치 있는' 사람으로 본다. 엘리스에 따르면, 정서적 장애는 타인들이 생각하는 것에 대해 지나치게 많은 염려를 하는 것과 관련되며, 다른 사람들이 자신을 좋게 생각할 때만 자기 스스로를 수용할 수 있다는 믿음으로부터 기인한다. 그 결과 타인의 승인을 받고자 하는 욕망이 커지게 되어 타인에 대한 인정과 승인에 대한 욕구가 절대적이고 긴박한 욕구가 된다. 이렇게 됨으로써 불안과 우울을 피할 수 없게 된다.

### (3) 성격의 심리학적 측면

합리적·정서적 치료에 의하면, 인간의 정서는 일상사건에 대한 신념, 평가, 해석에서 유발하는 것으로 적절한 정서 반응은 합리적이고 이성적인 사고의 산물이라는 것이다. 개인이 일단 비합리적인 사고를 통해 불안과 우울을 경험하게 되면, 자신이 스스로 불안하고 우울한 것에 대해 불안해하고 우울해할 것이다. 그리하여 악순환을 경험하게 되는 것이다. 개인의 현재 감정 측면에서 볼 때, 그 감정에 더 초점을 둘수록 그 감정들은 더 나빠질 가능성이 높다. 따라서 개인으로 하여금 불안을 생성하는 신념체계에 초점을 맞추도록 하여 바람직하지 못한 감정을 차단하게 한다.

## 2) 합리적 가치/태도

인지·정서·행동치료에서 사람들이 자신의 삶 속에서 일반적 목표를 성취하기 위해 필요한 가치와 태도는 다음과 같다.

### (1) 자기 관심

정서적으로 건강한 사람은 우선 자기 자신에게 관심이 있고 진실하며 타인을 위하여 자기 자신을 자학적으로 희생시키지 않는다.

### (2) 사회적 관심

건강한 사람은 소외된 실존을 택하지 않고 사회에서 다른 사람과 효과적으로 어울려 사는 데에 관심을 갖는다.

### (3) 자기지향

정서적으로 건강한 사람은 다른 사람의 행동이나 지지를 좋아할 수는 있으나 그런 지지를 매번 요구하는 것은 아니다. 그들은 자신의 삶에 책임을 느끼며 자신의 문제를 독립적으로 해결할 수 있다.

### (4) 관용

성숙한 인간은 모든 인간이 실수를 하며, 완전할 수 없다는 것을 알고 자신과 타인의 실수를 인정한다.

### (5) 유연성(융통성)

건강한 사람은 사고가 유연하며 변화에 개방적이다. 다른 사람들의 생각을 허용하고 수용 가능한 것으로 본다. 또한 자기의 의견을 고집하지 않으며 자신과 타인에게 편협한 엄격한 규칙을 적용하지 않는다.

### (6) 불확실성의 수용

정서적으로 성숙한 사람은 인간이 무한한 가능성과 기회를 가진 세계에 살고 있다는 것을 인정하나, 어떤 절대적인 확실성은 있지 않다는 것을 인정한다.

### (7) 창조적 일에 대한 실행

건강한 사람은 자신을 둘러싸고 있는 일상적인 일 뿐만 아니라, 최소한 한두 가지 정도의 창조적인 일에 관심을 갖고 몰두한다.

### (8) 과학적 사고

성숙한 사람은 객관적이고 이성적이다. 깊이 생각하고 분명하게 행동한다.

### (9) 자기수용

건강한 사람은 자기가 살아 있다는 것 자체를 기뻐하며 끊임없이 삶을 즐기고 행복과 기쁨을 창조할 수 있는 능력이 자기에게 있다고 믿는다. 자신의 가치를 외적 성취나 남과의 비교를 통해 평가하지 않는다.

### (10) 모험하기

정서적으로 건강한 사람은 모험적인 성향을 지닌다. 그는 자신이 인생에서 진정으로 원하는 것이 무엇인가를 곰곰이 생각해 보고 모험을 시도하며 인생을 개척해 나간다.

### (11) 장기적인 만족 추구

건강한 사람은 순간적이고 단기적인 쾌락을 추구하기보다는 장기적이고 미래지향적인 쾌락을 추구한다.

### (12) 비이상주의

성숙하고 정서적으로 건강한 사람은 이 세상에서 자신이 얻고자 하는 모든 것을 다 얻을 수는 없으며, 모든 고난을 완전히 회피할 수 없다는 사실을 인식한다.

### (13) 정서적 장애에 대한 자기 책임

건강한 사람은 다른 사람이나 사회를 비난함으로써 자신을 방어하기보다는, 자기 파멸적인 혼란을 느끼는 자신에게 책임이 있다고 생각한다.

## 3) 당위성 이론

우리를 파멸로 몰아넣은 근본적인 문제는 우리가 갖고 있는 비합리적 신념이다. 우리가 주어진 상황을 긍정적으로 생각하느냐와 부정적으로 생각하느냐에 따라 정서적, 행동적 결과는 매우 다르게 나타난다. 비합리적 신념에 의해 야기된 부적절한 감정이나 역기능적 행동은 다시 또 다른 비합리적 생각을 촉발하는 악순환을 되풀이하게 한다.

비합리적인 신념의 뿌리를 이루고 있는 것은 세 가지 당위성, 즉 '자신에 대한 당위성'(I must), '타인에 대한 당위성'(Others must), '조건에 대한 당위성'(Conditions must)과 관련되어 있다.

### (1) 자신에 대한 당위성

자기 자신에 대해 당위성을 강조하는 것이다. '나는 훌륭한 사람이어야 한다.' '나는 실수해서는 안 된다.' '나는 실패해서는 안 된다.' '나는 실직당해서는 안 된다.' '나는 항상 적절하게 행동해야 한다.' 등의 당위적 사고에 매여 있는 경우가 많다. 그리고 그러한 자신에 대한 당위적 사고가 이루어지지 않을 때 자기파멸이라는 생각을 갖게 된다.

### (2) 타인에 대한 당위성

자신과 밀접하게 관련한 사람, 즉 부모, 자식, 부인이나 남편, 애인, 친구, 직장동료에게 당위적인 행동을 기대하는 것이다. '부모니까 나를 사랑해야 한다.' '자식이니까 내 말을 들어야 한다.' '부인이니까 정숙하게 행동해야 한다.' '애인이니까 항상 나에게 관심을 가져야 한다.' '친구니까 우정을 보여야 한다.' '직장동료니까 항상 일에 협조해야 한다.' 등 가까운 타인에게 바라는 당위적 기대가 이루어지지 않을 때 인간에 대한 불신감을 갖게 된다. 그리고 이러한 불신감은 인간에 대한 회의를 낳아 결국 자기 비관이나 파멸을 가져오게 된다.

### (3) 조건에 대한 당위성

자신에게 주어진 조건에 대해 당위성을 기대하는 것이다. '나의 가정은 항상 사랑으로 가득 차 있어야 한다.' '나의 방은 항상 깨끗해야 한다.' '나의 교실은 정숙해야 한다.' '나의 사무실은 아늑해야 한다.' 등 자신에게 주어진 조건에 대해 당위적 사고를 갖는 것이다. 우리가 바라고 원하는 것처럼 지속되는 당위적인 조건은 거의 없다. 그럼에도 많은 사람들은 흔히 이러한 당위적 조건을 기대하면서 그렇지 않은 경우에 화를 내거나 부적절한 행동을 한다.

## 4) 비합리적 신념

엘리스는 인간에게 심리적 고통과 문제를 유발하게 되는 11가지 비합리적인 신념을 제시했는데, 다음과 같다.

1. 나는 내가 알고 있는 모든 사람들로부터 반드시 인정받고 사랑받아야 한다
2. 나는 모든 측면에서 철저하게 능력이 있고, 적절하고, 성공적이어야 한다.
3. 어떤 사람은 나쁘고 사악해서 가혹하게 비난받고 처벌받아야 한다.
4. 일이 뜻대로 이루어지지 않으면 이것은 끔찍하고 파국적이다.
5. 불행은 외부적인 사건들 때문에 생기며, 사람들은 통제할 능력이 거의 또는 전혀 없다.
6. 만약 어떤 사람에게 위험하거나 두려운 일이 일어날 가능성이 있으면 그는 그 일에 대해 몹시 걱정하고 그 일이 일어날 가능성에 대해 늘 생각하고 있어야 한다.
7. 인생에서 어려움에 부딪힐 때는 책임 있게 직면하기보다 피해가는 것이 편하다.
8. 사람은 다른 사람에게 의지해야 하고 의지할 만한 자신보다 강한 누군가가 있어야 한다.
9. 인간의 문제는 과거의 잘못에 의한 것이며, 또한 과거는 평생을 지배하며 일생동안 영향을 미치게 된다.
10. 인간은 다른 사람의 문제에 대해 함께 괴로워하고 속상해 해야 한다.
11. 인간의 문제에는 완전한 해결책이 있다. 만약 이러한 완전한 해결책을 찾지 못하면 이는 끝장이다.

## 5) ABC 이론

엘리스는 신념체계를 합리적인 것과 비합리적인 것으로 분류하였다. 합리적 신념체계를 갖는 사람은 일어난 사건에 대해 합리적 해석을 하여 대처하기 때문에 바람직한 정서적 행동적결과를 초래한다. 그러나 비합리적 신념체계를 가진 사람은 일어난 사건에 대해 비합리적으로 해석하여 바람직하지 않은 정서적 행동적 결과를 경험하게 된다. 그러므로 엘리스에 따르면 정신적으로 건강한 사람은 합리적 신념체계에 따라 행동하는 사람이며 건강하지 않은 사람은 비합리적 신념체계의 지배를 받는 사람이다. 우리의 정서적 행동적 결과에 영향을 미치는 원인으로 사건보다는 신념체계의 중요성을 강조한다는 점에서 인지 · 정

서 · 행동치료를 ABC 이론이라고도 한다. 여기서 A는 당신에게 의미 있는 '활성화된 사건(Activating events)'을, B는 '신념체계(Belief system)'를, 그리고 C는 정서적 행동적 '결과(Consequences)'를 의미한다.

엘리스는 내담자의 심리적 고통이나 문제는 그의 비합리적 신념체계에서 비롯된 것이라고 확고하게 믿는다. 따라서 인지 · 정서 · 행동치료는 내담자가 가진 비합리적 신념체계를 합리적 신념체계로 바꾸게 함으로써 문제해결을 할 수 있다고 본다. 상담자는 문제를 가진 내담자의 신념체계가 비합리적이라는 것을 설득력 있게 논박(Disputing) 함으로써 변화를 유도한다.

### 6) ABCDEF 모델

엘리스는 비합리적 신념을 확인하고 반박하여 합리적 신념으로 수정하여 나타나는 효과까지의 일련의 과정을 여섯 단계로 보여 주는 것을 머리글자로 표현하여 ABCDEF 모델이라 하였다. 이러한 여섯 단계는 다음과 같다.

첫 단계인 A는 선행 사건(Activating events)을 확인하고 기술하는 것이다.

둘째 단계인 B는 선행 사건에 대한 개인의 신념(Belief)이다. 신념은 합리적이거나 비합리적일 수 있다.

셋째 단계인 C는 신념에서 비롯된 결과(Consequences)이다. 합리적 신념은 합리적 결과를 비합리적 신념은 비합리적 결과를 초래한다.

넷째 단계인 D는 비합리적 결과를 야기한 비합리적 신념을 논박하기(Disputing)를 나타낸다.

다섯째 단계인 E는 논박하기의 결과로 나타난 효과(Effect)를 나타낸다. 이러한 효과는 논박하기를 통해 비합리적 신념이 효과적인 합리적 신념으로 바뀐 것을 의미한다.

여섯째 단계인 F는 논박하기를 통해 바뀐 효과적인 합리적 신념에서 비롯된 새로운 감정(Feelings)이나 행동을 나타낸다.

## 2. 상담목표

엘리스는 "내담자의 자기패배적 견해를 극소화하고 더 실제적이고 아량있는 인생철학을 습득하는 것"을 상담이라고 하였다. 인지 · 정서 · 행동치료는 일차적으로 증상의 제거에 목적이 있는 것이 아니라, 내담자의 기본적인 가치관을 비평적으로 검토하도록 격려하는 것이다. 따라서 인지 · 정서 · 행동치료의 목표는 내담자의 비합리적 신념을 합리적 신념으로 바꾸어 수용할 수 있는 합리적 결과를 갖게 하는 것이다. 상담자는 내담자가 정서적 장애를 최소화하고, 자기파괴 행동을 감소시키며, 보다 행복한 삶을 영위하도록 조력한다.

내담자가 현재 겪고 있는 정서적, 행동적 문제는 자기, 타인, 주변조건에 대한 당신의 비합리적 생각에서 비롯되기 때문이다. 내담자가 당연하게 받아들이는 많은 비합리적 생각이 내담자의 성숙을 방해하고 있으며, 그러한 비합리적 생각이 정서를 혼란시키고 용기 있는 행동을 하지 못하도록 붙잡고 있기 때문이다. 생각은 생각을 낳으므로 비합리적 생각은 꼬리를 물고 또 다른 비합리적 생각을 낳는다. 비합리적 생각 → 비합리적 정서 → 비합리적 행동 → 또 다른 비합리적 사고로 이어지는 악순환의 고리가 계속된다. 따라서 인지 · 정서 · 행동치료에서는 비합리적 생각을 바꾸지 않으면 문제는 계속된다고 본다.

## 3. 상담과정

인지 · 정서 · 행동치료의 과정은 상담분위기 조성에서부터 내담자 사고의 합리적인 변화를 가져오기까지의 7단계로 진행된다.

## 1) 상담관계 형성 및 상담분위기 조성

상담자는 내담자가 자유롭게 이야기할 수 있는 태도를 보여 먼저 내담자와 친밀한 상담관계를 형성한다. 내담자의 정서를 수용하고 환기시킬 수 있도록 상담분위기를 조성한다.

## 2) 내담자의 문제 탐색

내담자의 비정상적인 행동에 영향을 미치는 비합리적 사고와 신념의 기초가 되는 당위성을 중심으로 원인을 분석한다. 즉 자신의 생각 중에 스며 있는 비합리적 신념의 뿌리인 세 가지 당위성인 자신, 타인, 조건에 대한 당위성을 점검하는 단계이다.

## 3) 자신의 비합리적 사고와 신념에 대한 인식

내담자가 자신의 비합리적 사고와 비합리적 사고를 구분할 수 있게 되며, 또한 자신의 비합리적 사고와 신념을 발견하고 현재 자신이 갖고 있는 문제와의 연관성을 인식하게 되는 단계이다. 많은 경우에 비합리적인 생각에 사로잡혀있는 사람은 자신의 비합리적 생각을 쉽게 찾지 못한다. 반박해서 바꾸어야 할 비합리적 사고는 눈에 보이지 않기 때문에 찾기가 용이하지 않다.

## 4) 내담자의 인식증진을 위한 상담자의 설명과 논박

내담자들은 흔히 자신이 겪었던 사건으로 인해 정서적으로 고통을 받고 있다고 생각하는 경향이 있다. 상담자는 선행된 사건(A)이 정서적 및 행동적 결과(C)를 가져온다고 믿는 내담자에게 그가 갖는 신념(B)이 개입한다는 것을 가르친다. 내담자 자신이 자신, 타인, 주어진 조건에 대해 어떻게 생각하느냐가 자신의 감정과 행동에 영향을 주므로 정서와 행동에 부적절하게 영향을 주는 비합리적 생각을 바꾸는 것이 필요하다는 것을 인식시킨다.

인지 · 정서 · 행동치료의 핵심은 찾아낸 비합리적 신념을 합리적 신념으로 바꾸도록 반박하는 작업이다. 많은 경우에 내담자가 오랫동안 비합리적 신념을 당연하게 수용하고 살아 왔기 때문에 내담자의 생각을 논박하는 것은 그렇게 용이하지 않다. 상담자는 날카로운 논리와 실증적 요구로 내담자의 비합리적 신념이 그에게 가져온 비합리적 결과를 끈질기게 논박함으로써 합리적 신념을 갖도록 유도해야 한다. 때론 내담자가 자신의 비합리적 신념을 스스로 반박하게 함으로써 그의 비합리적 신념을 버리고 합리적 신념을 갖도록 한다.

## 5) 내담자가 자신의 행동변화를 위한 방법 모색

자신의 비합리적 사고와 신념이 자신의 재교육에 의한 것임을 깨닫게 되면서 자신의 정서 및 행동변화를 위한 방법을 모색하게 된다.

## 6) 내담자의 신념이 합리적 사고와 신념으로 대체

상담자의 논박이나 내담자의 자기논박을 통해 획득된 합리적 신념을 바탕으로 내담자는 그의 성숙을 위해 바람직한 합리적인 정서적, 행동적 결과를 경험하게 된다. 또한 내담자는 자기대화와 자기평가를 통해 일어난 사건을 합리적 신념으로 처리할 수 있게 된다.

## 7) 내담자의 대처능력 강화와 긍정적인 인생관 습득

내담자의 변화된 합리적 사고와 신념은 자기와 타인 및 사회에 대한 인식과 기대를 변화시키는 동시에 개인의 대처능력을 강화시켜 긍정적인 인생관을 통해 삶의 변화를 경험하게 된다.

# 4. 상담기법

## 1) 인지적 기법

### (1) 비합리적 신념에 논박하기

인지 · 정서 · 행동치료의 핵심은 비합리적 신념을 합리적으로 바꾸는 것이다. 따라서 인지기법은 이 접근방식에서 가장 중요하다. 인지기법이란 내담자의 생각 중 비합리적인 생각과 그에 근거한 내담자의 언어를 찾아서 이를 합리적 생각과 언어로 바꾸는 것이다. 이를 위해 REBT에서는 논박이 많이 사용된다. 논박은 상담과정 중 비합리적인 생각과 언어를 확인한 후 이를 합리적인 생각과 언어로 재구성하기 위해서 이용되는 기술이다.

논박의 첫 단계는 확인된 비합리적 생각과 그에 근거한 자기 언어에 대해 규정하여 다시 진술하도록 하는 것이다.

둘째 단계는 규정하여 재구성한 생각이나 언어가 합리적인가를 묻고 답하는 것이다. 이것은 그러한 생각이나 언어가 타당한 근거를 가지고 있지 못함을 밝히는 데 목적이 있다.

셋째 단계는 비합리적 생각이나 그 생각에 근거한 언어를 내담자가 하고자 하는 일에 도움이 되는 생각이나 언어로 대치하도록 하는 것이다. 즉 상담자는 내담자들이 어떤 사건이나 상황 때문이 아니라 이 사건들에 대한 자신의 지각과 자기 진술의 성질 때문에 장애를 입고 있다는 것을 그들에게 알려준다. 상담자는 "너의 신념에 대한 증거는 어디에 있느냐? 삶이 네가 원하는 식으로 되어가지 않는다고 해서 곧 그것이 끔찍하고 무서운 것이냐? 네가 상황을 이겨낼 수 없다는 것이 어디에 쓰여져 있는가? 왜 당신이 행동하는 방식 때문에 당신 자신이 못난 사람이라고 생각하는가? 당신이 생각하는 가장 나쁜 상황이 일어난다고 해도 정말로 그것이 끝장인가?"와 같은 질문을 함으로써 그 비합리적인 신념을 즉각적으로 공격한다. 일련의 반박을 통하여 상담자는 내담자의 의식을 보다 더 합리적인 수준으로 끌어올린다는 점에서 도구적이다. 내담자가 일상생활에서 체계적인 방식으로 중요한 비합리성을 반박하도록 돕는 것이 좋다. 내담자들이 비합리적 신념을 버릴 때까지 또는 적어도 신념을 약화시킬 때까지 구체적인 "해야 한다", "당연히 해야 한다", "절대로 하지 않으면 안 된다"라는 당위를 반복적으로 반박한다.

### (2) 인지적 과제

RET 내담자들은 자신의 문제 목록표를 만들고, 그에 대한 절대론적 신념을 규명하고, 그 신념을 논박해야 한다. RET에서는 내면화된 자기 말의 일부인 절대적 "해야만 한다", "하지 않으면 안 된다." 등의 말을 경감시키기 위해 내담자들에게 과제를 부과한다. 숙제에는 상담자의 A-B-C-D-E 이론을 많은 일상 생활과제에 적용하는 것도 포함된다. 상담자 자기 도움 문항들을 채우기도 한다. 내담자들이 자기의 제한적 신념에 도전하는 모험을 하도록 격려한다.

### (3) 언어적 기술 교육(정확한 언어 사용)

명확하지 않은 언어가 왜곡된 사고와 신념체계의 한 원인이라고 주장한다. 상담자들은 사고는 언어를 조성하고, 언어는 사고를 조성한다고 보기 때문에 내담자들의 언어 패턴에 특별한 주의를 기울인다. 내담자들은 "해야만 한다, 당연히 해야 한다, 하지 않으며 안 된다."라는 절대적 말들은 "그렇게 되면 더 낫다."라는 상대적 말로 대처할 수 있다는 것을 배운다. "만약… 한다면, 그것은 정말 끔찍스러운 것이다."라고 말하신 대신 "만약 …한다면, 그것은 좀 불편할 것이다."라고 말하는 것을 배우게 한다. 무력하고 자기 징벌적인 언어양상을 버리고 내담자들은 새로운 자기 진술의 언어패턴을 학습할 수 있다.

### (4) 유추 기법 사용

항상 미루는 습관이 있다거나 지각하는 습관이 있는 사람은 그러한 행동이 자신의 어떤 행동특성 때문에 나타나는지를 추적해 보도록 내담자에게 촉구한다. 이 기법을 사용하는 목적은 내담자로 하여금 자신의 특성을 이해하여 불행한 습관의 원인들을 깨닫도록 해주는 데 있다.

### (5) 유머의 사용

유머는 상담자의 가장 인기 있는 기법의 하나이다. 내담자 자신은 내담자를 문제 상황으로 이끄는 과장된 사고에 대항하는 수단으로 대단히 많은 유머를 사용한다. REBT 상담에서는 사람들이 너무 진지하게 생각하거나 일상생활에 대해 이해나 유머 감을 잃으므로 정서적 혼란이 생긴다고 본다. 내담자가 화를 내거나 죄의식을 가지는 등의 행동을 하는 것이 얼마나 어리석고 비생산적인가를 설명하고, 상담자는 내담자에게 유머나 유머러스한 노래를 부르도록 할 수도 있다. 이런 유머나 유머러스한 노래가 불안을 줄여줄 수도 있고, 사고나 행동의 변화를 가져오게 하는 계기가 될 수도 있다.

## 2) 정서적 기법

### (1) 합리적 정서 상상

이 기법은 내담자로 하여금 습관적으로 부적절한 느낌이 드는 장면을 생생하게 상상하도록 한 후에 그러한 부적절한 느낌을 적절한 느낌으로 바꾸어 상상하면서 부적절한 행동을 적절한 행동으로 바꾸어 보게 하는 것이다. 이를 통해 비합리적 생각을 버리거나 합리적 생각으로 대치시키는 계기를 마련할 수 있다. 상상의 주제는 내담자에게 일어날 수 있는 최악의 상황이나 그러한 상황으로 인해 발생하는 정서적 혼란이나 문제들이며, 상상을 통해 미리 경험하는 기회를 제공하여 앞으로 직면하게 되는 대인관계와 문제해결 상황에 대비하도록 연습시키는 기법이다. 이런 기법은 개인에게 문제가 될 수 있는 대인 관계적 상황과 다른 상황들에 유용하게 적용되어질 수 있다.

### (2) 역할연기

역할연기에는 정서적 요소와 행동적 요소가 모두 포함되어 있다. 자신이 자신의 장애를 일으킬 수 있도록 지금 말하고 있는 내용과 이러한 감정을 바꾸기 위해서 자신이 할 수 있는 행동이 무엇인지를 내담자가 분명히 인식할 수 있도록 상담자가 개입한다. 내담자는 어떤 상황에서 무엇을 느끼고 있는가를 알아보기 위해 그 행동을 시연해 볼 수 있다. 역할연기를 할 때는 상담자가 먼저 내담자의 역할을 한다. 상담자는 스트레스 상황에서 내담자가 심리적인 장애를 느끼는 이유가 무엇인지를 파악한 것을 바탕으로 큰 소리로 그 사건에 대한 합리적인 자기진술을 해 보인다. 그런 다음 역할을 바꾸어 내담자에게 문제가 되고 있는 사건에 대한 합리적 진술과 행동을 해 보게 한다. 이 기법은 그 장면과 관련된 불쾌감의 밑바탕이 되는 비합리적 생각을 알도록 하는 데 중점을 둔다.

### (3) 수치감-공격연습(자기노출법)

내담자는 사람들이 내담자의 문제나 정서적 혼란이 내면에 자리잡고 있는 열등감·수치심·공격성 등 때문이라고 보고 이를 해결할 수 있는 방법으로 자기노출법을 제안하였다. 이 기술은 행동에 대해 주위 사람이 어떻게 생각할지에 대한 두려움 때문에 하고 싶은 행동을 하지 못하는 행동에 대해 실제로 행동을 해보도록 하는 기술이다. 내담자에게 그들이 부끄럽게 느끼는 방식으로 행동해 보도록 하는데, 이러한 경험을 통해 다른 사람들은 자신이 생각했던 만큼 타인에 대하여 관심이 없으며, 다른 사람의 비난에 대해 지나치게 영향을 받을 필요가 없다는 사실을 발견하게 된다. 또한 내담자들이 자신의 내면에 자리잡고 있는 열등감·수치심·공격성들을 표출하게 하는 모험들을 통해 마음의 부담을 덜어내는 기회로 작용할 수 있다.

## 3) 행동적 기법

이 기법은 내담자에게 어떤 행동을 하게 하여 그의 신념체계를 변화시키고, 이 변화된 신념체계를 통해 혼란된 정서를 벗어나게 하며, 역기능적인 증상에서 보다 생산적인 행동을 할 수 있도록 돕는 기법이다. 이 기법에서 사용되는 방법은 다음과 같은 것들이 있다.

- 행동적 과제 부과하기

  내담자들이 하기 어려워하거나 두려워하는 일들을 하도록 하는 기법이다. 일반적으로 난이도가 점점 높아지는 체계적이고 점진적인 과제들이 포함되어 있다.
- 내담자가 실생활에서 모험을 하고 새로운 경험을 함으로써 비능률적인 습관을 버리도록 한다.
- 만성적인 불안감을 경험하는 상황에 그대로 처하게 한 다음에 그 불안한 감정을 장시간 경험해 보도록 권장한다.
- 일을 미루는 습관을 교정하기 위해서 당장 일을 착수하도록 유도한다.
- 내담자가 이미 합리적인 인간이 되어버린 것처럼 연출하여 매사에 합리적으로 생각하고 행동하도록 시도해 보라고 지시한다.

# 5. 평가

인지 · 정서 · 행동치료의 장점과 단점은 다음과 같다.

## 1) 장점

① 가장 가치 있는 공헌 중의 하나는 인간의 사고와 정서간의 관계를 명료화시키고 강조하였다는 점이다. 내담자의 정서를 변화시키는 효과적인 방법은 사고를 변화시키는 것이라는 것이다.
② 인간행동의 인지적 측면을 강조함으로써 사고와 신념이 행동에 미치는 효과를 규명하였고, 상담에 있어서 합리적 사고에 대한 중요성을 재인식하게 하였다.
③ ABCD 모형은 사람들에게 정서적 장애의 원인 및 이의 해결방안을 아주 간단명료하게 제시해 준다.
④ 인간에게 장애를 유발하는 것은 과거 사건이나 심리적 외상 그 자체가 아니라 이것에 대한 인간의 해석이라는 것을 강조하는 것이다. 따라서 정서적 장애의 책임이 내담자에게 있음을 강조한다.
⑤ RET 상담은 과제부과에 의해 상담절차가 상담실 밖에서도 계속되게 하였고, 상담과정에 상담자가 보다 적극적으로 개입하는 방법들을 발전시켰다.

## 2) 단점

① 인지구조를 변경시키는 것과 관련되는 상담이기 때문에, 자신이 합리적 사고에 대해 분석과 논박을 할 수 없을 정도로 지적수준이 낮은 내담자는 상담의 효과를 기대하기 어렵다.
② 상담자의 훈련수준, 지식과 기술, 지각력, 판단력의 정밀도를 특히 중요시하므로, 훈련받지 않은 상담자는 정확한 RET 상담을 적용하는 데 한계가 있을 수 있다.
④ 내담자의 과거경험을 경시하므로, RET에서는 내담자의 과거사실에 관심을 보이지 않는다. 그러나 개인의 과거경험이 그에게 영향을 미치지 않았다고 볼 수 있을지는 의문이라는 것이다.
⑤ 상담자가 내담자의 비합리적인 사고를 합리적으로 변화시키는 과정에서 자신의 사고를 강요할 수도 있다는 점이다. 상담자가 내담자를 설득한다는 점에서 많은 장점을 가지고 있는 반면, 덜 지시적인 접근보다는 내담자가 심리적 손상을 입을 가능성이 더 많다.

⑥ RET 상담에서 상담자와 내담자간의 친밀관계와 협력관계를 강조하기는 하지만, 엘리스는 인간적인 온정, 내담자에 대한 공감, 개인적 관심이나 배려 등의 태도가 효과적인 상담에 반드시 필요한 요소는 아니라고 하였다. 그러나, 이러한 온정적인 태도없이 효과적인 상담을 한다는 것은 상담에 있어서 상상하기 어려운 문제라고 할 수 있다.

# 10

# 인지치료

인지(cognition)란 앎의 행위 또는 과정으로 사람이 외부세계와 접촉하여 얻는 지식을 말하는데, 인간의 성격 구성요인 중에서 매우 중요하다. 따라서 한 개인의 인지내용이 사실과 다른 경우에는 긴장과 불안이 조성되어 심리적 불균형을 경험할 수 있다.

인지치료는 개인의 생각이 개인의 감정과 행동을 결정한다는 전제에 근거한 Judith Beck의 이론을 근거로 한 치료법이다. 인지이론에서는 불안과 부적응 행동의 원인이 사건 그 자체보다는 사건에 대한 사람들의 기대, 해석, 사정의 왜곡 때문이라고 본다. 이러한 왜곡은 긍정적일 수도 있고 부정적일 수도 있는데, 예를 들어서 어떤 사람들은 지속적으로 삶을 비현실적으로 긍정적인 방향으로 볼 수도 있고, 반면 어떤 사람은 모든 불행한 삶의 상황들을 순전히 자신의 무가치 때문임을 입증하려는 해석을 함으로써 부정적으로 볼 수도 있다. 벡(Beck)은 인간이 복잡한 인지적 창조물이라고 믿는다. 개인의 성격은 개인이 학습해서 형성한 가치와 지각에 의해 형성되었다고 본다.

## 1. 주요 개념

인지치료의 주요 개념으로 인지치료의 기본원리인 '인지 수준', 심리적 문제를 야기하는 주요한 요인인 부정적인 '자동적 사고'와 '인지 왜곡'에 대해 살펴보기로 한다.

### 1) 기본원리

인지치료의 기본원리는 인지 모델에 근거한다. 벡이 제시한 여덟 가지 원리는 다음과 같다.

- 개인이 상황을 구조화하는 방식이 그가 행동하고 느끼는 방식을 결정한다.
- 해석은 외적 상황, 적응 능력, 다른 전략이 갖는 잠재적 이익, 위험, 비용의 평가를 포함하는 적극적이며 지속되는 과정이다.
- 개인은 심리적 고통을 초래하는 독특한 민감성과 취약성을 가진다.
- 개인의 만감성이나 취약성의 다양한 정도는 성격 조직 내에서의 기본적 차이로 돌릴 수 있다.
- 인지 조직의 정상적 활동은 스트레스에 의해 부정적으로 영향을 받는다.
- 우울이나 불안장애와 같은 심리적 증상은 특별한 증상을 나타내는 독특한 내용을 가지고 과다하게 활동하는 도식으로 구성되어 있다.

- 스트레스를 받으면서 다른 사람들과 상호작용하는 것은 상호적으로 강화하는 부적응 인지의 순환을 창조한다.
- 개인은 위협이 신체적이거나 상징적이건 간에 위협에 신체적 반응을 보일 것이다.

인지이론에서는 사람들의 감정이나 행동이 어떤 사건에 대한 그들의 지각에 의해서 영향을 받는다는 가정을 근거로 한다. 즉 인간은 자기 주위에서 일어나는 사건에 수동적으로 반응하는 것이 아니라, 능동적으로 그 사건에 의미를 부여하고 반응한다고 본다. 인지이론의 기본 가정은 다음과 같다.

① 적응 또는 부적응 행동과 정서반응은 인지 양상을 통해 생긴다.
② 기분과 느낌은 현재의 사고내용에 의해 영향을 받는다.
③ 인지는 대상자의 경험이 부여하는 의미를 표현하는 내적 대화, 지각 및 환상을 포함한다.
④ 불안을 야기하는 부정적인 사고는 종종 비현실적이고 비논리적이며 왜곡되어 있다.
⑤ 사람들은 대개 개인 나름대로의 기본 가정과 인지적 틀을 가지고 있다.

## 2) 인지 수준

인지의 네 가지 수준은 다음과 같이 자동적 사고, 중재적 신념, 핵심 신념, 스키마로 분류된다.

### (1) 자동적 사고(automatic thoughts)

자동적 사고는 우리의 마음속에 계속적으로 진행되는 인지의 흐름이다. 자동적 사고는 상황과 정서를 중재한다.

### (2) 중재적 신념(intermediate beliefs)

중재적 신념은 사람들의 자동적 사고를 형성하는 극단적이며 절대적인 규칙과 태도를 반영한다.

### (3) 핵심 신념(core beliefs)

많은 자동적 인지에 바탕이 되는 자신에 대한 중심적 생각이며, 보통 자신의 중재적 신념에 반영되어 있다. 핵심 신념은 '보편적이며 과일반화된 절대적인' 것으로 기술될 수 있다. 핵심 신념은 자신, 타인, 세계 그리고 미래에 대한 자신의 견해를 반영한다.

### (4) 스키마(schemas)

스키마는 핵심 신념을 수반하는 '정신 내의 인지 구조'로 정의된다. 백은 스키마를 정보처리와 행동을 지배하는 구체적 규칙으로 보았다. 스키마는 모스(Moss, 1992)가 명명한 '인지의 세 구성 요소(cognitive triad)'인 자신, 세계, 미래를 보는 개인의 특유하고 습관적인 방식이다. 백은 스키마 작업을 치료과정의 핵심이라고 보았다.

## 3) 자동적사고

자동적 사고는 정서적 반응으로 이끄는 특별한 자극에 의해 유발된 개인화된 생각으로 노력 혹은 선택 없이 자발적으로 일어난다. 자동적 사고는 사람들이 자신의 경험으로부터 생성한 신념과 가정을 반영한다. 심리적 장애를 가진 사람의 자동적 사고는 흔히 왜곡돼 있거나, 극단적이거나, 부정확하다.

자동적 사고의 주요한 특징은 다음과 같다.
① 자동적 사고는 구체적이며 분리된 메시지다.

② 자동적 사고는 흔히 축약되어 언어, 이미지 또는 둘 다의 형태로 나타난다.

③ 자동적 사고는 아무리 비합리적이라 할지라도 거의 믿어진다.

④ 자동적 사고는 자발적인 것으로서 경험된다.

⑤ 자동적 사고는 흔히 당위성을 가진 말로 표현된다.

⑥ 자동적 사고는 일을 극단적으로 보는 경향성을 내포한다.

⑦ 자동적 사고는 개인에 따라 독특하게 나타난다.

⑧ 자동적 사고는 중단하기가 쉽지 않다.

⑨ 자동적 사고는 학습된다.

## 4) 인지 왜곡(cognitive distortion)

인지왜곡은 개인의 부적응적인 반응을 유도하는 것으로 반대되는 근거가 있음에도 불구하고 어떤 상황에 대한 자신의 해석이 타당하다고 무조건 믿는 것을 뜻한다. 인지 왜곡은 별다른 노력 없이도 자발적이고 자동적으로 발생하는 것처럼 보인다. 그래서 그것은 또한 부정적 자동적 사고라고 불린다. 자동적 사고는 순간 우리에게 떠오르는 생각이나 영상을 말한다. 인지왜곡은 개인의 부적응적인 반응을 유도하는 것으로 반대되는 근거가 있음에도 불구하고 어떤 상황에 대한 자신의 해석이 타당하다고 무조건 믿는 것을 뜻한다. 사람들이 현실을 지각하고 해석하는 데 있어서 쉽게 범하는 인지 왜곡들은 다음과 같다.

### (1) 임의적인 추론(arbitrary inference)

충분하고 적절한 증거가 없는데도 결론에 도달하는 것이다. 이러한 왜곡은 상황에 대한 비극적 결말이나 최악의 시나리오를 생각하는 것이다. 예를 들면 친구가 얼마간 연락을 하지 않자 타당한 근거없이 '이 친구가 나를 싫어하기 때문에 그럴 거야' 하고 임의적으로 결론을 내린다.

### (2) 선택적 추상화(selective abstraction)

어떤 상황을 이루는 합당한 요소를 고려하지 않고 중요하지 않은 요소에 초점을 두고 결론을 내린다. 즉, 맥락을 무시하고 사소한 것에 주의를 기울인다. 예를 들면, 늦게까지 직장에서 일하는 남편을 둔 아내가 남편이 자신을 사랑하지 않는다고 말한다.

### (3) 과잉 일반화(overgeneralization)

한 가지 사소한 사건을 근거로 하여 전반적이고 포괄적인 결론을 내린다. 즉 한 가지 실패한 일을 끝이 없는 패배의 형태로 간주하는 것을 말한다. 예를 들면, 어떤 학생이 한 과목의 시험에 실패한 후 "나는 이번 학기의 다른 어떤 시험에도 패스하지 못하고 낙제하게 될 거야." 라고 생각하는 것이다.

### (4) 과대확대와 과대축소(magnification and minimization)

대개 사람들은 자신의 실수나 결점 또는 재능을 바라볼 때에는 그것들을 실제보다 좀 더 큰 것처럼 보게 되는 경향이 있고, 반면에 자신의 장점이나 타인들의 문제를 대할 때에는 축소하여 사건들이 작고 멀게만 보인다. 이처럼 불완전한 점들을 극대화하고 좋은 점들을 극소화하기 때문에 그는 결국 자신이 부적절하며, 타인들보다 열등하다고 생각하고도 우울하다고 느끼게 된다. 예를 들면, 다른 사람이 조그만 일에 성공했을 때는 아주 유능한 사람으로 과대 확대시키고, 자신이 조그만 일에 실패했을 때는 자신을 아주 열등한 사람으로 과대 축소시키는 경향을 말한다.

### (5) 개인화(personalization)

자기와 관련지을 만한 일이 아님에도 불구하고 외적 사건들과 자기 자신을 관련짓는 경향이다. 즉 부당한 외부 사건들에 대해 자기 자신의 책임이라고 여기는 것으로, 예를 들면 "사장이 올해 회사의 수익이 저하되었다고 말했는데 사실은 나에 대해 말하고 싶어 한다는 것을 안다." 와 같이 인지하는 것이다.

### (6) 이분법적 사고(dichotomous thinking or all or nothing thinking)

사건의 의미를 이분법적인 범주, 즉 둘 중의 하나로 해석하는 오류로서 흑백논리를 적용하는 것이다. 이러한 이분법적인 사고를 하게 되면, 일들은 '좋은 것' 이 되든지 '나쁜 것' 이 된다. 이러한 인지는 극단에 초점이 있어서, 둘 사이의 회색 영역을 무시하는 것이다. 예를 들면, "다른 사람이 나의 의견에 동의를 하면 나를 좋아하는 것이고, 의견에 동의하지 않으면 나를 완전히 싫어한다."고 생각한다.

### (7) 파국화(catastrophizing)

사람 또는 사건에 대해 항상 최악의 상태를 생각하는 것으로 예를 들면 "내가 동창회에 나가면 분명히 끔찍한 일이 일어날 거야." 등으로 생각하는 것이다. 이러한 재난에 대한 과장은 세상에 곧 종말이 닥칠 것이라는 두려움 속에서 살아가도록 하는 원인이 된다.

### (8) 독심술(mind reading)

독심술이란 사람들이 자신의 생각을 알고 있을 것이라고 근거 없이 믿는 것으로 사실과는 거리가 멀다. 예를 들면 "저 사람들은 나를 뚱뚱하고 게으르다고 생각할거야." 라고 생각하는 것이다.

### (9) 완벽주의(perfectionism)

자신이 만족할 때까지 모든 것을 완벽하게 해야 직성이 풀리는 경우를 말하는 것으로 예를 들면 "모든 과목에서 A를 받지 못하면 나는 실패한 거야." 라고 생각하는 것이다.

### (10) 자기가치의 외재화(externaliztion of self-worth)

다른 사람들로부터의 인정에 근거하여 자신의 가치를 결정하는 것으로 "늘 친절하게 보이지 않으면 친구들이 나랑 어울리지 않으려고 할 거야." 라고 생각하는 것이다.

## 5) 인지 타당성 평가

벡과 에머리(Beck & Emery, 1995)는 인지타당성을 평가하는 5단계 과정을 머리글자 A-FROG로 설명하였다. A-FROG는 개인이 합리적으로 생각하고 있는가의 여부를 평가하는 것으로, 다음과 같은 준거에 따라 사고를 평가한다.

A : Alive. (나의 사고는 나를 생기 있게 하는가?)

F : Feel. (나는 이러한 사고의 결과로 기분이 더 나아졌는가?)

R : Reality. (나의 사고는 현실적인가?)

O : Others. (나의 사고는 다른 사람과의 관계에 도움이 되는가?)

G : Goals. (나의 사고는 나의 목표를 성취하는 데 도움이 되는가?)

만약, 자신의 사고에 대한 위의 질문에 모두 '예' 라고 답할 수 없다면, 이러한 사고는 역기능적이며 왜곡된 것으로 보는 것이다.

## 2. 상담 목표

인지치료의 기본적 목표는 내담자가 보다 효과적으로 기능하도록 사고의 편견이나 인지 왜곡을 제거하는 것이다. 즉 환경적 자극의 의미를 받아들이고 해석하는 방식에서 부적응 행동이나 감정을 유지시키는 내담자의 정보처리 방식에 관심을 가지고 내담자가 정보처리의 오류를 확인하여 수정하도록 조력한다. 상담자는 내담자의 인지 왜곡을 도전하고, 검증하고, 논의해서 보다 긍정적인 감정, 행동, 사고를 갖도록 한다.

상담자는 구체적이고 우선적인 목표에 초점을 두며, 내담자와 협동하여 상담목표를 설정한다. 목표가 보다 명료하고 구체적일수록 상담자가 내담자를 조력해서 신념체계를 변화시키는 데 사용하는 방법을 선택하는 것이 보다 용이하다. 상담목표를 달성하기 위해 상담자는 내담자의 자동적 사고 및 핵심 신념과 그것과 관련된 정서와 행동을 확인하고, 이러한 사고의 타당성을 평가하고, 필요에 따라 부적절한 사고를 수정하도록 조력한다.

## 3. 상담과정

인지치료는 역기능적 사고 패턴을 발견해서 도전하여 변화시키는 것을 추구한다. 벡은 상담자와 내담자의 협동적 경험주의를 강조한다. 상담자와 내담자는 협동적 경험주의를 통해 자동적 사고를 행동적 실험을 통해 검증할 수 있고, 논리적으로 철저하게 조사할 수 있는 가설로서 다룬다. 인지치료의 과정은 비교적 직접적인 문제를 다루는 데 있어 보통 시간제한을 두며 4~14회기로 진행된다(Beck, 1995). 각 회기는 영향과 효과를 극대화하기 위해 주의깊게 계획되고 구조화된다. 내담자는 보통 치료가 시작되기 전에 검사질문지와 최초 면접질문지가 실시된다. 상담자는 첫 회기를 시작하기 전에 이러한 질문지의 결과를 검토한다. 또한 인지치료자는 내담자에게 회기 구조의 본질과 목적을 확실하게 설명한다. 내담자는 기대되는 것을 알며 이러한 계획이 그에게 도움이 되리라는 것을 믿는다.

치료적 과정은 다음과 같이 진행된다.

① 내담자가 호소하는 심리적 문제를 구체화하고 내담자와 상의하여 상담목표를 정한다.

② 내담자가 심리적 문제에 인지적 요인이 관련되어 있다는 것을 내담자가 납득할 수 있도록 설명한다.

③ 내담자의 현재 생활에서 심리적 문제를 일으키는 환경적 자극과 자동적 사고를 내담자와 함께 탐색한다.

④ 환경적 자극에 대한 내담자의 해석내용, 즉 자동적 사고의 현실 타당성을 따져본다. 예를 들어, 중간고사에서 낮은 성적을 받은 학생이 '나는 형편없는 학생이고 아무 짝에도 쓸모가 없다'라는 자동적 사고를 하게 되면 매우 우울해질 것이다. 이와 같은 자동적 사고 때문에 고통을 겪는 학생이 상담자와 대화를 통해 현실을 객관적으로 검토하면, 그 학생은 자동적 사고가 지나치게 과장되어 있다는 것을 스스로 인식하게 될 것이다.

⑤ 환경적 자극에 대한 보다 객관적이고 타당한 해석을 탐색해 보고 이를 기존의 부정적인 자동적 사고와 대치시킨다. 예를 들어 '나는 이번 시험에서 성적이 나빴지만 그것은 내가 열심히 공부를 하지 않았기 때문이다. 만일 내가 공부하는 습관을 고친다면 충분히 좋은 성적을 얻을 수 있을 것이고, 졸업하고 나서도 괜찮은 직업을 가질 수 있을 것이다'와 같이 긍정적으로 사고하게 된다.

⑥ 환경적 자극을 왜곡해서 지각하도록 하는 보다 근원적인 역기능적 인지도식의 내용을 탐색한다.

⑦ 역기능적 인지도식의 내용을 현실성, 합리성, 유용성 측면에서 검토한다.

⑧ 더욱 현실적이고 합리적인 대안적 인지를 탐색하여 내면화할 수 있도록 한다.

# 4. 상담 기법

## 1) 특별한 의미 이해하기

어떤 단어들은 자동적 사고와 인지 도식에 의존해서 개인에게 다른 의미를 가진다. 흔히 상담자는 내담자가 사용하는 어떤 단어가 의미하는 바를 안다고 가정하는데 그것으로는 충분하지 않다. 예를 들면, 우울한 사람은 자주 '당황한' '패배자' '우울한' '죽고 싶은' 등과 같은 애매한 단어들을 사용하곤 한다. 따라서 이러한 단어의 의미가 무엇을 의미하는지 내담자에게 질문하는 것은 상담자와 내담자에게 내담자의 사고과정을 이해하는 데 도움이 된다.

## 2) 절대성에 도전하기

내담자는 자주 "직장에 있는 모든 사람은 나보다 영리해요." 와 같은 극단적 진술을 통해 자신의 고통을 나타낸다. 이러한 진술은 '모든 사람' '언제나' '결코' '항상' 등과 같은 단어를 내포한다. 상담자는 내담자가 보다 정확하게 절대성 진술을 제시하도록 그러한 진술에 질문을 하거나 도전하는 것이 도움이 된다. 상담자는 내담자가 어떤 절대성 단어를 자주 사용하는가를 파악하여 내담자에게 도전하여 그러한 생각이 잘못 됐음을 깨닫게 한다.

## 3) 재귀인하기

내담자는 자신이 상황이나 사건에 대한 책임이 거의 없는 경우에 그러한 상황이나 사건의 책임을 자신에게 귀인시킬 수 있다. 자신을 비난함으로써 내담자는 많은 죄의식을 느끼거나 심한 우울을 느낄 수 있다. 상담자는 재귀인하기 기법을 사용해서 내담자가 사건의 책임을 정당하게 하도록 조력한다. 즉, 내담자가 부적절한 귀인으로 인해 받는 고통에서 탈피할 수 있도록 정확한 인과관계에서 자신의 책임 여부를 파악하도록 조력한다.

## 4) 인지 왜곡 명명하기

내담자가 사용하는 인지 왜곡이 흑백논리, 과잉반화, 선택적 추상 등과 같은 여러 가지 인지 왜곡 중 어떤 것에 해당하는지 명명하도록 하는 것이다. 인지 왜곡 명명하기는 내담자가 자신의 추론을 방해하는 자동적 사고를 범주화하는 데 도움이 될 수 있다. 예를 들면, 어머니가 항상 자기를 비판한다고 믿는 내담자에게 이것이 어떤 왜곡인지 그가 어머니의 행동을 과잉반화하고 있는지에 대해 질문해 보도록 요청할 수 있다.

## 5) 흑백논리 도전하기

내담자는 가끔 어떤 일들을 흑백논리로서 기술한다. 예를 들면, 자신의 성적 평균이 A학점이안 되면 파국이라고 생각하는 내담자를 생각해 볼 수 있다. 상담자는 이런 경우에 측정하기라는 과정을 사용해서 이분법적 범주화를 연속선상의 측정으로 변환시킨다. 이렇게 하면 학점은 정도의 다양성에서 보여질 수 있다. 내담자는 연속선상에서 자신의 위치를 확인함으로써 흑백논리나 이분법적 사고에서 비롯된 파국적 결과의 낙담에서 벗어날 수 있다.

## 6) 파국에서 벗어나기

내담자는 일어나지 않을 것 같은 어떤 결과를 매우 두려워할 수 있다. 흔히 이러한 두려움을 다루는 기법이 '만약 ~하면, 어떤 일이 일어날까?' (what-if?)란 기법이다. 이 기법은 내담자가 가능한 결과에 과잉 반응할 때 매우 효과적이다. 예를 들면 성적이 우수한 고등학생이 학급 성적이 5등 내에서 벗어나면 파국이라고 생각한 경우이다. 이런 경우에 "만약 너의 성적이 7등이 됐다면 어떤 일이 일어날 것 같은가?" 라고 물어서 그러한 결과가 마음이 아프겠지만 가능할 수 있다는 것을 깨닫게 한다.

## 7) 장점과 단점 열거하기

이것은 내담자로 하여금 자신의 특별한 신념이나 행동에 대한 장점과 단점을 열거하도록 하는 것이다. 예를 들면, 내담자가 '나는 실수를 해서는 안 된다' 는 강한 강박적 신념을 갖고 발표 불안에 고통을 받고 있다고 가정하자. 이러한 내담자에게 그러한 신념의 장점과 단점을 나열하게 함으로써 실수하면 큰일이라는 파국적 생각에서 벗어나게 할 수 있다. 이처럼 어떤 신념에 대한 장점과 단점 열거하기는 내담자로 하여금 흑백논리에서 벗어나도록 하는데 도움이 된다.

## 8) 인지 예행연습

다가올 사건을 다루는 데 있어 상상의 사용은 도움이 될 수 있다. 직장여성이 자기의 상사 앞에서 어떤 주제에 대해 발표하는 것에 대한 상사의 반응으로 '네가 감히 이러한 주제에 대해 어떻게 내 앞에서 발표를 한다고 그래?' 라는 상상을 가질 수 있다. 많은 경우에 이런 생각은 발표를 못하게 하는 원인으로 작동한다. 이러한 파국적 상상은 인지 예행연습을 통해 바람직한 방향으로 대체될 수 있다. 이런 경우에 이 여성이 상사 앞에서 성공적인 발표를 하고 상사는 그러한 내용을 열심히 경청하는 것을 그녀로 하여금 상상하게 할 수 있다. 상담자는 내담자로 하여금 인지 예행연습을 통해 발생할 가능한 일들에 적절한 방식으로 대처할 수 있도록 조력한다.


# 5. 평가

인지 요법의 장점과 단점은 다음과 같다.

## 1) 장점

① 내담자들은 자신들의 비논리적 생각이나 신념을 스스로 발견하는 방법과 논박을 쉽게 배울 수 있다.
② 상담자가 내담자의 비합리적 당위성을 정확하게 지적할 경우에 대부분의 내담자들은 쉽게 동의한다.
③ 어느 정도 훈련된 상담자는 내담자의 비합리적 신념을 찾아내기가 쉽다.

## 2) 단점

① 내담자는 합리화로 자기를 보호함으로써 자신이 비합리적 신념을 가지고 있음을 부인할 수 있다.
② 내담자는 합리적인 사고는 할 수 있으나, 그 합리적 사고에 따라 행동하기는 거부할 수 있다.
③ 비합리적 사고와 신념을 바꾸어줌으로써 모든 정서적 문제를 해결할 수 있는 것은 아니다.
④ 내담자는 비논리적 생각이나 신념을 바꿀 수 없다고 확신할 수가 있다.

# 11

# 행동치료

행동이론가들은 모든 행동이 학습된 것이므로 학습을 통해 적절하고 특정한 행동으로 변화시킬 수 있다고 믿는다. 행동치료 (behavioral therapy)는 학습이론을 체계적으로 적용하여 개인의 행동장애를 치료하는 기법으로, 건설적이고 사회적으로 적응할 수 있도록 행동의 변화를 가져오게 하는 것이 치료의 목표이다. 따라서 행동치료란 인간의 행동을 보다 바람직한 방향으로 조성하거나 바람직하지 못한 행동을 변화시키기 위하여 학습 심리학적 원리를 응용하는 특수한 절차와 기법을 활용한다. 즉 인간의 모든 행동은 학습에 의해 습득되는 것으로 환경 속에서 자극의 연합과 효과의 법칙에 의해 형성되며, 조건화의 원리에 기초한다고 주장한다. 행동주의 심리학은 인간행동이 환경적 사건에 의해 결정된다는 입장을 취한다. 관찰할 수 있는 행동을 강조하기 때문에 인간의 내면적 가치나 자유의지를 주장하는 다른 심리학적 학파와 대립된다. 행동치료이론은 당시 우세했던 정신분석이론의 영향으로부터 완전히 벗어나서 1950년대 후반부터 인간행동에 대한 과학적인 견해를 기초로 실험심리학자들이 인간이 행동변화를 목적으로 개발한 학습이론인 동시에 과학적인 행동치료법이라 할 수 있다.

종래의 심리요법은 보이지 않는 마음을 대상으로 삼았기에 내면적 동기(motivation)를 변화시키면 행동은 변한다는 추론적 전제를 갖고 있으며, 그 변용방법도 자기 내성이나 추측(해석)이었다. 그러나 과학은 추론이 아니라 사실에 입각해야 된다는 것이 행동주의 상담의 주장이다. 그래서 이론적으로 행동주의 상담은 정신분석, 자아이론 및 실존주의 상담과 대조를 보인다. 행동주의 상담의 특징은 두 가지로 볼 수 있는데, 행동적 접근은 행동 자체의 변화에 초점을 두고 있다는 것과 행동을 변화시키기 위한 절차와 기법은 학습 심리학적 원리에 바탕으로 두고 있다는 것이다. 행동주의자들은 심리학을 객관적이고 실험 가능한 자연과학의 분야로 보았으며, 이론적 목표는 행동의 예언과 통제다. 즉, 동물의 행동이 의식을 참조하지 않고 관찰되듯이 인간의 행동도 그러하다고 보았다. 현대행동치료는 20세기 초반에 수행된 학습에 관한 실험적 연구에 자극을 받아 출발하였다. 러시아의 심리학자 Ivan Pavlov는 고전적 조건화 원리를 체계적으로 설명하였고, Pavlov의 영향을 받은 John B. Watson은 행동치료의 기본이 되는 행동주의의 창시자이다. Pavlov가 고전적 조건화에 대해 연구할 때, Thorndike는 행동의 결과를 체계적으로 변화시킴으로써 바람직한 행동을 증가시키거나 바람직하지 못한 행동을 감소시킬 수 있는 학습유형인 조작적(도구적) 조건화에 대해 연구하였다. 1930년대 Skinner는 학습의 원리를 치료적 목적으로 사용하는데 관심을 갖기 시작하였으나, 1970년대에는 인지가 심리적 기능과 행동에 중요한 역할을 한다고 주장한 Albert Bandura의 사회학습이론의 개발 등에 힘입어 행동치료가 심리학의 주요 세력으로 등장하게 되었다.

# 1. 주요 개념

## 1) 파블로프(Pavlov)의 고전적 조건형성

러시아의 생리학자인 파블로프(Pavlov)는 처음에는 개를 사용하여 소화에 관한 연구를 하고 있었다. 개의 침샘 일부를 외과적으로 적출하여 특수한 관을 통해 침이 흐르도록 함으로써 침 분비를 쉽게 측정할 수 있는 장치를 고안하였다. 이 장치를 사용하여 파블로프는 침 분비가 먹이가 개의 입속에 들어가는 때마다 자동적으로 일어나는 반사적인 반응임을 발견하였다. 개가 이런 실험실 상황을 여러 번 경험하고 먹이가 없어도 실험자의 발소리나 그릇을 보고 침을 흘리자 이러한 현상을 체계적으로 연구하였다. 파블로프가 개를 가지고 실험한 조건형성 절차의 도식은 다음과 같다.

1단계  무조건자극(음식물)              무조건반응(타액분비)

2단계  무조건자극 + 조건자극(종소리)   무조건반응(타액분비)

3단계  조건자극(종소리)               조건반응(타액분비)

그가 발견한 고전적 조건형성 절차는 두 번째 단계에서 보여 주는 것처럼 기본적으로 항상 자극들의 연합(무조건자극과 조건자극)을 가정한다. 반복된 훈련 후 연합을 통해 짝지어진 조건자극은 무조건자극이 없이도 타액분비를 유도하는 힘을 획득했다. 고전적 조건형성에 따른 상담은 개인 행동의 유지, 강화, 변화를 위해 같은 원리를 이용한다.

## 2) 손다이크(Thorndike)의 도구적 학습이론

도구적 학습이론은 시행착오설이라고도 하는데, 이 연구는 상자 속에 있는 고양이가 먹이를 향해 지렛대를 열고 밖으로 나오는 행동을 관찰하는 것으로 시작된다. 고양이가 해결해야 할 문제는 상자 밖으로 나오는 것이고 그 해결방법은 지렛대를 여는 방법을 학습하는 것이다. 문 앞에는 고양이가 선호하는 먹이를 놓고, 이것이 문을 여는 학습의 도구로 작용한다. 고양이가 상자 밖으로 나오려고 하던 중 우연히 지렛대를 건드려 문을 열고 나오는 경험을 한 후, 점점 더 빨리 상자에서 나오게 되었다. 나중에는 앞에 먹이가 없어도 자연스럽게 문을 여는 방법을 알고 나오게 된다는 것이다. 고양이의 이러한 행동은 수많은 시행착오를 거듭한 후에 얻어진 학습의 결과인 것이다.

## 3) 스키너(Skinner)의 조작적 조건형성

스키너는 행동을 두 가지 유형, 즉 반응행동과 조작행동을 구분하였다. 반응행동은 자극에 의해서 야기되는 반사 혹은 자동적 반응을 의미한다. 예를 들면, 밝은 불빛에 눈의 동공 수축, 무릎정수리를 두들기면 나타나는 무릎반사 혹은 뜨거운 냄비에 모르고 손가락을 댔다가 반사적으로 손을 끌어당기는 행동을 말한다. 이러한 행동은 학습된 것이 아니라 불수의적 및 자동적으로 야기된다. 이러한 반응행동은 학습을 통해서 조건형성되거나 변화될 수 있다.

조작행동은 제시되는 자극이 없이 방출되는 반응이다. 즉, 자발적으로 나타나는 행동이다. 조작행동은 반응에 따르는 사건에 의해 강해지거나 약해진다. 반응행동이 선행사건에 의해 통제되는 반면에 조작행동은 그것의 결과에 의해 통제된다. 즉, 조작행동은 행동이 완성된 후에 일어나는 결과에 의존해서 일어나는 조건형성된 행동이다. 스키너는 이렇게 행동의 결과에 의해 특별한 행동을 조성하고 유지시키는 과정을 조작적 조건형성이라 불렀다. 다시 말하면, 조작적 조건형성은 행동과 그것의 결과의 연합을 통해 조작행동을 형성하는 절차다. 많은 행동이 고전적 조건형성에 의해 설명될 수 없기 때문에, 스키너는 조작적 조건형성의 과정이 단순한 고전적 조건형성보다 훨씬 의미가 있고 중요하다고 믿었다.

요약하면 반응행동은 어떤 자극에 의해 야기되거나 유발되는 반응을 말한다. 반면에 조작행동은 유기체가 자유롭게 자발적으로 하는 반응을 말한다. 강화의 본질도 역시 두 조건형성에서 다르다. 고전적 조건형성에서는 자극이 강화이며 그것은 행동에 선행한다. 이에 반해 조작적 조건형성에서는 행동의 효과가 강화다. 그러므로 강화는 행동에 뒤이어 나타난다.

## 4) 반두라(Bandura)의 사회적 인지이론

반두라(Bandura)의 사회적 인지이론은 행동주의적 학습이론의 확장이다. 사회적 인지 이론은 긍정적 및 부정적 강화, 소거, 일반화, 고전적 및 조작적 조건형성을 포함한 자극-반응 심리학의 원리를 통합해서 이루어졌다. 반두라는 인간행동을 설명하는데 선행되는 조건형성에 인지적 중재를 포함시켜 체계적이고 통합적인 개념모델을 제안하였다.

반두라는 인지적 중재나 내현적 상징행동, 자기강화, 본보기, 강화와 처벌을 포함한 대리적 조건형성, 행동과 환경의 상호적 영향을 강조하였다. 인지적 중재는 인간의 사고과정에서 나타나는 실제적 상황과 행동의 상징적 표상을 의미한다. 반두라가 강조한 개념에 근거해서 그의 사회적 학습이론은 본보기학습, 관찰학습, 대리적 학습과 같은 다양한 명칭으로 불려진다.

반두라의 사회적 학습모델은 다음과 같은 여섯 단계로 설명된다.

1단계: 자극1-이러한 자극은 피험자의 과거사와 경험에서 비롯된 기대된 강화를 품고 있다.

2단계: 주의-피험자는 자신에게 관련된 것들에 선택적으로 주의를 기울인다.

3단계: 자극2-이러한 자극은 피험자가 모델을 관찰하는 본보기 자극이다.

4단계: 인지적 과정-이러한 인지적 과정에는 상징적 부호화, 인지적 재구조화, 인지적 연습이 포함된다.

5단계: 반응-인지적 과정에 따른 반응이다.

6단계: 자극3-이러한 자극은 반응에 따라 비롯되는 강화하는 자극이다.

## 5) 인지적 학습이론(행동수정)

인지적 행동수정은 우리의 부적응 행동을 수정하기 위해 자신의 부적응적 사고를 바꿈으로써 가능하다고 믿는 입장이다. 즉, 인지적 행동수정 상담자는 관찰할 수 있는 행동을 일차적으로 강조하는 것 대신에 주로 변화의 도구로서 언어에 의존한다. 이 입장의 상담자들은 우리의 사고과정의 변화가 자신의 행동변화의 통합된 부분임을 믿는다.

메켄바움은 "우리가 우리의 사고, 인지를 변화시키는 것을 학습한다면, 우리는 우리의 신체적 반응, 우리의 행동을 훨씬 잘 통제하게 된다."라고 주장하였다. 역시 그는 우리가 보다 논리적이고, 덜 스트레스를 받는 방식으로 생각하는 것을 학습하면, 스트레스 수준은 줄어들고 자기통제 수준은 증가할 수 있다는 것을 제안하였다(Meichenbaum, 1977). 인지적 행동수정은 '인지 재구조화'를 함으로써 우리의 행동을 변화시킬 수 있다는 것을 강조한다. 이러한 입장은 현대 심리학의 추세인 인지심리학의 영향을 많이 받았다는 것을 엿볼 수 있다.

## 6) 강화계획

아주 드문 반응이 강화되었을 때조차 그러한 행동이 유지될 수 있다는 발견을 통해 강화계획에 대한 탐구가 이루어졌다. 강화가 주어지는 수반성에 대한 진술이 강화계획이다. 즉, 행동을 통제하기 위해 어떤 반응을 어떻게 강화할 것인가에 대한 계획이 강화계획이다. 강화계획은 크게 '계속강화'와 '간헐적 강화' 혹은 '부분강화'로 구분 된다. 계속강화는 발생한 모든 반응에 강화물을 제공하는 경우로 일반적으로 실제적인 생활상황에서 발견되는 경험이 아니다. 반면에, 간헐적 강화는 행동을 통제하기 위해 정해진 계획에 따라 강화물이 제공되는 것으로, 강화계획은 특별한 시간 간격 혹은 특별한 반응비율에 근거할 수 있다. 간헐적 강화에는 시간과 비율을 바탕으로 효과적인 행동 통제를 위해 사용되는 네 가지 강화계획, 즉 '고정간격계획' '변동간격계획' '고정비율계획' '변동비율계획'이 있다. 이러한 강화계획에 대해 간략하게 살펴보자.

### (1) 고정간격계획

일정한 시간 간격마다 강화물이 주어지는 경우로, 피험자가 하는 반응의수는 관계가 없다. 예를 들면, 노동자가 얼마나 많이 일했는가에 관계없이 주급이나 월급으로 봉급이 주어지는 경우다.

### (2) 변동간격계획

일정한 시간 간격 없이 무선으로 강화물이 주어지는 것으로, 역시 피험자가 하는 반응의 비율과는 관계가 없이 변동된 시간에 따라 강화물이 제공된다. 예를 들면, 낚시꾼이 던진 낚싯밥을 고기가 변동된 시간 간격으로 간헐적으로 건드리는 경우다.

### (3) 고정비율계획

일정한 반응 비율에 따라 강화물이 주어지는 것으로, 시간과는 관계없이 피험자가 하는 반응의 수에 근거한 강화계획이다. 예를 들면, 노동자가 만든 생산품의 개수에 따라 일정한 보수가 지불되는 경우다.

### (4) 변동비율계획

변동된 반응 비율에 따라 강화물이 불규칙적으로 주어지지만, 평균적으로는 일정한 횟수의 반응 뒤에 강화가 주어지는 강화계획이다. 예를 들면, 도박꾼이 카지노의 슬롯머신에 동전을 넣는 경우로 언젠가는 대박이 터지겠지 하면서 그만두지 못하고 계속해서 도박을 하는 경우다. 스키너는 이 강화계획이 높고 안정적인 반응비율을 야기하는 데 효과적이라는 것을 발견했다.

현대 산업사회에서 많은 사람들이 생산성을 높이는 데 관심이 많다. 이상의 강화계획을 반응률이 가장 높게 일어나는 것부터 순서대로 나열하면 변동비율계획, 고정비율계획, 변동간격계획, 고정간격계획, 계속강화계획 이다.

## 7) 변별과 일반화

조작적 조건형성에서 중요한 세 가지 용어 수반성에 따라, 행동에 선행되는 자극은 행동이 수행되면 강화가 일어날 것인가에 원인을 제공하기 때문에 매우 중요하다. 자신이 이전에 학습한 것을 바탕으로 사람들은 자극변별을 학습한다. 즉, 우리는 어떤 상황(자극)에서 우리의 행동이 강화될 것 같은가 혹은 다른 상황(자극)에서 같은 행동이 강화되지 않을 것인가에 대한 변별을 학습한다. 또는 어떤 상황에서 우리의 행동이 처벌될 것 같은가 혹은 다른 상황에서 같은 행동이 처벌되지 않을 것인가에 대한 변별을 학습한다. 예를 들면, 교통신호등은 우리에게 변별된 자극으로 행동한다. 우리는 신호등의 불빛에 따라 어떻게 행동해야 하는가에 대한 변별을 학습하였다. 만약 개인이 적절한 자극변별을 하지 못한 경우에, 그는 교통신호등(자극)을 위반하여 (행동) 벌금을 물거나 사고(결과)를 내 어려움에 처할 것이다.

특별한 상황에서 반복적으로 강화된 반응은 그러한 상황에서 반복될 가능성이 높다. 그러나 상황들은 흔히 공통적 속성을 공유하는 복잡한 자극들의 집합으로 구성되어 있다. 스키너는 주어진 자극에서 발휘된 통제는 다른 유사한 자극들에서 공유된다는 것을 지적하였다(Skinner, 1953). 일반화는 변별과 대립되는 개념이다. 즉, 개인이 다른 두 상황을 변별할 때, 그것은 그의 반응이 한 상황과 다른 상황을 일반화하는 것을 실패했다는 것을 의미한다. 역시 그의 반응이 다른 두 상황에 일반화됐을 때, 그것은 그가 두 상황을 변별하는 것을 실패했으며 두 상황에서 같은 반응을 한다는 것을 의미한다.

## 8) 소거

반응이 강화를 통해 그것의 빈도가 증가된 이후에 그러한 반응이 강화되는 것이 완전히 중단되면, 그 반응이 일어날 빈도는 감소될 것이다. 이렇게 형성된 조작행동이 줄어들거나 나타나지 않는 것을 소거라 한다. 즉, 소거의 원리는 주어진 상황에서 개인이 이전에 강화된 반응을 방출하고 그러한 반응이 강화되지 않으면, 그는 다음에 유사한 상황에 직면할 때 다시 같은 반응을 하지 않을 가능성이 높은 것을 말한다(Martin & Pear, 1992).

　사람들은 자신이나 타인의 학습된 바람직하지 않는 행동을 어떻게 제거할 것인가에 관심이 많다. 이러한 관심은 행동의 소거와 관련된다. 우리는 타인의 행동을 강화하지 않음으로써 그의 행동을 통제하며, 바람직하지 않게 생각하는 타인의 행동을 제거하기 위해 그의 행동을 무시할 수 있다. 그러나 만약 바람직하지 않는 행동이 과거에 여러 번 강화되었으면, 그러한 행동은 소거에 매우 저항적이다. "세 살 버릇 여든까지 간다."라는 말이 있다. 한 번 배운 행동을 완전하게 없애기가 힘들다는 것을 강조한 말이다. 소거를 통해 완전히 감소된 어떤 행동이 다음에 발생할 기회가 주어졌을 때 다시 나타날 수 있다. 이렇게 일정한 기간이 지난 후에 소거된 행동이 다시 나타나는 것을 '자발적 회복'이라 한다. 전형적으로 자발적 회복된 행동의 양은 이전의 소거기간 중에 나타났던 행동의 양보다 적다.

## 9) 조성

　돌고래가 재주를 부리는 행동, 서커스단원이 보이는 절묘한 행동기술은 어떻게 형성되었을까? 이렇게 보다 정교화되고 복잡한 행동을 이해하는 데 '조성' 혹은 '계기적 근사법'이란 개념을 이해하는 것이 필요하다. 목표행동이 너무 복잡하기 때문에 그것이 개인의 목록에 없을 수 있다. 조성은 그러한 목표행동에 접근하는 반응들을 강화함으로써 새로운 행동을 가르치는 것을 말한다. 우리는 처음부터 기교가 있는 행동을 수행하기가 힘들다. 그리고 어떤 상황에서 자발적으로 도출되는 단순한 행동의 결과에 따라 강화된 행동들의 집합을 가지고는 삶을 영위할 수 없다. 다시 말하면, 우리는 단계적으로 쉬운 행동부터 학습하여 많은 기술을 갖게 되었다. 이렇게 처음에는 서툴고 투박한 행동에서 단계적으로 차근차근 학습하여 정교한 기술을 갖는 절차가 조성이다. 기교가 있는 행동을 보다 단순한 여러 반응들로 나눌 수 있다. 이렇게 논리적으로 구성된 반응들이 단계적으로 바람직한 행동에 도달할 때까지 강화되는 절차가 계기적 근사법이다.

# 2. 상담목표

　행동치료의 두드러진 특징은 변화시킬 구체적 목표에 대한 강조다. 예를 들면 학생의 평균성적을 몇 점까지 올리는 것을 목표로 한다든지, 내담자가 하루에 화를 내는 횟수를 얼마만큼 줄이는 것을 목표로 한다 등의 진술형식으로 표현한다. 즉, 행동치료자는 철저한 평가에 의해 선택된 목표행동을 변화시키는 데 초점을 둔다. 따라서 상담자는 학습이론에 대한 철저한 이해를 바탕으로 내담자가 갖는 문제행동이 무엇인가를 정확히 평가하여 구체적이고 체계적인 계획에 따라 그의 행동변화를 가져오도록 노력한다.

　크럼볼츠(Krumboltz, 1966)는 상담에서 행동적 목표는, 첫째, 내담자 각각을 위해 서로 다르게 진술될 수 있어야 한다, 둘째, 상담자의 가치와 양립할 수 있어야 한다. 셋째, 객관적으로 관찰가능하고 달성할 수 있는 것이어야 한다고 지적하였다. 이러한 기본가정을 바탕으로 행동치료 상담의 목표를 다음과 같이 정리해 볼 수 있다.

① 내담자의 행동목록에서 문제나 결함을 찾아 적응행동으로 변화시켜 나갈 수 있는 환경조성하기
② 내담자의 부적절한 사고를 인지적으로 재구조화하여 부적응적 행동을 약화시키거나 제거하기
③ 내담자의 일상활동을 방해하는 비현실적인 불안반응을 약화시키기
④ 내담자로 하여금 자신의 감정과 생각 및 행동을 일상생활에서 자유롭게 표현하는 능력 강화하기
⑤ 자기통제 능력과 바람직하고 적응적인 행동을 강화하고, 효과적인 사회적 기술을 학습시켜 환경에 대한 적응능력을 증진시키기

# 3. 상담과정

행동치료의 상담과정은 다음과 같은 7단계 과정으로 진행된다.

1단계 : 내담자가 호소하는 문제행동을 구체화하고 목표행동을 설정한다.

2단계 : 내담자의 문제행동에 대한 기초자료수집과 행동의 발생빈도, 발생조건을 파악한다.

3단계 : 상담목표를 설정하고, 보상과 강화물을 결정한다.

4단계 : 유관계약 및 서면계약을 작성한다.

5단계 : 목표행동을 계속 강화한다.

6단계 : 행동치료 프로그램을 검토하여 필요에 따라 수정한다.

7단계 : 행동치료과정을 종결한다.

# 4. 상담기법

행동주의의 이론적 분류에 따른 상담기법들은 다음과 같은 것들이다. 고전적 조건형성과 관련한 상담기법은 역조건형성, 상호억제, 체계적 둔감화, 주장 훈련, 혐오치료, 반응적 소거, 이완 기법, 홍수법 등이며, 조작적 조건형성에 관련한 상담기법은 강화프로그램, 토큰경제, 프리맥의 강화원리, 정적 혹은 부적강화, 처벌(혐오치료, 타임아웃, 반응대가), 회피와 도피조건형성 등이다. 사회적 인지이론에 관련한 상담기법에는 자기강화, 본보기, 내파치료(implosive therapy), 자기효능감 등이 있고, 인지적 행동수정에 근거한 상담기법에는 자기대화, 인지재구조화, 자기교시훈련, 스트레스 예방훈련, 사고중단 등이 있다.

## 1) 행동을 증가시키는 방법

### (1) 긍정적 강화(positive reinforcement)

바람직한 행동, 즉 강화시키려는 행동이 나타날 때 이에 대해 긍정적인 보상(positive reward)을 제공함으로써 이 행동의 빈도를 증가시키는 것을 긍정적 강화(positive reinforcement)라고 한다.

① 토큰 경제법

강화 원리를 이용하여 행동변화를 위해 널리 사용되는 것이 토큰경제법이다. 내담자가 바람직한 행동을 했을 때 토큰을 나누어 주어 나중에 음료수, 사탕, 입장권 등 내담자가 원하는 물건이나 권리와 바꿀 수 있도록 한 것이다. 교사들이 초등학교 학생들에게 바람직한 행동을 하면 스티커를 주는 방법은 토큰경제법을 적용한 것이다. 이 방법은 어린이나 정신지체의 행동수정에 유용하다.

② 프리맥의 강화원리

프리맥(Premack)의 강화원리는 활동강화 이론으로서 개인이 더 좋아하는 활동을 통해 덜 좋아하는 활동을 강화하는 방법이다. 다시 말하면, 덜 좋아하는 활동을 하면 그 다음에 더 좋아하는 활동을 하게 해 주는 것이다.

예를 들면, A(좋아하는 활동) 〉 B(덜 좋아하는 활동)인 경우, 사람들이 B가 하기 싫지만 A를 하기 위해 B를 해야 하는 논리를 응용한 것이 프리맥의 강화원리다. 프리맥의 강화원리의 구체적인 예는 다음과 같다.

A. 목마른 쥐 - 쳇바퀴를 돌려야만 물을 마실 수 있도록 장치

　　　　물 마시는 것이 쳇바퀴 돌리는 것을 강화한다.

　　B. 포만한 쥐 - 물을 마셔야만 쳇바퀴를 돌릴 수 있도록 장치

　　　　　달리기가 물 마시는 것을 강화한다.

　　C. 공부를 마쳐야만 놀 수 있다면.　노는 것이 공부하는 것을 강화한다.

③ 구성 강화법(structuring and reinforcement)

예를 들면, 부부불화를 다룰 때 부부 간에 대화가 부족한 것이 문제임을 발견하고 목표 구성을 정한 다음 하위목표(말을 하지 않고 행동만 하기, 하루에 한 번만 질문하기. 질문한 뒤 자기 생각을 말하기 등)를 차례로 실천하고 일기 같은 리포트를 만들어 상담자가 읽어보고 칭찬 등의 feedback을 한다.

④ 행동 계약법(behavioral contract)

둘 이상의 사람들이 정해진 기간 내에 자기가 할 행동을 분명하게 정해 놓은 후 그 내용을 서로가 지키기로 계약하는 것이다. 계약된 그대로 잘 지키면 어떤 정해진 보수에 의해 강화가 주어져야 한다. 관계자 전원이 감정에 말려들지 않고 행동수정을 시도하며 각자의 자발성을 돕는다. 예를 들면, 수업 중 떠드는 자에게 꾸중하지 않고 왼손으로 손짓하면 퇴장하도록 결정한 후 학생들에게 서명 받거나, 조퇴해도 그 이유를 묻지 않기로 학부형에게 통보하여 서명 받고 학교장에게 문제행동을 치료하는 한 과정으로 인정받아 허락을 받는다.

## (2) 부정적 강화(negative reinforcement)

부정적 강화란 어떤 혐오적인 자극을 통제하기 위해 행동이 강화되는 것을 말한다. 흔히 부정적 강화는 행동을 감소시키는 방법으로 잘못 이해되는 경우가 많으나 처벌과 달리 부정적 강화는 행동을 증가시키는 방법이다.

부정적 강화의 다른 예들은 다음과 같다.

• 엄마에게 꾸지람을 들던 아이가 꾸지람을 피하기 위해서 엄마에게 안기고 뽀뽀한다.

• 학교에서 문제를 일으킨 청소년이 부모의 노여움을 피하기 위해서 가출을 한다.

• 운전자들은 교통위반 딱지를 피하기 위해서 제한속도를 지킨다.

## 2) 행동을 감소시키는 방법

### (1) 소거(extinction)

강화를 제거하는, 즉 무관심함으로써 표적행동의 출현빈도를 감소시키는 것이다. 예를 들면 잠들 때까지 부모가 옆에 있지 않으면 떼쓰며 우는 2세 남아의 경우 떼쓸 때 부모가 옆에 있어 주는 행동이 아이의 떼쓰며 우는 표적행동을 강화시킨 것이다. 이 때 소거를 통한 행동치료는 아이를 잠자리에 눕힌 후 부모가 바로 방을 나오도록 하고 아이가 떼쓰거나 울어도 그 방에 다시 가지 않도록 함으로써 아이의 표적행동을 감소시키는 것이다.

### (2) 반응대가(response cost)

행동의 대가로 대상자에게 중요한 가치가 있는 것이나 특권들을 제거하는 것이다. 예를 들면 도서관에서 대여한 책의 반납기한을 지키지 못한 경우에 벌금을 내게 하거나, 잘못된 행동을 한 아이에게 TV보는 시간을 줄이는 것 등과 같이 특정한 행동을 한 것에 대한 대가를 지불하게 하는 것이다.

### (3) 타임아웃(time out)

이 기법은 내담자가 긍정적 강화를 받을 기회를 박탈시키는 것이다. 타임아웃은 세세한 모니터링이 요구되는 약한 혐오기법으로 짧은 기간(10분 이내)을 설정하여 이용할 때 가장 효과적이다. 예를 들면, 초등학교에서 수업시간에 학생이 수업방해가

되는 부적절한 행동을 할 때 시간을 정해 잠깐 동안(5분) 급우들과 격리시키는 것이다. 또는 아이들이 바람직하지 못한 행동을 했을 때 몇 분 동안 구석에 서 있게 하는 경우이다. 타임아웃시간은 일반적으로 5분이하면 충분하며, 타임아웃 동안 어떠한 강화제도 제공되어서는 안 된다.

### (4) 혐오치료(aversion therapy)

혐오치료는 바람직하지 않는 행동을 부정적 경험과 연합시켜 행동변화가 일어나게 하는 방법이다. 이 치료방법은 바람직하지 못한 습관에 대하여 혐오조건화를 형성시키는 것이다. 즉, 상담자는 내담자가 바람직하지 못한 행동을 하면 유해자극을 주기도 하고, 또 그와 같은 행동을 일으키는 단서와 유해자극을 연합시키기도 한다. 조건화 불안반응은 다시 바람직하지 못한 행동과 연합시켜 양립할 수 없는, 즉 상반되는 반응을 일으키게 하므로 혐오 기법은 일종의 양립할 수 없는 반응의 조건화라고 할 수 있다. 혐오자극으로는 구토제, 전기쇼크 등이 사용된다.

혐오자극은 혐오스러운 장면을 심상을 통하여 상상하게 하는 심리적 혐오자극, 전기충격이나 혐오스러운 실제의 물품이나 장면 등을 제시하는 물리적 혐오자극, 구토제 등의 화학적 혐오자극이 활용될 수 있다. 혐오치료는 강박증, 성도착증, 동성애, 복장 도착증, 소아기호증, 노출증, 알코올장애 등에 적용된다.

### (5) 처벌(punishment)

바람직하지 못한 행동이 나타날 때 이를 처벌함으로써 행동의 빈도를 감소시키는 것이다.

### (6) 자극통제

행동주의적 상담자는 내담자가 환경을 수정함으로써 자극을 통제하도록 돕는다. 예를 들어, 몸무게 감량 프로그램을 실행하고 있는 내담자에게 음식을 눈에 보이지 않고 손이 잘 가지 않는 곳에 두도록 조언할 수 있다.

## 3) 불안완화를 위한 방법 및 시행

### (1) 이완요법(relaxation therapy)

이완요법은 긴장을 이완시키고 교감신경계의 반응을 감소시키는 기술적 과정을 의미하는 것으로, 이완훈련(relaxation training), 점진적 이완(progressive relaxation), 이완법(relaxation method), 근육이완 훈련(muscle relaxation training), 정서적 이완(emotional relaxation), 체계적 이완(systematic relaxation), 이완활동(relaxation activity) 등으로 다양하게 불리고 있다.

이완술의 창시자라고 할 수 있는 Edmund Jacobson(1938)은 이완을 불안과 양립할 수 없는 반응이라고 전제하고, 수의근을 체계적으로 이완시키면 불안이 감소되고 자율신경계의 기능도 조절된다고 하였다. Jacobson은 사람들이 편안하게 쉬고 있을 때에도 근육에 잔여 긴장이 남아 있음을 근거하였다. 그래서 먼저 특정한 근육을 강하게 긴장시킨 다음 다시 완전히 이완시킴으로써 근육의 긴장감각과 이완감각의 차이를 깨닫게 하고, 다음으로 각각의 근육을 체계적으로 긴장-이완시켜서 전반적인 이완상태에 도달하도록 하는 점진적 이완법을 개발하였다.

### (2) 체계적 둔감법(systematic desensitization)

체계적 둔감법은(systematic desensitization)은 노출치료의 모체격인 치료방법으로 Joceph Wolpe가 1950년대 부적응적 불안을 경감시키기 위한 기법으로 발전시킨 것이다. 이 기법은 대상자의 불안과 상반되는 행동, 예를 들면 이완 등을 하면서 이상반응(공포증)을 유발시킨 자극과 유사한 자극에 각성이 일어나지 않을 정도의 아주 낮은 강도로부터 반복적으로 노출되게 하는 것이다. 시간이 지남에 따라 대상자가 부적절한 반응 없이 원래의 자극 상황에 직접 직면할 수 있을 때까지 약간씩 노출강도를 증가시키면서 이상반응의 유발 상황에 대해 둔감해지게 하는 것이다. 즉 이러한 학습과정을 거쳐 대상자가 특정 자극에 대한 자신의 반응을 변화시키도록 돕는 것이다.

치료는 다음과 같은 세 가지 기본적인 단계들로 구성된다. ① 근육이완과 이완치료, ② 불안을 생성하는 상황들을 위계적인 구조를 표현하고 내담자는 전형적으로 직면하고 극복할 필요가 있고, ③ 불안 생성 상태들의 감정적인 심상을 통해서 내담자의 이완된 상태와 점진적으로 짝을 짓는다. 예를 들면,  이 둔감화 회기는 내담자가 엘리베이터 장면에 있게 되었을 때 불안 없이 '설' 수 있을 때까지 지속하고, 마침내 혼자  엘리베이터를 탈 수 있고 불편함 없이 그것을 탈 수 있게 된다.

체계적 둔감법을 이용해서 성공적으로 치료할 수 있는 증상으로는 고소공포증, 운전공포증, 다양한 동물 및 곤충공포증, 시험공포증, 비행기공포증, 학교공포증 등 각종 공포증 완화와 치료에 유용하며, 그 외에도 언어장애, 성적이상, 노출충동, 동성애, 천식발작, 불면증, 알코올 중독, 분노발작, 몽유병, 악몽, 차멀미 등과 같이 공포적 성격을 지니지 않는 여러 장애에서도 이 기법이 적용되고 있다.

### (3) 실생활 노출치료

실생활 노출치료는 대상자를 실제로 불안해하거나 두려워하는 사건에 노출시키는 체계적 둔감법의 한 형태이다. 노출은 단시간 동안 점진적으로 이루어지고 대상자가 불쾌감을 느끼면 노출을 중단할 수 있다. 실생활 노출치료에서는 모든 근육의 이완이 불가능할 수 있기 때문에 대상자가 사용하지 않는 근육들을 이완시키는 방법을 사용할 수 있다. 예를 들면 서 있는 행동을 하는 경우에는 목, 등, 다리 근육을 제외하고 얼굴, 팔, 가슴, 복부 근육 등을 이완시킬 수 있다. 근육이완이 불가능한 경우는 즐거운 이미지, 유머 등을 불안과 상반된 행동으로 활용할 수 있으며, 치료자가 함께 있다는 것 자체가 대상자의 이완에 도움을 줄 수도 있다.

### (4) 홍수법(flooding)

상담자가 내담자를 강력하고도 지속적으로 문제 상황에 노출시키는 방법이 홍수법이다. 즉, 상담에 참여한 내담자는 관련된 문제에 마치 퍼붓는 홍수를 맞는 것과 같은 경험을 한꺼번에 받게 된다. 홍수법은 체계적 둔감화와는 대조를 이루는 불안치료법이다.

① 실생활 홍수법(in vivo flooding)

대상자의 불안 유발 자극에 대상자를 장기적, 집중적으로 노출시키는 방법으로 이 방법을 시행하기에 앞서 치료자는 대상자에게 치료절차와 과정에 대해 설명하고, 치료과정 동안 불쾌감을 느낄 수 있음을 설명하며, 치료과정 동안에는 함께 있으면서 대상자를 설득, 격려, 지지한다. 예를 들어,  자동차를 무서워하는 사람이 있다고 하면, 치료자가 그를 뒤에 태우고 하루에도 몇 시간씩 차를 몰고 다녔더니 자동차에 대한 공포는 소실되고 오히려 자동차 타는 것을 재미로 여기게 된다. 후에는 그에 대한 공포가 완전히 소실되는데 이것이 홍수법에 의한 불안치료의 기본원리다. 실생활 홍수법은 흔히 대상자가 불안감소를 위해 나타내는 전형적인 반응을 하지 못하도록 하는 반응제지법(response prevention)과 함께 사용된다. 반응제지법은 예를 들면 엄청난 음식을 한꺼번에 먹은 후 토해내는 신경성 폭식증 환자의 치료에서 대상자에게 음식을 양껏 먹도록 한 후(노출) 먹은 음식을 토해내지 못하도록 하는 것(반응제지)이다.

② 가상 홍수법(imaginal flooding)

대상자가 상상을 통해 불안을 유발하는 자극에 노출되는 것으로 실제 사건에 노출되는 것이 불가능하거나 비윤리적인 경우, 예를 들면 외상후 스트레스 장애 등으로 고통 받는 대상자에게 적절하다.

## 4) 새로운 행동을 학습하는 방법 및 시행

### (1) 모델링(modeling)

모델링은 내담자가 다른 사람의 바람직한 행동을 관찰해서 학습한 것을 수행하는 것이다. 모델링에는 모델로서 실제 인물을 관찰해서 모방하는 실제적 모델링, 실물이 아닌 비디오나 필름을 통해 적절한 행동을 모방하는 상징적 모델링, 상담자가 어떤 주어진 상황에서 내담자와 함께 역할 연습하기, 상담자가 내담자를 위한 행동을 참여하여 먼저 보여 주는 참여적 모델링, 관찰될 수 없으나 머릿속에 상상해서 어떤 행동을 하도록 하는 내현적 모델링 등이 사용된다.

### (2) 형성법(shaping)

행동형성법은 내담자가 한번도 해 본 적이 없는 새로운 행동을 처음 가르칠 때 효과적으로 사용할 수 있는 기법이다. 목표행동에 한 번에 도달하기 어려운 경우에 출발점 행동의 수준을 정하고 점점 새로운 행동에 도달할 수 있도록 가르치는 것이다. 예를 들면 "물 먹고 싶어요."라는 말을 가르치고자 할 때 먼저 '물', 다음에 '물 먹고', 마지막으로 '물 먹고 싶어요.'의 순으로 강화하는 것을 말한다. 주로 언어장애와 대인관계 장애 또는 정신지체와 자폐아의 식사나 옷입기 등의 행동형성에 사용되는 기법이다.

### (3) 역할놀이(role playing)

일상 생활 속에서 수행하지 못했거나 수행하기 곤란한 역할 때문에 이상행동을 보이고 있는 내담자에게 현실적 장면이나 연극적 장면을 통하여 역할행동을 시키고, 그것을 연습시킴으로써 이상행동을 적응행동으로 바꾸는 기술이다. 역할놀이와 같은 맥락으로 역할전환(role reversal)을 활용할 수 있는데, 이는 다른 사람의 입장으로 역할함으로써 상황을 새로운 관점으로 경험할 수 있는 기회를 제공한다. 구두질문의 연습, 졸업식에서의 인사 연습 등 각자가 내담자 역할과 상담자 역할을 해 보게 하는 것이다.

역할 연기의 과정을 요약하면 분위기 조성, 행동, 피드백, 일반화의 4단계이다.

① 분위기 조성 : 개방적이며 부담이 없는 분위기를 조성한다.

② 역할수행 : 주어진 역할을 수행한다.

③ 피드백(feedback) : 바라는 행동에 보다 가깝게 접근하도록 격려하고, 잘 되지 않은 부분을 내담자에게 알려 준다.

④ 일반화하기 : 내담자는 자신의 학습경험을 통합하여 비슷한 실제 생활 장면에서 활용할 수 있게 한다.

### (4) 사회기술훈련(social skills training)

원활한 사회기능은 인간의 생활에서 매우 중요하다. 사회기술훈련은 새로운 기술이 학습될 수 있다는 근거에서 실시된다. 기술획득의 원리는 지도, 시범, 연습, 피드백, 실생활로의 전환으로 구성되며, 기술적으로 역할모델링(role modeling), 둔감 및 긍정적 강화의 기법을 이용한다. 지도와 시범은 치료초기에 주로 이루어진다.

이 치료모형은 사회기술, 주장성(주장훈련), 충동성(분노관리)등이 부적절한 대상과 적절하지 못한 사람들과 반사회적 행동을 보이는 대상자에게 흔히 적용된다.

# 5. 평가

행동치료의 장점과 단점은 다음과 같다.

## 1) 장점

① 행동주의 상담자들은 구체적인 것에 초점을 맞추고 상담기법의 적용에 있어서 체계적인 방식을 취한다.

② 치료목표를 구체적으로 설정하고 방법을 선택하며 치료결과를 객관적으로 평가할 수 있다.

③ 증상을 성격의 뚜렷한 표출로 보고 증상치료를 통해 성격 자체의 변화를 시도한다. 증상이 변하면 성격도 변한다. 증상이 제거되면 증상으로 인한 열등감이 해소되고 따라서 교우관계, 학습, 직업, 생활, 이성관계 등 새로운 행동변화가 확대된다.

④ 어떤 다른 상담보다도 책임감있게 상담에 대한 기본 방향을 제시하고 있다.

⑤ 행동주의 상담은 일상적 임상장면의 영역을 훨씬 넘어 적용가능하다. 의학, 노인 의학, 소아과, 재활계획과 스트레스 대처에도 많이 사용될 수 있어 행동주의적 접근의 대상이 확장되었다.

⑥ 환경 내에 존재하는 조건과 제약을 제거하고 조성할 수 있는 방법을 제시한다.

## 2) 단점

① 행동주의적 상담이나 인지적 상담은 정서를 경험하도록 내담자를 격려하지 않는다. 행동주의의 경향성을 갖고 있는 상담자들은 문제 해결과 나쁜 상태의 상담을 지나치게 강조하여 치료과정에서 내담자의 감정과 정서의 기능을 경시하며 심리적인 문제파악에는 소홀하다는 것이다.

② 행동주의 상담은 상담에 있어서 중요한 인간 관계적 요인들을 무시한다. 그러나 상담에서 있어서 상담자와 내담자와의 좋은 관계는 상담기법의 효과를 발휘하기 위한 기본적 조건이라고 본다.

③ 학습이론에서 발전된 특정개념, 가설, 법칙들이 인간의 모든 학습현상을 종합적으로 설명할 수 있을 만큼 포괄적이지 못하다.

④ 행동주의 상담은 현재의 행동에 대한 과거의 원인을 무시한다. 현재 행동에 대한 과거의 원인을 충분히 규명하지 않기 때문에 근본적인 치료에는 한계가 있다.

⑤ 행동주의 상담의 윤리적 비판은 상담자들이 내담자들의 자유와 자율성을 빼앗을 만큼 내담자들을 지나치게 통제할 수도 있다는 점이다.

# 12

# 교류분석

교류분석(transactional Analysis: TA)은 미국의 정신의학자 Eric Berne(1910~1970)에 의해 발전된 이론으로 성격의 인지적·합리적·행동적인 면을 모두 강조하며, 내담자가 새로운 결정을 하여 삶의 과정을 바꿀 수 있도록 하기 위해 자각을 증대시켜 나간다.

교류분석은 개인 간, 개인 내 상호작용을 분석하기 위한 구조를 제공해 주어 심리치료와 상담 뿐만 아니라 교육, 경영관리 및 의사소통 훈련의 분야에 이르기까지 다양하게 적용되고 있다. 또한 교류분석은 이론이 평이하여 전문가가 아니어도 일상용어로 이해하고 현장에서 활용이 가능하며, 인간의 긍정적 측면에 대한 철저한 확신과 인간존재의 본래성 회복을 주장한다.

## 1. 주요 개념

교류분석을 이해하기 위해 필요한 주요개념으로는 심리적 욕구, 시간 구조화 방법, 자아 상태, 교류유형, 삶의 입장 등이다.

### 1) 심리적 욕구

교류분석에서는 인간이 세 가지 심리적 욕구인 자극갈망(stimulus hunger), 인정갈망(cognition hunger), 구조갈망(structure hunger)에 의해 동기화된다고 본다.

#### (1) 자극의 욕구

인간은 기본적으로 심신의 자극과 접촉을 통한 친밀감을 요구한다는 것이다. 생물학적, 정서적 그리고 감각적 박탈은 유아의 신체적 기관의 변화에 영향을 가져온다. 버언(Berne)은 자극의 욕구 역시 인간생존에 필수적인 욕구로 정서 및 사회성 발달에 중요한 요인으로 작용하며, 성장과 함께 요구의 수준과 내용이 변화하면서 일차적인 자극욕구에서 상징적·심리적인 수준으로 대체된다고 주장하였다.

#### (2) 인정의 욕구

자신이 관계하고 있는 다른 사람으로부터 제공되는 자극을 통해 자신의 존재와 능력을 인정받고자 하는 욕구다. 버언(Berne)은 관계하는 다른 사람으로부터 받은 인정을 어루만짐(strokes)이라고 불렀다. 어루만짐의 주고받음은 사회적 상호관계의 최소의 단위인 교류를 구성한다. 어루만짐은 긍정적이거나 부정적일 수 있다. 그리고 어루만짐은 조건적이거나 무조건적일 수 있다. 조건적인 어루만짐은, 그것이 부정적이거나 긍정적이건, 타인의 어떤 행동에 대해서 하는 일종의 반응이다.

　교류분석 상담자는 우리의 삶을 유지하는데 적절한 어루만짐이 필요함을 강조한다. 전혀 어루만짐이 없는 것보다 부정적인 어루만짐이 더 낫다고 주장한다. 그것은 당신에게 소중한 누군가에게 받은 부정적인 어루만짐은 당신에게 고통스러운 반응일 수 있지만, 아직 당신에 대한 관심이 남아 있기 때문이다. 그러나 어루만짐이 전혀 없는 것은 관계가 끝난 상태이거나 무관심이기 때문이다. 누군가에게 관심을 받고자 하는 욕구인 자극갈망은 우리의 삶에 원동력으로 작용한다고 본다.

### ⑶ 구조의 욕구

　인간이 자신에게 주어진 시간을 효과적으로 활용하기 위해 자극을 극대화할 수 있는 방향으로 구조화하는 욕구이다. 즉 인생을 어떻게 보낼 것인가의 방법을 우리 각자가 찾고 발달시키려는 욕구를 의미한다. 교류분석에서는 각자가 자신의 독특한 삶의 방식을 발달시킬 수 있지만, 우리 모두가 어떤 유형을 발달시킨다고 본다. 교류분석 상담자는 우리가 공유하는 이러한 유형을 구조라고 부른다. 우리는 구조갈망을 통해 하루 24시간을, 일주일 168시간을 무엇을 할 것인가를, 더 나아가 인생이라는 시간을 어떻게 보낼 것인가의 딜레마를 인식한다. 구조갈망은 우리의 삶에 필요한 어루만짐을 최대로 받기 위해 시간을 사용하는 수단이다. 사람들이 자신의 시간을 구조화하는 여섯 가지 방법은 철회(withdrawal), 의례적 행동(rituals), 여흥(pastimes), 활동 (activities), 게임(games), 친밀성(intimacy)이다.

## 2) 시간 구조화 방법

### ⑴ 철회

　이 방식은 자기를 타인으로부터 멀리하고 대부분의 시간을 공상이나 상상으로 지내며 자기에게 어루만짐을 주려고 하는 자기애에 해당된다. 철회의 대표적인 것은 백일몽이나 공상에 젖는 것이다.

### ⑵ 의례적 행동

　일상적인 인사에서부터 복잡한 결혼식이나 종교적 의식에 이르기까지 전통이나 습관에 따름으로써 간신히 어루만짐을 유지하는 방법이다. 상호간의 존재를 인정하면서도 누구와도 특별히 친하게 지냄이 없이 일정한 시간을 보내게 되므로 의례적인 시간 구조화라고 말한다.

### ⑶ 활동

　흔히 '일'이라고 불리는 사회적 행동의 유형이 활동이다. 사회에서 인간관계 유지 뿐만 아니라 개인의 발전 및 성공과도 연관되어 있는 실용적이고 필수적인 것이다. 이 방법은 무리가 없는 실용적인 형태를 취하면 건설적인 교류가 된다. 그러나 개인적으로 너무 일에 집착하게 되면 가족과 사회적 인간관계에서 멀어지는 문제가 발생할 수 있다.

### ⑷ 여흥(소일)

　이 방법은 사회적으로 수용될 수 있는 방식으로 수용되는 주제에 관해 얘기하며 시간을 보내는 것이다. 틈틈이 이웃들과 취미생활을 하거나 운동을 하는 등의 시간활용을 통해 삶의 자극과 마음의 여유를 찾고자 하는 것이다. 이는 깊이 들어가지 않고 어루만짐을 주고받는다는 점에서 비교적 단순한 보완적 교류라고 할 수 있다

### ⑸ 게임

　게임은 방어기제이며 일종의 필요악과 같은 교류로서 게임을 연출하는 사람은 어릴 때 부모와 자식 간의 교류에서 어딘가

잘 맞지 않는 데가 있기 때문에 순순히 어루만짐을 얻을 수 없었던 사람들이 많다. 어루만짐 면에서 게임은 어떤 이유로 신뢰와 애정이 뒷받침된 진실한 교류가 영위되지 않기 때문에 부정적 어루만짐을 교환하고 있는 것이다.

## (6) 친밀성

타인과의 신뢰와 배려를 기본으로 형성되는 진실한 교류라고 말할 수 있다. 이 교류를 습관화하기 위해서는 자기긍정-타인긍정(I'm OK. You're OK)이라고 하는 기본적인 자세를 몸에 익힐 필요가 있다. 친밀성은 교류분석에서 추구하는 이상적인 시간의 구조화 방법이다.

## 3) 자아 상태

### (1) 부모자아(P)

부모자아는 아동이 주로 자신의 실제 부모의 양육태도, 제도적 혹은 사회적 가치에 의해 형성된 것으로 믿어진다. 즉, 부모자아 상태는 우리가 의미 있는 권위적 인물, 특히 부모로부터 가르침을 통해 가치를 통합하는 방법이다. 부모자아 상태는 '비판적 부모자아'(Critical Parent ego)와 '양육적 부모자아'(Nurturing Parent ego)로 구성되어 있다.

### (2) 성인자아(A)

개인이 현실세계와 관련해서 기능하는 성격의 부분이다. 이것은 성격의 합리적이고 객관적인 측면을 나타낸다. 성인자아 상태는 현재의 실재에 적용되는 자율적인 감정, 태도 그리고 행동유형으로 특징된다. 성인자아 상태는 현실을 검증하고 문제를 해결하며, 다른 두 자아 상태를 중재한다. 그러므로 성인자아 상태는 성격의 균형을 위해 중심적 역할을 하며 성격의 전체적인 적응 과정에 가장 기여하는 부분으로 여겨질 수 있다.

### (3) 아동자아(C)

이 자아 상태는 우리 각자의 아동기의 유물인 일련의 감정, 태도, 행동유형이다. 자발성, 창의성, 충동, 매력, 기쁨 등이 아동자아 상태의 특성이다. 이것은 우리의 내부에 내재하는 성격의 흥미를 추구하고 어린애 같은 부분이다. 아동 자아 상태는 우리의 성격통합과 효과에 기여한다는 점에서 매우 중요하다. 아동자아 상태는 순응적 아동자아'(Adapted Child ego)와 '자유분방한 아동자아'(Free Child ego)로 구성되어 있다. 더 나아가 자유분방한 아동자아를 '천진한 아동자아'(Natural Child ego)와 '영악한 아동자아'(Little Professor)로 구분한다.

## 4) 교류 유형

### (1) 보완적 교류(complementary transactions)

이 교류는 당신의 어떤 자아 상태가 상대방이 보낸 자극에 따라 원하는 반응을 하는 것이다. 즉, 당신의 세 가지 자아 상태와 상대방의 세 가지 자아 상태가 서로의 욕구를 충족시키는 평행선을 이루는 교류다. 이러한 교류는 인정이나 어루만짐이 서로에게 보완적이기 때문에 대화가 계속된다.

### (2) 교차적 교류(crossed transactions)

상대방이 원하는 욕구가 무시되거나 잘못 이해되어 나타나는 반응의 교류다. 상대방의 욕구를 무시하고 엉뚱한 반응을 하면 대화가 중단된다. 상대방이 정보를 원하면 정보를 제공하는 대화는 지속된다. 당신의 직장상사가 권위적인 태도(그의 부모자아)로 당신의 아동자아상태에 대화를 걸어오면 그 상황에 맞게 그의 태도를 파악하여 반응하는 게 필요하다.

### (3) 저의적 교류(ulterior transactions)

동시에 이중적인 메시지가 전달되는 교류를 말한다. 사회적으로 수용되는 의사소통의 이면에 심리적인 의도가 깔려있는 교류로 대화하는 사람이 이중적 메시지를 보내는 경우다. 말하는 내용과 다른 숨은 의도가 깔려 있기 때문에 이러한 교류를 저의적 교류라 한다. 저의적교류는 동시에 두 가지 자아 상태가 관여한다는 점에서 보완적 교류와 교차적 교류와 다르다. 우리 대부분이 숨겨진 의도로 하는 심리적 게임은 대표적인 저의적 교류다.

## 5) 삶의 입장(삶의 자세)

### (1) 자기긍정 - 타인긍정

이 입장은 상호존중을 나타내는 것으로 "나도 이만하면 괜찮고 당신도 그만하면 괜찮다." 는 자신과 타인에 대한 긍정적 삶의 태도를 갖는다. 자기긍정 - 타인긍정 자세는 아동이 부모와 성인으로부터 충분한 사랑과 관심을 받아서 자아의 욕구가 충족된 상태에서 발전할 수 있는 삶의 태도로 교류분석에서 주요상담 목표가 된다.

### (2) 자기긍정 - 타인부정

삶의 태도는 투사적 입장이다. 이것은 '나는 잘났고, 너는 별 볼일 없다' 는 입장이다. 어린아이가 심하게 무시당하거나 비난이나 억압을 당할 때, 또는 부모의 매질 등으로 인하여 타박상해를 받게 될 때, 나쁜 사람은 내가 아닌 다른 사람이라고 단정할 수 있다. 이러한 인생태도를 가진 사람은 다른 사람의 반응 없이도 생존할 수 있다는 강한 편집적 태도를 보여 준다. 다른 사람들에게 저항적이며 자기 아집 태도를 가지기 때문에 자기도취적인 우월감에 사로잡힐 수 있다. 그렇기 때문에 타인에 대한 극단적인 불신, 증오, 비난, 양심부재의 현상이 나타날 수도 있다. 비행이나 범죄자들이 주로 이 자세를 갖고 있으며, 심하면 타살 충동으로 연결될 수 있다.

### (3) 자기부정 - 타인긍정

삶의 태도는 내사적인 것으로서 다른 사람과 비교해서 무력감을 느끼는 사람들이 공통적으로 취하는 입장이다. '나는 별 볼일 없고, 너 잘났어' 하는 입장이다. 이것은 인생초기에 일반적으로 어린아이들이 취하는 최초의 자세다. 이 시기에 아이들은 부모의 애정 어린 존재의 인정자극들을 경험하기 때문에 타인에 대한 긍정성을 인정한다. 그러나 한편으로는 욕구충족에 있어서 거의 무능한 상태에 있기 때문에 다른 사람의 도움 없이는 생존의 위협을 느끼게 되고 많은 좌절감을 경험한다. 그 결과 어린아이는 '내가 별 볼일 없다' (I' m Not Ok)라는 자기-부정적인 인생자세를 갖게 된다. 그리고 타인을 긍정적으로 평가하고 자기보다 우월한 것으로 지각한다. 이러한 자세는 자기비하로 이끌어지며 우울증적인 태도로 이끌 수 있다. 즉, 이러한 인생태도를 가진 사람은 열등감, 무가치감, 우울, 무력감과 같은 정서적 태도를 갖게 된다. 이러한 자세를 취하는 사람은 '희생자' 의 역할을 하며, 자학적 행동을 하며, 간접적 공격성을 표출하는 경향이 높다.

### (4) 자기부정 - 타인부정

이러한 삶의 태도는 '나도 별 볼일 없고, 너도 별 볼일 없다' 는 입장으로 비관론적인 태도다. 부모에 의한 비판적, 부정적인 반응을 강하게 경험하며 관심과 존중을 경험하지 못한 사람들에게서 나타난다. 이러한 사람은 어떤 노력도 기울이지 않으며 만사를 부정적으로 여기게 된다. 이러한 인생자세를 가진 사람은 삶의 의미를 상실하여 자포자기하고 극단적인 퇴행상태나 정신분열의 상태에 빠지기도 하며 심한 경우에는 자살이나 타살의 충동을 느낄 수 있다.

## 2. 상담목표

　교류분석상담의 주된 목적은 개인이 자신의 삶에 대해 책임지고 스스로 지도할 수 있는 자율성을 갖도록 하는 것이다. 자율성을 갖기 위해서는 내담자가 자각, 자발성, 친밀성의 능력을 회복하는 것이 중요하다. 이러한 자율성을 성취하기 위해 내담자는 어린 시절에 부모의 금지 명령에 대한 반응으로 형성한 초기 결정을 이해하고 변화시킬 힘을 가졌다는 것을 깨달아야 한다. 재결단 과정에서 내담자는 초기 결정을 다시 경험하고 보다 건전한 새로운 결정을 한다. 주어진 상황에서 적절하게 다른 사람과 의사소통을 하기 위해서, 개인의 성격을 구성하고 있는 세 가지 자아 상태가 건전하게 발달되어야 한다. 지나치게 부모자아 상태가 발달되어 다른 자아 상태를 배제하고 명령과 비판적인 자세만 견지한다면 다른 사람과의 의사소통에 문제가 된다. 또한 어른자아 상태가 다른 자아 상태를 배제하고 작동한다면 지나치게 현실적이고 논리적이라는 비판을 받을 것이다.

　자신이 대하는 상대방이 어떤 자아 상태의 입장에서 이야기하는가를 파악하여 그가 전달한 메시지에 따라 보완적 교류가 될 수 있도록 해야 한다. 또한 자신이 상대방의 욕구를 무시하고 엉뚱하게 반응하는 교차적 교류를 한다면 자신의 방식을 변화시킬 수 있어야 한다. 우리는 대부분 사람들과의 사회적 관계를 하면서 삶을 유지하게 되는데, 긴 것 같으면서도 짧은 자신의 인생을 보람차게 보내기 위하여 시간에 대한 구조 갈망을 적절한 방법으로 달성해야 한다. 교류분석에서는 게임을 통해 상대방을 심리적으로 괴롭히거나 속이는 방식으로 의사소통을 하는 저의적 교류를 경계한다.

　교류분석 상담은 의식이 높은 인간, 즉 자기행동유형에 대한 자각이 높은 사람을 목표로 하며, Why보다 How(행동하는 버릇)를 깨닫게 하고 그 후 과거의 습관에 구애받지 않고 자기결정에 의한 새 행동을 시행하도록 격려한다. 또한 타인과 친교관계를 가질 수 있는 인간을 목표로 한다.

## 3. 상담과정

　교류분석의 일반적 상담과정은 다음과 같은 여섯 단계를 거친다.

- 첫째 단계: 계약
- 둘째 단계: 구조분석
- 셋째단계: 교류분석
- 넷째 단계: 게임분석
- 다섯째 단계: 각본분석
- 여섯째 단계: 재결단

## 4. 상담기법

### 1) 구조분석

　구조분석은 상담자가 세 가지 자아 상태인 부모, 어른, 아동을 통해 내담자가 자신을 이해하도록 조력하는 것이다. 세 가지 자아 상태의 내용과 기능을 인식하게 하고, 자신의 자아가 어떻게 구성되어 있는지를 이해할 수 있게 하는 것을 의미한다.

　상황에 대한 객관적이고 현실적인 판단을 할 수 있는 성인자아 상태를 중심으로 부모나 아동자아 상태가 적절히 기능해야 한다. 만약 어떤 자아 상태가 다른 것을 배제(exclusion)하고 독단적으로 자극과 반응을 주고받는다면 문제다. 배제는 자신을 구성하고 있는 세 가지 자아 중 어느 하나에 에너지가 집중되어 에너지의 흐름이 차단되는 것을 의미한다. 세 가지의 배제가 있다. 부모가 성인과 아동을 배제하는 경우, 성인이 부모와 아동을 배제하는 경우, 아동이 부모와 성인을 배제하는 경우다. 예를 들면, 부부관계에서 남편이 일관되게 권위를 내세우며 아내를 무시하고, 명령하고, 합리적인 대화를 나누지 않으면 부모자아 상태가 성인과 아동을 배제하는 경우다.

역시 성인자아 상태 영역이 다른 자아 상태의 영향으로 오염(contamination)되어 있다면 문제이다. 오염은 부모자아나 아동자아 상태가 성인자아 상태를 침범하여 상황을 객관적으로 판단하는 것을 방해하는 것이다. 객관성이 편견에 의해서 지배되는 경우다. 상담자는 부적절한 자아 상태에 영향을 준 사회적 영향 혹은 부모의 영향이 무엇인가를 내담자가 이해하도록 한다.

## 2) 교류분석

의사교류유형은 세 가지로 보완적 교류(complementary transactions), 교차적 교류(crossed transactions), 저의적 교류(ulterior transactions)가 있다. 교류분석상담자는 세 가지 자아 상태를 바탕으로 내담자 다른 사람과의 의사교류가 어떻게 이루어지는가를 파악하여 부적절한 교차적 교류나 저의적 교류를 중단하도록 촉진시킨다.

## 3) 게임분석

모든 사람은 심리적 게임을 하지만 많은 사람들은 자신이 하는 게임을 잘 인식하지 못한다. 따라서 교류분석에서는 내담자가 하는 게임의 유형을 파악하기 위하여 게임분석을 하게 된다. 게임은 깊은 수준의 현실적 상호작용의 의미를 감추기 위해 피상적 수준에서 협동적으로 상호작용하는 방법이다. 게임의 당사자는 주로 세 가지 역할, 구조자, 박해자, 희생자의 역할을 수행하면서 악순환적인 게임을 계속한다. 심리적 게임을 중단하고 직접적이며 진솔한 친밀감을 교류할 수 있도록 시간을 구조화하는 것이 필요하다.

## 4) 각본분석

의사소통의 중요성을 강조한 교류분석에 있어서도 정신분석과 마찬가지로 인생초기의 경험이 각 개인의 현재 생활태도나 각본에 매우 중요하게 영향을 준다고 가정한다. 그러나 교류분석에서는 사람들이 가진 인생에 대한 기본적 태도를 성격발달과 관련해서 파악하기보다는 일생을 통해서 개인이 대인관계를 맺으면서 자신과 타인에 대해서 취하는 기본적인 자세라는 관점에서보고 있다.

교류분석에서는 네 가지의 인생의 기본적 입장을 가정한다. 이러한 기본적 입장은 대부분의 사람들이 인생초기에 부모로부터 어떻게 영향을 받았느냐에 따라 결정되는 경향이 높다고 가정한다. 그리고 이러한 자세는 당신 자신의 대인관계의 스타일과 인생각본의 형성에 지대한 영향을 준다. 긍정적 삶의 입장인 '자기긍정 - 타인긍정'은 교류에 참여하는 양자가 전체로서 상대방에 대해 긍정적 태도를 갖는 것을 의미한다. 이러한 입장은 '나도 당신도 이만하면 괜찮다'는 삶의 태도를 갖는 것이다. 이러한 인생태도를 가진 사람은 발전적 입장을 가진다. 이러한 자세는 자신의 가치와 타인의 가치를 인정하고 존중하는 건설적인 태도이다. 이 자세를 가지고 살아가는 사람의 구조분석을 해 보면 양육적인 부모와 성인자아가 인격의 주도권을 장악하고 있다. 문제영역에서 설명한 세 가지 부정적 삶의 입장이 의식영역 밖에서 주로 감정에 기초해서형성된 것인 데 비해, 이 인생자세는 개인의 결단에 의해서 의식적으로 선택한 것이라고 본다. 이러한 인생태도를 가진 사람은 타인들과 심리적인 게임을 하지 않고 개방적인 태도에서 의사소통을 하고 있다. 즉, 남과 함께 조화하며 살아가는 태도를 가지며 긍정적인 측면에서 모든 인간관계를 이끌어간다. 교류분석을 통해 상담자는 부정적인 세 가지 삶의 입장을 '자기긍정 - 타인긍정'의 입장으로 변화시킨다.

교류분석에서는 당신이 지금까지 부정적인 삶의 태도로 살아왔다면 재결단이 필요하다고 본다. '나도 당신도 이만하면 괜찮다' 는 자세로 바꾸어 우리에게 주어진 인생이란 시간을 보다 알차고 소중하게 보낼 수 있는 이루어 나갈 것을 강조한다.

# 5. 평가

교류분석 상담의 장점과 단점은 다음과 같다.

## 1) 장점

① 대인관계에 있어 의사소통의 질(質)을 개선할 구체적인 방안을 제시하여 인간소외현상의 중요한 원인 중 하나인 의사소통의 단절문제를 해결하는 데 공헌한다.

② 효율적인 부모가 될 수 있는 길을 제시한다. 즉 인정자극과 자녀의 어른 자아를 상대로 이야기하는 것의 중요성과 자녀와의 대화에서 금지령과 그에 따른 초기 결단이 일생동안 악영향과 암시적 교류의 원인임을 분명히 제시한다.

③ 상담자와의 형식적인 상담이 아니라 내담자 스스로 자신을 변화시킬 수 있는 방법을 제시해 자신을 이해하고 분석하여 보다 자율적인 인간이 될 수 있게 한다.

④ 상담자와 내담자의 계약을 중요시 하여 서로의 자유와 책임을 분명히 해 준다. 책임 분담을 강조하고 상담 작업에서 분업의 관점을 제시한다.

⑤ 다양한 분석기법과 상담기술을 개발하여 언어적·문화적 차이로 상담의 한계가 있는 이민자들에게도 선별해서 사용할 수 있다는 장점이 있다.

## 2) 단점

① 교류분석상담의 주요 개념들이 주로 인지적이므로 지적 능력이 낮은 내담자의 경우 부적절할 수도 있다. 복잡한 이론체계는 현실적인 활용에 불편하다.

② 이 상담의 주요 개념이 창의적인 면도 있지만 추상적이어서 실제 적용에 어려움이 많다. 또한 상담에서 사용되는 용어가 어렵고 그 의미가 모호하며 설명이 다양하다.

③ 이 상담의 주요 개념에 대한 실증적 연구도 있었지만 교류분석 개념과 절차는 아직은 과학적 타당성이 검증되었다고 보기엔 어렵다.

④ 교류분석상담에서는 구조분석을 통해 성격을 테스트하고 그 교정방법을 기술하고 있으나, 아주 고차원적이고 영적 존재인 인간의 성격을 정확하게 테스트하고 교정한다는 것이 쉽지 않다는 한계가 있다.

# 보조자료를 이용한 상담치료

# 미술치료

## 1. 미술치료의 개념

　미술치료는 예술치료 중에서 특별히 '미술'이라는 창조적 활동을 통해 한 개인을 이해하고 변화를 추구하는 활동이다. 미술치료는 예술치료, 회화요법, 예술요법, 그림요법 등 다양한 이름으로 불리고 있다. 미술치료는 'Art'와 'therapy'의 합성어인데, 여기서 'Art'는 내담자의 작품을 가리키기도 하고 그 작품을 창작하는 활동과정을 의미하기도 한다. 따라서 미술치료란 다양한 미술 매체를 활용하여 어려움을 겪고 있는 사람을 심리적으로 진단하고 치료하는 과정이라 할 수 있다.

　미술치료는 내담자가 미술작품을 만들고 상담자는 치료 목표에 따라 내담자의 미술과정에 개입하면서 미술을 매개로 내담자의 심리적 문제를 해결해 나가는 심리치료의 한 유형이다. 내담자에게 미술작품을 만들게 할 때는 잘 만들고 못 만드는 것에 개의치 않고, 누구나 즐겁게 참여하여 자유롭게 자신을 표현하게 하므로, 말로 자신을 표현하는 데 어려움을 가진 대상에게는 미술치료가 유용한 방법이라고 할 수 있다. 흔히 그림을 통해서 자신의 심리적 문제가 바로 드러나고, 상담자가 마술처럼 자신의 심리적 문제를 알 것이라는 생각을 가지기 때문에 미술치료에 대해 부담을 느끼는 경우도 있다. 그러나 내담자가 그린 그림이나 만든 작품은 내담자가 가진 문제를 그대로 찍어내는 엑스레이가 아니다. 내담자가 그림이나 미술작품을 통해 자신이 가진 심리적 문제를 표현하고, 상담자는 이를 활용하여 내담자의 문제를 해결해 나가게 되므로 그림이나 미술작품은 치료를 위한 매개체가 된다.

　미술치료의 본격적인 발달은 1950년대 나움버그(Naumburg)와 크레이머(Kramer)부터라고 할 수 있는데, 나움버그는 미술활동을 자유연상을 촉진시키는 도구로서 미술활동을 통해 개인의 무의식적 내면세계를 이해하는 도구로 사용할 수 있다고 하였다. 즉 환자나 내담자가 자신의 문제점을 그림을 통해 상징으로 표현함으로써 치료자가 이 상징을 읽고, 그것을 바탕으로 심리 치료를 하는 것이다. 반면에, 크레이머는 미술활동을 하는 것 자체가 치료적이 될 수 있다고 보았다. 즉 스스로 작품을 제작하는 과정을 통해 치료가 된다는 점이다. 이는 미술 작업에 몰입함으로써 내면의 불안과 갈등을 스스로 이겨낼 수 있는 치유력을 키우게 된다는 점을 강조한 것이다.

　미술활동이 치료적이 될 수 있는 이유는 '이해'의 측면과 '창조성'의 측면으로 설명할 수 있다. 첫째, 미술활동은 내담자 이해의 통로를 제공한다. 때에 따라서 상담자는 언어 이외의 방법을 통해 내담자를 이해할 필요가 있기 때문이다. 둘째, 미술활동이 하나의 의사소통 방식이라는 것을 넘어서 창조적 활동이기 때문에 치료적이 될 수 있다고 보는 관점이다. 이것은 승화라는 측면에서 예술작품임을 강조한 크레이머의 입장과 상통한다. 이러한 관점에서 미술치료는 어린아이부터 청소년, 성인, 노인 등 다양한 연령대의 사람들 모두에게 적용되기 시작하였으며, 그림, 조소, 디자인, 공예 등 미술의 전 영역을 상담활동에 도입해서 사용하여 내담자의 심리적 문제를 치료하게 되었다. 미술치료는 교육, 재활, 정신치료 등 다양한 분야에서 널리 활용되고 있으며, 특히 언어로 자신의 감정을 표현하기 어려운 어린이나 노인에게 유용하다. 이는 언어로 자신을 드러내는데 저항하는 사람들도 미술작품을 만들 때는 자신에 대한 방어가 줄어들게 되어 상담에 효과적으로 참여할 수 있기 때문이다.

## 2. 미술치료의 장점

미술치료는 다음과 같은 다양한 장점을 가지고 있다.

① 미술은 말로 표현할 수 없는 것을 표현한다. 즉 미술은 비언어적 의사소통의 수단이 된다는 것이다. 사람에 따라서는 언어 능력이 발달한 사람도 있고 언어적 능력보다는 시각적·공간적 능력이 발달한 사람도 있다. 미술활동은 내담자와 상담자간에 언어적·비언어적 대화를 하도록 도와준다. 언어에 문제가 있는 내담자는 미술을 통한 표현으로 그의 상태를 제대로 알릴 수 있게 되고, 자신의 아픔 뿐만 아니라 강점, 장점, 능력까지 보여 줄 수 있게 된다.

② 미술치료는 카타르시스를 가져온다. 미술활동을 하는 동안에 괴롭고 고통스러운 감정으로부터 안도감을 얻을 수 있으며, 생리적인 반응이 뒤따르기도 한다. 인간의 창조적인 활동은 우울과 관련이 있는 뇌의 세로토닌의 분비를 증가시키고, 미술 표현을 통해 내적 안정과 평안을 찾기 위한 명상처럼 미술을 경험한다.

③ 미술은 내담자의 생각과 느낌을 깊게 하여 상담자가 내담자를 더 깊이 이해하도록 돕는다. 상담자에 의해 제시된 주제는 내담자에게 그 주제를 중심으로 생각할 시간을 갖게 하고, 그 주제에 대해 준비할 수 있게 해 준다. 내담자는 그림을 그리는 동안 생각과 느낌이 깊어지며, 그림을 그리고 나서 상담자와 상호작용을 할 때 더 깊은 수준까지 가능하게 된다. 또한 내담자는 그림을 통해 그의 생각이나 느낌 등 의식 상태나 정신세계 뿐 아니라 그의 무의식 상태까지 알려 준다. 그러므로 그림은 내담자의 심리적 문제에 대한 하나의 자료가 되며, 치료과정에서 내담자의 치료 진행 정도를 알아보는 데 효과적인 비교 준거가 된다.

④ 미술을 즐기게 될 때 내담자는 긴장이 누그러지게 되고 치료과정에 더 깊이 몰입하게 된다. 모든 내담자가 미술활동을 즐기는 것은 아니지만, 미술활동은 미술이 지닌 유희적 속성과 친밀감 때문에 내담자가 덜 불안해하고 상황을 덜 무섭게 느끼게 되어 상담자와의 작업에 더 몰입할 수 있게 된다.

⑤ 구체적인 유형의 자료를 즉시 얻을 수 있다. 미술 치료는 눈으로 볼 수 있고 만져볼 수 있는 자료를 직접 얻을 수 있다. 또한 미술작품은 오래 보관할 수 있기 때문에 작품을 필요한 시기에 재검토하여 치료 효과를 높일 수 있는 등의 여러 가지 장점이 있다. 미술은 비언어적 수단이므로 통제를 적게 받아 방어를 감소시킬 수 있다.

⑥ 자존감을 높이고 치유력을 향상시킨다. 치료를 받는 입장에서는 감정이나 사고 등이 그림이나 조소와 같은 하나의 사물로 구체화되기 때문에, 스스로 자신의 변화 과정을 눈으로 볼 수 있다.

⑦ 미술은 공간성을 지닌다. 미술 표현은 언어적 규칙을 따를 필요가 없고 본질적으로 공간적인 것이다.

## 3. 미술치료에서 상담자의 역할

미술치료에서 상담자는 내담자의 성향, 치료목표, 치료 기간 등에 따라 다양한 역할을 수행한다. 예를 들면, 짧은 기간 내에 치료를 해야 하고, 내담자의 자아 기능이 미성숙하면 상담자는 매우 적극적인 개입을 하는 역할을 수행하게 된다. 그러나 장기 치료인 경우 상담자는 내담자에게 보조를 맞추어야 하는데, 내담자를 허용적인 태도로 대하고 어떤 작품 내용도 수용하면서 내담자의 마음을 느껴야 한다. 이때 상담자는 정서적 지지자의 역할을 담당하게 된다.

미술치료에서 상담자는 기술적 보조자의 역할을 수행할 필요가 있다. 기술적 보조자란 내담자가 미술재료를 사용하여 자신을 표현할 때 기술적으로 좌절하지 않도록 도와주는 역할을 말한다. 이때 상담자는 내담자가 원할 때만 도와주어야 한다. 내담자가 상담자의 기술적 도움을 거부하고 자신의 힘으로 끝까지 하려고 하면 상담자는 기다려주는 자세가 필요하다.

내담자가 아동일 경우에는 상담자의 강화가 필요하다. 그러나 상담자는 작품 결과에 대한 칭찬은 하지 않도록 주의해야 한다. 만약 작품 결과에 대하여 칭찬을 하게 되면 내담자는 작품 결과에만 관심을 두게 되어 다음에 새로운 표현방법을 시도하지 못할 수도 있다. 심리치료는 현재의 불만족스러운 삶에 변화를 주기 위해 새로운 시도를 해보는 것이 중요하다. 그러나 새로운 시도는 항상 위험이 따르고 불안을 유발한다. 따라서 이같은 불안을 극복하고 새로운 표현을 시도하게 하려면 미술활동 과정에 대한 강화가 필요하다. 내담자는 어떤 표현을 해도 치료자가 관심을 가지고 받아 줄 것이라는 믿음이 있을 때 편안한 마음으로 새로운 표현을 시도할 수 있게 된다.

## 4. 미술치료의 과정과 기법

### 1) 미술치료의 과정

#### (1) 미술치료의 물리적 환경

미술치료실 중 개별치료실은 대체로 2~3평 규모가 좋으며, 집단작업실은 4~5명이 동시에 작업할 수 있는 넓이가 좋다. 벽면에는 자극적 시각물은 피하고 발달단계에 맞는 적절한 자극물을 게시한다. 너무 많은 재료나 도구는 내담자를 질리게 만들 수 있으므로 특정 시간에는 몇 가지 선택 가능한 재료들 중에서 선택하는 것이 좋다. 잘 부러지는 연필이나 잘 찢어지는 종이 등과 같이 작업 중에 내담자에게 좌절경험을 유발할 만한 재료는 피하는 것이 좋다. 치료시간은 일반적인 개인상담과 같이 약 1시간씩 주 1회 정도가 보편적이다.

#### (2) 미술치료의 과정

미술치료는 도입단계, 활동단계, 토론단계의 순서로 진행된다.

첫째, 도입단계에서는 서로 친밀해지면서 편안한 분위기를 조성하는 것이 중요한데, 이를 위해 긴장이완을 위한 호흡법이나 음악을 사용하기도 한다. 그리고 이 시기에 치료 목표를 설정하고 미술치료에 대한 전반적인 설명을 하고, 준수해야 할 규칙을 정할 수 있다.

둘째, 활동단계는 내담자가 적극적으로 작업에 들어가는 단계로서 내담자가 활동 자체에 몰입하여 깊은 경험을 할 수 있도록 불필요한 대화를 하지 않는다. 미술은 의식과 무의식의 세계를 오가며 이루어지므로 상담자의 잦은 질문은 그 흐름을 끊을 수 있다.

셋째, 토론단계에서는 먼저 내담자가 만든 작품을 다시 살펴보는 과정이 필요하다. 이 과정에서 상담자와 내담자, 내담자와 작품 사이에 상호작용이 일어나는데, 상담자와 내담자 관계가 신뢰있고 안정되어 있을수록 작품에서 더 많은 정보와 느낌을 가질 수 있다. 그리고 토론시 주의할 점은 작품의 진단이나 분석을 삼가야 한다는 점이다. 진단과 분석은 호기심과 흥미를 갖는 부분이지만, 진단이나 분석을 하게 되면 내담자가 다음 작품을 만들 때 부담과 불안을 느껴 자유로운 표현을 할 수 없게 된다.

내담자와 상담자가 토론하는 내용은 다음과 같다.

'작품을 시작할 때와 만들 때, 그리고 끝났을 때의 느낌은 어떠한가?', '작품의 어떤 부분이 마음에 드는가?', '그리고 그 이유는 무엇인가?', '작품을 수정한다면 어느 부분을 수정하고 싶은가?', '그림의 각 요소 간에는 어떤 관계가 있는가?'

지금까지 언급한 미술치료 형태 외에도 도입단계에서 긴 토론을 하거나 미술활동과 토론을 번갈아 하는 등 토론이 강조된 치료 형태가 있을 수 있다. 반대로 미술활동이 중심이 되고 토론을 거의 하지 않는 경우가 있는데, 이 형태는 언어표현에 제한

이 있는 내담자에게 사용하면 도움이 된다. 또한 고립감이 강하거나 참여의식 또는 협동의식이 결여된 내담자를 위해서 재료나 장소 준비, 치료시간 후 청소과정까지도 중요하게 다루는 사회적 · 교육적 측면이 강조된 치료 형태도 있다.

## 2) 미술치료의 기법

### (1) 미술치료의 진단적 기법

　내담자의 내면세계를 이해하고 문제를 파악하는 데 도움이 되는 기법으로, 가족이나 친구들과의 역동, 내담자가 가진 무의식적 갈등 등에 대한 정보를 수집한다. 기본적으로 투사적 성격이 강하고 상담자와 내담자 간에 상호작용을 촉진하여 내담자의 정서적 상태를 평가하는 데 도움이 많이 되지만 때에 따라서는 그림의 왜곡 · 생략 등을 기초로 내담자의 두뇌기능을 평가하는 도구로 사용되기도 한다. 인물화검사(DAP), 가족화 검사(DAF), 집 · 나무 · 사람 검사(HTP), 학교생활화 등이 해당된다.

### (2) 미술치료의 치료적 기법

　① 테두리법

　　테두리법은 내담자에게 도화지를 제시하면서 용지에 테두리를 그어 건네주는 방법이다. 이 기법은 조형 활동을 자극하고 공포를 줄일 수 있어 자아가 허약한 내담자에게 많이 사용되고 있다. 테두리를 그릴 때에는 자를 사용하지 않는다. 도화지에 원을 그려 주고 원안에 그림을 그리거나 채색하게 하여 과잉행동, 주의산만 등을 통제할 수 있으며 심리적 지지를 해줄 수 있다.

　② 콜라주 기법

　　콜라주 기법은 최근에 가장 많이 사용되는 미술치료 기법으로 신문, 잡지 등 여러 가지 인쇄물을 오려서 풀로 붙여 표현하는 것이다. 이 기법은 그림을 그리는 것보다 쉽게 감정을 표현할 수 있어서 자기감정 나타내기, 가족이나 친구에게 말하고 싶은 것 표현하기, 선물로 주고받고 싶은 것 표현하기, 타인에 대한 느낌 표현하기 등에 많이 활용된다. 그리는 것보다 감정을 더 명확하게 전달할 수 있는 이점이 있으나, 선택할 수 있는 사진이나 잡지 등이 많아야 한다.

　③ 감정 차트 만들기

　　모든 사람은 불편한 감정을 가지고 있음을 확인시키는 데 도움이 된다.

## 3) 미술치료의 종류

### (1) 자유화와 주제화

　자유화는 주제나 방법을 내담자 스스로 결정하여 그리게 하는 것으로 진단과 치료에 모두 활용된다. 내담자의 자발적인 표현은 무의식을 의식화하는 데 크게 도움이 된다. 때로 특별히 주제를 제시해야 할 때는 가족, 인물, 동물, 길 등을 상상해서 그리게 하여 이상행동에 대한 내면의 욕구와 그 욕구를 저지하는 압력을 잘 알 수 있다.

### (2) 협동화

　협동화는 가족이나 내담자가 소집단을 이루어 한 장의 종이에 협동해서 그림을 그리는 방법이다. 이 기법은 집단상담에 유용하며, 자발성의 정도, 경험의 표출, 협동성, 그리는 위치와 내용, 그림순서, 주의력 등을 관찰하여 분석한다. 주제를 주는 경우와 주지 않는 경우로 나누어 실시할 수 있는데, 집단치료의 장점을 함께 활용하면 효과적이다.

### (3) 집 · 나무 · 사람 검사(HTP)

　진단 도구로 많이 사용되며, 사전 · 사후 검사로도 유용하게 쓰인다. 집, 나무, 사람(남, 여)을 각각 네 장의 종이에 그리게 하기도 하고, 한 장에 다 그리게 하는 통합법도 사용된다. HTP는 1948년에 정신분석가인 Buck에 의해 개발되었으며, 심리학적인 바탕은 프로이드의 정신분석학으로, 투사적인 측면이 강조되어, 피험자의 성격, 성숙, 발달, 융통성 등의 통합 정도와 현실에 주어지는 문제 해결 능력, 환경과의 상호작용 정보를 파악할 수 있다.

　Buck이 투사적인 측면을 강조하는 그림을 통한 심리진단에서 집-나무-사람(HTP)을 선택하여 진단의 주제로서 규정지은 이유에는 중요한 몇 가지가 있다. 친밀감과 연령의 차이 없이 공감될 수 있는 주제, 그림을 언어로써 표현할 때 쉽고 편하게 이야기할 수 있는 주제 즉 일상적인 것, 친근한 것이 Buck의 HTP 주제 선택의 이유이자 기준이었다. 후에 Hammer나 Koppize에 의해 더욱 발달하여 현재 아동의 심리 검사에 유용하게 사용되고 있다. H(집, House)는 전반적으로 가정생활과 가족 간의 관계에 대한 인상을 반영하고, T(나무, Tree)는 주로 성격의 핵심적인 갈등 및 방어에 대한 정보를 제공하며, P(사람, person)는 기본적으로 자아개념, 정서가 드러난다.

① HTP 검사 실시 방법

　A. 준비물

　　B4용지 4장(또는 A4 용지도 가능), 연필, 지우개

　B. 그림 단계(검사 순서)

　　가. "지금부터 그림을 그려봅시다. 잘 그리고 못 그리는 것과는 상관없으니 자유롭게 그려 보세요." 라고 말하기

　　나. 피검자에게 16절지 한 장을 가로로 제시하며 "여기에 집을 그려 보세요." 라고 말하고, 그리는 시간을 측정하기

　　다. 집 그림이 끝나면 두 번째 종이를 세로로 제시하며 "이번에는 나무를 그려 보세요." 라고 말하고 그리는 시간을 측정하기

　　라. 나무 그림이 끝나면 세 번째 종이를 세로로 제시하며 "여기에 사람을 그려 보세요." 라고 말하기

　　　(※ 전신 그림으로 만화적이거나 뼈대만 그리는 것을 지양하고 '온전한 사람' 을 그리도록 지시 )

　　　⇒ 다 그리면 그림의 성별을 묻기 ⇒ 첫 번째 사람 그림이라는 점을 완성된 종이에 표시

　　마. 네 번째 종이를 세로로 제시하면서 방금 그린 그림의 반대 성을 그리도록 지시하고 시간을 측정

　　바. 검사 수행 시 피검자의 말과 행동을 관찰, 기록해 두기

　　　(☞ 이는 모호한 상황에서 피검자가 어떻게 대처하는지에 대한 단서를 제공함)

　C. 질문단계(전부 물어보지 말고, 내담자가 자유롭게 말하도록 하며, 내담자의 상태에 따라 몇 가지를 질문하도록 한다.)

　　가. 집

　　　"이 집에는 누가 살고 있습니까?"

　　　"이 집에 사는 사람은 어떤 사람(들)입니까?

　　　"이 집안의 분위기는 어떻습니까?

　　　"당신이라면 이 집에서 살고 싶을 것 같습니까?"

　　　"이 그림에 더 첨가해서 그리고 싶은 것이 있습니까?

　　　"당신이 그리고 싶은 대로 잘 그려졌습니까? 그리기 어렵거나 잘 안 그려진 부분이 있습니까?"

　　　(이해하기 힘든 부분에 대해) "이것은 무엇입니까? 어떤 이유로 그렸습니까?"

　　나. 나무

　　　"이 나무는 어떤 나무입니까?"

　　　"이 나무는 몇 살 정도 되었습니까?"

　　　"지금의 계절은 언제입니까?"

　　　"이 나무의 건강은 어떻습니까?"

　　　"이 나무는 어디에 있습니까?"

　　　"이 나무의 주변에는 무엇이 있습니까?"

"만약 이 나무가 사람처럼 감정이 있다면, 지금 이 나무의 기분은 어떨까요?"

"나무에게 소원이 있다면 무엇이 있을까요?"

"앞으로 이 나무는 어떻게 될 것 같습니까?"

"이 그림에 더 첨가해서 그리고 싶은 것이 있습니까?"

"당신이 그리고 싶은 대로 잘 그려졌습니까? 그리기 어렵거나 잘 안 그려진 부분이 있습니까?"

(이해하기 힘든 부분에 대해) "이것은 무엇입니까? 어떤 이유로 그렸습니까?"

다. 사람(각각의 그림에 대하여)

"이 사람은 무엇을 하고 있습니까? / 이 사람은 몇 살쯤 됐습니까?"

"이 사람의 직업은 무엇입니까? / 지금 기분이 어떤 것 같습니까?"

"무슨 생각을 하고 있는 것 같습니까? / 당신은 이 사람을 닮았습니까?"

"이 사람의 일생에서 가장 좋았던 일은 무엇이었을 것 같나요?"

"가장 힘들었던 일은 무엇이었을 것 같나요?"

"당신은 이 사람이 좋습니까? 싫습니까? / 당신은 이러한 사람이 되고 싶습니까?"

"당신은 이 사람과 친구가 되어 함께 생활하고 싶습니까?"

(이해하기 힘든 부분에 대해) "이것은 무엇입니까? 어떤 이유로 그렸습니까?"

② HTP 검사 해석 방법

A. 구조적 해석

가. 순서

인물상의 경우 머리부터 그려 나가는 것이 일반적인데, 발 → 머리 → 무릎 → 다리의 순서로 그린다면, 사고장애의 지표로 볼 수 있다.

나. 그림의 크기

① 나이가 어린 아동이 그림을 크게 그릴 경우 이는 주로 과활동성, 공격성, 인지적 미성숙과 관련되며, 청소년의 경우에는 내면의 열등감과 부적절감에 대한 과잉보상욕구, 행동화 경향성, 충동성을 시사하는 경우가 더 많다.

② 그림을 지나치게 작게 그리는 경우는 피검자 내면에 열등감, 부적절감이 있거나, 자신이 없고 매우 수줍어하거나 사회적 상황에서 불안감을 느끼고, 지나치게 억제되어 있으며, 어떤 압박감을 느끼고 있을 가능성도 있다.

다. 위치

구석에 몰아서 그렸을 경우☞ 그림을 종이의 네 귀퉁이(corner)에 몰려서 그리는 것은 일반적으로 위축감, 두려움, 자신 없음과 관련될 수 있다.

라. 세부 묘사

지나치게 상세한 그림을 그리는 것은 자신과 외계와의 관계를 적절히 통합하지 못하는 사람, 환경에 대해 지나친 관심을 가지고 중요한 것과 그렇지 않은 것을 구별하지 못하는 강박적인 사람, 정서장애자, 신경증환자, 초기분열증, 뇌 기질장애자 등의 그림에서 자주 나타난다.

마. 생략과 왜곡

그림의 어떤 부분이 생략되거나 왜곡되어 있는 경우에는 그 부분이 피검사자에게 있어서 갈등이 되고 있음을 나타낸다.

B. 내용적 해석

가. 집(House) 그림의 해석

집은 가족이 함께 모여서 사는 공간이다. 때문에 집 그림에는 아동이 내면에 가지고 있는 가족, 가정생활, 가족관계,

가족구성원 각각에 대해 가지고 있는 표상, 생각, 그와 관련된 여러 감정, 소망들이 투영되어 나타나게 된다.

- 문 ☞ 집과 외부세계를 연결하는 통로세상과 자기 자신간의 접근 가능성을 의미
  - 문에 열쇠 등의 장치를 강조하는 경우는 의심이 많거나 방어적인 감수성을 나타냄
  - 문을 특별히 강조하는 것은 타인에 대한 의존심과 적극적인 대인관계를 바람
  - 문을 측면에 그렸을 경우는 도피적 경향이며 신중성을 나타냄
  - 문을 최후에 그리며 특히 강조할 경우에는 대인관계가 소극적이고 현실 도피적 경향을 지님
- 벽 ☞ 외적인 위협, 자아가 붕괴되는 것으로부터 자기 자신을 보호하는 자아 강도와 자아통제력 의미
  - 튼튼한 벽은 완강한 자아를 나타냄
  - 얇은 벽은 약한 자아, 상처입기 쉬운 자아를 나타냄
  - 과잉 강조된 수평적 차원은 실용주의와 근거에 대한 욕구를 나타냄
  - 과잉 강조된 수직적 차원은 적극적인 환상적 생활을 나타냄
  - 부서진 벽들은 분열된 성격을 나타냄
  - 벽면에 아무것도(문 등) 그리지 않는 그림은 현실 도피적 사고, 우울, 대인관계 등의 결핍이 심하고, 정신분열적인 반응으로 의심됨
- 창문 ☞ 대인관계와 관련된 피검자의 주관적인 경험, 환경과 상호 작용할 수 있는 능력을 의미
  - 창문이 그려지지 않은 것은 철회와 상당한 편집증적 경향성을 나타냄
  - 많은 창문은 개방과 환경적 접촉에 대한 갈망을 나타냄
  - 커텐이 쳐진 창문은 가정에서의 아름다움에 대한 관심, 수줍은 접근을 나타냄
  - 대단히 작은 창문은 심리적인 거리감, 수줍음을 나타냄
- 지붕 ☞ 내적인 공상 활동, 자기 자신의 생각이나 관념, 기억과 같은 내적 인지과정과 관련됨
  - 지붕이 크고 다른 부분이 작은 집 : 과도한 공상과 대인관계가 후퇴적 경향을 지님
  - 벽과 함께 그린 지붕 : 심한 공상적 사고이며, 정신분열증으로 의심이 가는 자로 볼 수 있음
  - 지붕인지 선인지 지붕의 높이가 없는 집을 그리는 자 : 정신지체에게 많음
  - 지붕의 선이 약한 그림 : 자기 통제가 약함을 의미
  - 지붕의 선을 강하게 표시하는 자 : 공상적 경향이 자기통제로부터 벗어날까 두려워하는 자기 방어를 뜻하고 불안 신경증 환자에게 많음
  - 지붕의 기왓장을 하나하나 선으로 면밀하게 그리는 자 : 강박적인 자에게 많이 나타남
  - 지붕이 파괴되거나 금이 간 그림 : 자기 통제력이 억압당하고 있는 것을 의미함
- 굴뚝과 연기
  - 굴뚝의 강조: 많은 미술활동 경험, 창의성
  - 지나치게 많은 연기: 가정 내의 갈등, 정서적 불안
  - 우측에서 좌측으로 연기: 미래에 대한 불안

나. 나무(Tree) 그림의 해석
- 순서에 의한 분석
  - 지면의 선을 그리고 나무 그리기 : 타인에게 의존적이며 타인으로부터 인정받고 싶어함
  - 나무를 그린 후 지면의 선 그리기: 처음에는 침착하지만 곧 불안해지며 타인의 인정을 구하는 사람
  - 잎을 맨 먼저 그리기: 마음의 안정성이 없고 표면적인 허영과 허식을 구하는 경향이 있음

• 내용 분석

  - 나무에 있는 동물들 : 동물들은 그림을 그린 사람이 동일시 할 수 있는 인물을 나타나며 행동에 대해서 연속적으로 박탈 경험을 가진 사람에게서 그려짐

  - 나무껍질이 벗겨진 경우: 어렵고 난폭한 생활, 진하게 그려진 것은 불안감

  - 나무껍질을 지나치게 상세히 그려진 것: 강박감, 완고함, 강박관념을 통제하기 위한 조심스러운 시도를 의미함

  - 죽은 가지들은 생활의 일부에서의 상실감이나 공허함을 나타냄

  - 가지 위에 지은 나무 집은 위협적인 환경에서의 보호를 찾기 위한 시도를 나타냄

  - 커다란 줄기에 대해 가느다란 가지들은 환경에서 만족을 얻을 수 없음을 나타냄

  - 언덕 위에 있는 나무는 종종 정신적인 의존성을 보여주며 특별히 나무가 단단하고 크다면, 위로 올라가고자 하는 노력을 뜻함

  - 커다란 잎들은 부적합성과 관련된 의존성을 나타냄

  - 어린나무는 미성숙이나 공격성을 나타냄

다. 사람(Person) 그림의 해석

• 인물의 크기

  - 인물을 지나치게 작게 표현: 위축, 스스로를 작게 느낌, 열등감과 부족감을 나타냄

  - 인물을 매우 크게 느낌: 우월감, 자기중심적 사고, 주변환경에 대한 공격적인 태도

  - 부모상이 반영된 인물을 크게 표현: 긍정형 - 강하고 능력있고 의지할 수 있는 부모상, 부정형 - 위협적, 공격적이고 자주 벌을 주는 부모상

• 인물의 위치

  - 일반적인 중앙: 긍정적이고 무난함

  - 중앙보다 위쪽으로 쏠림: 높은 목표나 공상적인 경향, 불안정한 자아상이나 존재감

  - 중앙보다 아래쪽으로 쏠림: 안정적인 느낌, 지나치게 아래로 치우친 경우는 우울감, 패배감

  - 왼쪽 구석에 쏠림: 과거지향적, 내향적인 경향

  - 오른쪽 구석에 쏠림: 미래에 대한 환상이나 막연한 불안감

• 인물의 동작

  - 지나치게 활발한 동작 표현 : 강한 충동이나 안절부절 못하는 상태를 자주 느낌

  - 자세가 경직되고 굳어 있게 표현: 자신의 행동이나 생각이 억압되어 있음

  - 앉아있거나 기대고 있는 경우: 활동력이 약하고 정서적으로 지쳐있는 상태

• 머리

  - 지나치게 큰 머리: 6세 이하에서는 보편적인 표현, 6세 이상의 경우는 자신에 대한 과대평가 보상심리

  - 지나치게 작은 머리: 자신감 부족, 수동적인 성격

• 머리카락

  - 웨이브가 있고 매력적으로 그려진 머리카락: 자기 스스로에 대한 만족도 높음, 조숙함

  - 머리카락이 없거나 대충 표현: 기운이 부족하고 신체적으로 힘든 상황

• 눈

  - 눈에 띄게 큰 눈: 마음이 불안하고 의심이 많음

  - 작은 눈, 감은 눈: 내향적인 성격, 자신에게 도취

  - 윤곽 없이 눈동자만 까맣게 그린 눈: 방어적, 조심스러움

- 머리카락, 모자 등으로 가린 눈: 외부에 대한 회피, 시기심
- 코
  - 코를 생략: 위축감, 회피적인 성향
  - 코를 진하게 또는 크게 강조: 남자와 여자의 역할을 중요하게 생각
  - 너무 작은 코: 낮은 자신감, 관계의 수동성
  - 점이나 삼각형 코: 미성숙, 퇴행, 불안
- 귀
  - 지나치게 강조: 청각이 떨어지거나 타인의 말에 민감함
- 입
  - 크게 그리거나 진하게 강조: 어린 시절로 돌아가고 싶은 욕구, 보상심리
  - 입의 생략: 마음이 우울한 상태, 대화하고 싶지 않은 마음
- 팔
  - 팔의 생략: 부모의 과잉보호
  - 짧게 그린 팔: 무력감
  - 뻣뻣하게 그린 팔: 경직된 심리, 수동적
  - 가늘고 긴 팔: 외부에 대한 미숙한 대처 경험
- 다리
  - 긴 다리: 자율성에 대한 욕구
  - 짧은 다리: 자기 억제, 회피, 수동적 태도

| 해석 | 항목 | 해석 |
|---|---|---|
| 집 | 지붕 | 환상적 영역을 상징. 지붕의 손상; 정신적 기능의 손상.<br>• 지붕의 크기 ; 환상적 생활의 정도를 나타냄. 예) 지나치게 큰 지붕; 환상, 대인관계에서 철수 |
| | 벽 | 자아강도.<br>• 무너지는 벽; 통합되지 못한 붕괴되는 자아<br>• 희미하고 약한 벽; 성격이 붕괴되려는 위기감, 약한 자아통제 |
| | 문 | 환경과의 직접적 접촉의 성질과 정도.<br>• 작은 문 ; 환경과의 접촉을 꺼림<br>• 지나치게 큰 문; 지나치게 의존적인 성격 |
| | 창문 | 문 다음으로 환경과의 접촉을 상징.<br>• 잠금장치의 강조; 외부의 위험을 지나치게 방어적으로 두려워 함 |
| | 굴뚝 | 성적인 의미로 해석.<br>• 여러 개의 굴뚝; 남성으로서 부적절감을 경험 |
| | 연기 | 내적으로 상당한 긴장, 갈등 |

| 집 | 관점 | • 위에서 내려다 본 그림; 가정에서 지켜지는 가치를 거부함 |
| | | • 밑에서 올려다 본 그림; 거부되고 열등감을 가짐 |
| | | • 멀리서 그린 그림; 철수적이고 자기를 감춤 |
| | 기초선 | 현실과의 접촉 정도 (경계선 성격장애자는 기초선이 없는 그림을 그림) |
| | 부수물 | 지나치게 많은 장식이나 부수물은 안정감의 결여를 뜻함. |
| | | • 담이나 울타리; 방어적 경향 |
| | | • 길고 꾸불꾸불한 길 ; 대인관계에서 조심스럽고 소극적인 사람 |
| 나무 | 기둥 | 자아강도와 내적인 힘. |
| | | • 기둥의 구멍; 통제 상실, 강박적 죄책감 |
| | | • 가늘거나 점선; 성격 또는 정체감 붕괴에 대한 불안 |
| | 뿌리 | 내적으로 느끼는 자기 자신에 대한 안정감. |
| | | • 뿌리가 없음; 현실에서의 불안정감 |
| | | • 투명성; 현실검증력의 손상 |
| | | • 나무기둥을 종이 밑면까지 그림; 외적인 자원을 통해 안정감을 얻으려는 욕구 |
| | 가지 | 환경에서 만족을 추구할 수 있는 자원과 다른 사람에게 접촉하는 데 필요한 자원. |
| | | • 가지를 그리지 않음 ; 사회적으로 위축 또는 억제되어 있음 |
| | | • 길이가 길고 위로 향함; 환상을 통해 만족을 얻음 |
| | | • 끝이 뾰족한 가지; 적대감, 공격적 충동 |
| | | • 부러져 있거나 끝이 갈라짐; 부적절감, 무력감, 수동성 |
| | | • 작은 기둥에 큰 가지; 지나친 즉각적 충동적 만족의 추구 |
| | | • 큰 기둥에 작은 가지; 욕구충족 능력의 결여로 인한 좌절 |
| | | • 나무열매; 사랑과 관심을 받고 싶거나 주고 싶어함 |
| | 주제 | • 나무를 베는 남자; 아버지와의 관계에서의 단절감, 억압된 분노, 손상된 감정 시사 |
| | | • 버드나무; 우울감 |
| | | • 사과나무; 애정욕구와 의존 욕구, 임산부의 출산에 대한 기대 |
| | | • 죽은 나무; 철수적, 정신분열적, 우울함, 심각하게 신경증적 |
| | | • 개가 오줌 싸는 그림; 낮은 자아개념 |
| 사람 | 크기 | 자아존중감과 그것을 다루는 방식, 자신감과 관련. |
| | | • 작은 경우; 부절적감, 철수, 열등감 |
| | | • 큰 경우; 공격적 행동화, 과잉행동, 부적절감을 감추기 위한 과대감 표현 |
| | 연필 압력 | 에너지 수준. |
| | | • 진한 그림; 극단적인 긴장이나 불안, 주장성, 공격성 |
| | | • 흐린 그림; 주저하고, 우유부단, 소심, 두려움, 불안정한 성격 |
| | 위치 | 가운데가 정상. |
| | | • 오른쪽; 안정되고 통제된 행동 |
| | | • 왼쪽; 충동적 행동화 |
| | | • 위; 에너지와 욕구수준이 높음 |
| | | • 아래; 불안전감, 부적절감과 우울감 |
| | 명암 | 지나친 명암은 갈등, 우울을 나타냄 |
| | 성별 | 같은 성을 그린 것이 정상. 동성애자의 경우 반대 성을 그리기도 함 |

| | | |
|---|---|---|
| **사람** | 머리 | 지성과 환상을 상징 또한 충동과 정서적 통제의 상징.<br>• 큰 머리; 공격적 확장적 경향, 환상을 통해 만족을 추구함<br>• 작은 머리; 지적으로 부적절감, 약한 자아<br>• 머리카락의 강조; 성적 집착, 성적 무력감에 대한 보상 |
| | 얼굴특징 | • 생략된 경우; 피상적 대인관계, 철수경향, 정신병의 가능성<br>• 얼굴이 강조된 경우; 외모에 대한 관심<br>• 큰 눈; 의심, 망상적 특징, 지나친 예민성<br>• 작거나 감은 눈; 내성적, 자기에 대한 지나친 관심 |
| | 코 | 성기의 상징 또는 권력 욕구의 상징.<br>• 큰 코; 성적 장애, 심리성적 미성숙, 공격성<br>• 생략된 코; 수줍음, 철수, 우울한 성격<br>• 뾰족한 코; 행동화 경향 |
| | 입 | 퇴행적 방어를 상징.<br>• 입의 강조; 언어적 공격성, 의존적, 미성숙한 성격<br>• 작은 입; 의존욕구의 부인<br>• 입의 생략; 구강적 공격성, 우울, 철수, 아동의 경우는 강박과 불안 또는 수줍음 |
| | 귀 | 큰 귀는 비판에 지나치게 예민함, 관계망상이나 환청이 있는 경우 |
| | 목 | 지성과 정서의 연결을 상징, 자아통제와 충동의 연결.<br>• 강조된 목; 충동통제의 필요성에 대한 관심<br>• 짧고 굵은 목; 고집스러움, 융통성 없음, 충동성<br>• 긴 목; 지적인 생각과 감정을 분리하려는 경향 |
| | 팔 | 대인관계의 특성, 환경과의 접촉 방식.<br>• 등 뒤로 두른 팔; 사람 만나기를 꺼리는 편, 공격성, 적대감, 죄책감을 통제할 필요성<br>• 팔짱 낀 자세; 의심, 적대적 태도, 수동적, 주장성 결여<br>• 가늘고 약하며 작은 팔; 부적절감, 비효율감<br>• 길고 강한 팔; 성취욕구, 육체적 힘의 필요성을 느낌<br>• 팔의 생략; 죄책감, 우울감, 부적절, 비효율, 수동적, 퇴행 |
| | 손 | • 등 뒤로 숨김; 회피적 대인관계, 죄책감<br>• 작은 손; 무력감<br>• 큰 손; 부적절감에 대한 보상<br>• 주먹 쥔 손; 공격성, 반항심, 분노의 억제<br>• 손가락의 생략; 대인관계의 어려움 |
| | 다리 | 안전감의 상징.<br>• 긴 다리; 자율에 대한 강한 욕구와 추구<br>• 짧은 다리; 제약된 행동 |
| | 발 | • 긴 발 또는 큰 발; 안전감에 대한 욕구가 강함<br>• 발의 생략; 제약감, 독립감 결여 자율성 상실 |

### (4) 인물화 검사

성격검사나 지능검사로 많이 사용되며, 전신상의 남·여를 따로 그리게 한다. 자유화에 비해서 저항이 적어 심리검사로 비교적 많이 이용되고 있다. 인물화는 그들의 언어를 대응하는 그림을 통해 내적인 욕구, 갈등, 생활경험의 표현과 환경에 대한 지각을 이야기하며, 또한 인물화는 자아상의 투사인 동시에 무의식 세계의 동기나 욕구를 종합적이면서 객관적으로 표현해 주는 중요한 구실을 한다. 투사적 방법에 의한 성격행동진단 검사 중에서 인물화 방법을 택하는 이유는 환자의 내면세계, 즉 흥미, 욕구, 갈등, 성격, 인지능력 등에 대한 표현으로 좋은 평가를 받고 있기 때문이다. 인물화 분석의 장점은 실시하기가 쉽다는 점이다. 연필과 종이만 있으면 한 시간 이내로 그릴 수 있고 해석도 중간단계를 거치지 않고 그려진 그림에서 직접 해석할 수 있다. 수줍어하거나 주저하는 환자에게 매우 각광을 받고 있으며 외국인과 문맹자에게도 실시할 수 있다는 장점이 있다.

### (5) 가족화와 동적 가족화

가족을 그리게 하여 가족의 체계나 내담자의 가족 지각을 파악한다. 가족화(DAF)와 동적 가족화(KFD)는 지시가 다른데, 동적 가족화(KFD)가 역동성 파악에 더 좋다. 가족체계 진단법은 가족 전체나 부부, 부모와 자녀가 협동하여 그리게 함으로써 그들의 가족관계를 파악하는 것이다. 최근에는 동그라미 중심 가족화를 통해 부모-자녀의 관계를 진단한다. 또한 동물 가족화를 그려 내담자의 가족관계나 심리를 파악할 수도 있다.

① 물고기 가족화 검사

물고기 가족화는 어항을 그린 도식을 주고, 그 안을 자신이 마음껏 꾸미게 하는 것이다. 이 검사법은 가족 관계의 역동성을 나타내며, 현재 심리적 갈등을 일으키는 주제를 파악하는 데 유용하다. 어항은 '프라이버시가 없는 상태'라는 중의적 의미를 가진다. 그러므로 가족 내의 역동성을 물고기라는 매개체를 통해 별 저항 없이 표현하게 된다. 어항과 물고기의 조화가 적당하고 동적인 움직임이 있으며, 공간이 여유롭고 물풀이 조화롭게 있으면, 정서적으로 안정되었다고 해석한다. 나를 중심으로 그려졌을 때 '나'의 위쪽에 위치한 배열은 권위적이고 지배적임을 보여주는 상징이다. 또 수평적이거나 아래쪽에 위치해 있으면 편안한 관계를 나타낸다. 주어진 어항 그림에 손잡이나 받침 등을 그려넣는 등 무엇을 추가하는 행동은 불안한 심리 상태와 외부로부터 도움받기를 요청하는 안전에 대한 욕구로 해석된다. 또한 주변장식을 하지 않고 물고기만 그리는 경우는 가족 관계에 치중한 관심도나 고민을, 반대로 주변 장식에 치중하면 가족을 벗어난 인간 관계에 대한 관심을 갖고 있다고 본다.

A. 검사 방법

가. 어항을 그린 도식을 주거나 직접 그리게 한 다음 물고기의 가족을 그리게 한다.

나. 반드시 물고기 가족이 뭔가를 하고 있는 그림을 그리게 한다.

다. 단, 자기 집에 있는 수족관이나 어항 등의 실물을 보고 그리면 안된다.

라. "자신이 꾸미고 싶은 것을 최대한 표현될 수 있도록 잘 그려주세요"라고 지시한다.

   *준비물 : 16절지 한 장, 연필, 지우개

B. 진단과 해석

가. 물의 양: 어항에 물이 2/3정도 차게 그린 모양은 정서적으로 안정된 상태지만, 절반 이하는 정서적인 결핍으로 해석할 수 있다.

나. 물고기의 형태: 지나치게 큰 물고기는 자기중심적이며 외향적인 성격을 나타낸다. 반면 지나치게 작은 물고기는 자아축소와 내향적인 성격을 나타낸다. 중심에 모양을 넣어 화려하게 꾸민 물고기는 감정적이며 감각적인 면이 많음을 보여준다. 또한 이를 드러낸 물고기 모양은 부정적이며 억압을 받아서 정서 상태가 공격적인 상태임을 상징한다. 새끼 물고기나 임신한 엄마 물고기 또는 새끼 물고기의 집을 그린 경우는 유아기적 퇴행과 모성 희귀 욕구를 말해준다.

다. 기타: 그림을 그린 연필 자국이 선명하게 드러나지 않은 필압은 자신감이 결여된 상태를 나타낸다. 또한 그리다가

지워진 부분에는 반드시 심리적인 원인이 숨어있는 것으로 해석해야 한다. 물고기보다 물풀이 지나치게 무성하거나 자갈을 크게 그려 넣으면 숨고 싶어 하는 비사회화와 열등감을 보여준다.

○ **어항 속 물고기 가족 그리기** 어항 속이 꽉 찰 정도로 물고기, 자라, 문어, 상어, 물풀까지를 빽빽이 그려넣었다.아동이나 청소년 중 일부는 어항을 바다로 생각하고 다양하게 표현하는 경우가 반영되어 있다. ○ **물고기 가족화 그림** 가족대신 물고기를 그리게 함으로써 가족 관례를 알 수 있다. 물고기마다 선으로 에워쌌는데, 이는 외부의 어떤 침입으로부터도 가족이 안전하게 보호되었으면 하는 의미가 담겨 있다. 부모의 재혼으로 새로운 가족이 구성된 뒤 아이가 느끼는 감정이 물고기에 반영되어있다.


② 나무 그림 검사

나무 그림은 주변 사람들을 의식하지 않으면서 가장 순수하고 솔직한 내면세계를, 아무런 방어 없이 자유롭게 분출할 수 있게 하는 검사 방식이다. 수많은 나무 그림을 분석하여 인성을 파악했던 코흐(Koch)는 나무 그림을 통하여 개인적 삶의 내용, 즉 전기적 상황과 개인의 성격을 읽을 수 있으며, 나무가 개인의 무의식에 있는 감정들을 반영할 수 있다고 보았다. 또 아이들의 경우에는 인성 뿐만 아니라 성장 발달 검사 방법으로 나무 그림 검사를 사용하였다.

나무는 특정 인물을 상징하며, 그 사람에 대한 감정과 욕구를 나타낸다. 보통 나무는 그림을 그리는 자신을 직접적으로 나타내며, 무의식적으로 느끼고 있는 자신의 모습을 나타낸다고 볼 수 있다. 예를 들어 나무가 땅에서 하늘을 향해 뻗어나가는 것은 삶에 대한 동경을 반영한 자기 개방을 나타내는 것이며, 나무 자체는 자신의 성장 과정을 표현하는 자아를 나타낸다.

A. 검사방법

가. 열매가 열리는 나무를 한 그루 그려보게 한다.

나. 그림이 완성되면 맨 먼저 지면의 어느 곳에 그렸는지, 그 위치가 한쪽으로 치우쳤는지를 살펴본다.

다. 나무줄기와 수관(잎이 무성한 줄기의 윗부분) 크기의 균형 상태, 줄기와 가지에 상처나 잘린 부분, 뿌리를 그렸는지 여부를 본다.

 *준비물 : 16절지 한 장, 연필, 지우개

B. 진단과 해석

나무는 뿌리, 줄기, 가지 등으로 구성되어 있다. 나무 그림을 진단하기 위해서는 무엇보다 이러한 기본적인 구성 요소가 있는지 확인해야 한다. 그 다음에는 필압(drawing pressure)과 형상, 위치 등을 살펴본다.

가. 나무에 있는 동물들: 가장 흔한 것이 다람쥐로, 행동에 대해서 연속적으로 박탈 경험을 갖고 있는 사람들에 의해서 종종 그려진다. 몇몇 의존적인 사람들은 나무 구멍 속에 동물을 둠으로써 따뜻하게 보호받는 자궁 속에 있는 것을 상징한다.

나. 열매: 떨어진 열매들은 거리감이나 죄의식을 나타내며, 상실감과 허탈감에 휩싸이는 '타락한 천사 증후군' 은 종종 성폭력과 같은 외상 뒤에 나타난다. 열매의 크기는 욕망의 정도를 나타내고, 떨어지는 열매는 상실감, 체념, 집중력 결여를 나타낸다.

다. 나무껍질: 벗겨진 경우는 어렵고 난폭한 생활을 의미하며, 진하게 그려진 것은 불안감을 상징한다. 지나치게 자세히 그려진 것은 강박감, 완고함, 강박관념을 통제하려는 시도들을 나타낸다.

라. 가지들: 울창한 가지는 자신감과 자기 자아에 대한 집착을 보여준다. 좌우대칭 가지는 통제를 위한 강박적인 욕구를 나타낸다. 집을 향해 있는 좌우비대칭 가지는 가족이나 안정에 대한 관심, 애착을 상징한다. 집에서 멀리 떨어져 있 는 가지는 가족들로부터 멀리 떨어져 독립적으로 성장한 경우를 보여준다. 꺾여 있거나 잘려진 가지는 외상 혹은 거 세에 대한 감정이다. 죽은 가지는 생활 일부에서의 상실감이나 공허함을 나타낸다. 버드나무처럼 아래로 늘어진 가 지는 '미안함' 을 나타내는 경향이 있고, 과거에 집착하는 사고를 가지고 있다. 어린나무는 미성숙이나 공격성을 상 징한다.

마. 뿌리: 나무뿌리를 강조한 경우는 미성숙이나 '정착되지 않은 일' 과 관련된 과거에 대한 관심을 표현한다. 죽은 뿌리 는 초기 생활에서의 강박적, 우울증적인 감정을 나타낸다. 손톱·갈퀴와 같은 뿌리는 의지하고 있는 사람이나 장소 를 나타낸다. 도화지의 가장자리에 그려진 뿌리는 불안정감, 안정에 대한 욕구를 보여준다.

바. 줄기: 일반적인 모양의 줄기는 성장과 발달에서 에너지, 창조적 생명력, 리비도, 생활의 느낌에 대한 감정을 반영한 다. 줄기에 있는 외상의 표시들은 심각한 외상을 경험했던 나이를 반영하는 것 같다. 꼭대기로 갈수록 가늘어지는 줄기는 약화된 활력, 즉 쇠약함을 나타낸다. 희미하게 음영이 진 줄기는 수동성을 나타낸다. 줄기에 있는 상처는 외 상 경험을 반영하는 경우도 있다. 바람에 흔들리는 줄기는 환경에서의 압력과 긴장들을 나타낸다.

사. 기타: 나무 전체가 오른쪽으로 기울면 감수성과 불안감을 상징하며, 풀을 그려 넣으면 정서가 풍부한 상태를 말해주 기도 한다.

🔵 **과일이 주렁주렁 매달린 나무 그림** 아이들은 때론 한 나무 안에 여러 종류의 과일들을 그려넣기도 한다. 이 그림 역시 사과, 바나나 등등 여러 과일들이 표현 되어 있다. 그런데 새도 한마리, 꽃도 한 송이만 그려진 것으로 보아 아이는 외롭고 부모의 애정을 그리워하고 있음을 드러내고 있다. 🔵 **풍성하지 못한 나무 그 림** 위로 길게 뻗은 나무줄기만 눈에 띌 뿐 전체적으로 나무만 덩그러니 있는 느낌이다. 자아존중감이 낮고 정서적으로 메말라 있음음 보여준다.

## ⑹ 컬러 테라피

'컬러 테라피' 라는 것은 색으로 치료를 한다는 뜻이다. 색에는 원래 인간이 가지고 있는 자연 치유력을 높여주는 파워가 있다. 그것을 마음과 몸의 건강 회복을 위해 이용하는 것이다. 색은 가시광선으로 불리는 태양광의 일부이다. 빛은 전자파이고 에너지이기도 하며, 사람이 살아가는데 있어서 중요한 영양원이기도 하다. 그러므로 그 빛의 일부인 색도, 전자파이고 에너지이며, 영양원이라고 할 수 있다.

사람이 오감을 통해 얻는 정보 중 87%가 색에 의해서라고 말해지고 있다. 활짝 개인 푸른 하늘을 올려다보면, 느긋한 기분이 들거나, 반대로 회색빛의 흐린 하늘을 보면 우울한 기분도 드는 것은 흔히 있는 일이다. 이와 같이 색은 감정을 자극함과 동시에 피부를 통해 신체에도 영향을 준다. 예를 들면 온도 설정을 같게 한 붉은 색의 방과 푸른색의 방을 준비해 피험자에게 눈가림을 하여 각각의 방에 들어가게 했다. 붉은 색의 방에 들어갔을 때 혈압이 상승해 따뜻함을 느끼고, 푸른색의 방에 들어갔을 때 혈압은 정상적으로 되어 시원함을 느꼈다고 하는 실험이다. 이것에서 알 수 있듯이, 색은 피부에서도 느끼고 있다고 말할 수 있다.

인간의 몸은 산소(O), 탄소(C) 등 19 종류의 원소로부터 성립되어 있다. 원소는 항상 진동하며, 각각의 원소는 고유의 진동수를 가지고 있다. 각각의 색도 특정의 진동수를 가지고 있기 때문에, 몸을 형성하는 각 원소의 진동수와 호응을 해, 앞에서 말한 것과 같이 생체 반응으로 연결된다는 것이다. 그리고 어느 특정의 색을 선택한다고 하는 것은, 그때의 심신이 그 색의 파장과 동조하고 있다고 하는 것이라고 말할 수 있다. 또 역으로 본다면 스스로는 눈치채지 못한 마음의 움직임이나 몸의 상태를 색에 의해 표현되고 있다고도 말할 수 있다.

### ① 컬러 테라피의 역사

컬러테라피의 역사는 오래되었으며, 고대로부터 색에는 치유력이 있다고 믿어져 왔다. 기원전 500년에는 그리스의 종교가, 수학자, 그리고 철학자로서 알려진 피타고라스가, 병의 치료를 위해 색을 사용했었다고 전해진다. 또 고대 중국에서는 열병 환자에게는 붉은 옷을 입혀 적색의 광선을 주입하고, 장이 상한 사람에게는 몸에 황색의 도료를 바르고 황색의 커튼을 통해 황색의 광선을 주입함으로서 치료하였다고 한다. 또한 중세 유럽에서는 색이 있는 천을 이용하였고 교회의 스테인드 글래스의 빨강, 적자, 초록, 노랑의 투과광이 환자를 고친다고 생각하고 있었다. 그러나 과학이나 의학이 발달함에 따라 색채 요법은 주목을 받지 못하다가 최근에 들어, 이 색채 요법은 의료에 있어서의 새로운 분야로서 주목을 끌게 되었다. 현재는 화상의 치료에 있어서 진정, 진통 효과가 높은 블루의 빛이 사용되고 있으며, 신생아의 황달 증상에 있어서도 간장계통을 움직이게 해 주는 블루의 빛을 쬐어주는 치료를 하고 있다. 또 신체의 건강을 위한 치료 뿐만 아니라 색은 감정도 좌우하고 있으므로, 심적 건강에 관해서도 색을 통한 치료가 주목을 끌고 있다.

### ② 여러 가지 컬러 테라피

현대에서는 색채의 효과가 여러 분야에서 연구되며 응용되고 있다. 많은 병원이나 시설물 등 건물의 벽이나 조명에 신체적, 정신적으로 효과가 있는 색이 사용되고 있다. 또한 색연필이나 크레용으로 자유롭게 선택한 색으로 마음대로 그림을 그리게 함으로서 마음속에 있는 색의 모양을 해명하는 아트 테라피도 있다.

#### A. 오라 소마(AURA SOMA)

1983년 영국에서 비키 월 여사에 의해 만들어진 컬러 테라피의 방법으로 오라 = 빛, 소마 = 신체, 존재, 살아있는 에너지를 의미한다. 103개의 상하 2층으로 나누어진 컬러 병을 이용하여 심리 상태, 신체적인 상태를 진단하는 방법이다.

#### B. 컬러펀크쳐

독일의 피터 만델 박사가, 고대의 컬러 테라피와 동양 의학의 음양 오행론 등의 가치관을 조합하여 고안한 색광을 이용해, 일상의 건강관리나 질병 등에 대응해 신체의 기능 개선을 돕는 요법이다. 독일을 비롯한 유럽에서는 많은 임상 데이터를 가지고 있다.

C. 레인보우 요법

　중국 고대로부터 전해져 내려오는 음양 오행설을 기본으로 개발된, 색의 힘을 이용한 레인보우 테이프, 경락형상(파동)의 힘을 이용한 레인보우 파워를 모두 경혈이나 질환 부위에 어프로치 함으로 인해 자연 치유력을 끌어내는 치료법이다. 현재 일본의 경우에는 1200명 이상의 치료사들(의사, 교정사, 침구사, 피부관리사 등)에 의해 이용되고 있다.

③ 컬러 테라피스트의 역할

　컬러 테라피스트의 역할은 색을 이용해 마음을 치료하며, 심신의 밸런스를 잡을 수 있는 컬러를 찾아내어 활용하는 것이다. 즉, 사람의 잠재의식을 찾아, 열쇠가 되는 색이 유용하게 활용될 수 있도록 어드바이스를 해 주는 것이다. 그렇게 하기 위해서는, 색에 관한 폭넓은 지식은 물론, 상담자로서의 기술도 필요로 한다.

④ 색이 가진 메시지

색은 무언으로 여러 가지의 메시지를 전하고 있다. 우리는 그 메시지에 대해 무의식적으로 반응하고 있다. 그것은 눈으로 보이는 색의 심리 작용으로 무의식 중에 몸과 마음이 영향을 받는 것이다. 색은 이미지나 연상에 대해서는 나라와 지역, 성별이나 연령에 따라 차이가 있다. 색에는 각각 고유의 의미가 있다. 어떤 색에 관해서 특정의 감정을 일으키는 것은, 민족적인 문화·풍토의 특성이나 유행, 사회적인 환경이나 관습에 의한 색의 기억이 유전자에 들어 있기 때문이다. 또한, 트라우마 등의 경험에 의해, 어느 특정의 색에 대해서 반응하는 경우도 있다. 색은 단순히 그 자체 뿐만 아니라, 형태나 소재 등 여러 가지 요소가 복잡하게 얽혀서 보이게 되는 것이다. 그리고 거기에 개인의 감정이 추가된다. 그것에 의해 다양한 해석이 가능하게 된다. 예를 들면, 같은 색상일지라도 명도나 채도에 의해 그 의미가 다르게 전해지는 경우가 있다. 아래에 색의 속성과 감정의 관계에 대해서 기술하였다.

| 속성 | 분류 | 감정상태 |
|---|---|---|
| 색상 | 따뜻함 | 주장 따뜻함 흥분 기쁨 |
|  | 중성 | 평정 회복 |
|  | 차가움 | 억제 차가움 진정 슬픔 |
| 명도 | 고 | 경쾌함 |
|  | 중 | 침착함 |
|  | 저 | 답답함 |
| 채도 | 고 | 화려함 개방적 긴장 |
|  | 중 | 침착함 |
|  | 저 | 수수함 폐쇄적 느긋함 |

⑤ 미츠오카 컬러 테라피

　이 방법은 컬러 테라피스트인 미츠오카 사치코씨가 고안한 테라피 방법이다. 색종이 4장을 선택하여 나란히 늘어놓는 간단한 방법으로, 몸의 상태나 심리적인 면을 체크할 수 있다. 이 방법은 상대에게 경계심을 주지 않고 또 간단히 선택만 하는 행위이므로, 남녀노소를 가리지 않고 누구라도 할 수 있다는 특징이 있다. 여기에서는 색종이를 사용하지만 색이 붙어 있는 물건으로서, 어느 정도 색의 가지 수가 있다면, 다른 물건으로도 대용할 수 있다.

　이 방법에선 심층 심리가 안고 있는 문제점이나 몸의 상태 등이 표현된다. 그리고 그것을 본인이 느끼는 것으로서, 문제의 개선으로 이어진다. 여기서 주의해야 하는 것은, "그 색을 선택했으므로 당신은 이렇다." 라고 결정하지 말아야 한다.

　'색의 이미지' 에서 전했듯이, 색에는 많은 메시지가 포함되어 있다. 플러스인 면이 있으면 마이너스인 면도 있다. 즉, 밸런스가 중요한 것이며, 우열이 있는 것은 아니다. 따라서, 어떤 색을 선택하더라도, 그것은 그 사람 자신인 것이다. 선택한 색은, 그 사람의 마음과 몸의 상태를 표현하는 색의 모양인 것이다. 그리고 선택한 색의 메세지로부터, 지금 필요한 색은 어떤 색인지 찾아가게 된다. 또한 어떤 색을 플러스 하면, 마음과 몸의 불균형을 치료하거나, 경감할 수 있는 지를 설명하게 된다.

## 5. 미술치료의 적용

미술치료는 학대받은 경험이 있는 아동의 치료와 진단에 가장 적절하다. 아동은 자신의 경험에 대해 언어로 표현하기보다는 비언어적으로 표현하는 것이 덜 위험 하다고 느낀다. 자신이 혼자라는 느낌을 줄일 수 있고, 상처 입은 아동들과 상호작용이 가능하기 때문에 집단적인 치료가 효과적일 수 있다.

## 6. 미술치료의 유의사항

상담자는 내담자의 특성을 잘 관찰하고 그에 따라 선택적으로 반응할 수 있어야 한다. 치료과정에 상담자는 내담자의 경험 자체를 존중해야 하며 내담자의 작품이나 행동에 대해 평가적이어서는 안 된다. 치료시간에는 규범을 지키도록 하는 것이 필요하다.

# 2

# 음악치료

음악치료는 우리 생활의 일부인 '음악'을 인간의 심리적 문제를 해결하기 위한 방법으로 활용하는 것이다. '음악'은 고대부터 우리의 삶에서 느끼는 모든 정서를 표현하는 매체로 우리의 삶과 밀접한 관계를 맺어왔고, 남녀노소 가릴 것 없이 모두 '음악'을 좋아하기 때문에 부작용 없이 심리적 문제를 해결하기 위한 도구로 사용하기에 매우 좋은 장점을 가지고 있다. 따라서 유아에서 노인까지, 특수아동에서 장애인과 비장애인까지 많은 대상에게 쉽게 활용할 수 있다. 또한 그들의 다양한 심리적 문제를 위해 '음악'과 음악 활동이 다양한 방법으로 적용되고 있다.

## 1. 음악치료의 개념

음악치료(Music Therapy)는 '음악(Music)'과 '치료(Therapy)'의 합성어로, 심리치료에 음악을 도구로 활용하는 것이다. 즉, 음악치료자(music therapist)가 음악을 활용하여 인간의 심리적 문제를 치료하기 위한 모든 활동을 말한다.

음악치료의 정의를 구체적으로 살펴보면, 한국음악치료학회(1997)에서는 음악치료를 '음악활동을 체계적으로 사용하여 사람의 신체와 정신기능을 향상시켜 개인의 삶의 질을 개선하고 보다 나은 방향으로 행동의 변화를 가져 오게 하는 것'으로 본다. 미국음악치료협회(American Music Therapy Association)에서는 음악치료를 '치료적인 목적, 즉 정신과 신체 건강을 복원·유지시키고 향상시키기 위해 음악을 사용하는 것'으로 정의한다. 이는 치료적인 환경 속에서 치료 대상자의 행동을 바람직한 방향으로 변화시키기 위한 목적으로 음악치료사가 음악을 단계적으로 사용하는 것이다. 이러한 변화는 치료를 받는 개인이 자신과 주변 세계를 깊이 있게 이해하여 사회에 보다 잘 적응할 수 있도록 도와 준다.

음악치료의 역사는 '주술사'가 음악을 통해 병을 일으킨 나쁜 영(靈)을 진정시키거나 쫓아내려고 했던 역사 이전시기부터 시작되었다고 볼 수 있다. B.C. 1500년 이집트인들은 음악을 "영혼을 위한 약"이라고 불렀고, 페르시아인과 히브리인도 음악으로 심신의 병을 고쳤는데, 다윗은 사울왕의 우울치료를 위하여 하프 연주를 하였다는 기록이 있다. 그리스인들은 음악을 질병에 대한 치료와 예방의 수단으로서 조직적으로 사용하였다. 즉 피타고라스(Pythagoras)는 정신병 환자들에게 음악을 사용하여 치료했는데, 이를 "음악적 의학"이라고 불렀고, 아리스토텔레스(Aristoteles)는 정서의 정화(catharsis)에 음악이 유효하다고 했으며, 더 나아가 정신치료의 한 형태로 필수적이라고 언급하였다.

과학적인 질병관에 근거하여 음악이 사용되기 시작한 것은 20세기 초부터이며, 19세기와 20세기 초의 음악치료는 주로 병원에서 시도되었으며, 다른 유형의 치료와 함께 사용되었다.

## 2. 음악치료의 장점

음악은 문화권을 넘어서 감정을 표현할 수 있는 도구다. 음악은 언어를 필요로 하지 않기 때문에 비언어적인 의사소통의 대표적인 도구로 사용되고 있다. 음악은 '소리' 라는 매개체로 사람의 몸과 마음에 직접적이고 순간적으로 작용하기 때문에 치료 대상의 지능 수준에 상관없이 어떤 환경에서도 생리적인 반응을 유도할 수 있다. 또한 음악은 자아 성찰을 돕고 개인과 그룹 간의 조화를 형성할 수 있으며, 음악적인 행동을 통해 비음악적인 행동을 유도할 수 있다. 그뿐 아니라 음악을 통해 학습을 돕고 여러 가지 기술 습득을 도움으로써 치료 도구로 유용하게 사용할 수 있다.

음악치료는 정신적 건강뿐 아니라 신체적 건강에도 긍정적 영향을 주며, 치료라는 말은 쓰지만 반드시 치료에 국한하지 않고 인간행동의 바람직한 변화 전체를 목적으로 하여 자신이나 주변세계에 대한 깊은 이해와 사회적응 등 교육적 · 발달적 목적이 있다. 따라서 치료자는 음악과 음악치료에 대한 전문성을 가지고 있어야 한다.

음악치료는 다음과 같은 심리적 효과를 가져다 준다.

① 의사소통 및 대인관계를 확립 또는 재확립시켜 준다.

② 동일시(identification)할 수 있는 기회를 제공한다.

③ 연상(association)의 효과를 가져온다.

④ 사회화(socialization)를 돕는다.

⑤ 자기표현의 기회를 제공한다.

⑥ 자존감을 발전시키고 형성한다.

⑦ 내적긴장과 갈등을 완화시켜 준다.

⑧ 주의집중이나 주위의 범위를 증대시켜 준다.

⑨ 인격적 통합을 도모한다.

⑩ 감정을 정화시켜 준다.

## 3. 음악치료에서 상담자의 역할

음악치료자는 내담자가 심리적인 어려움을 극복하도록 도움을 주는 사람이다. 음악치료의 일차적인 도움은 건강을 위한 도움이다. 최근 건강의 개념은 단지 질병이 없는 상태만이 아닌 신체적, 정신적, 영적 건강을 위한 노력의 과정으로 이해되며, 이러한 모든 상태가 건강하고 기능적으로 작용해 행복함과 안정을 느낄 수 있는 것이라는 개념으로 확대되고 있다. 음악치료는 이러한 전체적인 '삶의 질' 향상이라는 목적으로 내담자에게 도움을 주고 있다. 음악치료자는 내담자가 음악을 통해 자신의 감정을 이입하게 함으로써 도움을 줄 수 있고, 내담자에게 음악으로 자기표현의 기회를 제공함으로써 도움을 줄 수 있다. 또한 음악을 매개로 타인과의 상호관계를 통해 도움을 줄 수 있고, 음악을 통해 소리를 외부로 표현해 봄으로써 잠재된 문제를 확인하고 의식, 무의식의 세계로 들어갈 수 있게 하며, 내면의 이미지를 알 수 있는 피드백을 줌으로써 도움을 줄 수 있다. 그리고 무엇보다도 음악의 순수한 즐거움을 통해 동기를 부여함으로써 도움을 줄 수 있다.

# 4. 음악치료의 과정과 기법

## 1) 음악치료의 원리

(1) 동질의 원리 : 내담자에게 도움이 되기 위해서는 내담자의 기분이나 정신적 템포에 맞는 음악을 사용해야 한다는 원리로 우울증 환자는 느린 템포에 자극을 받고, 조증 환자는 빠른 템포에 자극을 받는다는 원리이다.

(2) 이질의 원리 : 내담자의 기분이나 기호와는 거리가 있거나 상반되는 음악, 즉 슬플 때 상쾌한 음악, 흥분될 때에는 차분한 음악을 들려주는 것이 바람직하다는 원리이다.

## 2) 음악치료의 방식

수동적 음악치료(듣는 체험)과 능동적 음악치료(연주하는 체험)가 있는데, 수동적 음악치료는 감상자극 유도요법과 감상요법으로 나누어지며 음악적 메시지를 전달하여 긍정적 감정을 유발하여 집단적 사회적 체험을 경험하게 한다. 능동적 음악치료로 직접 노래하거나 악기를 연주하는 체험을 통하여 성취감과 자존심을 앙양시켜 의사소통과 대인관계의 발전에 기여하게 한다.

### (1) 수동적 음악치료(듣는 체험)

음악을 들려줌으로써 언어로는 불가능했던 내담자와 상담자 간의 접촉과 상담관계를 형성·유지할 수 있게 하는 방식이다.

### (2) 능동적 음악치료(연주하는 체험)

능동적 음악치료의 종류는 가창, 감상, 악기연주, 게임, 무용, 창작(작곡과 작시) 등이 있다. 가창에는 제창(유행가, 민요, 가곡, 포크송), 합창(혼성 2부, 윤창), 독창 등이 있는데, 능동적 참여는 근육운동과 몸의 리듬을 자극하며 몸에 전해져 오는 리듬을 통해 흥미를 유발하거나 마음을 안정시킬 수 있다.

## 3) 음악치료의 과정

### (1) 진단평가

음악치료자는 내담자에게 음악치료를 시행하기 전에 반드시 내담자의 현재상태와 내담자가 필요로 하는 것을 알아야 한다. 치료자가 내담자에 대한 진단평가를 하기 위한 일차적 작업으로는 내담자의 발달 배경과 개인적 사회적 배경, 그리고 병력을 검토하고, 내담자에게 필요한 영역에 대한 다른 치료팀 구성원과 의견을 교환하며, 음악활동을 통해 나타나는 내담자의 발달, 사회성, 운동력, 청력, 의사소통기술 수준을 관찰하는 것 등을 들 수 있다.

### (2) 치료목표 설정

음악치료자가 내담자에 대한 진단평가를 마치고 나면 치료 목표를 설정한다. 이 단계에서는 진단평가에서 나타난 내담자의 문제점을 의논한 후, 내담자의 전체적 치료 목표 달성을 위해 음악치료를 통해 이룰 수 있는 목표를 선택하게 된다. 이렇게 치료의 목표가 설정되면 그것을 달성하기 위해 회기마다 시행할 음악활동을 구체적으로 설정한다. 그런데 한 회기에 몇 가지 음악활동을 할 경우 활동마다 목적하는 바가 다를 수 있기 때문에 음악치료자는 그 시간에 대한 운영 계획을 치료 시작 전에 결정하여 계획대로 실시하는 것이 좋다.

### (3) 음악치료를 위한 음악활동 계획

치료 목표가 설정되고 나면 음악치료자는 그 목표를 달성하기 위해 내담자에게 어떤 음악활동을 적용시켜야 할지를 결정하여야 한다. 음악활동은 그 내용이나 적용 면에서 설정된 목표를 달성하는 것과 연결된다.

### (4) 치료적용 계획서 작성

치료적용계획서(music therapy application plan)는 반드시 회기를 시작하기 전에 작성되어야 하며 이 계획서대로 음악치료활동이 시행되어야 한다. 치료적용계획서에는 회기 동안 시행될 활동들을 작성하는데, 대개 처음에는 노래를 통해 인사하면서 이름을 서로 나누는 활동으로 시작한다. 그리고 다양한 활동을 조화롭게 배치하는데, 대개 회기 시간이2/3쯤 경과한 때에 그룹의 절정을 이루게 하며, 이후 마칠 때까지 자연스런 종결을 유도해 간다. 마무리 단계 역시 처음과 유사하게 그룹을 종결짓는 노래를 통해 그룹에 대한 만족감을 가지고 회기를 종결하게 한다. 물론, 대상자의 특성이나 성격, 기능에 따라 적용면에서 상당한 차이가 있을 수 있으며, 회기의 시간과 활동의 내용도 달라질 수 있다. 그러나 일반적으로 4R ① Routine(일관성) ② Repetidon(반복) ③ Relaxation(이완), ④ Resolution(해결)의 중요성을 잊어서는 안 된다(최병철, 2003).

### (5) 치료활동의 적용과 내담자의 반응평가

음악치료에 대한 모든 계획이 수립되면 치료목표 달성을 위해 이를 시행해야 한다. 이때 치료자는 설정한 목표와 이를 달성하기 위해 계획된 음악활동을 내담자가 보이는 반응과 비교·검토하여 어떻게 음악치료가 진행되는지 매 회기 평가한다. 그리하여 자신의 치료가 올바른 방향으로 가고 있는지, 계획된 음악활동이 내담자의 수준이나 기능적인 상태에 적절한지 등을 확인해야 한다.

## 4) 음악치료의 종류

### (1) 즉흥연주 음악치료

'즉흥연주' 라는 말은 상당히 넓은 의미로 사용되는데, 대개 즉흥적인 연주 또는 소리나 음악의 형태를 창출시키는 음악적인 활동이 진단평가, 치료 또는 평가의 방법으로 사용되는 경우를 의미한다. 치료 현장에서 시행되는 즉흥연주 음악치료는 치료자가 자신의 음악적 기술을 사용하여 내담자의 작품에 맞춰 연주함으로써 내담자가 자신을 표현하도록 하는 것이다.

### (2) 적극적인 음악 감상과 상상(GIM)

적극적인 음악 감상과 상상(Guided Image and Music)은 차분해진 몸과 마음의 상태에서 고전음악을 감상하는 동안 일어나는 심상을 통해 자아실현을 경험하는 것을 목적으로 하는 방법이다.

### (3) 창작, 작곡, 노래 만들기(song writing)

전형적인 음악치료 그룹에서는 치료자가 네 마디 또는 여덟 마디의 간단한 노래를 만들어 노래를 통해 질문하고 내담자의 대답을 듣는 방법을 사용한다. 이는 언어로 의사소통을 하는 것보다 훨씬 효율적으로 내담자와 유대관계를 형성하면서 자연스럽게 진행하도록 해 준다. 또는 간단한 노래에 자신의 느낌을 넣어 곡을 끝맺는 방법을 사용하기도 한다. 이런 노래는 치료자에 의해 즉석에서 만들어질 수도 있지만, 내담자에게 익숙한 곡으로 내담자의 심리적 문제의 주제에 맞는 곡을 선택하여 사용할 수도 있다.

(4) 음악연주 그룹

가장 일반적으로 행해지는 음악활동을 말한다. 피아노나 기타 등의 악기를 배우고 가르치는 활동과 핸드벨이나 그 외 악기 연주 활동도 포함된다. 또는 함께 노래 부르는 시간이나 합창 또는 합주 시간도 포함된다. 이것이 일반 음악활동과 다른 점은 음악활동이라는 도구를 통해 치료자가 목표로 하는 것이 음악 외적인 행동의 변화라는 점이다.

## 5. 음악치료의 적용

음악치료는 행동장애 및 정서장애자, 학습장애자, 약물 및 알코올 중독자, 불안으로 고통 받는 신경증 환자에게 적용하면 회복에 도움이 된다. 음악치료를 통해서 신체적, 심리적 고통의 진정효과를 볼 수 있으며, 주의를 환기시키고 기분을 전환시켜 불안 및 부정적 감정의 완화를 가져올 수 있다. 공상이나 연상을 자극하여 반응력을 강화시키며, 집단참여를 통해 일상생활에 잘 적응하게 하고 사회화를 돕는다. 또한 자존심을 유지하게 하며 사회적으로 적절한 사람이 되게 하여 인간관계를 촉진하게 된다. 근육운동과 운동기관의 기능을 증진시켜 주는 효과도 있다.

## 6. 음악치료의 유의사항

음악치료 시, 치료자는 비판을 삼가고 각 개인의 스타일을 존중하고 격려해 주며, 치료 상황에서 일어나는 조그마한 변화에 민감하게 반응한다. 노래하고 난 후의 감상을 묻는다든지 곡의 연상을 얘기로 나눈다. 참가자들의 노래 소리를 잘 듣고, 그들의 표정이나 움직임을 민감하게 관찰하여 적절히 대처한다.

음악치료자가 음악을 상담의 보조수단으로 사용하기 위해서는 상담자 자신이 음악에 대한 지식과 악기와 음의 특성에 대해 조예가 있어야 한다. 특히, 음악의 리듬과 멜로디 등의 기본요소들이 인간의 생리와 심리에 미치는 영향력과 환경, 교육, 종교, 예술 등 인간을 둘러싸고 있는 여러 가지 요소가 사람의 인격완성에 어떻게 작용하는가에 대한 지식을 갖추어야 한다. 정신치료적 기술에 능하고 음악적 재능과 인품이 좋은 사람이 되기 위해 노력해야 한다.

# 3

# 놀이치료

어린아이들을 대상으로 하는 대부분의 상담자들은 아이들에게 있어 '놀이'를 자기표현의 선천적인 형태라고 믿고 있다. '놀이'는 아이들에게 자연스러운 것으로 감정과 생각을 자연스럽게 표현하는 것이다. 대부분의 아이들에게 '놀이'는 세계를 탐험하고 관계를 개척하고, 과거를 이해하고 미래를 준비하기 위해서 사용된다. '놀이'는 어려움을 겪고 있는 아이들이나 비교적 순조롭게 살고 있는 모든 아이들에게 있어 공통된 언어로 아이들에게는 의사소통의 수단으로 또다른 중요성을 가진다.

호이징가(Huizinga)는 인간을 '놀이하는 인간(homo ludens)'이라고 표현했다. 호이징가(Huizinga)의 말처럼 모든 인간은 '놀이'와 더불어 성장하고 '놀이'를 통해 생활의 활력을 얻는다. 특히, 아동은 생활이 곧 '놀이'일 뿐더러 말로 표현하는 것보다 '놀이'를 통해서 더 쉽게 자신의 의사를 표현하고 치료자와 쉽게 친해지게 된다. 이런 이유로 심리적으로 고통을 겪고 있는 아동을 치료하는 한 방법으로 놀이치료가 상담 현장에서 각광받고 확산되고 있다고 생각한다.

놀이치료는 프로이드(Freud)가 한스라는 어린 소년을 치료하는 과정에서 어린이의 마음속에 쌓인 좌절이나 갈등을 정신치료적 방법으로 해결할 수 있다는 가능성을 보여준 것에서 시작되었다고 할 수 있다. 프로이드는 안전하고 친숙한 환경에서 아이들과 의사소통을 하는 가장 좋은 방법은 아이들과 함께 하는 자연스러운 '놀이'라고 주장하였다. Anna Freud(1946)는 상담자들이 아이들과 가까워지기 위해서는 아이들의 '놀이'를 관찰해야 한다고 주장하였다. 아이들은 자발적인 내담자들이 아니기 때문에 그들과 함께 하기 위한 방법이 필요함을 느끼고, 아이들이 상담과정에 흥미를 갖게 하기 위해서 '놀이'와 장난감을 사용하였다. 이후 심리학이 발달되면서 각 사조에 따라 놀이치료 방법과 다양한 기법이 발달되어 사용되고 있다.

## 1. 놀이치료의 정의

'놀이(play)'란 아동의 무의식적 갈등이 표현되는 도구다. '놀이'는 아동의 말로서 일반적으로 '일'과 반대되는 특징을 가지고 있다. '놀이'는 사명감이나 책임감을 가지고 반드시 해야 하는 일이 아니라 자발적으로 하게 되는 것이다. 따라서 누군가가 '놀이'하는 방법을 아동에게 가르쳐 줄 필요없이 아동 스스로 놀고 싶은 대로 놀도록 하는 것이 놀이치료를 할 수 있는 조건을 마련하는 것이다.

놀이치료(Play Therapy)에 대한 정의를 살펴보면, 놀이치료란 '아동이 가장 호의적이고 알맞은 조건에서 성장할 수 있는 경험의 기회를 제공해 주는 것'(Axline, 1969), '훈련된 상담자가 심리적 문제를 지닌 내담자를 돕기 위해 체계적으로 놀이의 치료적 힘을 적용하는 대인관계 과정'(O'Connor, 1983) 등이다. 그런데 놀이치료라 하여 아동이 단순히 노는 것만으로 치료가 되는 것은 아니다. 상담자와의 상호적인 대인관계를 통해 아동은 감정의 정화가 일어나고 고통이 감소되며 충동이 조절되는 교정적인 경험을 하게 된다.

'놀이' 는 불변의 일률적인 행동이 아니며, 표준화된 의미도 없다. 아이들에게 '놀이' 의 중요성은 각각의 아이에게 있어 독특한 것이고, 아이들의 삶에서 그 순간 유일한 것이다. 놀이상담을 연구한 상담자나 부모 등 아이들의 '놀이' 를 관찰하는 어른들은 놀이가 무엇을 의미하는지에 대해 알 수도 있으나, 행동의 중요성에 대해서는 모를 수도 있다. 그러나 상담자는 아이들과 의사소통 하기 위해 자존감을 높이고, 자기이해를 증진시키며, 자기수용을 할 수 있게 하기 위해 '놀이' 와 관련된 각각의 행동이 무엇을 뜻하는지를 정확히 꼭 알고 있어야 하지는 않는다.

## 2. 놀이치료의 장점

놀이치료는 다른 치료 방법과는 다른 여러 가지 장점이 있다. 그 장점은 다음과 같다.

첫째, 놀이는 저항을 극복하고 치료를 위한 관계를 맺게 한다. 대부분의 아동은 자신의 문제를 인식하고 스스로 치료를 받으러 오는 것이 아니므로 자신이 문제를 가지고 있다는 것을 부정한다. 놀이는 아동에게 흥미 있으며, 재미있고 자연스러운 행동이기 때문에 아동과 함께 행동하고 친밀감을 형성하기에 가장 좋은 방법이다. 일단 놀이상담자와 아동 간에 관계가 형성되면, 아동은 놀이치료실에 오는 것을 좋아하고 상담자와 함께 필요한 변화를 일으키는 데 동의한다.

둘째, 놀이를 통한 의사소통으로 아동을 쉽게 이해할 수 있다. 장난감은 아동의 단어이고 놀이는 아동의 자연스런 언어다. 놀이는 의사소통의 특별한 형식이라 할 수 있다.

셋째, 놀이를 하면서 감정이 이완되고 억압된 감정이 해소된다. 놀이치료에서 아동 내담자는 이전에는 표출하기 힘들었거나 표출하지 못하였던 강렬한 분노, 슬픔, 불안 같은 감정을 이완하고 해소할 수 있다.

넷째, 놀이를 통한 역할극 놀이로 새로운 행동을 연습하고 획득하여 다른 사람을 공감할 수 있게 된다. 역할연기를 통해서 아동은 감정이입 능력, 즉 자신을 다른 사람의 입장에서 객관적으로 볼 수 있는 능력과 그것에 의해 다른 사람의 생각, 감정, 행위를 이해할 수 있는 능력을 발달시킨다.

다섯째, 놀이를 통해 대인관계가 좋아지게 되면서 자기를 존중하고 타인과 친밀하게 된다. 긍정적인 관계의 성립을 촉진한다는 측면에서 놀이의 역할은 성취보다는 즐거움으로 채워지고 '즐거움' 과 관련된 즐거운 상호작용의 본질과 관련된다.

## 3. 놀이치료의 목표

① 아이들을 따뜻하고 일관성 있게 대함으로써 아이들에게 안전하고 안심할 수 있는 환경을 마련해 준다.
② 어떠한 판단도 하지 않음으로써 아이들이 자신의 감정을 자유롭게 표현할 수 있도록 촉진한다.
③ 무엇을 가지고 놀 것인지, 어떻게 놀 것인지에 대한 아이들의 결정을 허용함으로써 책임감과 의사결정력을 높여준다.
④ 놀이요법실 안에서 할 수 있는 것과 할 수 없는 것들이 무엇인지를 배움으로써 통제력을 높여준다.
⑤ 아이들의 감정과 행동에 대한 상담자의 표현은 아이들에게 정서적인 언어를 가르치고 그들의 동기와 정서, 상호작용에 대한 통찰력을 갖게 한다.

## 4. 놀이치료의 원칙

① 아이들과 따뜻하고 친밀하며 진실한 관계를 형성해야 한다.

② 아이들을 있는 그대로 완전히 받아들일 수 있어야 한다.

③ 아이들이 자유롭게 감정을 탐색하고 표현할 수 있도록 허용적인 분위기를 조성하여야 한다.

④ 아이들의 감정에 항상 주의를 기울여 아이들의 감정을 통찰과 자기이해에 반영해야 한다.

⑤ 아이들이 스스로 문제를 해결해 낼 수 있는 능력을 갖고 있음에 대래 늘 존중하는 태도를 갖고 있어야 한다.

⑥ 상담 장면에서 지도적인 역할을 해서는 안 된다. 아이들이 주도하고 상담자는 따라가야 한다.

⑦ 상담과정을 성급하게 진행시키려 해서는 안 된다. 상담과정은 상담자들이 변화시킬 수도 없고 변화시키려 해서도 안 되는 점진적인 과정임을 명심해야 한다.


## 5. 놀이치료의 과정

놀이치료의 과정은 학자에 따라 3단계 또는 5단계로 나누고 있는데, 여기서는 3단계로 나누어 그 과정을 살펴보고자 한다.

### 1) 초기단계

초기단계는 내담자와 관계를 형성하는 단계다. 상담자는 아동과 신뢰 있는 상담관계를 형성하기 위하여 노력해야 한다. 아동은 부모에 의해 오게 되는 경우가 많지만, 아동이 진정으로 원하는 변화는 어떤 것이며, 자신의 어려움을 어떻게 느끼고 있는지에 관해 이야기를 나눔으로써 함께 치료 목표를 정할 수 있다.

놀이치료의 초기단계에서 아동은 호기심을 나타내고 창조적인 놀이가 증가하며, 행복감과 불안감을 모두 나타낸다. 그러다가 차츰 공격적인 놀이가 증가되기 시작하고 자발적인 표현도 늘어나게 된다. 자신이나 가족에 대해 이야기를 하며 상담자에게 인정받으려 노력하는 모습도 보인다. 이때 상담자가 아동의 착한 행동이나 잘한 행동을 인정하는 반응을 하게 되면, 아동은 자신의 부정적인 감정이나 심리적 갈등에 대해 탐색하고 표현할 수 있는 기회를 가지지 못하게 된다. 따라서 상담자는 아동이 상담자에게 인정받기 위해 치료를 받으러 온 것이 아니라 상담자와 힘을 합하여 자신의 문제를 해결하기 위해 왔으며, 상담자는 그를 돕는 전문가라는 인식을 할 수 있게 해야 한다.

### 2) 중기단계

초기단계에서 잘 형성된 상담관계를 바탕으로 내담자는 상담자가 자기를 위한 존재라는 사실을 인식하면서 부정적인 감정을 자연스럽게 나타내기 시작한다. 내담자는 자신의 과거에서 불쾌했던 경험을 재연하게 되는데, 이때 상담자는 내담자가 어려움을 겪던 시기가 발달 단계상 어느 시기였는지 이해하는 것이 중요하다. 또한 상담과정에서 내담자의 자아존중감이 향상될 수 있도록 통찰력을 높여 주고, 치료를 계획할 때 내담자에게 성취감을 느낄 수 있는 기회를 제공해 주어야 한다.

중기단계에서 내담자는 상담자와의 관계를 통해 부모와의 관계에서 결핍되었거나 왜곡된 경험을 교정하는 경험을 하게 된다. 그리고 내담자가 자기 문제를 새로운 각도에서 이해할 수 있는 과정을 거치면서 내담자의 문제가 해결된다.

### 3) 종결단계

초기단계에서 내담자와 함께 세웠던 치료목표가 달성되면 상담을 종결하게 된다. 이 단계에서 내담자는 자신의 문제를 있는 그대로 수용할 수 있게 되며, 자신의 장점을 존중하고 자아존중감이 향상되어 현실적인 문제에 잘 대처해 나가게 된다.

그러나 효과적인 치료 종결을 위해서는 사전에 내담자와 종료를 언제 할 것인지 이야기하여, 아동이 종료를 알기 쉽게 받아들일 수 있도록 합의하는 과정을 통해 치료의 종결이 이루어져야 한다. 예를 들면, 종료 3회 전에 아동과 종료하기로 합의가 이루어졌다면 치료실에 사탕 3개를 꽂아 두고, 치료 시간마다 그 사탕을 하나씩 가져가게 하여 사탕이 다 없어지게 될 때 치료가 끝나는 파티를 하자고 합의할 수 있다.

## 6. 놀이치료의 종류

상담자의 성향과 이론적 배경, 아동의 발달 정도와 성향, 그리고 치료기관의 환경에 따라서 접근방법을 선택한다. 어떤 기관은 놀이치료실 환경이 여러 가지 다양한 접근을 시도할 수 있도록 구성되어 있기도 하고, 어떤 기관은 특정한 접근방법을 주로 사용할 수 있도록 환경이 구성되어 있기도 하다.

### 1) 모래놀이 치료

모래놀이 치료는 정신의 아주 깊은 수준에서 이루어지는 비언어적인 치료양식이다. 아동은 특정 크기의 모래상자에 모래, 물, 실물과 닮은 수많은 작은 소품을 이용하여 3차원의 그림이나 추상적 디자인을 만들어 간다. 모래 놀이치료는 모래와 작은 모형을 매개로 아동의 무의식에 있던 사고와 느낌을 구체적으로 표현하게 함으로써 무의식과 의식을 연결지어 치료가 이루어지게 하는 것이다.

언어화해서 표현하기보다 감각과 직관을 주로 사용하는 이 방법은 일본에서 이미 1960년대부터 활용되어 왔다. 우리나라에서는 1990년 원광아동상담센터 내에 아동을 위한 모래놀이 치료실이 만들어진 것을 시작으로 하여 이후 여러 상담기관에서 모래놀이 치료를 실시하였으며, 지금은 치료대상을 청소년과 성인으로까지 확대하여 실시하고 있다.

### 2) 미술놀이 치료

미술치료는 치료자와의 관계 속에서 미술작업을 통하여 내면의 심리적 갈등과어려움을 완화시켜 아동의 적응을 도와주는 접근방법이다. 김진숙(1993)은 미술치료에는 창작행위 자체가 가지는 치유성이 있으며, 미술활동은 내담자의 저항심을 누그러뜨려 치료관계를 성립하는 데 도움을 준다고 보았다. 또한 미술치료를 통하여 심리역동의 구조를 재정비할 수 있다고 하였다.

치료기법으로 집 · 나무 · 사람 그리기(HTP), 한 사람그리기(DAP), 동적 가족화(KFD), 난화 이야기(MSSM), 풍경 구성법(LMT), 손가락그림(finger painting), 콜라주 등이 있다.

### 3) 게임놀이 치료

게임놀이는 사람에게 즐거움을 줄 뿐만 아니라 신체 발달, 인지와 언어발달, 사회정서 발달에도 효과적인 영향을 주는 것으로 오래 전부터 인식되어 왔다.

치료에서 게임은 아동과 초기에 관계를 잘 맺고 친해지기 위한 수단으로 사용되기도 하며, 게임을 하면서 나타나는 아동의 행동과 언어표현을 보고 아동의 능력 수준과 특성을 파악하는 데 활용되기도 한다. 정신분석적 게임 치료의 목적은 아동의 무의식적 갈등을 게임 맥락 내에서 표현하게 하여 아동이 의식적으로 자각하도록 하고 언어로 표현하도록 하는 데 있다.

## 4) 집단놀이 치료

청소년과 성인을 대상으로 한 집단상담처럼 집단놀이치료는 놀이치료실에서 다른 아동과 자연스런 상호작용을 통해 사회생활을 이해하고 적응할 수 있는 기회를 배우는 과정이다. 이런 과정을 통해 아동은 기본적으로 다른 아동 뿐만 아니라 자신에 관해서도 이해하게 되고 심리 사회적으로 성장하게 된다. 보통은 개별 놀이치료를 받은 후에 집단놀이치료를 의뢰하는 경우가 많다. 아동의 공격성이나 소극적인 행동이 완화된 후에 또래 관계의 적응에 어려움을 느끼는 아동이 집단놀이치료를 받으면 효과적이다. 처음에는 아동의 특성에 맞게 집단 수가 너무 크지 않도록 조절해 주는 것이 좋으며, 2~4명 정도의 작은 집단에서 시작하고 아동이 집단에 적응하는 힘이 커지면 다른 집단으로 옮긴다. 그러나 집단놀이치료 경험이 있는 아동은 대인관계에서의 긍정적인 변화를 보이기 때문에 더 큰 집단으로 옮길 필요성을 느끼지 못하는 경우가 대부분이다.

아동은 집단의 상호작용 과정을 통해 스스로 대인관계에서 책임을 지게 되고 다른 아동이 책임을 지도록 도와준다. 그렇게 되면 아동은 이러한 상호 작용을 집단놀이치료 장면 바깥에서 또래에게 자연스럽고 즉각적으로 적용한다. 대부분의 집단상담과는 달리 집단놀이치료에서는 집단목표와 집단 응집력이 집단과정의 필수 요소가 되지는 않는다. 중요한 것은 집단 경험을 통해 사회적 기술을 익히고 집단 적응력을 키우는 것이다.

# 7. 놀이치료를 이용한 상담기술

## 1) 추적하기

추적하기는 아이의 행동을 보고 아이가 한 행동을 그 아이에게 다시 묘사해 주는 것이다. 추적하기의 목적은 그 아이가 어떤 행동을 하든 그 행동은 중요하고 주목할 만한 가치가 있다는 것을 아이가 알게 하는 것이다. 아이 자신은 특별하며 관심받고 있음을 느끼게 하여 아이와의 관계를 형성할 수 있다.

## 2) 재진술하기

아이가 말한 것을 아이에게 다시 말하는 것을 재진술이라고 한다. 이는 아이가 말하는 것은 무엇이든 중요하다는 것을 알게 함으로써 내담자와의 관계를 형성하는 것이다.

## 3) 감정의 반영

놀이상담의 일반적인 기술 중에서 감정의 반영은 가장 가치있는 방법이 된다. 감정의 반영은 상담관계의 성숙, 감정의 표현, 자아의식과 자기이해의 발달, 정서적 어휘의 확대 기회를 제공한다.

## 4) 아이에게 책임감 부여하기

아이에게 자립심과 독립심을 심어주기 위해 상담자는 상담기간 동안 책임감을 부여하기 위한 여러 가지 방법을 사용할 수 있다. 아이들을 위해 결정을 직접 내려주지 않거나 그들을 위해 뭔가를 해 주지 않고 아이들이 스스로 할 수 있게 하는 것이다. 이러한 기술은 자신감과 의사결정 능력을 향상시키는 것이 목적이다. 이는 또한 아이들에게 상황을 통제하는 존재로서의 성취감과 확신을 준다.

## 5) 아이의 은유 사용하기

놀이 상담에서 이루어지는 대부분의 의사소통은 은유적이고 간접적이다. 상담자는 아이의 행동과 비언어적 행위에 참여하고 있다는 사실을 염두에 두어야 한다. 상담실에서 아이가 놀이기구를 가지고 하는 행동 중 많은 부분은 투쟁과 승리, 상담실 밖에서 일어나는 관계를 나타내 주고 있기 때문이다. 놀이상담에서 가장 중요한 과정은 은유를 해석하지 않은 채, 아이와의 대화에 그대로 사용하는 것이다.

## 6) 한계 설정하기

아이들과의 상담에서 어떤 경우에는 활동에 대한 한계를 정할 필요가 있다. 한계는 놀이상담에서 필수적인 것으로 상담자로 하여금 아이에 대한 감정이입과 승인의 태도를 유지하게 하며, 놀이요법실에서의 아이들 신체적 안전을 보장해 주며, 자기통제력을 강화시키고, 사회적 책임감을 길러준다. 일반적인 한계는 다음과 같은 것들이다.

① 자신과 다른 아이, 상담자에 대한 신체적 공격
② 놀이세트와 놀이기구의 파손
③ 놀이세트에서 장난감이나 기구를 없애는 것
④ 상담이 끝난 후에도 남아있는 것

# 4

# 독서치료

독서치료는 개인이나 집단을 위해 책을 치료적으로 사용하는 것이다. 독서치료(Bibliotherapy)란 말의 어원은 'biblion(책, 문학)'과 'therapeia(도움이 되다, 의학적으로 돕다, 병을 고쳐 주다)'라는 그리스어의 두 단어에서 유래되었다. 이는 독서치료가 문학이 치료적인 특성을 가졌다는 기본 가정에서 출발한다는 것을 단적으로 보여준다. 라이오던(Riordan)은 '한 개인의 치료를 위해 더 깊이 이해하고 문제를 해결할 수 있게 문헌을 읽도록 지도하는 것'이라고 정의했다. 영국에서는 주로 '읽기 치료'라고 불리는 반면, 미국에서는 '독서치료'로 불린다. 최근에는 시를 많이 활용하기 때문에 '독서 · 시문 치료'로 불리기도 한다. 독서치료는 독서교육(biblioeducation), 독서심리(bibliopsychology), 독서상담(bibliocouncelling), 문학치료(literary therapy), 도서관 치료학(library therapeutics), 독서 클리닉, 독서치료(bibliotherapy) 등의 용어와 혼용되고 있다. 그러나 현재는 '독서요법'과 '독서치료'가 동일한 의미로 가장 많이 사용되고 있다.

독서치료는 치료라기보다 깨닫게 하고 변화하게 하는 것이라고 보는 것이 더 적절하다. 현대에 와서 인간의 심리적 문제를 해결하고자 하는 노력이 더해지면서 음악, 미술, 놀이, 연극, 영화, 책 등 다양한 방법을 심리치료에 도입하여 사용하게 되었는데, 예방 · 발달적 관점이 강하다는 점에서 음악 · 미술 · 무용, 또는 드라마를 활용한 다른 전략과 유사하다. 이 중에서 책을 이용한 독서치료는 책을 읽는 것 뿐만 아니라 치료자의 치료적 활동이 개입됨으로써 더욱 효과적인 심리치료가 되고 있다. 처음에는 독서치료도 미술치료나 음악치료처럼 심리치료의 보조 수단으로 쓰였지만, 이제는 하나의 독립된 치료 영역으로 발전해 가고 있는 추세다.

독서치료의 역사는 오래되었으나 20세기 들어 비로소 미국에서 처음으로 환자를 치료하기 위한 일부로서 병원에서 독서를 권장하는 것으로 논의가 시작되어, 20세기 중반 이후에는 본격적으로 그 치료 방법과 효과에 대한 연구가 발표되었다. 우리나라에서는 1970년대에 독서치료가 들어와 다양한 연령층의 사람을 대상으로 심리적 문제를 해결하는데 도움을 주고 있다. 독서치료는 초기에는 병원에서 사용되었지만, 1980년대에 들어서는 지역사회 기관에서 사용되는 경향이 증가하고 있다. 독서치료는 전통적인 상담과 심리치료에 보완역할을 할 수도 있으며, 독서치료는 학교상담자나 교사들에게 학생들의 발달을 촉진하는 프로그램의 일부로 학생들이 자신과 환경을 이해하고 자신들이 당면한 문제에 대해 해결책을 발견하며 관심을 확장시키는 데 도움이 될 수도 있다.

## 1. 독서치료의 원리

1) 독서치료는 '독서'라는 보조전략을 통해 변화를 촉진하는 과정이다.

(1) 방어의 제거

문학 역시 내담자의 방어를 낮추기 때문에 변화에 필요한 지식제공과 직면 등이 용이하여 결과적으로 개인상담이나 집단상담과 같은 변화과정을 일으키기가 쉽다.

(2) 정신역동적인 관점

동일시 및 투사, 정화, 통찰 및 통합의 세 가지 단계를 일으키기 쉽다. 동일시와 투사는 실제 또는 상상 속에서 어떤 다른 사람과 동일하게 또는 그 사람이 된 것으로 생각하는 것이고, 정화는 '감정을 쏟아내는 것'으로 언어적 또는 비언어적으로 자신의 감정을 누르지 않고 표현하는 단계이다. 통찰과 통합은 어떤 사람이 자신의 근본적 동기에 대해 정서적 자각을 하고 이야기 속의 인물을 경험하며 새로 습득한 지식을 자신의 문제해결에 적용하는 것으로 동일시나 투사는 내담자 스스로 할 수 있지만, 정화나 통찰은 상담자와 내담자의 상호작용을 통해서 이루어지는 경우가 많다.

(3) 인지·행동주의 및 학습이론의 측면

독서를 함으로써 사람은 이야기 속의 인물로부터 긍정적이고 적응적인 행동을 하는 모델을 발견한다.

2) 책은 세상에 대한 태도와 신념을 변화시키는 방법으로도 활용된다. 이것은 인간의 정서적인 문제는 왜곡된 신념 때문에 생긴다는 인지이론에 근거하는 것이다.

3) 책을 읽는 동안 심리적·행동적 변화를 꾀하는 '자기조력 지침서' 역시 독서를 활용한 전략에 포함될 수 있다.

## 2. 독서치료의 장점

사람들은 책을 통해서 지혜를 찾아 삶의 어려움을 해결하였을 뿐만 아니라 고통에 처하였을 때 책에서 살아갈 용기와 힘을 얻고, 다른 사람의 삶을 간접 체험하면서 자신의 삶을 풍성하게 만들어 나가는 경험을 갖는다. 책은 사람들에게 인간적으로 성숙할 수 있는 힘 뿐만 아니라 치료적 힘도 제공해 준다. 또한 책은 읽는 동안 즐거움을 느끼게 해 줄 뿐만 아니라 특별한 문제나 상황에 부닥쳤을 때, 그에 대한 적절한 정보를 제공해 줌으로써 문제를 슬기롭게 해결해 나갈 수 있도록 도와줄 수 있다. 특히, 독서치료는 책 속의 주인공을 통해 자신과 비슷한 문제를 경험한 다른 사람이 있음을 자각함으로써, 자신만이 당면한 문제가 아니라는 것을 알게 되어 자신을 있는 그대로 긍정적으로 인식하는데 도움을 준다. 특히 아동은 자신의 사고와 경험을 정확하게 표현하는 데 필요한 언어 능력이 부족하거나, 너무 충격을 받아서 자신의 문제를 직접적으로 언급하지 못하는 경우가 종종 있다. 이러한 경우 그림책이나 아동 도서는 자기방어를 줄이면서 문제를 인식하고 해결하도록 하는 매개체 역할을 하여 아주 자연스러운 방법으로 아동의 경험과 생각을 이끌어낼 수 있다.

문학치료의 목적은 자기 자신에 대한 통찰력을 키워주고, 정서적 카타르시스를 경험하게 하며, 그들이 겪는 일상적인 문제를 해결할 수 있도록 도우며 태도를 변화시키는 데 있다. 그리고 다른 사람과의 관계를 촉진하며, 특수한 문제 상황에 대한 유용한 정보를 제공하기도 한다. 문학을 이용하여 정서적, 인지적 영역에서의 재편성 과정을 거치고 나면 긍정적인 것들을 인지하고, 새로운 에너지를 방출하거나, 환경에 대처할 수 있는 전략을 세울 수 있다.

## 3. 독서치료의 자료

독서치료에서 자료의 종류는 헤아릴 수 없을 정도로 다양하다. 일상생활에서 접할 수 있는 책, 잡지, 신문, 시, 음악, 영화, 다큐멘터리, 돌맹이, 액자, 꽃 등 일련의 것들이 모두 포함된다고 할 수 있다. 읽고 보고 듣고 만질 수 있는 모든 자료가 포함되는 것이다.

독서치료자는 다양한 자료 중에서 대상에게 적합한 자료를 선정하고 활용할 수 있어야 한다. 좋은 자료의 선정 기준을 살펴보면, 먼저 독서치료자는 되도록 자신에게 친숙한 자료 중에서 내담자의 문제나 독서 능력, 생활연령과 감정 연령, 자료의 길이 등을 고려하여 선정한다. 이때 내담자의 개인적이고 일반적인 독서 선호는 선택 지침이 되는데, 내담자가 나타내고 있는 감정이나 분위기와 동일한 감정과 분위기를 주는 자료가 대체로 좋은 선택이 된다. 시청각 자료도 인쇄 자료만큼이나 많은 주의와 세심한 과정을 거쳐 선정되어야 한다.

## 4. 독서치료의 유형

### 1) 임상적 독서 치료

정서적 또는 행동적인 문제로 심각하게 장애를 경험하고 있는 사람을 돕기 위해 개입하는 치료이다.

### 2) 발달적 독서치료

정상적이고 계속적인 삶의 과제를 극복해 나가고 해결하기 위해 독서를 활용하는 것이다.

| | 임상적 독서치료 | 발달적 독서치료 |
|---|---|---|
| 내담자 | 정서적 또는 행동적인 문제를 가진 사람 | '정상적' 위기 상황에 있는 사람(청소년 · 퇴직자 등) |
| 상담장면 | 기관(정신병동,약물중독 센터, 아동상담 센터 등) | 지역사회(학교 · 도서관 등) |
| 상담자 또는 촉진자 | 간호사 · 의사 · 심리학자 · 사회사업가 · 상담자 등 | 상담자 · 교사 · 도서관 직원 · 사회사업가 · 성인교육가 등 |
| 형태 | 개인 또는 집단, 자발적 의뢰 또는 타인에 의한 의뢰 | 개인 또는 집단, 자발적 의뢰 또는 타인에 의한 의뢰 |
| 기법 | 문학작품을 활용한 토론이나 상담과 다른 투사가 가능한 자료나 의 사소통을 촉진시킬 수 있는 기법 | 문학작품을 활용한 토론과 다른 투사가 가능한 자료나 기법 (사이코드라마 · 창조적 글쓰기 · 예술 활동 등) |
| 자료 | 소설이나 정보를 제공하는 도서, 또는 다른 투사가 가능한 자료들 | 소설이나 정보를 제공하는 도서, 또는 다른 투사가 가능한 자료들 |
| 목표 | 통찰 → 태도와 행동의 변화, 개선된 삶 | 정보제공과 통찰, 적응이나 성장과 관련된 정상적인 발달적 문제, 개선된 삶 |

## 5. 독서치료자의 역할

독서치료자도 일반 상담자와 마찬가지로 인간적 자질과 전문적 자질이 요구되는데, 이 자질에 더 추가되는 것이 책에 대한 구체적인 정보와 지식을 갖추는 것이다. 이것은 내담자에게 적합한 책을 선정하는 것이 독서치료에서 가장 핵심이 되는 부분이기 때문이다. 치료에 도움이 되는 중요한 책들을 알아야 하며, 그 밖의 책을 찾는 방법을 아는 것이 더욱 중요하다.

독서치료의 3요소는 치료자와 내담자, 그리고 책이다. 책과 내담자의 치료적 상호작용이 핵심이며, 치료자의 역할은 양자 사이에 치료적으로 개입하는 것이다. 내담자의 특성과 문제에 대해 잘 알고 있어야 하고, 믿음직한 상담관계가 형성되는 것이 우선이다. 그 다음, 치료자는 내담자가 책을 치료적으로 읽어낼 수 있도록 개입해야 한다. 내담자의 문제와 함께 그의 읽기 능력을 평가하고, 적절한 읽을거리를 선택해야 하며 내담자로 하여금 변화를 위한 적절한 경험을 할 수 있도록 해야 한다. 또한 치료자가 내담자에게 개입하는 방법에 근간이 되는 것은 질문이다. 따라서 좋은 독서치료자가 되기 위해서는 먼저 책의 내용을 분석할 수 있어야 하고, 그에 기초하여 적절한 치료적 질문을 만드는 능력이 필요하다. 또한 독서치료에서 가장 중요한 요소는 독서와 독서 이후의 토론이다. 치료자의 역할은 인도자가 아니라 책 그 자체로서, 독자가 그것을 읽고 이해하고 수용하면서 책과 상호작용하는 동안 치료의 효과를 얻게 된다. 따라서 토론은 책의 내용을 독자가 충분히 소화하고 이해할 수 있도록 인도하는 것이 필수적이다. 독후활동 방법으로서 책의 내용을 내면화하고 활용하는 능력을 키워 줄 수 있는 토론, 글쓰기, 그림그리기, 역할극 등의 다양한 상호작용 방법을 사용할 수 있어야 한다. 따라서 독서치료자는 자신에게 알맞은 독서치료 방법을 개발하는 것이 좋다. 독서치료에도 시치료, 글쓰기치료, 저널치료 등 다양한 부분이 있으므로, 이 중에서 내담자의 능력과 사용에 적합한 치료 방법이 무엇인지를 찾아 적용하는 것이 바람직하다. 내담자가 책을 읽는 동안, 상담자는 대상자들의 반응에 민감하여야 한다. 대상자가 지루해하거나 산만해질 때는 이야기를 요약(paraphrasing)하거나 대상자가 생각하는 것이 무엇인지 물어보는 것이 도움이 될 것이다. 또한 대상자에게 이야기를 반영할 수 있는 기회를 주는 것과 주인공에 관한 어떠한 생각이나 느낌을 이야기하게 하는 것은 매우 중요하다. 왜냐하면 그것은 그들 자신의 느낌에 관해서 보다 책 주인공의 느낌에 관한 것보다 이야기 하는 것이 더 쉽기 때문이다. 또한 간섭은 오히려 역효과를 줄 수 있다.

치료자 위주 대화방법을 피하며, 일방적인 명령, 일방적인 판단을 피해야 한다. 편견, 이념, 이론, 주관성 등을 배제한 대화를 해 나갈 수 있어야 한다. 치료사는 자신과 자신의 지식, 지위를 망각하고 내담자의 경험만큼 중요한 것은 없다는 것을 인지하고 내담자의 이야기에 보조를 맞춰줄 수 있어야 한다.

# 6. 독서치료의 실시 원칙

독서요법의 실시원칙은 다음과 같다.

① 첫모임 전에 환자를 파악하고 환자가 가지고 있는 문제와 치료목적을 고려한다.

② 치료자가 선택하거나 환자가 추천한 책 중 선택한 독서물을 복사하여 개인당 1부씩 나눠준 후, 돌아가면서 소리 내어 읽게 한 다음 느낌에 대해 토론하게 하다.

③ 치료사는 환자가 어떤 종류의 책을 선택하였는지, 어떤 방법으로 읽는지, 읽은 후에 반응은 어떠한지 관찰해야 한다.

# 7. 독서치료의 과정

독서치료는 그 대상과 연령에 따라 자료의 종류와 상호작용하는 방법이 다르다. 예를 들면, 아동을 위한 독서치료를 할 때는 자료가 아동의 발달단계와 흥미, 그리고 주요 주제를 고려해서 결정될 것이고, 자료를 읽거나 본 후의 관련 질문과 활동이 아동에 맞게 조정되어야 한다.

독서치료 과정은 독서치료에 필요한 적합한 자료를 선정하고, 그 자료를 내담자가 이해하게 하는 단계를 거친 다음, 독서 후 단계로서 치료자가 개입하여 활동하는 과정을 거친다. 독서치료 과정은 학자에 따라 3단계, 4단계로 나누는데, 이 중에서 돌과

돌(Doll & Doll, 1977)의 독서치료 과정의 4단계를 소개하면 다음과 같다.

## 1) 준비를 위한 단계

이 단계에서는 내담자와 신뢰관계를 형성하고, 내담자와 함께 그가 지닌 문제가 무엇인지를 명료화한다. 필요하다면 내담자의 상태에 대하여 심리검사 등의 부가적인 평가를 실시한다. 문학 자료를 이용하여 마음의 문을 열 수 있는 분위기를 조성하고 대상자와 신뢰 관계를 형성하여 동작, 그림, 펜터마임이나 문학을 읽어주거나 글쓰기나 시 쓰기, 연극으로 그들의 문제 정도와 상징적 반응들을 깊이 관찰하고 정확한 특성을 파악한다.

## 2) 독서 자료의 선택

읽힐 자료는 내담자의 독서 수준과 흥미에 맞으면서 문학적으로나 예술적으로 질이 높고, 준비단계에서 밝혀진 내담자가 지닌 문제의 성격에 적합하며, 내담자가 해결하고자 하는 문제에 대한 해결책을 제공하는 것으로 선택한다. 책을 제시할 때는 내담자의 관심을 고조시키는 방법으로 제시한다. 내담자가 책에 대하여 정서적으로 건강하지 못한 반응이나 심각한 걱정을 보이면 조정해 주고 완화시켜 준다.

## 3) 이해를 돕는 단계

독서치료자는 내담자가 책에 나오는 주인공과 관련된 중요한 문제를 탐구하는 것을 도와주면서 주인공을 어떤 방식으로 행동하게 만드는 동기가 무엇인지에 대해 특별한 관심을 기울이게 한다. 또한 내담자가 책에서 시도되는 문제와 해결책, 그리고 다른 해결책의 과정을 찾아내도록 도우며, 책 속에 나오는 등장인물과 내담자, 그가 아는 사람들 사이의 비슷한 점을 볼 수 있도록 돕는다. 이해를 돕기 위해 책을 읽은 후 토의를 하며, 때로는 쓰기활동과 미술활동, 역할놀이나 연극활동을 하기도 한다. 관련 활동을 할 때는 다양한 상담기법을 활용한다.

## 4) 추후활동과 평가

내담자는 이상의 3단계 문학치료 과정을 통하여 어떤 파괴적이고 부정적인 감정이 분출되고 긍정적인 감정을 얻게 되고, 새로운 이해를 통해 다른 건설적인 행동으로 옮겨가게 된다. 가장 가치 있는 경험을 찾아 지속적으로 유지하기 위한 필요한 단계이며 자신을 존중하고 가치감을 탐색하여 명료화하고, 현실수용력을 높이고 긍정적인 자기상을 재구성 할 수 있도록 한다.

# 7. 독서치료의 유의점

① 어떤 내담자들은 자신의 문제를 합리화하거나 주지화하는 경우가 있으며 그들의 방어를 높여 오히려 내담자를 돕는 데 방해가 되는 경우가 있다.

② 책을 읽는 것만으로 문제가 해결된다고 믿는 경향이 있으며 독서를 통해 얻은 통찰이 문제가 해결되기 전에 필요한 훈련이나 대응행동과 혼동될 수 있다.

③ 정신건강문제에 대한 공포감과 불안이 독서에 의해 강화되고 내담자의 증상을 악화, 또는 증가시킬 수 있다.

④ 모든 사람을 대상으로, 모든 장면에서 사용될 수 있는 것은 아니다.

# 5

# 사이코드라마

사이코드라마는 1921년 모레노(Jacob Levy Moreno)가 시작했으며, 빈에서 '자발성(spontaneity)의 극장'을 연 것이 나중에 그가 '심리극'이라고 명명한 집단 심리치료 방법을 개발하는 기초가 되었다. 사이코드라마(Psychodrama)는 'Psyche(정신)'와 'Drama(dram, 저항을 극복하는 행동)'의 합성어로 마음의 감정을 상상력이라는 인간의 기본적 특성을 이용해 드라마적인 상황으로 표현한다.

사이코드라마는 언어 뿐만 아니라 신체 동작으로 나타나는 모든 행위, 즉 인간의 몸과 마음을 도구로 이용하여 심리적 문제를 표현하고 이를 해결해 나가는 과정을 드라마의 형식으로 하고 있다고 할 수 있다. 단순히 내담자가 겪은 특정사건에 대해 이야기하는 것이 아니라 그 사건을 재연해 보이고, 내담자로 하여금 실제 상호작용이 이루어지는 상황에 들어가게 함으로써 사고와 감정, 행동이 일어나도록 하는 심리치료 과정이다. 연출자는 사이코드라마 과정에서 여러 기법을 사용하여 주인공의 갈등을 명료하게 표현하게 함으로써 자신을 객관적으로 볼 수 있는 기회와 억압되어 왔던 감정을 분출시킬 수 있는 기회를 준다. 그리고 그러한 자신의 여러 모습을 내적으로 통합할 수 있도록 도와준다.

## 1. 사이코드라마의 장점

사이코드라마에서는 여러 기법을 사용하여 주인공의 갈등을 명료화한다. 이를 통하여 자신을 객관적으로 볼 수 있는 기회와 억압되어 왔던 감정을 분출시킬 수 있는 기회를 주며, 그러한 자신의 모습을 내적으로 통합할 수 있도록 도와준다. 또한 문제를 무대 위에서 제시하는 주인공 뿐만 아니라 그 집단에 참여한 다른 구성원도 무대 위의 주인공과 자기를 동일시하고 그 문제를 함께 해결하는 경험을 제공해주기 때문에 좋은 치료적 경험이 된다.

구체적으로 사이코드라마는 다음과 같은 장점을 가지고 있다.

① 사이코드라마에 참여한 모든 사람(주인공 뿐만 아니라 보조자아, 관찰자 등)들이 자기에 대한 이해가 깊어진다.

② 역할 연습을 통해 현재 행동을 보완해 줄 대안적 행동을 익히게 되어 자신을 표현하는 능력이 향상될 수 있다. 즉, 사회적 기술이 증진된다.

③ 자신의 가치관이나 인생철학을 명료하게 인식하게 되며, 자신의 가치관을 재검토할 수 있게 된다.

④ 상상을 통해 자기의 꿈과 그것이 상징하는 것을 알게 되고 직관력을 향상시키는 등 개인적 성장에 필요한 기술을 배우게 된다.

⑤ 연극이 가지는 유희성, 명랑성, 즉흥성, 예술성을 통해 즐거움을 얻을 수 있고, 신체 동작을 통해서 즐거움과 생동감, 유머

감각을 회복할 수 있다.

⑥ 대인관계에서 자기중심적인 태도를 줄이고, 점차 타인을 인식하면서 관계를 맺으며, 타인의 관점에 공감하는 것을 배우게 된다.

## 2. 사이코드라마의 구성 요소

사이코드라마를 위해서는 극에서 자발적으로 자신의 문제를 드러내고 문제를 해결하고자 연기하는 사람인 주인공 (protagonist), 극 전체를 이끌어 나갈 연출자(director), 주인공의 상대역을 해 줄 보조자아(auxiliary ego), 관객(audience) 그리고 무대공간(stage)이 필요하다.

1) 주인공: 주인공은 일반적으로 환자나 내담자가 된다.
2) 지도자: 치료자가 되며 전체 심리극을 운영한다.
3) 보조자: 보조치료자나 다른 내담들이 된다.
4) 관객: 다른 내담자들이나 가족 또는 스태프가 되며, 이들은 경험의 연출과정에 직접 참여하지는 않는다. 일반적으로 20여 명이 좋다.
5) 무대: 심리극이 이루어지는 곳으로 약간의 신체적 움직임이 가능한 공간을 의미한다.

## 3. 사이코드라마의 과정

### 1) 준비단계(warming up)

잠재적인 연기자들로 하여금 자신의 내면세계를 표현하려는 동기를 높이는 단계로 즉흥적으로 연기하는 것에 대한 저항을 낮추기 위한 단계이다. 따라서 준비단계에서 연출자는 집단의 목표, 역할, 시간 배정 등에 관해 논의하고 집단 구성원이 서로 친숙해지도록 소개한다. 집단 구성원의 소개가 끝나면 연출자는 집단의 응집력과 자발성을 키우기 위해 행동 연습을 시킨다. 행동 연습을 통하여 자발성을 촉진시키며 집단 응집력을 높이도록 한다. 집단의 응집력이 발달되고 자발성이 높아지면 개인의 문제나 집단의 공통적인 주제가 나타나게 된다. 이때 연출자는 집단 구성원 중 한 사람을 자기 자신 또는 집단의 문제를 연기할 주인공으로 선택한다. 주인공을 선정할 때에는 집단의 유형, 크기, 시간, 갈등 유형 등을 고려해야 한다.

### 2) 행동단계(acting out)

행동단계는 준비단계에서 뽑은 주인공의 이야기를 중심으로 극을 만들어 가는 단계다. 문제가 제시되고 주인공이 등장하고 출연자들이 문제 주변에서 중심으로 이동하는 시기이다. 감정이 강렬해지는 한편 저항도 증가하는데, 지도자가 저항을 어떻게 다루느냐에 따라 심리극의 진행이 달라진다. 연출자는 주인공을 무대로 데려와서 주인공이 겪는 갈등을 연기할 수 있는 구체적인 사례로 재구성한다. 이 때 연출자는 주인공이 마치 지금 - 여기에서 그 일이 벌어지고 있는 것처럼 상황을 연기하도록 돕는 한편, 집단의 다른 구성원은 극에서 기타 중요한 인물(보조자아)의 역할을 맡게 한다. 연출자는 주인공이 보다 정교하게 감정을 표현하고 그가 경험한 여러 국면을 탐구하게 하기 위해 다양한 기법을 사용한다. 주인공은 그의 상황에 대한 다른 대처방법과 행동반응을 찾고 연습해 보도록 도움을 받는다.

실연을 통해 비로소 주인공은 자신의 문제에 대한 통찰을 얻게 되고 억압하였던 감정을 상징적으로 행동화하여 감정의 정화를 맞보게 된다. 이 단계에서 주인공은 여러 정서적 표현을 하게 된다. 이때 가장 중요한 원칙이 있다면 지금 - 여기에서의 상황에 몰입하게 하는 것이다.

## 3) 종결단계(sharing)

정리하는 단계로 이전 단계에서 나타난 고조된 감정이 가라앉고 평정을 되찾는 단계이다. 관객들이 주인공의 문제를 분석하여 판단하거나 비판하지 않고, 자신들이 연극과정에 참여하며 느꼈던 감정을 주인공과 공유하도록 도와 준다. 주인공이 자신의 감정을 표현하고 통합하기 위해서는 집단에서 강한 지지를 보여주어야 한다. 주인공에게 충고하거나 해석하여 '치료' 하려는 시도는 별로 효과적이지 못하다. 이 나눔의 단계는 심리극에 참여한 모든 사람의 감정을 소통시키는 기회를 제공하며, 집단원의 감정을 정화시켜 준다. 나누기는 집단 정화와 통합을 위한 시간이며 동일시를 조장하는 피드백보다 사랑을 돌려 주기 위한 시간이다.

# 4. 사이코드라마의 기법

## 1) 기본 기법

대부분의 과정에서 활용되는 것으로 연출 · 더블링 · 확성 · 자가극 · 독백 · 구체화 · 재연 · 이중자아 · 역할 바꾸기 · 거울 · 조력자 활용 등이 포함된다.

### (1) 연출(enactment)

집단의 구성원으로 하여금 그들이 겪은 특정 상황을 극적인 방식으로 표현하게 하는 것이다.

### (2) 더블링(doubling)

조력자나 보조치료자가 주인공의 처지나 감정을 제지하는 역할을 수행하는 것이다.

### (3) 확성(amplffication)

주인공이 작게 이야기한 것을 지도자가 크게 다시 이야기하거나 더 세부적인 내용을 이야기하는 것이다.

### (4) 자가극(autodrama)

주인공이 연출과 주연을 맡는 것이다.

### (5) 독백(soliloquy)

주인공은 평소에 억압되었던 느낌과 사고를 관객과 함께 나눈다. 혼잣말로 내면의 생각이나 느낌을 이야기한다. 이 기법은 보통 주인공이 자기 자신과 나누는 대화로 방백의 형식으로 표현된다. 주인공의 숨어있는 생각이나 감정이 말을 통해 드러나게 되어 주인공의 감정을 이해하는 데 도움이 된다.

### (6) 구체화(concretization)

막연한 상황을 구체적으로 다루는 것이다.

### (7) 재연(replay)

주인공이 연출한 상황에 약간의 변화를 가해 다시 시도해 보는 것이다.

### (8) 이중자아(double ego)

자기의 감정을 확실하게 표현하지 못하는 주인공에게 사용하는 기법으로, 가장 깊숙한 심정을 밖으로 유도해 낸다는 점에서 사이코드라마에서 핵심적인 기법이다. 이 기법에서 보조자아는 주인공의 뒤에 서서 주인공의 또 다른 자아(altered ego) 역할을 한다. 주인공의 심리적인 쌍둥이가 되어 그의 내면의 소리로 숨어있는 생각, 관심, 감정 등을 드러내어 주인공이 다시 그것을 충분히 표현할 수 있도록 한다. 또한 고립된 기분의 주인공에게는 다른 누군가가 자신을 이해하고 있다는 느낌을 주어 주인공의 심리적 경험을 최대한 표출할 수 있게 도와주기도 한다.

### (9) 역할 전환(role reverse)

진행 중인 극의 상황에서 상대(보조자아)와 서로 역할을 바꾸어 그 장면을 다시 시도해 봄으로써 상대의 입장을 이해하게 되고, 자신이 어떤 행위를 취할 것인가를 생각하게 해 준다. 이때 참여자는 역할 전환을 통해 실제로 상대방의 입장이 되어본다. 역할 전환은 공감을 더 잘하고, 관점을 변화시키며, 상황에 대한 이해를 증진하고, 자신의 질문에 대한 답을 찾으며,정화를 경험하도록 하기 위해서 사용한다.

### (10) 거울기법(mirroring)

주인공이 뒤로 물러서서 자신이 묘사한 역할을 조력자가 하는 동안 관찰하는 것으로, 주인공은 관중석에 앉아 있고 보조자아가 주인공 역할을 하는 것을 말한다. 이 기법의 목적은 남의 눈에는 자신이 사회적으로 어떻게 보이는가를 보여주는 것과 동시에 그에 따른 반응을 유도하는 데 있다. 이 기법은 비언어적인 특징과 중요성을 깨닫게 하기 때문에 직면에 유익하다. 위축되어 있거나 워밍업이 불충분한 경우, 자신의 행동에 대해 이해하지 못하고 있거나 그 영향을 모르고 있는 경우, 타인과 적절히 상호작용 하지 못하는 경우 등에 사용할 수 있는 기법이다. 그러나 강력한 직면기법이 될 수 있으므로 조심해서 사용하여야 한다.

### (11) 조력자의 활용(use of auxiliary)

주인공이 묘사하려는 상황을 더 명료하게 보여주고 주인공에게 필요한 통찰을 가지게 하기 위해 조력자로 하여금 주인공의 주요 타인 역할을 하거나 주인공과 역할을 바꾸는 것이다.

## 2) 상이한 장면 기법

준비단계와 실제 연출에 사용되는 것으로 특정 효과를 내기 위해 자주 사용되는 장면들을 의미한다. 상이한 장면에는 요람 장면, 죽음 장면, 미래 장면, 마법의 가게, 꿈 장면, 등 뒤의 장면 등이 있다.

### (1) 죽음과 재생의 장면(death and rebirth scene)

외래진찰실, 병실침대, 소파 혹은 마룻바닥 등에서 진행한다. 주로 자살시도 환자, 죽음을 두려워하는 노인 등에서 유용하게 사용된다. 상담자는 내담자의 특징, 문제의 특성에 따라 그에 적당한 질문을 할 수도 있다. 때로는 주인공 자신의 죽음 뿐만 아니라, 미워하는 사람, 죽기를 바라는 사람, 기타 의미 있는 사람 등을 보조 자아로 등장시켜 역할을 하게 할 수도 있다. 이들은 울거나 손을 잡거나 몸을 흔들며 자연스런 감정을 유도한다. 이 기법의 중요한 점은 반드시 재생 또는 부활의 장면으로 끝내야 한다는 사실이다. 그리고 재생 또는 부활에 대한 긍정적이고 보다 긴 시간을 투자하도록 해야 한다. 그리고 마지막으로 재생 또는 부활에 대한 피드백과 그 내용에 대한 고찰을 한다.

## (2) 마술 상점(magic shop)

마술 상점(magic shop)은 내담자 내부의 긍정적인 자원을 탐색하고 생의 목표와 가치를 명백히 하는 데 도움이 된다. 이 기법은 예를 들면 참여자 모두가 가게 주인 흉내를 낸 후에 고객을 맞아 필요한 것을 고르게 한다. 살 물건을 선택한 후에 왜 그 물건을 원하는지, 언제부터 바라고 있었는지, 그걸 갖게 되면 정말 만족할 수 있는지 등을 물어 본다. 어느 정도 충분한 설명이 있은 후에 이번에는 반대로 그 물건이 꼭 필요한 것인지 혹은 필요 없는 것인데 사려고 하는 것은 아닌지를 질문한다. 만족할 만한 대답이 나온 후에는 버리고 싶어서 내어놓은 내용들에 대해 내던지거나 토해내는 상징적 행위를 하게 한 후에 완전히 사라졌다는 느낌을 갖도록 한다. 마지막으로 사고자 했던 것들을 사려는 사람에게 건네 준 뒤에 다시 한번 앞으로 그걸 가지고 살아가게 될 인생에 대해서도 이야기를 나눈다. 이 기법에서 중요한 점은 그동안 자신이 원했던 것, 버리고 싶었던 것들이 실제로는 그렇게 많은 의미가 없었다는 사실을 발견하는 것이다. 도중에 발생된 예상치 못한 행동에 대한 문제와 관련된 심리적 문제는 차후 상담 상황으로 연결해서 해결하도록 한다.

## (3) 심판의 장면(judgemental scene)

가상의 인물, 철학자, 신, 부처, 이상적 인물과 만나게 되고, 그 역할을 맡은 보조 자아와 인생의 의미, 죄의식, 가치관 등에 대하여 재판형식의 비판을 하게 된다. 이 기법에서는 질문과 답변, 추궁과 방어, 상식적인 상벌행위도 가능하다. 재판의 내용에는 다음과 같은 것들이 포함된다. 당신은 인생을 계획대로 살아왔습니까? 당신 삶은 스스로 의미 있다고 생각하십니까? 눈치만 보다가 끝나지는 않았습니까? 어떤 잘못을 지었습니까? 다른 사람들이나 가족들을 미워하고 불신하지는 않았습니까?

## (4) 등 보이기(behind your back)

다른 사람들이 자신에 관하여 말하는 것을 엿들음으로써 도움을 받게 하는 방법이다. 이 기법을 통해 내담자는 다른 사람들이 자신에 관하여 이야기하는 것을 엿들음으로써 자신을 평가하고 다른 사람들과의 관계 변화에 도움을 얻을 수 있다. 상담자는 내담자의 동의를 구한 후에 마치 내담자가 그 자리에 있지 않은 듯 내담자의 등을 돌리게 한다.

# 3) 갈등 해소 기법

역할연기, 역할훈련, 뚫고 들어가기, 스펙트로그램 등이 있다.

## (1) 역할 놀이(role playing)

사이코드라마의 가장 기본적인 기법이다. 자기가 위치한 장면에서 어떤 역할을 선택해서 그것을 연기한다. 개인이 자유롭게 역할을 창출해서 즉흥적으로 행동하거나 특정 상황 속의 역할등을 연기해 보면서 적응성, 창조성, 자발성을 발휘하게 된다.

## (2) 역할 훈련

일차적 목표는 어떤 역할을 리허설 또는 연습하는 것이다.

## (3) 뚫고 들어가기

자신이 고립과 외로움을 이기고 그 원 속으로 들어가려고 노력한다는 것을 묘사하는 것이다.

### (4) 스펙트로그램

보조자들이 자신의 위치를 정하도록 하는 것이다. 이 기법은 많은 토론을 끌어낼 수 있고, 문제를 명료화하는 데 도움이 된다.

## 4) 준비기법

### (1) 빈 의자(empty chair) 기법

연출자는 빈 의자를 무대 중앙에 놓고 주인공에게 누가 그 의자에 앉아 있는가를 상상해 보면서 그가 가장 얘기하고 싶은 사람이나 보고 싶은 사람을 그려 보라고 말한다. 보고 싶은 사람 이외에도 제일 먼저 떠오르는 사람, 배우자, 자녀, 친구, 손자녀, 돌아가신 분 등 구체적인 인물 뿐만 아니라 한번도 되어보지 못한 자기 자신이나 이상적인 자기 자신을 형상화시켜 대화를 나눌 수도 있다. 주인공이 대상을 선택하고 그를 묘사할 수 있으면 주인공에게 그 대상에 대해 마음속에서 하고 싶은 말을 하게 한다. 주인공이 대상에 대한 자신의 감정을 쏟아놓고 나면 이번에는 주인공이 그 대상이 되어 의자에 앉아 자신이 한 말에 대한 대답을 하도록 유도한다. 이 기법은 사이코드라마의 준비단계에서 사용되며, 주인공의 사고나 느낌을 효과적으로 표현하고 정리할 수 있도록 도와준다.

### (2) 비밀 나누기

10명 미만의 집단에서 사용하기 좋으며, 준비기나 집단의 응집력을 형성할 때, 그리고 공감능력을 향상시키기 좋은 방법이다.

### (3) 행동적 소시오그램

인간관계에 대해 작은 모형이나 조각품처럼 묘사하는 것을 의미한다. 사티어는 이 기법을 가족의 조각이라는 이름으로 사용했다.

# 5. 사이코드라마의 유의 사항

① 행동화 경향이 강한 사람이나 장애가 심각한 사람, 또는 사회병리적 내담자들에게는 매우 주의해서 심리극 방법을 적용해야 한다.
② 지도자나 연출자가 내담자의 감정을 자극하거나 조종하지 않도록 조심할 필요가 있다.
③ 감정을 충동적으로 표현하는 것과 자발성을 구별하고 자발성이라는 미명하에 충동성을 지나치게 표현하지 않도록 유의해야 한다.
④ 가족에 대해서 말하기를 어려워하는 문화권일 경우 저항을 초래할 우려가 있으므로 문화적인 측면을 함께 고려해야 한다.

# 6

# 최면치료

최면의 역사는 인간의 역사와 같이 시작되었다고 말할 수 있는데, Rameses XII시대에 최면치료를 시행한 기록이 발견되었다. 또한, 고대 그리스의 Asclepian 사원의 꿈치료(dream healing)도 그 과정 및 결과에서 현대의 최면과 유사한 점이 많이 발견되고 있다. 그러나 신비스런 현상, 혹은 아무것도 아닌 현상이라는 신화적인 많은 오해들로 인해 최면에 대한 올바른 연구가 제대로 이루어지지 않았었다. 최면에 대한 연구는 최근에 미국을 비롯한 구미 각국에서 큰 관심을 보이고 있으나 우리 나라에서는 아직 미미한 형편이다. Hypnosis는 그리스어인 hypnos(sleep)에서 유래된 것으로 최면이 수면이라는 오해에서 생겨났는데, Games Braid가 최초로 쓰기 시작하였다. Jean Marie Charcot와 Hippolyte Braid를 거쳐 활발히 연구되던 최면요법은 Freud에 이르러 정신분석에 의해 밀려나게 되었다. 그러나 Freud도 자신의 이론을 정립하기 전까지는 최면의 치료효과가 우세함을 'Turnings in the ways of analysis' (1919)에서 말한 적이 있다. 최면에 대한 관심은 2차 세계대전 이후에 다시 일어나기 시작하였다. 1945년에는 미국에서 'The society for clinical and experimental hypnosis' 가 창립되었으며, 1958년 미국 의학협회에서는 최면을 의학과 치의학에 있어서 합법적인 치료법으로 인정하였다. 정신의학자로서 현재의 최면요법에 가장 큰 기여를 한 인물로는 Milton H. Erickson과 H. Spiegen이 있다. 특히, Spiegen은 최면유도 척도(hypnotic induction profile)를 개발하여 최면 감수성의 측정을 용이하게 하였다.

최면은 의식의 변화상태(altered state)로 '중요하지 않은 정보와 환경의 자극에 대한 의식을 철회시키고 어떤 목표, 사건 또는 사람에 대해 의식을 집중시킨 상태' 이다. 부수적인 사건, 사실, 사람들에 관하여 피최면자의 지각이 감소하게 되어 현실에 대해 무비판적이 되며 치료자가 제시하는 현실을 받아들이게 된다. 즉, 주변에 대한 지각이 감소되고 주의가 한 곳에 집중되어 있는 '강한 초점집중 상태' 를 말한다. 사람의 인식은 항상 주변인식과 초점인식 사이를 왔다갔다 하는데, 어느 한쪽이 증가하면 다른 한쪽은 자연히 감소된다. 즉, 무엇인가에 집중을 하게 되면 자연히 주위에서 무슨일이 벌어지는지 모르게 되는 무아지경(trance)에 들어가게 된다. 최면에 대한 감수성은 타고난 잠재능력에 차이가 있으나 전체 인구의 75%에서 최면 유도가 가능하다. 최면요법은 환자가 특정한 목표를 달성하기 위해서 그들 자신의 최면 능력을 사용하도록 치료자가 지지함으로써 최면 현상을 치료적으로 이용하는 것이다.

## 1. 최면에 대한 질의 응답

최면은 정의에서 알 수 있듯이 일상생활 어디에서나 일어날 수 있는 보편적인 현상이다. 그러나 지금까지 최면에 대한 이해보다는 오해가 더 많았으며 최근에 와서야 좀 더 정확한 이해가 이루어지고 있다. 그 오해와 궁금증들에는 다음의 몇 가지가 있다.

## 1) 최면은 어떤 사람이 잘 걸리나?

일반적으로 정상적인 집중력을 가진 사람이면 모두 가능하다. 다만 지능이 너무 낮은 사람은 곤란하다. 정신병자의 경우는 집중하기 어려운 상태에 있을 때는 안 되지만 집중이 용이해진 상태로 돌아 왔을 때는 유도가 가능하다. 대체로 최면 유도가 쉬운 사람은 지능이 높고 상상력이 풍부하고 긍정적이며 성품이 정직한 요건을 갖춘 사람이라고 말할 수 있다. 연령층으로 볼때는 순진하고 단순한 젊은층이 가장 쉽고 나이가 많아질수록 쉽지 않은 경향을 보이고 있다. 고집이 세고 자기중심적인 사람, 비판적, 부정적인 경향이 강한 사람, 완벽하고 강박적인 성격은 힘든 편이다. 그러나 그런 사람도 최면의 원리를 잘 이해시키고 라포를 잘 형성하여 점진적으로 되풀이하면 유도가 가능하다.

## 2) 최면에 걸리면 어떤 기분일까?

긴장이 풀려서 심신이 느긋하고 아주 평온할 뿐만 아니라 근심 걱정, 불안, 초조, 잡념 등에서 벗어나게 된다. 깊은 최면 상태로 이끌어졌을 때는 황홀경 속에 몸이 공중에 붕 떠 있는 것처럼 부유감을 느끼게 된다.

## 3) 최면은 어떤 방법으로 어떻게 하는가?

유도 기법은 시각적인 방법, 관념 운동법 등 여러 가지가 있는데, 그 기법에 따른 어떤 대상, 즉 물체, 관념 혹은 심상, 소리 따위에 주의를 집중하는 방법이 주로 이용되고 있다. 유도 암시는 말이 주로 사용되며 단조로운 음악이 보조 수단으로 이용될 때도 있다.

## 4) 최면은 수면상태이다?

최면은 수면상태가 아니며 오히려 한 가지 초점에 정신이 통일된 상태이다. 서술자의 말에 최대한 주의를 기울여서 의식 뿐만 아니라 무의식까지 그대로 따라 할 태세가 되어 있는 정신을 똑바로 차리고 있는 상태이다. 뇌파에서도 각성 시와 비슷한 양상을 보이며 이완된 상태에서 증가하는 α파의 증가를 보이는 수도 있다.

## 5) 최면은 시술자의 능력이 투사되는 것이다?

최면유도를 마치 시술자가 어떤 힘을 피시술자에게 주입하는 것으로 생각할 수도 있는데, 사실은 길을 인도하는 것일 뿐 피시술자 스스로의 능력으로 최면상태에 들어간다.

## 6) 최면에 걸리는 사람은 병약하다?

최면은 수면상태가 아니며 오히려 한 가지 초점에 정신이 통일된 상태이다. 집중력이 떨어져 있는 사람은 최면에 들어가기가 어려우므로 정신증보다는 신경증에서 최면을 보다 더 잘 이용할 수 있다. 불안이 너무 심해서 정신집중이 안 되는 경우도 최면을 이용할 수 없다.

## 7) 최면은 시술자가 걸어 주어야만 한다?

시술자가 걸어 주는 것은 정식 최면의 경우이고 스스로 최면 상태에 들어갈 수도 있다.

### 8) 최면은 위험하다?

최면은 인간이 스스로 가지고 있는 잠재능력을 이용하는 것이기 때문에 해롭지 않다.

### 9) 최면은 치료이다?

최면이 이완과 편안함을 주지만 최면상태로 들어가는 것 자체는 치료가 아니다. 최면치료란 최면상태의 특성을 이용하여 그 상태에서 여러 가지 작업을 함으로써 증상을 호전시키는 것을 말한다.

### 10) 한 가지 증상을 제거하면 다른 증상으로 대체된다?

신경증적인 증상이 내적인 갈등의 표현이면 환자는 그 증상으로 평형상태를 유지하고 있기 때문에 그 증상을 제거하면 내적인 필요에 의해서 다른 증상이 생기기 때문에 치료의 대상은 증상이 아니라 그 속에 숨은 갈등 또는 그 갈등을 일으키는 성격이라고 주장하는 학설에 반하여 증상만을 제거했을 때에도 재발하지 않는 경우가 많다.

### 11) 최면요법사는 카리스마가 있어야 한다?

물론 카리스마가 있으면 좋겠으나 피시술자와 시술자간의 공감대와 신뢰감이 더 중요하다. 특히, 피시술자의 최면에 대한 긍정적인 기대감이 가장 중요하다.

### 12) 최면은 심리적인 현상일 뿐이다?

아직 자세한 경로는 모르고 있으나 최면은 대뇌와 관련이 있다는 증거들이 있으며 최근 연구에서는 대뇌의 전기적 변화가 확인된 바 있다.

## 2. 최면의 종류

### 1) 자연 발생적 최면(spontaneous hypnosis)

자기 최면을 위한 사전교육이나 숙련된 최면기술자의 도움이 없이 본인이 의식하지 못하는 사이에 최면상태에 들어간다. 최면 감수성이 높은 사람들에게 자주 발생하는데, 특히 반복되는 단조로운 활동을 하는 사람들이나 감금상태에 있는 사람들에게서 발생한다. 백일몽, 일이나 놀이에 몰두된 상태도 이에 속한다.

### 2) 유도된 최면(induced hypnosis)

숙련된 시술자에 의하여 최면상태가 유도되는 것으로 일반적으로 최면이라 함은 이를 의미한다.

### 3) 자기 최면(autohypnosis)

자기 최면을 위한 사전교육을 받은 자가 의식적이고 의도적으로 최면 상태에 들어감을 말한다.

## 3. 최면의 임상적 적용

### 1) 불안(anxiety)

지나치게 불안한 경우에는 최면에 들어가기가 어렵지만 중등도 이하의 불안환자에게는 이완효과가 있다. 최면이 유도된 상태에서 환자와 함께 그들이 경험했던 즐거운 느낌에 대해 간단히 말하고 이러한 방법이 얼마나 유용한지를 강화시켜 준다.

### 2) 공포(phobia)

환자가 안전하고 지지적인 환경에서 공포의 대상을 경험하도록 돕는 데 이용된다. 특히, 탈감각(desensitization)의 전 과정에서 최면요법을 이용하면 이완효과를 높여 주게 된다.

### 3) 습관조절(habit control)

흡연, 손톱 깨물기, 체중조절 등에 이용된다. 이때는 본인이 자신의 습관을 고치려는 의지가 있을 때 더욱 효과적이다. 최면이 유도된 상태에서 "흡연은(또 다른 어떤 습관이든지) 우리 모두에게 해악이다. 우리는 우리 자신을 돌볼 의무가 있으며 우리 신체를 지킬 책임이 있다. 이제 이것에 대해 생각하자. 자기 자신을 지킬 힘을 당신이 가지고 있음을 알자." 라고 지시한다. 조용한 반영을 할 수 있도록 잠깐 시간을 준 뒤 환자를 깨어나도록 한다. 흡연의 경우는 6개월 치료 후 25%의 환자가 금연에 성공하였다.

### 4) 통증 완화(pain relief)

우선 최면요법을 시행하기 전에 통증의 원인을 정확히 아는 것이 중요하다. 최면요법이 필요하다고 평가된 경우에만 시행한다. 단순히 그들이 좋아하는 장소에 있다고 상상하게 하는 방법에서 시작하여 동통을 다른 종류의 감각 즉, 온기, 냉기, 저리는 느낌 등으로 대치시키는 방법, 또는 신체의 다른 부위에 자극을 주어 실제 부위의 동통을 느끼지 못하게 하는 방법 등이 있다.

### 5) 마취영역

마취제가 개발되기 전인 1821년 프랑스에서 최면 하의 수술이 처음으로 보고된 바 있고, 1829년에는 Jules Cloquetrk이 64명의 여자환자의 유방적출을 최면 하에서 성공적으로 시행하였다. 마취약물이 개발되면서 점차 최면요법의 이용이 감소되었다. 1950년대 이후로는 수술 전의 불안, 공포, 긴장을 경감시키고 환자의 협조를 증진시키며, 마음의 평정을 되찾는데, 동통을 완화시키는데, 수술후 회복을 촉진시키는 데 사용되고 있다. 즉, 마취약물을 완전히 대신하는 것은 아니며 심리적, 정서적 지지를 해 주는 데 이용된다. 또, 마취약물에 과민하여 약물을 사용할 수 없을 경우 이용될 수 있다.

## 4. 최면의 활용 범위

### 1) 심신의 건강 증진을 위하여

현대인들은 지나친 스트레스로 괴로움을 당하는 일이 많고 그 결과 신경증이나 심신증 등으로 고통을 받는 사람들이 눈에 띄게 늘어났다. 스트레스 자극 때문에 심신에 긴장이 유발될 때도 이를 해소시키는 일이 중요하다. 최면을 이용하면 긴장을 용이하게 풀 수 있고 자극에 대한 감수성이 줄어져서 사소한 일 따위에는 끄덕도 하지 않게 된다.

## 2) 성격 개조를 위하여

성격을 크게 나누면 사교적인 외향성과 사교를 싫어하는 내향성으로 구분할 수 있다. 어느 한쪽으로 치우치지 않는 잘 조화된 성격의 사람은 어디에서나 환영을 받으며 유쾌한 나날을 보낼 수 있다. 판매나 관리, 경영 등의 일에는 약간 외향적인 성격의 사람이 유리하다.

내향적이며 신경증적 사람은 신경질형이라 하여 심기증이나 우울증에 걸리기 쉽고, 외향적이며 신경증적인 사람은 소위 히스테리형이 되어 어느 쪽이나 좋은 성격이 못 된다. 이러한 성격 개조에 최면이 가장 효과적이다. 특히 신경증적인 경향을 제거하는 것과 내향적 성격을 고치는데 극히 유효하다.

## 3) 인간관계의 개선에

타인 최면에서는 상대편의 감정이나 관념을 지배할 수 있고, 자기최면에서는 자기의 감정이나 행동을 컨트롤 할 수 있다. 일상 생활에서는 타인을 진정한 최면 상태로 끌어넣는 일은 아마 없을 것이다. 타인과 우호 관계를 맺고 호의적으로 행동하는 정도라면 비록 최면 상태까지 유도하지 않더라도 최면의 원리와 기술을 알고 있는 것만으로도 간단히 해 낼 수 있다. 그런 의미에서 타인 최면이란 일종의 타인 조종법이다. 자기최면을 배우면 사소한 일 따위에 신경을 쓰지 않게 되므로 불필요한 두려움이나 불안을 제거하여 적절한 사회생활을 이룰 수 있다. 사소한 일에 화내지 않는 관용성도 생기고 누구와도 마음 편히 교제할 수 있다.

## 4) 비즈니스맨의 능력 개발에

비즈니스맨은 명랑하고 쾌활하며 사소한 일에 구애되지 않는 성격이 합당하며, 끝난 일에 언제까지나 미련을 남기거나 걱정을 사서하는 성격이면 제대로 해낼 수 없다. 자기최면은 비즈니스맨에게 필요한 성격을 양성하는 방법으로 첩경이 될 수 있는 기법이다. 또 불안감이나 열등감을 제거하고 경영자나 세일즈맨 등에게 필요한 자신과 능력을 높이는 데에 소용이 된다. 자기최면을 마스터하면 어떠한 사태에서도 태연하게 대처 할 수 있고 실패하는 경우에도 곧바로 정신을 차려 바로 일어설 수 있다.

## 5) 아이디어 개발에

최면 중의 대뇌 작용은 깨어 있을 때보다는 약간 둔화되어 있으나 수면과는 달라서 아직 의식이 존재하고 있다. 그러나 의식 수준은 각성 때 보다 저하되어 있기 때문에 사물을 선명하게 분별하거나 판단하는 인식 능력이 각성 때에 비하여 떨어져 있다. 그러나 지금까지의 생각에 구애받지 않는 새로운 착상이란 이런 때에 얻기 쉽다. 잠들어 버리면 아무 생각도 못한다. 깨어 있을 때의 경험의 범위에서 벗어날 수가 없다. 그러나 의식 수준이 떨어진 최면 하에서는 무한한 능력의 보고인 잠재의식과의 교류가 가능하기 때문에 아이디어 개발에 이용한다면 진가를 발휘할 수 있다.

## 6) 텔레파시의 발현에 이바지

투시라던가 텔레파시 등 보통의 심리학에서 취급하지 않는 현상을 초심리 현상이라고 한다. 텔레파시가 자유자재로 되어, 이것이 심리 조종의 위력을 지닌 최면에 가미된다면 정말 놀랄만한 성과를 거둘 수 있는 것이다.

## 7) 학습 효과를 높이기 위하여

공부를 잘 해 보려고 열심히 노력은 하지만 잘 되지 않을 때가 있다. 이때에는 마음이 불안정하고 정신이 산만한 경우일 것이다. 최면을 이용하면 마음의 안정을 가져오게 할 수 있고, 집중력을 비상하게 높일 수 있을 뿐만 아니라, 후최면암시로 공부가 좋아지게 할 수 있으므로 굉장한 학습 효과를 올릴 수 있다.

## 8) 습관장애 및 중독의 교정에

습관장애 및 중독 장애에는 흡연벽, 음주벽, 편식, 약물중독, 도벽, 상습벽, 거짓말, 말더듬, 자위, 야뇨, 차멀미 등의 많은 종류가 있다. 자신의 의지나 노력만으로는 떨쳐 버릴 수 없다는 습벽이나 기벽을 고치는 데에도 최면을 이용하면 경이적인 효과를 줄 수 있는 경우가 적지 않다. 어떤 경우는 한 두차례 최면을 받은 직후부터 기호품(담배, 술, 본드 등)에 대한 혐오감이 생겨나서 단번에 끊어 버린 경우도 있다. 그렇게 될 수 있는 까닭은 최면을 이용하면 잠재의식으로부터 기호품에 대한 혐오감을 즉각 일으키는 것이 가능하기 때문이다.

## 9) 선수 기록 향상에

선수들에게 최면이나 자기최면을 이용하면 경기에서 보다 큰 성과를 올릴 수 있다. 최면은 선수들이 경기를 최고의 컨디션 상태에서 자신을 갖고 시행할 수 있게 할 뿐만 아니라 집중력을 높여 줄 수 있기 때문이다.

메달을 많이 따낸 미국, 러시아 등의 선진국에서는 올림픽 선수들에게 자기최면 훈련을 실시해온 지 오래이다. 이 방법들이 선수 능력 개발이나 기록 향상에 기여할 수 있다는 것은 그 동안 많은 실험 연구 사례를 비롯하여 선수들이 수립해 놓은 신기록 사례들이 실증하고 있다.

## 10) 그 밖의 활용 분야

외과 수술, 발치 등의 마취 수단, 무통분만, 비행교정, 이상행동의 컨트롤, 범죄수사, 기억의 재생, 전생체험, 전생요법 등 기타 여러 분야에서 활용되고 있다.

# 5. 최면 유도와 활용법

최면 피암시성이 높은 사람과 낮은 사람이 있다. 피암시성이 높은 사람은 보통 최면유도법에 의해 쉽게 최면을 시킬 수 있으므로 최면유도에 문제가 될 것 없지만 피암시성이 낮은 사람에게는 피암시성을 높일 수 있는 최면심화의 기법을 조합하여 유도할 필요가 있다.

## 1) 최면 피암시성

최면암시에서 암시과정을 받아들이는 성질을 최면 피암시성이라고 한다. 최면 피암시성이란 정신신경상의 이상자만이 있는 것이 아니라 모든 사람이 가지고 있는 정상적인 특성이다. 다만 사람에 따라 높고 낮은 정도의 차이가 있을 뿐이다. 최면 피암시성에 대한 브라멜의 연구 재료에 의하면 사람들의 78~98%까지는 최면심도에는 개인차가 있지만 최면에 도입될 수 있다고 말하고 있다.

일반적으로 최면 피암시성은 여자가 남자보다 약간 높은 경향이 있고, 나이가 어릴수록 연장자보다 높은 것이 보통이다. 그리고 평균지능까지는 지능이 높을수록 최면 피암시성이 높은 경향이 있다. 성격으로 볼 때 최면 피암시성은 감상적이거나 공상적인 사람, 외향성 히스테리 성격 혹은 신경질 등과 관계된다는 견해도 있지만 피암시성과 성격 특성간에 분명한 관계가 인정된 것은 아니다. 그 밖에 최면 피암시성은 최면을 받는 장소, 최면자(시술자)의 최면유도 능력, 피최면자의 태도, 최면자와의 라포 관계 등에 영향을 받는다고 볼 수 있다.

## 2) 준비

### (1) 최면을 받으려는 마음을 갖게 한다.

먼저 내담자와 면접을 통해 그가 도움 받기를 원하는 것이 무엇인가를 분명히 파악해서 그것이 최면으로 가능한 것이라면 최면으로 당신이 바라는 것을 얻을 수 있다고 확신시킨다. 물론 납득이 갈 수 있도록 그 이유를 자세히 설명주어야 할 것이다. 가령 가끔 발작적으로 심장이 뛰고 있는 증상이 있는 사람이라면 심전도 검사를 해 보도록 하고, 심장에 어떠한 이상이 없다는 것이 확인된 경우라면 "당신의 심장은 생명에 관한 특별한 이상이 없으며 갑자기 심장이 뛰고 아픈 것은 심장의 신경작용이 비정상적이기 때문입니다. 그 신경의 부조화는 마음속의 어떠한 원인으로 발생된 것입니다."라고 설명해 준다. 그렇게 환자의 병이 마음속에서부터 생긴 것을 설명해 준 다음에 그 병을 고치는 데는 심리적 치료가 효과 있다고 말해준다. 그러나 대부분의 환자는 심리적 병이나 심리적 치료법이라는 것에 대하여 거의 이해를 못할 수 있으므로 그 점에 대해 충분히 설명해 주어야 한다. 몇 가지 심리치료법 중에서 최면요법은 단기간에 아무 고통이나 부작용도 없이 고칠 수 있는 점을 강조하고, 최면 치료법으로 잘 치료한 실례를 이야기해 주면 좋다. 증상의 치료와는 달리 연구나 실험 등 다른 목적으로 정상적인 일반인을 피험자로 삼을 때는 "최면상태가 어떤 것인가 체험해 보았으면 좋겠다."라는 마음을 갖도록 한다. 예를 들면 최면상태는 매우 기분이 좋은 것으로 긴장이 풀려 가는 흐뭇한 기분이 된다든지 또는 최면을 받음으로써 매우 흥미진진한 체험을 할 수 있다고 말해도 좋다.

### (2) 불안과 오해의 제거

일단 최면을 받고 싶은 마음을 갖게 하였으면 최면을 어떻게 이해하고 있는지 알아본다. 이 때에 최면에 대한 오해나 그에 따른 불안 등이 밝혀지면 잘 설명해서 올바르게 이해를 시키고 불안과 공포를 없애 준다. 사람들은 이제까지 경험해 본 적 없는 최면을 잘못 이해하거나 불안을 가질 수도 있다. 최면은 잠자는 것과 같다고 생각하는 사람이 많다. 이러한 사람들은 최면을 경험한 다음 자기는 조금도 잠자지 않았고 주위에서 생긴 일은 다 알고 있었으므로 최면에 걸리지 않았다고 주장한다. 이럴 때는 최면은 잠자는 것과 비슷하나 잠자는 것과는 다른 어떤 특수한 상태라는 것을 설명해준다. 최면 중에는 깨어난 후에 아무 것도 생각나지 않게 의식을 잃는다든지 자기 비밀이나 수치스러운 점을 말하게 되지 않을까 하고 겁을 먹고 있을 수도 있다. 이러한 사람에게는 최면이란 무의식 상태로 몰아넣는 게 아니며 또한 본인의 뜻에 어긋나는 부도덕한 행동은 할 수 없다고 보증하고 안심시킨다.

최면은 피최면자의 의지를 버리게 하는 것이 아니고 오히려 약해진 의지를 강화시켜 주는 방법이며 또 의식이 항상 존재하기 때문에 본인이 원치 않은 암시를 받았을 때는 거부해 버릴 수 있다는 점을 설명해 준다.

때에 따라서 최면상태에서 깨어나지 않을까 하는 불안과 깨어난 다음에 어떤 병적인 장애를 남기지 않을까 하고 걱정하는 사람도 있다. 또 최면에 걸리는 것은 의지박약과 지능이 낮은 사람, 히스테리가 있는 사람만이 걸린다고 생각하는 사람도 있다. 이러한 그릇된 생각을 제거시켜 최면에 대한 저항이 되지 않도록 주의시키는 것이 중요하다. 그러나 이러한 불안과 공포는 사람에 따라 차이가 있다. 최면을 방해하는 저항 제거는 초기의 최면자들이 실수하기 쉽다. 그래서 그때그때 이러한 저항을 살펴서 제거시킬 필요가 있다. 때에 따라서는 최면은 최면자와 피최면자간의 협력에 따라 처음부터 잘 되는 수도 있다. 최면자의 일방적인 노력만으로 성공되는 것이 아니다. 최면자는 그저 피최면자의 주의집중과 피암시성을 높여주는 보조 역할에 지나지 않는다는 설명을 사전에 해 주는 수도 있다. 최면이란 결국 최면자와 피최면자가 상호 협력함으로서 비로소 완성된다. 즉 양자간에 충분한 라포를 만드는 것이 중요하다. 이렇게 해서 최면을 받고 싶은 마음이 생기고 올바른 이해와 불안 소거 등의 준비가 끝났으면 피암시성 테스트로 들어간다. 피암시성 테스트는 암시를 따를 수 있는 확신과 피암시성을 높여 최면유도를 용이하게 하기 위함이다.

1. 준비
   최면을 받으려는 마음을 가지게 한다.
   최면에 대한 오해, 불안, 공포를 없앤다.
   암시에 반응할 수 있는 마음을 갖도록 피암시성 실험을 시킨다.
   라포를 형성한다.
2. 유도
   심신의 긴장을 풀도록 한다.
   여러 가지 방법 중에 적당한 것을 골라 최면유도를 한다.
3. 심화
   깊은 최면상태로 유도한다.
4. 각성
   최면상태에서 깨운다.
   최면의 체험에 대하여 서로 말한다.

# 6. 최면유도의 기법

일반적으로 흔히 쓰고 있는 과학적 최면 유도법으로 다음과 같은 것들이 있다.

## 1) 안구 응시법

피험자가 최면자의 눈동자를 똑바로 응시하게 하고 언어 암시를 주어 유도하는 방법이다. 이 방법은 피최면자의 마음을 최면자가 잘 잡아 둘 수가 있으며, 도중에서 피최면자의 주의가 산만해지면 그것을 최면자가 바로 알 수가 있으므로 유도하기가 편리한 이점이 있다.

## 2) 물체 고정 응시법

피최면자를 의자에 편히 앉히고 물체의 한 점을 계속 응시시켜 유도하는 방법이다. 이때 한 점의 물체는 촛불, 회중 전등, 기타 눈부시지 않을 정도로 섬광을 발하는 것이면 좋다.

응시대상물과 피최면자의 눈의 각도는 45 정도면 좋다. 이 방법은 옛날부터 가장 많이 써오고 있는 기법인데 손가락 끝의 한 점 (손톱 선단)을 물체로 대용으로 응시시켜도 좋다.

## 3) 신체의 동요법

이것은 몸의 동요테스트 중에서 몸을 뒤로 또는 앞으로 넘기는 암시를 반복하여 그대로 최면상태로 유도하는 방법이다. 이 방법은 다른 유도법에 비해 시술이 자연스럽고 최면법이라기 보다는 테스트하는 것 같이 보이므로 피최면자에게 신기한 느낌을 일으켜 저항을 덜 받는 이점이 있다.

## 4) 복식호흡법

최면자와 피최면자가 마주앉아 "부탁합니다" 라고 말하는 것에서부터 시작한다.

〈준비〉

① 똑바른 자세로 천장을 향해 눕게 한다.

② 전신에 힘을 뺀다

③ 양쪽 손은 자연스럽게 몸에 붙여서 뻗친다.

④ 침대라면 요나 이불이 필요 없다.

⑤ 베개는 낮은 편이 좋다.

⑥ 발끝은 조금 세우게 하고 뒤꿈치에 기분상 약간 힘을 주게 한다.

⑦ 눈을 감게 한다

피최면자를 똑바로 눕혔으면 최면자는 대각선으로 피최면자의 머리 옆에 정좌하고 오른손을 피최면자의 하복부에 댄 후에 복식호흡을 행한다. "내 손 벽을 들어 올리는 기분으로 숨을 들이마시고 내 쉬십시오." 라고 주의를 시키고 "들이마시고 내 뱉는다" 라고 여러 번 반복하며 암시를 준다. 이와 같은 호흡은 의식호흡 또는 노력호흡이라고 설명하며 유도를 계속하여 간다.

## 5) 손의 개폐법

양손을 가슴 앞에 합장시키고 손끝만 약간 붙인다. 이때 몸에 힘을 빼 놓는다. 특히 어깨, 손이나 팔에 힘을 주지 않도록 한다. 암시는 조용한 목소리로 단조롭게 해 나가되 반응이 잘 나오기 시작하면 암시에 완급과 고저를 적절히 배합하여 감정을 넣음으로써 반응을 높일 수 있다.

## 6) 손가락 어름거림에 의한 유도법

피최면자를 똑바로 세워 놓고 최면자의 오른손 인지와 중지 두 손가락으로 피최면자의 안구를 매혹시켜 유도하는 방법이다.

〈준비〉

① 피최면자를 바른 자세로 발을 모으고 서게 한다.

② 눈을 뜨고 있게 한다.

③ 최면자는 오른손 인지와 중지를 펴고 (그 외 다른 손가락은 오므려야 함) 피최면자의 눈동자에서 5센티 가량 떨어진 시점에서 손가락을 좌우로 빨리빨리 움직이며 "눈시울이 뜨거워집니다" 등의 암시를 준다.

## 7) 심호흡법

깊은 호흡을 계속시켜 유도하는 방법이다. 이 방법으로 처음에 2~4분간 심호흡을 시키고 나서 최면자는 손으로 테이블 등을 조용히 두드리며 "숨을 들이마십니다" "숨을 내쉽니다." 라고 조용히 피최면자에게 호흡시키면 된다. 이것으로서 피최면자는 최면 피암시성이 높아져서 최면자의 암시에 쉽게 반응하게 된다. 또 피최면자에게 심호흡을 계속시키면서 점점 깊이 깊이 최면 상태에 들어간다는 암시를 덧붙인다. 다른 유도방법으로 처음 단계 최면유도가 끝난 데서 이 방법을 조합하여 최면상태를 깊게 하는데 쓸 수도 있다. 이 때 심호흡을 해 나가면 머리가 몽롱해지고 의식 활동이 저하되어 암시를 쉽게 받아들일 수 있게 된다.

## 8) 경동맥 동법

이 방법은 최면을 수십 초의 짧은 시간 내에서 유도하는 목적에서 고안된 것이다. 무대최면술자가 자주 이 방법을 사용한다. 피최면자에게 미리 이 방법은 여러 사람에게 적용하여 아무 무리 없이 잘 되었던 것이라고 설명해 준다. 먼저 피최면자를 침대 끝에 앉힌다. 또는 안락의자 앞에 등을 향하게 하여 세워도 좋다. 피최면자의 손을 뒤로 하여 쥐게 하고 그저 멍청한 기분으로 힘을 빼고 천장의 어느 한 점을 바라보게 한다. 몇 번 깊은 숨을 쉬게 한다. 그 때 최면자는 아래와 같이 말한다.

"당신은 바로 깊은 잠에 빠집니다."라고 말한 후, 왼손으로 그의 목뒤를 받치고 오른손으로 가볍게 이마를 받쳐 갑자기 머리를 뒤로 넘긴다. 최면자는 오른손 엄지와 중지로 양측의 미주신경과 경동맥을 압박한다.(그 때 너무 눌러 호흡방해가 되지 않도록 주의한다.) 동시에 왼쪽 엄지와 인지로 목을 향해 양쪽 귀 뒤의 유양돌기의 직하를 압박한다.

## 9) 색채 대비법

무광채 대비판을 사용한다. 피최면자는 이 판을 손에 쥐고 청편과 황편의 중간 0.5cm폭의 회색부분을 응시하며 거기에 보이는 것을 자세히 보고하도록 한다. 얼마간 보고 있으면 양색면 주위의 회색 위에 대비색으로 보색이 나타나기 시작한다. 이것은 실은 정상의 생리학적 현상으로 그것을 암시로 이용한 까닭이다.

## 10) 메트로놈법

음량 조절 볼륨이 달려 있는 전자식이 아닌 기계식 메트로놈을 이용할 때는 너무 크게 울리지 않게끔 담요 같은 것으로 싸거나 상자 속에 집어넣은 메트로놈의 소리를 피최면자의 시야 밖에서 매분 50박자 정도의 느린 속도로 들려주고 이 소리가 "깊이 - 자라 - 깊이- 자라" 라고 속삭이고 있는 것처럼 상상시킨다. "당신은 박자 음을 듣고 있으면 대단히 기분이 좋아져서 점점 깊이 잠들게 됩니다. 그러나 그 소리는 더욱 확실하게 '깊이 - 자라 - 깊이 - 자라 소리' 로 들려온다." 라고 암시한다.

## 11) 기합법

옛날부터 사용해 온 기합술이란 것이다. 갑자기 강력한 큰 소리로 "옛" 하고 기합을 넣어 깜짝 놀라는 순간 마음에 허점이 생겼을 때 재빨리 암시를 주어 상대방의 심신을 제어하는 기술이다. 기합이 일치되면 좋은 결과를 가져오므로 특히 무대에서는 기합이 승부의 지름길이라고도 한다.

## 12) 최면암호어법

한번 최면에 잘 유도되었던 사람은 후최면성암시(후최면암호)를 이용하여 쉽사리 최면유도를 할 수 있다. 그러나 각성 후에 후최면 암호를 받은 것을 모르도록 망각시키는 게 좋을 수 있다. 암호를 받은 것을 피최면자가 알고 있으면 의식적으로 최면에 도입되지 않으려고 저항하면 최면 도입이 곤란해 질 수 있기 때문이다.

암호 암시문의 형태는 다음과 같이 하면 무난할 것이다. "당신은 최면에서(혹은 잠에서) 깨어난 후에 언제든지 제가 하는 '슬립' 이란 말을 듣게 되면 지금처럼 깊은 최면 속으로 다시 들어가게 됩니다. 지금 한 말은 각성 후 생각나지 않습니다. 그러나 그 말을 들자마자 당신은 깊은 최면 속으로 들어가게 됩니다." 이렇게 하여 암호를 받은 것을 모르게 되면 깨어난 후 최면자가 슬립을 말하면 피최면자는 자신도 모르게 다시 최면 속으로 들어가게 된다. 암호는 무엇이든 좋다. 네 손을 만지면 깊은 최면에 빠진다든지, 손뼉을 치면, 기침을 세번 하면, 네 눈동자를 쳐다보면, 잠자라고 말을 하면 등 어떤 것이든 상관없다. 그러나 암호는 되도록 간단하고 인상적인 것이면 더욱 좋다. 이 후 최면 암호는 피최면자가 자기최면을 하기 위한 방편으로 이용하게 할 수도 있다.

## 13) 집단 최면법

인원이 적을 때는 각자의 의자를 최면자(시술자) 주위에 방사상으로 배치하여 필요에 따라 최면자 쪽을 또는 반대쪽을 보게 하여 앉힌다. 대집단일 때는 창문을 닫든지 실내를 어둡게 하여 집단을 안정시키도록 하고 최면자에게 잘 장악되게끔 의자에 앉힌다. 암시법은 개인 대 개인의 최면법과 같으나 좀더 정성 들여 암시에 반응을 잘 보일 때까지 몇 번이고 반응시켜 점진적으로 해 나간다. 모델 최면시범이 집단최면 효과를 높일 수 있으므로 모델은 최면피암시성이 높은 대상을 잘 선정하여 관객을 감동시킬 만한 시술을 행해 보일 필요가 있다.

집단최면에서는 빨리 트랜스에 빠지는 사람도 있고, 아주 반응 없는 사람도 있으므로 어디에다 기준 삼아 암시해 나가야 좋을지 곤란에 부딪히게 된다. 즉 너무 빨리 트랜스에 빠지는 사람에게 중심을 두면 다른 사람과 균형이 맞지 않아 곤란하고, 너무 반응이 늦은 사람을 대상으로 하면 시간이 걸리게 된다. 그리하여 전부를 최면시킨다는 것은 어려우므로 보통 그 집단의 몇 %쯤 최면시킬 것인지를 먼저 예상해 두었다가 그것을 기준으로 시행하는 것이 좋을 것이다.

# 기타치료

## 1. 글쓰기 치료

글쓰기에 임상적인 효과가 있다는 최초의 기록은 18세기의 의사였던 러시(Benjamin Rush)가 내담자로 하여금 자신의 증상에 대해 말로 하는 것보다 글로 쓰게 할 때, 내담자의 긴장이 감소되고 그들의 문제에 대해 더 많은 정보를 제공한다는 임상적 보고서에서 찾아 볼 수 있다. 라이오던(Riordan)은 글쓰기를 통한 상담 및 심리치료의 연구결과와 상담 실제를 정리하면서 이와 같은 상담 전략을 '자술치료'라고 했다. 자술치료란 치료효과를 높이기 위해 글쓰기를 의도적으로 사용하는 것이다.

### 1) 원리와 기법

① 억제에 대한 심체적 이론

개인에게 충격을 주는 생각과 감정, 또는 외적 행동을 억제하는 것은 심리적이며 생리적으로 자동적인 과정이다. 그러나 지나친 억제는 스트레스와 관련된 질병들이 일어날 가능성이 높다. 내담자는 글쓰기를 통해 스스로 통제할 수 있다는 느낌을 가지게 되며, 그 결과 그것을 억지로 억제하려는 노력을 줄일 수 있게 된다.

② 일반 학습이론에 근거한 설명방식

글쓰기 작업을 통해 억제를 해소하고 다양한 사고를 연습하게 하므로 상담과정에 긍정적인 효과를 가져올 수 있다.

③ 글쓰기는 카타르시스와 통찰을 일으키는 방법이 될 수 있다.

④ 아들러의 이론에서 중시하는 개인적 논리 또는 잘못된 전제를 발견하는 방법이 된다.

⑤ 인지-행동적 접근에서 중시하는 기능적인 사고를 하게 하고 연습하도록 하는 방법이 될 수 있다.

### 2) 과정 및 방법

① 글쓰기는 가능하다면 일정한 시간을 정해 두고 쓰도록 하며 상담주제에 따라서 대략 15분에서 1시간 정도 쓰도록 한다.

② 구체적이면서도 정서적으로 많은 에너지가 투여된 주제에 대해서는 더 자주 글을 쓰도록 한다.

③ 내담자가 시간과 주제를 선택하게 함으로써, 자신이 언제 사고나 감정의 어려움을 겪는지를 이해하는 데 도움이 된다.

④ 글을 쓰는 장소는 내담자로 하여금 자유롭게 자신을 표현할 수 있는 장소를 찾도록 한다.

⑤ 글의 주제는 일반적으로 내담자에게 구체적인 주제나 문제를 제시하는 것이 좋다.

⑥ 글쓰는 형식은 내담자로 하여금 자연스럽고 편안한 스타일로 자유롭게 쓰도록 한다. 문장의 구조나 문법 또는 논리에 너

무 신경 쓰지 않고 쓰는 것이 중요하다.

⑦ 상담자는 내담자의 글에 대해 피드백하는 방식과 시간을 구조화해 두는 것이 좋다.

## 3) 적용

① 무의식적 과정과 통찰을 돕는 방법인 글쓰기

프로고프(Progoff)의 방법이라고도 하는데, 정기적으로 글을 쓰는 것을 특정한 문제를 해결하는 과정이라기보다 창조적 경험으로 간주했다. 삶의 내용보다는 생활과정에 초점을 맞추는 것이 좋다. 글쓰기는 의식적인 자기를 무의식적인 자기의 흐름 속에 더 많이 투여시킴으로써 자신을 조절하고 통찰하는 것을 돕는다고 생각했다. 워크숍이나 집단상담 또는 개인 상담기간에 리더나 상담자가 주는 피드백이 매우 중요한 역할을 한다. 시(詩)는 위험에 처한 내담자의 무의식에 있는 장애를 찾고 진단하는 도구로 사용될 수 있다.

② 교육과 의사소통을 돕는 방법이 되는 글쓰기

부모·교사, 그리고 학생들 간에 글을 통한 상호작용은 의사소통의 질을 높인다. 청소년들에게 글쓰기는 뛰어난 자기분석 방법이 되고 있다.

③ 외상경험에 대한 애도과정이 되는 글쓰기

그레이브는 강간당한 경험이 있는 사람에게 그 경험을 글로 쓰게 함으로써 새로운 눈으로 정리할 수 있게 하였다.

④ 진로와 인생에 대한 글쓰기

스퍼라 등은 갑자기 직장을 잃은 내담자에게 글쓰기를 하도록 했는데 표현적인 글쓰기 집단이 부정적인 감정을 처리하고 글을 통해 그들의 상황을 다시 평가할 수 있었기 때문에 훨씬 객관적인 태도로 구직활동을 할 수 있었다고 하였다.

⑤ 기타 다양한 방식의 글쓰기

엘리스는 내담자에게 글쓰기를 과제로 자주 내 주었으며, 셀턴이나 애커먼도 과거의 슬픔에서 빠져나오지 못하는 배우자에게 싸움·실망·짜증 등에 대해 매일 몇 분씩 써서 '상처의 박물관'에 저장한 후 상담시간에 가져오라고 해서 상담시간에 그 문제를 해결하였다.

그 외에 교육장면이나 집단상담에서 일지 또는 경험보고서를 쓰는 방법도 있다.

## 4) 유의점

① 글쓰기는 어디까지나 보조전략이기 때문에 상담을 대신하기는 어렵다.

② 상담자는 내담자의 특성, 문제의 특성 등을 고려하여 글쓰기 전략을 융통성 있게 사용해야 할 것이다.

③ 상담자는 내담자가 어떤 내용에 대해서는 말하기 좋아하고 어떤 내용에 대해서는 글쓰기를 좋아하는지를 보고 내담자가 무엇을 고통스럽거나 민감하게 생각하는지를 구별할 수 도 있다.

④ 만약 상담자가 글쓰기를 도입해 본 경험이 없으면 몇몇 내담자를 선택해서 먼저 사용해 본 후, 그들의 피드백을 토대로 상담자가 기법을 사용하는 절차를 수정하도록 한다.

⑤ 내담자가 글쓰기를 해로운 방법으로 사용하지는 않는지 유의한다.

# 2. 오락 요법

오락요법은 신체적·정서적·사회적 행동을 바람직하게 변화시키고 개인의 성장과 발전을 증진시키기 위하여 레크레이션과 여가활동을 활용하는 치료법이다. 치료 레크레이션이라는 용어로도 사용되며, 놀이나 오락을 하게 함으로써 내담자의 흥미를 자극시키며 성취 및 성공으로 인한 만족감을 얻을 수 있는 창조적인 활동치료를 의미한다.

## 1) 오락(레크레이션)의 가치 및 효과

### (1) 피로 회복을 통한 건강효과

적당한 신체적 움직임을 통한 레크레이션 활동은 신경계의 피로회복은 물론 호르몬의 조화를 찾는 데도 효과적이다.

### (2) 신체적인 건강 효과

수영, 등산, 무용, 걷기 등의 레크레이션 활동은 전반적인 운동 부족 현상을 해결하고 체력 향상과 건강 효과를 가져오게 한다.

### (3) 정신적인 효과

레크레이션 활동을 통해 정신적으로 편안한 휴식의 느낌과 마음의 안정을 얻게 되며, 스트레스를 해소시켜 준다.

### (4) 사회적인 효과

레크레이션 활동은 여러 사람과 어울려 즐기는 기회를 통해 서로 이해하고 친숙해지며 화목한 가운데 일체감을 갖게 하여, 인간관계를 형성하는 계기가 되게 한다. 또한 레크레이션은 시민 상호간의 교류에서부터 연대감, 친화감, 향토애 등도 발전시켜 시민성의 발달효과를 가져온다.

### (5) 예술적인 효과

레크레이션 활동은 자기표현의 이상적인 모습이며 완성을 향하는 즐거운 노력이다. 이러한 활동을 통하여 예술적인 효과를 기대할 수 있다.

### (6) 여가 교육적 효과

여가를 자기 자신의 것으로 알고 자신의 여가를 이용하는 방법, 기능, 습관을 길러 교육적 효과를 달성할 수 있다.

### (7) 자기표현의 기회

자기표현이 억제되면 욕구불만이 쌓이게 되는데, 자기가 좋아하는 취미활동을 통하여 자기를 표현하고 실현할 수 있는 유일한 기회를 가질 수 있다는 것이다.

## 2) 오락치료의 효과

### (1) 진단과 평가를 돕는다.

레크레이션 치료사는 내담자의 중요한 진단적 자료를 찾아내어 치료팀에게 이 자료를 제공할 수 있는 유리한 위치에 있다. 레크레이션 활동은 다양한 상황에서 개인을 관찰할 수 있는 많은 기회를 제공한다. 개인의 자발성을 관찰함으로써 내담자의 행동을 진단할 수 있게 된다.

### (2) 병원이나 시설의 일상 생활에 적응하도록 돕는다.

내담자가 장기간 혹은 단기간 의료 시설에 입원해 있거나 외부와의 접촉이 단절되어 있다면, 레크레이션 활동은 그들이 처한 환경에 적응하도록 도울 수 있다.

### (3) 성장과 발달을 증진시킨다.

신체적으로 건강한 사람은 신체 과정이 건전한 기능 수행을 즐길 뿐만 아니라 신체적·정신적 결함에서 자유로와진다. 레크레이션 활동은 생기있는 활동을 위한 체력을 증진시키고 유지시키며, 개인의 잠재력을 충분히 개발하도록 돕는다.

### (4) 상호 관계를 통해 사회성을 증진시킨다.

치료 레크레이션의 활동 프로그램은 주로 사회적 상호작용에 기초하고 있다. 따라서 사람들 간의 사회적 관계를 증진시키고 책임감을 향상시키도록 돕는다.

### (5) 창조의 기회를 제공하도록 새로운 기술의 개발과 기존기술의 활용을 돕는다.

인간은 창조적 존재로서 창조력을 발산시키기 위한 출구를 발견해야 하며, 창조적 노력은 기쁨을 준다.

### (6) 자신과 미래에 대한 긍정적인 태도를 갖는다.

성공적인 경험에 의해 자신의 진정한 능력을 알게 되면, 미래에 대한 자립심과 자존감을 갖게 된다.

### (7) 현실 생활에 접촉하게 된다.

현실에 적응하지 못하는 노인성 질병과 신체질병, 정신질환을 가진 내담자의 경우, 레크레이션을 사회적으로 수용되는 행동 구축에 사용할 수 있다.

### (8) 적대적이고 공격적인 감정을 발산할 수 있는 합리적인 출구를 제공한다.

레크레이션은 개인이 긴장을 해결하거나 발산시킬 수 있는 주요 원천이 된다. 또한 레크레이션을 통해 즐거움, 흥분, 성취감을 줄 수 있어 긴장과 불안을 경감시키는 효과를 가져 온다.

### (9) 건전한 개인적 습관을 증진시킨다.

사용하지 않거나 질병으로 인해 잃어버린 개인의 습관을 다시 회복시키는 효과를 가져올 수 있다. 건설적이고 정상적인 활동 프로그램을 통해 좋은 습관을 회복하게 하거나 개발시킴으로써 자기존중감과 개인의 사회적인 위상을 증진시키는 결과를 가져올 수도 있다.

### (10) 일상 생활을 위해 준비할 수 있게 한다.

레크레이션은 인간의 풍요로운 삶을 실현하는 기초적 부분이 되므로 치료자는 내담자들이 여가를 가치있게 사용하도록 교육시켜야 한다.

## 3) 오락요법의 과정

### (1) 사정(assessment)

① 신체와 건강상태, 정신상태, 감정적 상태, 사회적 상태, 여가, 경제적 상태, 영적 상태, 직업 상태 등을 사정해야 한다.
② 여가와 관련된 것으로는 과거와 현재의 여가흥미도, 여가 제약, 여가에서의 욕구, 여가에서의 장점과 단점 등을 사정해야

한다.

## (2) 계획

① 오락요법의 계획과정, 목적, 목표, 전략 등에 대해 계획한다.

② 오락요법의 활동에 대해 분석한다.

신체적 요구조건, 인지적 요구조건, 상호작용과 사회적 요구조건, 정서적 요구조건, 기타 연령, 내담자의 수, 활용가능한 시설, 장비와 준비물, 상담자의 기술적 능력 등에 대해 분석한다.

## (3) 실행

① 오락요법의 촉진 기법

가치명료화 전략, 자기주장 훈련, 사회 기술 훈련, 인지적 재활, 재동기 부여, 재사회화 감각훈련, 회상 등의 기법이 있다.

## (4) 평가

마지막 단계인 평가에서는 프로그램 계획에서 목적과 목표를 평가하는 것이다. 계획한 프로그램에 대한 내담자의 반응, 오락요법의 효과, 도구의 선정, 스탭(치료자)의 훈련, 평가기간표, 프로그램 수정 등에 대해 평가한다.

## 4) 레크레이션 상담자의 역할

① 내담자를 진단하고 평가한다.

② 병원이나 시설의 일상생활에 적응하도록 돕는다.

③ 성장과 발전을 촉진시킨다.

④ 사회성을 증진시킨다.

⑤ 자신과 미래에 대한 긍정적인 태도를 갖게 한다.

⑥ 적대적이고 공격적인 감정을 발산시키도록 돕는다.

# 3. 무용 요법(춤 요법)

무용 및 동작을 활용한 전략으로 무용 치료 또는 동작 치료라고 불린다. 상담자는 세분화된 언어를 탐색함으로써 내담자로 하여금 안정감과 균형을 찾을 수 있도록 하는 동시에 자발적이고 적응적이 되도록 할 수 있다는 원리에 기초한다. 인간의 행복을 증진하는 과정에 신체·마음·영혼·인지 등의 일체성을 강조하는 전일적인 접근을 중요시하며, 보완적인 전략이다. '지금 - 현재' 몸의 자세와 이미지를 강조한다는 점에서 게슈탈트 이론과 공통점이 있으며, 은유나 자유연상, 또는 해석을 강조한다는 점에서 정신분석적 상담과 공통점이 있다. 또한 집단적이고 원형적 현상이 동작에서 표현된다는 것을 인정한다는 점에서 융의 접근과 유사하다. 1966년에 미국 무용치료협회가 설립되면서 전문가 집단이 형성되어 무용·동작 치료로 자리잡기 시작했다. 1982년에는 무용·동작 치료협회가 발족되었으며 대학원 이상의 훈련 과정도 생기게 되었다.

## 1) 무용치료의 원리

### (1) 감정과 신체의 관련성

감정은 신체와 깊은 관련이 있으며 지속적이고 상호보완적으로 작용한다는 전제에 기초하고 있다. 즉 신체와 정신은 끊임없는 상호작용을 하고 있으며, 동작이 인격을 반영한다는 것이다.

### ⑵ 문제의 근원과 무용의 의미

무용과 동작은 내적인 감정과 고통스러운 경험을 언어보다도 더 직접적으로 표현하는 통로가 될 수 있다.

### ⑶ 무용과 동작의 치료적 요인

무용 자체는 카타르시스, 긴장의 이완, 운동을 통해 개선된 정서상태, 의사소통, 접촉, 창조적 활동 등의 치료적 요인이 있다.

## 2) 무용치료의 방법

① 무용 및 동작을 활용한 전략은 1대1의 관계에서나 집단상담 장면에서 모두 사용할 수 있다.
② 무용 및 동작을 활용한 상담의 목표는 상담자와 내담자가 함께 설정할 수 있다. 다만 목표를 상담 과정에 두어야 하며, 그 결과에 두지 말아야 한다.
③ 상담자는 내담자의 문제유형에 따라 다양한 역할을 취한다.

## 3) 무용 · 동작 치료의 단계

① 상담자와 내담자가 공동의 동작을 통해 어떤 느낌이나 상태에 이르게 된다. 이 단계에서는 상담자가 다소 적극적으로 내담자에게 접근하게 된다.
② 상담자는 내담자로 하여금 자신이 하는 동작에 감정을 나타내도록 도와준다. 내담자의 즉흥적 표현과 내담자 동작에 대한 상담자의 탐색이 중요해지며, 내담자의 언어적 표현 역시 중요한 기능을 한다.
③ 상담자의 역할이 적어지고 내담자가 자발적으로 자신의 내면세계를 표현하게 된다.

## 4) 무용치료의 기법

### ⑴ 자각을 촉진하는 기법

내담자로 하여금 자신의 행동 패턴을 지각하도록 하는 기법이다.

### ⑵ 따라하는 기법

상담자는 내담자의 행동을 그대로 따라하기도 한다.

### ⑶ 반추하는 기법

어떤 내담자에게는 눈을 감거나 반쯤만 뜨고 동작하게 함으로써 자신의 내면세계를 깊고 민감하게 경험하도록 한다.

### ⑷ 해석

내담자의 내면세계를 인식하고 경험하게 돕는다.

## 5) 유의점

### ⑴ 무용 · 동작 치료에 대한 오해

① 무용 · 동작 치료는 신체적 장애가 있는 사람들만을 위한 것이라는 생각이다.

② 리듬이나 무용에 적성이 있는 사람들에게만 적용 가능한 것이라는 생각이다.

③ 무용치료자는 병원이나 특수학교에서 내담자나 내담자와 함께 작업하는 교사에 불과하다는 오해이다.

### (2) 무용 치료 시 유의점

① 상담자는 스스로 동작을 관찰하고 검색해야 한다.

② 상담자는 전략이 의도하는 목적을 내담자에게 정확히 알려주고 내담자의 좌절을 다루어 줌으로써 내담자가 자연스럽게 무용치료 과정에 참여할 수 있도록 유도할 필요가 있다.

③ 때로는 내담자들이 상담자에게 동작과 무용을 해 달라고 요구하고, 자신들은 그것을 즐기려고 하는 경우가 있는데, 전략과 과정에 대한 구조화를 통해 이를 방지해야 한다.

④ 동작을 하고 춤을 추는 것에 공포감이나 수치심을 느낄 수 도 있는데, 수치심을 경감시키기 위한 노력을 해 주어야 한다.

## 4. 작업 치료

작업치료는 내담자들에게 일을 하게 함으로써 정신적 퇴행을 예방하고 에너지를 건전한 방향으로 전환시켜 생산적인 일을 하게 함으로써 건강한 생활을 할 수 있도록 도와주는 치료방법이다.

### 1) 작업치료의 목적

작업치료의 목적은 작업과정을 통해 내담자 개개인의 성격상의 장점과 약점을 알아내어 심리적 문제가 어디에 있는가를 알아내는 진단적 목적, 작업과정을 통해 내담자의 정신병리를 치료하는 치료적 목적, 궁극적으로는 사회에서 생산적인 직업을 갖도록 훈련시켜 건전한 사회생활을 할 수 있도록 도와주는 재활의 목적이 있다.

### 2) 작업치료의 종류

치료 여건에 따라 작업의 종류가 다르며 작업에 필요한 도구도 차이가 있으나 수예, 뜨개질, 장난감 만들기, 요리, 미용, 청소, 꽃밭 만들기, 봉투 만들기, 도자기나 질그릇 만들기, 간단한 인쇄, 타자, 칠보공예, 조각품, 가죽세공, 모자이크 등이 있다.

#### (1) 작업치료로 치료하려는 주요문제와 활동

① 약한 자기개념: 명확한 소수의 대상을 취급함으로써 자기를 표현하도록 하기 위해 인형놀이, 정물화, 인물화, 지점토, 신체적 접촉경험, 무용, 사람들과 의사소통 등을 하게 한다.

② 성적 동일화의 혼란: 남자는 남성역할 강화작업(목공예, 석공예, 가죽세공, 모자이크)을 경험하게 하고, 여자는 여성역할 강화작업(수예, 미용, 장식, 재봉)을 하게 한다.

③ 적개심: 상징적 대상이나 행위를 통하여 공격적 충동을 표현하게 하는 활동으로 공격적 댄스, 노래, 대화, 권투·구기운동, 재봉, 철사 자르기, 금속공예 등의 활동을 하게 한다.

④ 현실검증장애: 현실적 지각강화를 위한 작업으로 근육운동, 리듬운동, 꽃꽂이, 꽃가꾸기, 병원신문 편집자료 검열 등의 활동을 하게 한다.

⑤ 언어소통 장애: 창조적, 구성적 활동으로 그림그리기, 연극, 댄스, 음악, 신문편집 등의 활동을 하게 한다.

⑥ 억압된 무의식적 욕구: 그림그리기, 연극, 문예활동 등을 하게 한다.

### 3) 작업치료의 대상 및 실시원칙

#### (1) 작업치료의 대상

작업치료의 대상자는 원칙적으로 모든 사람이 다 포함될 수 있지만 급성기나 지나치게 충동적이거나 파괴적 성향이 있는 사람은 참여시키지 말아야 한다.

#### (2) 작업치료의 실시원칙

① 작업치료에 대한 내담자의 반응을 관찰한다. 치료자는 작업치료실을 소개해 주고 치료의 목적을 설명해 준다. 그 다음 어떤 활동을 할 것인지를 물어본다. 작업치료사는 작업치료실에서 할 수 있는 활동을 내담자와 함께 선정하도록 하며 선정한 이유에 대해서 물어본다.

② 작업의 목표는 한정된 시간 내에 그 장소에서 할 수 있는 활동을 선정하도록 돕는다. 내담자가 하고 싶은 것을 선택하도록 하거나 내담자의 문제를 개선시킬 수 있는 활동을 선택해 준다. 작업치료의 과제는 단순한 것에서부터 복잡한 것으로 진행한다.

③ 내담자에게 필요한 자료가 무엇인지 물어본다. 이렇게 함으로써 내담자의 결정하는 능력을 평가할 수 있다.

④ 대상관계에서 현실검증을 강화하도록 돕는다.

⑤ 내담자의 감정을 건설적인 방법으로 표현할 수 있도록 지지한다.

⑥ 전체과정을 평가한다. 우울하고 불안한 감정이 어떻게 변화되었는가? 타인과의 관계는 어떠한가? 작업치료를 통해 내담자가 무엇을 배웠는가? 목표가 너무 높았는가, 낮았는가?

⑦ 활동의 초기에는 내담자의 문제를 표현시킬 수 있도록 활동시키고, 자기의 문제를 인식하게 하며 차츰 그 문제를 승화하는 활동으로 바꾼다.

## 5. 원예 요법

원예요법은 식물을 이용하여 구성원 간의 상호작용, 원예활동으로서의 효과, 인간의 식물에 대한 긍정적인 신체적, 심리적 반응을 통해 대상자의 전인적인 건강증진, 유지 및 재활을 목적으로 전문가에 의해 수행되는 과학적이고 체계적인 치료적 과정이다.

### 1) 원예요법의 효과

원예요법은 식물기르기, 꽃장식 등 다양한 원예활동을 통하여 사회적, 교육적, 심리적, 신체적 적응력을 기르고, 그 결과를 육체적, 정신적 회복과 재활 및 삶의 질을 높이는 데 이용하는 치료요법이다. 원예요법은 원예 자체의 1차적 효과와 이를 치료적으로 이용함으로써 얻게 되는 2차적 효과로 인하여 대상자의 신체적 재활 뿐만 아니라 그들의 관심, 능력, 욕구를 충족시키는 데 필요한 인지적, 정서적, 사회적, 신체적, 여가적, 직업적 효과 등이 있다. 특히, 원예활동은 노인들이 선호하는 활동으로 인기 기능 향상과 타인과의 사회적 상호작용 증진을 통해 정신적, 신체적 안정을 도모할 수 있다.

#### (1) 인지적 효과

① 식물에 대한 지식과 원예기술 학습, 기억 증진

② 어휘력과 의사소통 기술의 향상

③ 호기심의 자극 및 관찰력 증진

④ 시각, 촉각, 후각 등 감각 지각의 자극

⑤ 계절감, 시간, 장소 등 지남력 제공

⑥ 직업훈련

## (2) 사회적 효과

① 대인관계 기술 및 상호교류의 기회 제공

② 타인에 대한 인식과 권리 존중, 협력성 증대

③ 역할 습득

④ 책임감 증대

⑤ 바람직한 행동의 증가

⑥ 여가활용 및 사회봉사 기회 제공

## (3) 정서적 효과

① 자신감과 자존감의 향상

② 공격성, 긴장, 불안의 건설적 발산

③ 창조성과 자기표현 증진

④ 심리적 위안과 안정감

⑤ 통합감

## (4) 신체적 효과

① 대 · 소 근육 기능과 근력 향상

② 관절의 가동범위 증가

③ 활성산소 등에 의한 건강 증진

④ 비타민, 섬유소 등의 영양소 섭취

⑤ 주기적 운동 효과

## (5) 영적 효과

① 삶과 미래에 대한 희망 증진

② 가치감과 의욕 증진

③ 고독감 감소

## 2) 원예요법의 과정

### (1) 대상자 자료 및 요구의 체계적, 합리적 수집

인구학적 특성, 신체적, 정서적, 인지적, 사회적 건강상태, 원예 지식, 흥미, 원예 활동 경험 등에 관한 자료를 수집한다.

### (2) 대상자의 치료적 문제 확인

각 대상자별로 현재 치료되어야 할 시급한 문제가 무엇인지를 확인한다.

### (3) 대상자의 치료목표 수립

각 대상자에게 적절한 치료목표를 대상자와 함께 설정한다.

### (4) 목표달성을 위한 치료적 원예활동의 개발 및 계획

대상자의 특성에 따라 개인이나 집단으로 구성하여 실내나 실외에서 실시한다. 비슷한 수준의 난이도를 가진 활동을 동일한 방식으로 진행하거나 난이도를 상향 또는 하향 조절한 활동을 구성하여 다양하게 적용함으로써 대상자의 참여와 치료적 효과를 높일 수 있다. 원예요법은 참여방법과 관찰방법 두 가지로 나눌 수 있는데, 참여방법은 대상자가 직접 원예활동에 참여하는 것을 말하고, 관찰방법은 다른사람에 의해서 관리된 경관, 실내 환경 등을 관찰하는 방법이다.

### (5) 원예요법 수행 및 효과, 목표달성 정도의 평가

치료자는 대상자와의 치료적 관계형성을 수립해야 하며, 결과물이 아닌 과정에 초점을 맞추고 계속해서 대상자를 사정하여 대상자의 반응에 따라 활동의 난이도나 소재를 유동적으로 조절할 수 있어야 한다. 또한, 원예요법 수행 후에는 대상자에 대한 평가 뿐만 아니라 활동, 치료자 모두에 대한 평가가 이루어져야 한다.

## 6. 스포츠나 여행을 활용한 치료법

스포츠를 활용한 치료법은 근육이완, 긴장과 스트레스의 해소, 우울감 극복, 엔돌핀 분비에 의한 행복감 증가 등을 기대하는 치료법이고, 여행을 활용한 치료법은 사회화를 촉진시키는 효과를 가져올 수 있는 치료법이다.

# 4

# 상담의 실제

# 집단상담

## 1. 집단 상담의 기초 개념

### 1) 집단 상담의 정의

집단 상담에 대한 관심이 높아지고 그 이론이 발달함에 따라 이에 대한 다양한 정의들이 제시되어 왔다. 집단 상담의 과정은 너무나 복잡하기 때문에 하나의 정의로서 모든 역동적 상호작용을 포괄하기는 어렵다. Gazda, Duncan & Meadow는 집단상담 분야에서 알려진 54명의 저서와 논문 등에 실린 정의를 검토하여 하나의 통합적인 정의를 다음과 같이 만들어 내었는데, 이는 집단 상담에 관한 여러 문헌에서 광범위하게 인용되고 있다.

"집단 상담은 역동적인 인간관계의 과정으로서, 의식적 사고와 행동에 주의를 집중하고 허용성, 현실과 정화 및 상호신뢰의 지향, 보살핌, 이해 그리고 지지 등의 치료적 기능을 포함한다. 이들 치료적 기능은 소집단에서 동료 구성원 및 상담자와 함께 개인적인 관심사를 서로 공유함으로써 창조되고 육성된다. 집단상담의 대상은 근본적인 성격의 변화를 필요로 할 만큼 심각한 문제를 갖고 있지 않은 정상적인 개인으로서 기본적으로 다양한 관심을 지니고 있는 사람들이 해당된다. 집단 구성원들은 집단 상호작용을 활용해서 가치와 목표를 이해하고 수용하는 능력을 증대시키며 새로운 태도와 행동을 학습하고 이미 낡은 것에 대해서는 탈학습이 이루어진다."

Ohlsen(1975)은 "집단 상담은 비교적 건강한 사람들로 하여금(물론 자격을 갖춘 전문가에 의해서는 신경증 환자와 정신질환자까지 치료하는 데도 사용될 수는 있으나) 그들을 괴롭히는 문제들을 서로 털어놓고 토의하도록 돕고, 치료의 목표를 행동적인 용어로 정확하게 정의하도록 도우며, 상담 과정에서 스스로의 진전을 측정하는 데 사용할 수 있는 기준을 발달시키도록 돕고(또한 동시에 바람직한 행동이 나타날 때 그것을 강화시키고), 그들로 하여금 다른 대치 행동들을 탐색하고 가장 적절한 대안을 선택하고, 깊이 관여하며 자신감을 기르며 선택한 해결방법을 실제로 적용하는 기술을 발달시키도록 돕기 위하여 고안된 것이다." 라고 정의하였다.

이형득(1980)은 "집단 상담은 비교적 적은 수의 정상인들이 한 두 사람 전문가의 지도 아래 집단 혹은 상호관계성의 역학을 토대로 하여 신뢰할 만하고 수용적인 분위기 속에서 개인의 태도와 행동의 변화 혹은 한층 높은 수준의 개인적 성장 및 인간관계 능력의 발달을 위해 노력하는 역동적인 대인관계의 과정이다." 라고 하였다. 한편 이장호 외(1992)는 "집단 상담은 생활 과정상의 문제를 해결하고 보다 바람직한 성장·발달을 위하여 전문적으로 훈련받은 상담자의 지도와 동료들의 역동적인 상호교류를 통해서 각자의 감정, 태도, 생각 및 행동 양식 등을 탐색하고 이해하여 보다 성숙된 수준으로 향상시키는 과정이다." 라고 정의하였다.

이상의 내용들을 종합해 볼 때, 집단 상담은 비교적 정상적인 사람들로 하여금 그들의 문제가 더 심각해지기 전에 발견하여 해결할 수 있도록 도와주는 상담의 집단적 접근이라 할 수 있다.

## 2) 집단 상담의 필요성

인간은 관계적 존재로서 다른 사람들과의 상호작용을 통해 성장하고 발전해 나갈 수 있다. 따라서 집단의 가치는 인간 존재의 성질과 사회적 관계에 깊이 뿌리박고 있으며, 집단과 인간생활은 서로 불가분의 관계에 놓여 있다고 볼 수 있다. 인간의 성격은 의미 있는 타인들과의 끊임없는 상호작용의 산물이며, 집단을 형성하고 다른 인간과 밀접한 관계를 맺으려는 인간의 욕구는 생리적 욕구와 마찬가지로 인간의 삶에 있어서 기본적인 것이라고 할 수 있다.

인간은 집단을 통하여 주어진 삶에 필요한 여러 가지 편의를 서로 주고받을 뿐만 아니라, 타인들과의 친근감, 소속감, 일체감 등의 유익한 감정을 얻게 되는데, 이러한 감정은 개인의 생존과 심리적 건강에 매우 중요한 역할을 한다. 따라서 개인은 그가 필요로 하는 여러 가지 사회적 욕구가 충족되지 못하면 심리적으로 고통을 받게 되고 결과적으로 부적응 행동을 보이게 된다.

현대 사회로 발전하면서 여러 가지 복잡하고 다양한 집단들이 출현하게 되고, 이러한 집단은 한편으로는 구성원의 다양한 욕구를 나름대로 충족시켜 주는 근원으로 인정되어 왔다고 볼 수도 있으나, 다른 한편으로는 집단 간 또는 집단 내에서 새로운 긴장을 유발시키고 적절한 협조를 필요로 하는 등 인간의 정신건강을 위협하는 요소가 되기도 하였다. 또한 산업 경제의 발달을 통한 문명의 이기로 인해 생활은 편리해졌지만, 현대인이 겪게 되는 긴장감, 불안, 소외감 등의 정서적인 문제는 증가하게 되었다. 이에 인간의 욕구를 충족시켜 온 집단의 전통을 이용한 해결방안인 집단상담 치료가 발전하게 되었다. 집단상담은 개인 상담의 단순한 양적 연장이 아니다. 집단상담은 개인 상담의 여러 한계를 극복할 수 있고, 그 나름의 독특한 치료적 장점을 갖고 있다. 무엇보다도 인간은 사회적인 존재이기 때문에 집단적 상황에서 자신의 모습이 더 잘 부각되고, 타인과의 상호작용과 피드백을 통해서 편안하게 자신의 다양한 모습들을 만나고 변화할 수 있는 장점이 있다. 이러한 특징으로 인해서 최근에 와서 집단상담은 많은 주목을 받고 있는 중요한 접근법이다.

## 3) 집단 상담의 장점과 단점

### (1) 집단 상담의 장점

① 집단 상담의 가장 큰 장점으로 강조되는 점은 경제성이다. 집단 상담은 개인 상담에 비해 시간과 경비가 적게 든다. 즉 집단 상담은 짧은 시간에 많은 사람에게 봉사할 수 있어서 시간과 노력을 크게 줄일 수 있다.

② 집단 상담은 실제적이고 현실적이다.

집단 상담은 개인 상담에 비해 실제 생활에 보다 근접한 사회 장면을 제공한다. 따라서 집단 상담은 집단구성원들에게 사회화를 촉진하는 기술을 향상시키고 개선시켜 주는 효과가 있다.

③ 집단 상담은 수용적이고 촉진적이다.

내담자들은 집단 상담을 개인상담보다 좀 더 쉽고 편안하게 받아들이는 경향이 있다. 개인상담의 내담자는 자기의 문제가 실제보다 좀 더 심각하거나 심지어 '비정상적'이라고 생각하여 부정적으로 받아들일 수 있으나, 집단 상담에서는 다른 참여자들과 함께 함으로써 자기만이 특별히 다르다거나 이상하다고 생각하는 경향이 적어지게 된다. 또한 직접적인 대인관계 교류를 통해 개인의 자기탐색을 도와 인간적인 성장과 발달을 촉진시킨다.

④ 집단 상담은 구성원들에게 다양한 성격의 소유자들과 접할 수 있는 기회를 부여해 주므로, 구성원들은 개인 상담에서는 불가능한 여러 가지 학습경험을 풍부하게 할 수 있다.

이와 같은 이점은 특히, 연령, 흥미, 성장배경, 사회경제적 지위, 문제의 형태 등이 다양한 개인들로 구성된 집단일수록 더욱 효과가 좋다.

⑤ 집단 상담은 구성원으로 하여금 개인 상담에 참여할 수 있는 기회를 제공한다.

어떤 개인은 개인 상담이 필요하지만 여러 가지 이유로 기피하는 경우가 있다. 집단 상담을 통하여 개인상담의 필요성을 느끼게 되어 개인 상담에 응하게 될 수 있다.

⑥ 집단 상담은 집단구성원으로부터 직접적 행동이나 대리학습을 통해 대인관계와 의사소통 기술을 학습하게 된다.

집단 상담을 통하여 다른 사람의 필요나 감정에 민감해질 수 있고, 자신의 행동이 타인들에게 어떤 영향을 미치는지를 느끼고 생각하면서 인간관계의 형성과 유지에 필요한 태도와 기능을 학습하게 된다.

## (2) 집단 상담의 단점

① 집단 상담 전에 개인 상담을 받아야 하는 내담자가 있고, 기본적인 문제해결이 된 후에 집단 상담에 참가해야 할 내담자들이 있다. 또한 집단 상담이 적합하지 않은 개인이나 상황이 있을 수 있다.

② 집단의 보편적인 문제를 집중적으로 다루게 되므로 구성원 개개인의 문제를 깊이 있게 다루지는 못하게 된다. 특정 내담자의 문제가 충분히 다루어지지 못할 가능성이 많다.

③ 개인 상담에 비해 비밀 유지가 어렵다.

④ 집단 구성원이 부당한 집단 압력에 의해 희생될 수도 있다.

⑤ 동질 집단일 경우, 다양한 자극과 여러 수준의 학습을 경험할 수 있는 기회가 줄어든다.

⑥ 집단 상담자의 역량 부족과 부적절한 지도로 문제가 생길 수 있다. 따라서 집단 상담자는 집단 역동에 관한 이해와 경험을 쌓는 것이 중요하며, 이러한 이해와 경험의 정도에 따라서 집단 상담의 성과가 결정된다.

## 4) 집단치료가 가지고 있는 치료요인(Yalom)

① 희망을 갖게 된다.

② 정보를 나눈다.

③ 자신 뿐만 아니라 다른 사람도 문제를 가지고 있다는 것을 알게 된다.

④ 이타심이 발달되고, 자존감이 높아진다.

⑤ 집단을 통해서 자신의 생활을 재점검하게 된다.

⑥ 사회적 기술을 배운다.

⑦ 타 내담자들의 문제해결과정을 배운다.

⑧ 자기와 타인을 있는 그대로 보고 상호 올바른 평가를 받아들일 수 있게 된다.

⑨ 집단응집성이 치료적인 힘을 발휘한다.

⑩ 억압된 정서가 표현될 기회가 된다.

⑪ 현실적인 존재로서의 자기에 대한 인식이 증가한다.

## 5) 집단상담의 유형

### (1) 지도 집단

지도 집단은 교육, 직업, 사회적 정보와 같은 학생의 개인적 요구나 관심사에 관련된 정보를 제공하는 데 많이 사용된다. 주로 학교 장면에서 수행되며, 주제는 집단 지도자에 의해 선정된다. 심리적인 문제를 치료하기보다는 문제를 사전에 예방하는 것에 중점을 둔다.

### (2) 상담 집단

상담 집단은 집단원 간의 상호작용과 문제 해결을 위해서 형성된다. 상담자가 편안한 분위기속에서 가족, 대인관계, 자아개념, 사회적, 교육적 문제 같은 개인적인 어려움을 나눌 수 있는 분위기를 만들어 낸다.

### (3) 치료 집단

상담 집단과는 달리 치료집단의 참여자들은 집중적인 심리치료를 필요로 하여 모인 집단이다. 따라서 좀 더 오랜 상담 기간을 필요로 하며, 더 많은 훈련과 전문적 기술을 지닌 지도자를 필요로 한다.

### (4) 자아성장 집단

자아성장 집단은 인간성장 집단이라고도 불리는데 발달적인 측면이 강해서 학생들이 인생행로에서 겪게 되는 과업에 초점을 맞추고 개인 갈등을 탐색한다. 개인이 가진 무한한 가능성과 자신의 긍정적인 면과 잠재능력을 집단경험을 통해 표출하도록 함으로써, 그리고 확인하고 실행해 봄으로써 자각하게 하고 자신의 의식과 행동으로 내면화하도록 한다. 이 자아성장 집단은 개인이 가진 자주성, 자아성장 능력, 자아실현 능력을 바탕으로 자아개념의 증진, 잠재력 개발 그리고 가치명료화에 초점을 두고 개인의 긍정적 측면을 개발하도록 촉진한다.

### (5) 감수성 훈련 집단

감수성 훈련집단은 참만남 집단이라고도 부르는데, 이는 특정 조직에서 성공적으로 기능할 수 있도록 인간관계 기술 훈련을 강조하는 집단이다. 이 집단은 과업 지향적이어서 집단 내에서 실험을 할 수 있고, 새로운 생각을 해 볼 수 있으며, 결정을 하거나 문제를 해결해 볼 수 있는 환경을 조정해 줌으로써 직접적인 경험을 통한 교육에 강조점을 둔다.

이 집단의 초점은 개인성장보다는 집단과정에 있다. 여기서의 집단과정이란 한 집단의 발전단계들과 각 단계를 특징짓는 상호작용들을 뜻한다. 집단원들은 자신의 상호작용을 관찰하는 방법과 스스로 집단 상담을 할 수 있도록 지도력을 개발하는 방법에 대해 배운다.

### (6) T - 집단

T - 집단을 훈련 집단이라고도 한다. 비교적 비조직적인 작은 집단에서 집단원 모두가 직접 참여하여 스스로의 목표를 설정하고 상호간에 피드백을 주고받고, 집단 활동을 관찰하고, 분석하고, 계획하고, 평가하는 등의 직접적 경험을 통하여 주로 인간관계의 기술과 집단과정에 대해 학습한다. 다른 집단과는 대조적으로 과업 지향적이며, 집단의 기능에 관심을 두어 훌륭한 집단 구성원들이 되도록 참여자들을 교육하는 데 관심을 둔다.

## 2. 집단 상담의 목표

집단 상담의 목적은 생활문제의 해결에 필요한 태도와 자기관리 능력을 습득하고 대인관계 기술을 향상시켜 주는 것이라고 볼 수 있다. 일반적인 집단 상담의 목표는 다음과 같다고 할 수 있다.

(1) 자기이해, 자기수용 및 자기관리 능력의 향상을 통한 인격적 성장
(2) 객관적인 관심사와 생활상의 문제에 대한 객관적인 검토와 그 해결을 위한 실천적 행동의 습득
(3) 감정의 바람직한 표현과 자기표현 능력의 향상
(4) 집단생활 능력과 대인 관계 기술의 향상

# 3. 집단 상담의 과정

## 1) 집단 상담의 준비 및 구성

　집단 상담자는 집단을 성공시키기 위해 집단 상담에 대한 계획을 철저하게 수립하여야 한다. 계획은 서면으로 작성하여야 하며, 여기에 포함되어야 할 내용으로는 다음과 같은 내용들이다.

　　① 집단 상담의 기본 목적

　　② 참가 대상

　　③ 집단을 알리는 방법과 참가자를 모집하는 방법

　　④ 참가자의 선별과 선택

　　⑤ 집단의 크기와 지속 시간

　　⑥ 회기의 빈도와 시간

　　⑦ 집단의 구조와 구성

　　⑧ 참가자들을 준비시키는 방법

　　⑨ 집단의 성격(개방집단 혹은 폐쇄집단)

　　⑩ 참가자의 성격(자발적 참가자와 비자발적 참가자)

　　⑪ 추후 연구와 평가 절차

## (1) 집단 구성원의 선정

　집단의 형성 단계에서 상담자의 준비가 집단의 성과에 중대한 영향을 미친다. 따라서 현명한 상담자는 참가자들이 어떤 종류의 집단을 원하는지에 대해서 생각하고, 참가자들을 심리학적으로 준비시키는 데 많은 시간을 보낸다. 어떤 참가자들로 구성되는지와 참가자들이 집단에 흥미를 느끼는 정도에 따라 집단 상담에 큰 영향을 미친다. 그러므로 집단 상담자는 집단을 형성하는 과정에서 필요한 사항들을 충분히 고려하여 성공적인 상담이 이루어지도록 해야 한다. ASGW(The Association for Specialists Group Work, 1989)의 지침에는 "집단 상담자는 자신의 이론적 지향점과 일치하는 지원자를 선발해야 한다. 가능한 한 집단 상담자는 집단의 요구와 목표에 부합되는 집단참가자를 선택해야 하며, 그러한 참가자는 집단 과정을 방해하지 않고 집단경험을 통해 행복을 유지·향상시킬 것이다." 라고 하였다. 집단원(집단 상담 참여자)을 선정하는 데 있어서는 성별, 연령, 과거의 배경, 성격 차이 등을 고려하여야 한다. 집단 상담에 효과를 얻을 수 있는 사람들의 기본적 조건으로는 ① 내담자는 반드시 도움을 받기를 원해야 하고 ② 자기의 관심사나 문제를 기꺼이 말해야 하며 ③ 집단 분위기에 잘 적응하는 정도에 따라 집단 상담 효과는 증가된다는 것이다.

　상담자는 집단 상담이 시작되기 전에 미리 집단원이 되고자 하는 내담자들을 차례로 면담하여, 집단의 목표에 내담자가 잘 적응할 수 있는지 또는 내담자들에게 가장 적합한 집단을 어떻게 구성할지를 결정해야 한다. 가능하다면 사전 개별 면담을 통해 비현실적인 기대와 불안을 줄이고, 적극적인 자세로 참여하도록 준비시키는 것이 좋다. 사전 면담은 상담자에게 집단원들을 미리 알고 집단 구성의 균형을 맞출 수 있는 기회가 되는 것이다. 그리고 예정된 상담 집단의 기능이 무엇이며, 집단원들에게 무엇을 기대하고 있는지를 알려준다. 그런 후, 집단 상담의 구성원이 될 것인지의 여부는 내담자 스스로 결정하게 한다.

　이밖에도 집단원을 선정할 때에는 개인의 생활 배경과 성격 특성에 주의를 기울여야 한다. 지나치게 공격적이거나 수줍어하는 사람이 집단원이 될 경우 집단 상담 과정이 원활하게 이루어지지 못하는 상황이 발생될 수 있다. 따라서 집단에 참석하기로 결정한 사람이라 하더라도 참석을 유보시켜야 할 경우도 있다. 또한 정직하게 자기 노출을 하게 하려면, 친한 친구나 친척들을 같은 집단에 넣지 않는 것이 좋다. 집단 상담의 목적과 기능에 따라 집단 참여자들의 구성 범위와 내용이 달라질 것이다.

⑵ 집단 구성원 선정에서 고려할 사항

① 폐쇄집단과 개방 집단

집단 상담을 운영하기 위해서는 집단의 목표에 따라 집단의 운영을 폐쇄형으로 할 것인가 혹은 개방형으로 할 것인가를 미리 정해야 한다. 폐쇄 집단은 집단이 시작될 때 참여했던 사람들로만 끝까지 밀고 나가는 것이다. 도중에 탈락자가 생겨도 새로운 구성원을 채워 넣지 않는데 대개 학교에서의 집단 상담은 이 형태를 취하고 있다. 이러한 집단은 가능한 한 지속성을 유지하고 응집력을 조장하여 참가자들에게 안정감을 제공하는 장점이 있다. 그러나 폐쇄집단의 문제점은 너무 많은 참가자들이 중도하차 하게 되면 집단 과정이 심각한 영향을 받을 수 있게 된다.

개방 집단은 집단이 허용하는 한도 내에서 새로운 사람을 받아들이는 것이다. 이는 새로운 자극이 되어 집단의 활동성을 증가시킬 수 있다. 그러나 개방집단의 단점은 새로 참가한 참가자가 처음부터 참석해 온 참가자들이 무엇에 관해 상담을 해 왔는지 모르기 때문에 집단의 구성원이 되는 데 어려움을 겪을 수 있다. 또 다른 문제점으로는 집단참가자의 변화가 집단의 응집력에 역효과를 가져올 수도 있다는 점이다. 새로운 구성원을 받아들일 때에는 반드시 집단 모임에서 구성원의 변동 문제를 충분히 논의함으로써 집단의 기본적인 특성을 분명히 유지할 필요가 있다. 새로운 집단원은 간혹 집단의 흐름을 방해하는 경우도 있으나 오히려 집단 과정에 활기와 도움을 줄 수도 있다.

② 동질집단과 이질 집단

집단 상담자들은 집단의 동질성의 근거를 결정해야 한다. 흔히 관심과 문제가 비슷한 사람들로 구성할 것으로 생각하나 반드시 그렇다고 할 수는 없다. 때로는 문제의 다양성이 집단의 경험을 풍부하게 할 수도 있는 것이다. 연령과 사회적 성숙도에 있어서는 동질적인 편이 좋으나, 성(性)에 있어서는 발달 수준에 따라 고려하는 것이 좋다. 아동의 경우는 남녀를 따로 모집하는 것이 좋으나, 청소년기 이상에서는 남녀가 섞인 집단이 더 바람직하다고 할 수 있다. 학생들의 경우에는 같은 또래끼리 만나는 것을 더 편하게 생각하지만, 성인들의 경우에는 다양한 연령층이 모임으로써 서로의 경험을 교환할 수 있는 이점이 있다.

③ 자발적 참가자와 비자발적 참가자

집단 상담에 참여하는 내담자가 자발적으로 오는가 혹은 비자발적으로 오는가에 따라서 참여에 대한 준비도가 다를 것이다. 분명한 것은 스스로 집단 과정에 참석하기로 선택한 참가자들로만 구성된 집단 상담이 효과적이다. 자기 스스로 결정해서 집단에 참여할 때에 더 참여 의식과 책임감을 느끼게 되기 때문이다. 물론 비자발적 참가자들이 집단에 대해 가지고 있는 부정적인 태도는 집단에 대해 충분히 준비해 온 참가자들에 의해 변화될 수는 있다.

④ 집단의 크기

집단의 크기는 참가자의 나이, 집단의 형태, 집단 상담자의 경험 등의 요인에 달려 있다. 상담 집단의 크기를 결정함에 있어서는 집단의 목표와 내담자들에게 기대하는 몰입 정도를 고려해야 한다. 적절한 집단의 크기에 대해서는 학자에 따라 주장이 다르나, 일반적으로 6~7명에서 10~12명 수준이 보통이다. 일반적으로 5~8명의 구성원이 바람직하다고 말할 수도 있다. 집단상담자가 1명인가 혹은 여러 사람인가에 따라 집단구성원의 수가 달라질 수도 있다.

집단의 크기가 너무 적으면 내담자들의 상호관계 및 행동의 범위가 좁아지고 각자가 받는 압력이 너무 커지므로 오히려 비효율적이다. 이와 반대로 집단의 크기가 너무 커지면 내담자들의 일부는 집단 상담에 실질적으로 참여할 수 없게 되고, 상담자가 각 개인에게 공평한 주의를 기울이지 못하게 된다.

⑶ 집단상담 시간

집단 상담에 적절한 시간은 구성원의 연령이나, 집단 모임의 성격과 모임의 빈도에 따라 달라질 수 있다. 1주일에 한 번 만나는 집단은 한 시간에서 한 시간 반 정도로 지속되는 것이 필요하며, 2주일에 한 번 만나는 집단이라면 한 번에 두 시간 정도가 바람직하다. 청소년의 경우라면 한 시간 내지 한 시간 반 정도가 좋으나 아동의 경우 20~40분 정도가 적당하다. 학교 장면에서는 대체로 학교의 수업 시간의 길이와 일치하게 하는 것이 보통이다.

집단 상담의 일반적인 시간보다 더 오랫동안 한 모임을 계속하는 것을 '연속(마라톤) 집단'이라고 한다. 연속 집단에서는 한 번에 15~20시간 혹은 그 이상을 계속한다. 이렇게 장시간 지속되는 집단 과정에서는 구성원 각자가 다른 사람의 생각과 감정을 탐색하고, 서로의 관계를 이해하고, 모험적인 대인 관계에 대한 반응 양식을 효과적으로 익힐 수 있는 기회를 접하게 된다.

상담 시간에 대하여 반드시 한정된 원칙이 있는 것은 아니지만, 일단 정해진 시간은 반드시 지킬 필요가 있다. 일반적으로 시간의 통제가 없다면, 내담자들이 정해진 시간을 넘기는 경향이 있으므로 상담자는 이런 가능성에 대하여 주의해야 한다. 상담 집단이 습관적으로 시간을 넘기는 것은 바람직하지 않기 때문이다.

## (4) 집단의 지속기간

전체 집단 회기가 어느 정도 계속되는지를 말하며, 집단이 구성될 때 집단의 목적에 따라 그 집단의 회기가 정해진다. 일반적으로 8회기, 12회기 등으로 진행된다. 참가자들에게 시간이 한정되어 있음을 정확하게 알리기 위해 종결일을 미리 정하고, 그 기간을 지키는 것이 좋다.

## (5) 집단 상담 장소

집단 상담 장소로는 사생활이 보장되고, 어느 정도 안락감을 느낄 수 있는 매력적인 분위기, 대면적인 상호작용이 가능한 장소라야 한다. 집단 상담을 하는 방은 너무 크지 않으며 외부로부터 방해를 받지 않아야 한다. 효과적인 참여를 위해서는 모든 집단원이 서로를 잘 볼 수 있고 잘 들을 수 있는 공간이어야 한다. 원형으로 앉는 것이 일렬로 앉거나 장방향으로 앉는 것보다 효과적이다. 책상을 사용하는 것은 장·단점이 있는데 둥근 책상에 둘러앉으면 보다 안정감을 느끼게 되지만, 자유스러운 상호작용을 하는 데 방해가 될 수도 있다.

## 2) 집단 상담의 단계

집단 상담의 과정은 학자에 따라 약간씩 차이가 있다. 초기, 중기, 말기의 3단계로 나누기도 하고, 참여단계, 전환단계, 작업단계, 종결단계로 나누기도 한다. Tuckman은 형성기, 격정기, 표준기, 성취기의 4단계로 나누었으며, Yalom은 오리엔테이션 단계, 갈등 단계, 응집 단계, 작업 단계로 구분하였다. Corey(1995)는 집단상담의 과정을 초기단계(initial stage), 추이단계(transition stage), 작업단계(working stage), 종결단계(final stage)로 구분하였으며, Vander Kolk(1985)는 초기탐색단계(initial exploratory stage), 추이단계(transition stage), 작업단계(working stage), 정리단계(consolidation stage)로 구분하였다. 명칭은 다르더라도 일반적으로 초기(참여)단계, 과도기적 단계, 작업단계, 종결단계로 구분하여 정리할 수 있다.

## (1) 초기 단계

이 시기는 침묵이 많고 집단원들이 서로 어색하게 느끼며 혼란스러워하는 단계이다. 집단상담 실제에서 가장 중요한 것은 상담자가 초기단계부터 집단의 분위기를 잘 형성하고 유지시키는 것이다. 그러므로 상담자는 각 구성원들에게 왜 이 집단에 들어오게 되었는가를 분명히 이해시켜 주고 서로 친숙하게 해주며, 수용과 신뢰의 분위기를 형성하여 집단 상담에서 새롭고 의미 있는 경험을 가지도록 이끌어 주어야 한다. 이 단계에서 집단지도자는 다른 단계에서보다 더 지시적이고 적극적이다. 이 단계에서 리더는 집단이 1차 과제를 정하고 집단계약을 맺도록 도와준다. 집단계약에 포함될 수 있는 몇 가지 공통 요소들은 집단목표, 비밀유지, 모임시간, 정직성, 집단의 구조, 의사소통 규칙 등이다. 이 단계에서 중요한 것은 규범을 정하는 것이므로, 리더는 규범이 집단목표를 성취하는 데 도움이 된다는 것을 확신시켜야 한다. 리더의 또 다른 과제는 구성원들 간의 소속감과 응집력을 기르는 것이다. 첫 단계 동안 구성원들은 서로를 평가하고 리더와 집단을 평가한다. 이 평가과정에서 구성원들은 그 집단에 계속 있을 것인가의 여부와, 집단에 어느 정도로 참여할지를 결정하게 된다. 이 단계에서 흔히 있을 수 있는 구성원들의 의식적, 무의식적 염려는 거절당하지 않을까 하는 두려움, 자기 노출에 대한 두려움, 한 개인으로서 제대로 인식되지 못할지도 모른다는 두려움 등이다. 상담자의 지도적 행동은 집단 구성원들에게 자유로의 각자의 의견과 느낌을 나눌 수 있도록 하는 보이지 않는 힘이 된다. 상담자의 역할은 내담자들로 하여금 스스로 집단의 '규범'을 준수하고 상호 협력적인 자세를 갖추도록 함으로써 효율적인 집단 분위기를 만들고 유지하는데 도움이 되는 것이어야 한다.

상담자가 집단의 목표를 분명히 하고 친숙하도록 하기 위해 기울여야 하는 노력의 정도는 구성원들의 성숙도 및 저항의 정도에 따라 다르다고 할 수 있다. 집단의 구성 단계에서 목표를 충분히 설명할 수 없었거나 상담자에 대해 긴장감이나 적대감이 있을 때에는 집단의 목표를 분명히 밝히고 이해시키는 노력부터 다시 해야 하는 시간이 필요하다. 그러나 구성원들이 집단 상담에 참여하기를 자발적으로 원했던 경우에는, 이 참여 단계가 한 두 시간에 끝날 수도 있고, 경우에 따라서는 5~6회의 모임이 필요하기도 하다.

## (2) 과도기적 단계(갈등 단계)

과도기적 단계는 참여 단계에서 생산적인 작업 단계로 넘어가도록 하는 '과도적' 과정이라고 볼 수 있다. 이 단계에서 집단 구성원들은 상담자와 다른 집단들의 기대가 명백해짐에 따라 감정의 양립성을 경험하게 된다. 과도기적 단계는 참여자들의 긴장과 저항으로 특징지워지는 시기인데, 집단 구성원 각자가 자신의 위치를 확보하고자 노력하는 가운데 구성원과 지도자 사이 또는 구성원 상호간에 갈등이 생기기도 하며, 상담자에 대한 저항이 일어나기도 한다. 이 단계는 Tuckman의 집단 발달단계 중 격정단계에 해당된다. 이 단계에서는 희망과 기대감에 부푼 초기단계에서의 분위기가 다소 가라앉게 되면서 염려, 방어, 저항, 자기통제와 조절, 집단원 사이의 갈등, 상담지도자에 대한 도전과 같은 행동들이 나타난다. 집단이 작업단계로 발돋움하기 위해서는 이런 문제들이 반드시 인식되고, 집단 안에서 효과적으로 다루어져야 한다.

이 단계에서 상담자는 구성원의 불안을 인식하고 표현하도록 도우며, 집단에서 일어나는 갈등을 공개적으로 다루는 일이 필요한데, 이 단계의 성공 여부는 주로 상담자의 태도와 기술에 달려 있다고 말할 수 있다. 집단구성원들은 종종 리더에 대한 자신들의 의존 욕구와 바람을 시험해 보거나, 반대로 어떤 구성원들은 리더의 지위를 침범하면서, 리더의 역할에 도전하는 행동을 나타낸다. 상담 지도자를 공격하거나 집단의 전체적 여론에 도전하는 행위가 사실은 집단 내 상호 작용과 역학 관계를 명료하게 하는 촉진제가 된다고 할 수 있다. 다시 말해서, 숙련된 지도자는 이런 공격과 도전을 집단의 상호 작용 과정을 정착시키는 데 활용한다. 상담자는 과도적 단계에서 구성원들 간의 진정한 느낌이 교환되도록 격려하는데 노력을 집중해야 하고 개인적 느낌의 토의가 위험하지 않다는 것을 보여 주어야 한다. 집단원들은 과도적 과정에서 느낌과 지각 내용의 상호교류가 얼마나 이로운가를 배우게 된다. 진정한 느낌과 생각을 점진적으로 나누게 되면, 다른 사람이 자기를 알아내도록 허용함으로써 비생산적으로 인해 방어를 줄일 수 있을 것이다.

초기의 불안이 어느 정도 감소되고 나면, 각 집단원은 집단 속에서의 자기의 위치와 얼마나 집단을 잘 이용할 수 있을지에 대해서 긴장하게 되는 단계에 들어간다. 이 시점에서, 상담자는 집단원들의 수용도 및 준비도에 따라 자신의 지도력을 '적절히 그리고 제때에' 발휘하여야 한다. 상담자는 스스로 개방적이 되고, 경우에 따라 자기의 감정을 다른 사람들과 나누고, 자기의 행동 의미를 탐색함으로써 집단에서 서로 믿을 수 있다는 것을 설명할 뿐만 아니라 직접 시범으로 보여야 한다.

## (3) 작업 단계

작업단계는 Tuckman의 성취단계(performing stage)에 비교될 수 있다. 이 단계 동안, 집단은 한 팀이 되어 주로 집단과제를 성취하는 데 에너지를 투입한다. 작업하는 것은 어렵지만, 이 단계는 리더와 구성원 모두에게 즐거움이 된다. 작업 단계는 상담 집단의 가장 핵심적인 부분으로 집단치료에서의 치료적인 요인들이 발생하게 되는 시기이다. 앞 단계들이 잘 조정되면 작업 단계는 매우 순조롭게 진행되고, 지도자는 한 반 물러나서 집단원들에게 대부분의 작업을 맡길 수도 있다. 집단이 작업 단계로 들어가면 대부분의 집단원들이 자기의 구체적인 문제를 집단 내에서 활발히 논의하며 바람직한 관점과 행동 방안을 모색하는 분위기가 된다. 집단원들이 자기 자신을 위해 어떻게 집단을 이용하며, 다른 사람들을 돕기 위해 어떻게 자기의 생각과 기술을 활용할 것인가에 대해 분명히 알게 되었을 때, 상담 집단은 작업 단계에 들어섰다고 볼 수 있다.

지도자의 주요 역할은 집단이 자신의 치료적 속성을 최대한 효율적으로 사용함으로써 집단 과제를 완성하도록 도와주는 것이다. 이 단계에서는 집단구성원들이 집단 작업에 전적으로 참여하고 있으므로, 지도자의 활동 정도는 감소된다. 따라서 지도자는 보다 더 상담자처럼 행동하게 된다. 지도자는 집단이 목표 지향적이 되도록 돕고, 집단 작업을 퇴행시키거나 지연시키는 영향 요인을 감소시키고자 노력한다. 상담자는 구성원들이 대인 관계를 분석하고 문제를 다루어 나가는 데 자신감을 얻도록 도와주는 존재라고도 말할 수 있다. 이 단계에 들어서면 집단구성원들 간에는 친교와 결속이 발달된다. 집단구성원들 간에 서로 친밀성이 높아지고 구성원들은 서로가 가깝게 느끼고 서로의 문제를 보다 잘 인식할 수 있다. 구성원들 간에 신뢰가 커지면 집단 내부에서 생긴 감정과 사고를 잘 나누며, 나아가 구조적 피드백을 보다 잘하려고 한다. 또한 이 단계에서는 집단구성원들이 마음의 문을 열고 집단이 그들의 문제를 정리하는 장소를 사용하기 시작하면서 자신의 바람직하지 못한 행동을 변화시키는데 초점을 두게 된다.

작업 단계에서는 이해와 통찰만을 모색하기보다는 행동의 실천의 필요하다. 그러기 위해서는 집단원들로 하여금 실천의 용기를 북돋아 주고, 특히 어려운 새 행동을 실행하려는 구성원에게 강력한 지지를 보내도록 한다. 집단 상담이 개인 상담보다 유리할 때가 바로 이런 경우라고 할 수 있다. 즉, 한 개인의 직면한 문제를 다른 동료가 이해하고 공감해 주며, 각자의 비슷한 경험에 비추어 문제를 같이 해결하려는 노력이 이루어지지 때문이다.

## (4) 종결 단계

상담자는 구성원들이 자신을 사랑할 수 있고, 문제 상황에 대하여 융통성 있게 대처하며, 자신의 가치를 신뢰할 수 있다고 판단되면 서서히 종결과정을 결정해야 한다. 종결해야 할 시간이 가까워지면, 집단 관계의 종말이 가까워 오는 데 대한 느낌을 토의하는 것이 필요하다. 종결의 시기를 미리 결정하지 않는 집단에서는 언제 집단을 끝낼 것인가를 결정해야 한다. 미리 정해진 한계가 없을 때에는 얼마나 오랫동안 만나야 할지를 결정하기가 어렵다. 어떤 시점에서든 상담자가 집단을 종결할 필요가 있다고 느껴지면 이를 공개적으로 정직하게 집단원들과 토론하여야 한다. 어떤 경우에는 점진적인 종결이 제안되기도 한다. 즉, 매주 만나던 집단이 2주일에 한 번이나 한 달에 한 번씩으로 만나는 횟수를 늦추어 가다가 끝내는 방법이다. 상담자의 시간은 제한되어 있는 경우가 많으므로, 집단원들은 정규적인 상담이 끝난 후 자기들끼리만 모이기를 원할 수도 있다. 이때에는 반드시 집단에 대한 각자의 책임을 미리 재교육 해 두는 것이 중요하다.

종결단계는 매우 중요하며 이 시기에 구성원들은 집단경험을 통해 학습한 것을 총체적으로 정리해서 일상생활에 보다 효율적으로 적용할 수 있다. 그러나 종결 단계를 맞으면서 어떤 집단 또는 집단구성원들은 종결에 대해 고통스러워하며 비애와 상실감을 느끼게 될 것이다. 집단원간의 의미 있는 관계가 형성되었을 경우에, 종결을 섭섭하게 여기는 현상이 오히려 필연적이라고도 할 수 있다. 어떤 집단구성원들은 불안과 퇴행, 성취감을 경험할 수 있다. 구성원들이 종결에 대한 논의를 회피하게 하는 것은 그들의 성장 기회를 박탈하는 것이다. 따라서 종결하는 구성원들에 대한 평가를 격려하고, 집단에서 일어났던 중요한 사건들을 회상하게 하고, 구성원들이 서로에게 피드백을 주도록 격려하는 것이 중요하다. 종결단계에는 집단원들간의 관계나 집단의 과정 및 목표에 관련된 미해결된 문제를 표현하고 작업하는데 시간을 할애해야 한다. 아직 자신의 문제가 완전히 해결되지 못한 집단원들에게는 그 문제를 토론할 수 있도록 한다. 집단이 끝난 다음에도 집단원간의 유대 관계가 지속될 수 있음을 통하여 희망을 갖게 하는 것도 도움이 된다.

종결 단계에서는 대부분의 참여자들이 집단의 구성원이 됐던 것을 만족해하며 집단에서 자유스럽게 자기의 두려움 · 불안 · 좌절 · 적대감과 여러 가지 생각을 무엇이든 표현할 수 있었던 것에 만족한다. 실제로 집단 상담의 주요 목표 중의 하나는 친밀하게 돌보아주는 인간관계가 가능하다는 것을 체험하는 것이다. 상담자는 집단 과정의 모든 단계에서 각자의 행동에 대한 자기 통찰과 생산적인 행동을 확대하도록 격려한다. 특히 종결 단계에서는 앞으로의 행동 방향에 대해 주의를 기울이도록 상기시킨다. 즉 집단에서 경험하고 배운 것을 일상 생활에서 적용할 수 있는 것과, 자신을 보다 더 깊이 알고, 자신과 타인을 수용하면서 살아갈 수 있다는 것을 강조하는 것이다.

# 4. 집단 지도자로서의 상담자

## 1) 집단상담자의 역할

집단 상담에서 집단 구성원의 상호작용과 만족감을 극대화하기 위해서는 집단상담자가 집단지도자로서의 역할과 기능을 충분히 인식하고 효율적으로 수행할 수 있어야 한다. 집단상담자의 역할은 집단의 목적과 구성 형태, 지도자의 이론적 배경, 집단상담의 과정과 진행 방법에 따라 다양하여 요약하여 설명하기는 어려우나 구체적인 집단상담자의 역할은 다음과 같다고 할 수 있다.

① 집단상담자는 집단원들이 집단 활동에 편안하게 참여할 수 있도록 도움으로써 집단의 시작과 신뢰감 형성을 돕는다.

② 집단상담자는 집단상담의 목적과 목표, 집단의 규칙과 방향을 정하고 발달시킨다.

③ 집단상담자는 집단 구성원들이 자유롭게 자신의 내면세계를 탐색하고 대인관계의 효율성을 검토할 수 있도록 허용적인 분위기를 조성할 수 있어야 한다.

④ 집단상담자는 집단구성원들이 적절한 의사소통 체제를 확립하여 상호교류와 상호작용을 촉진함으로써 인간적인 성장과 발달을 이룩하도록 도와준다.

⑤ 집단상담자는 집단 활동의 종결을 통해 평가 기회를 가지고, 집단에서 배운 것을 실생활에서 적용할 수 있도록 도와준다.

## 2) 집단상담자의 자질

### (1) 자기 자신을 이해하기 위한 자질
- 용기
- 안정성
- 신뢰성
- 정체성과 자각

### (2) 타인을 이해하기 위한 자질
- 개방성
- 감수성
- 정서적 공감 또는 감정이입
- 객관성

### (3) 타인과의 관계를 형성하고 유지하기 위한 자질
- 순수성(진실성)
- 인간적 위력
- 긍정적 관심과 배려
- 집중력과 끈기

- 유머 감각
- 의사소통 기술

## ⑷ 효과적인 집단지도를 위한 자질
- 집단 과정에 대한 신념과 열정
- 공격에 대한 비방어적 대처
- 새로운 경험에 대한 추구
- 창조적 태도

## 3) 집단상담자의 전문적 기술
① 관심기울이기와 경청하기
② 확인하기, 명료화하기, 반영하기
③ 공감하기, 지지하기, 강화하기
④ 질문하기, 탐색하기, 연결하기
⑤ 직면하기, 요약하기, 해석하기
⑥ 피드백 주고받기
⑦ 조정하기, 개입하기, 제한하기

## 4) 집단 상담의 윤리 문제

### ⑴ 집단구성원의 권리와 책임

① 집단에 관한 충분한 사전 안내와 양해를 받을 권리

집단에 참여하는 내담자들은 참여 여부를 결정하기 전에 자기가 어떤 집단에 관여하게 되는지를 알 권리가 있다. 따라서 상담자는 집단 참여를 고려하는 내담자들에게 그들의 권리와 책임이 무엇인지를 분명히 알게 할 책임이 있다. 가능하다면, 집단의 목적과 참여자의 역할 등에 관해 설명을 해주고 함께 토론의 시간을 갖는 것이 필요하다. 이러한 조치는 집단 구성원들이 보다 적극적이고 협조적으로 집단 과정에 참여하도록 만들 것이며, 아울러 상담자에 대한 존경심과 집단에 대한 신뢰감을 증진시킨다. 집단에 관한 사전 안내 책임에 관해서 미국 집단지도전문가협회는 다음과 같은 지침을 명시하고 있다(ASGW, 1980). A. 집단 지도자는 집단에서의 목표, 지도자의 자격 및 집단에서 사용될 절차에 관해서 미리 그리고 가능하면 유인물로 집단 구성원들에게 충분히 알려주어야 한다. B. 집단 지도자는 운영될 특정 집단 구조에서 정확히 어떤 서비스가 제공될 수 있고 제공될 수 없는지를 가능한 실제적으로 설명해 주어야 한다.

② 집단 과정 중의 참여자 권리

집단 지도자는 참여자들에게 그들의 권리 뿐만 아니라 시간 엄수, 솔직한 의사소통, 개인적 정보를 누설하지 않는 것 등의 책임도 강조해 두어야 할 것이다. 또한 집단 과정에서 자기의 참여 목적과 갈등이 있을 경우에 집단을 떠날 수 있고, 지도자나 타인들로부터 "발언을 하라"는 부당한 압력을 받지 않으며, 필요에 따라 상담자와 긴급한 개인적 관심사에 관해 별도로 논의할 수 있다는 점 등을 알리는 것이 바람직하다. 원칙적으로 집단에의 참여와 집단으로부터의 이탈은 자발적이어야 한다. 타인에 의해 오게 됐다고 생각하는 내담자들에게는 집단의 성격과 그들의 권리 및 책임에 관해서 자발적인 내담자 집단의 경우보다 더 친절하게 그리고 더 철저하게 안내 설명을 해주는 것이 요구된다.

③ 개인 정보를 보호받을 권리

개인 정보의 보호는 집단 상담에 참여하는 내담자들이 가장 관심을 갖는 것이며, 그렇기 때문에 집단 상담의 윤리 문제 중 가장 유의해야 할 사항이기도 하다. 상담자는 집단에 참여 의사를 밝힌 내담자들과의 사전 개별 면담에서 이 문제를 납득시켜야 하고, 또 집단 과정에서도 필요에 따라 수시로 이것을 주지시킬 필요가 있다. 비밀 보장의 책임이 각자에게 있음을 처음과 최종 마당에서는 물론 중간 과정에서도 자주 강조할 필요가 있다. 이 내용은 내담자의 판단을 요하는 위험 사항의 경우를 주로 언급하는 것으로 내담자의 개인 정보를 보호하는데 있어서 가장 핵심적인 지침이 된다. 집단 상담자는 비밀 유지의 한계를 명시하고 외부에 공개해야만 하는 특수 상황에 관한 설명이나, 상담자의 책임 사항에 관한 각서 같은 것을 각 내담자들에게 집단 과정에 들어가기 전에 나누어 주는 것이 유익하다. 교도소, 군대와 같은 특수 조직에서처럼 내담자의 개인적 태도의 변화 등을 상부에 보고해야 하거나, 어린이 집단에서처럼 스스로 분명히 이해하고 동의할 수 없는 미성숙 내담자들과 그들의 집단 과정 중의 행동 정보를 알고자 하는 부모들을 어떻게 대하여야 적절할 것인가 하는 문제가 있을 수 있다. 이런 특수한 상황에서는, 상담자가 내담자들이 소화할 수 있는 범위까지 이해와 동의를 구하되, 내담자의 이익을 최대한 보장하는 선에서 관련 당국이나 보호자들에게 개인 정보를 전달하는 것이 원칙일 것이다.

④ 내담자 이익을 위한 문제

집단 과정에서 내담자들의 이익과 인격을 보호하는 것과 관련된 몇 가지 윤리 문제들이 있다.

첫째, 집단 지도자는 가능한 한 신체적 위협, 협박, 강제, 그리고 부당한 집단 압력으로부터 집단 참여자들의 권리를 보호해야 한다. 집단원들은 간혹 집단 과정에서 보이는 모순되거나 이해가 잘되지 않는 관점 및 행동 때문에, 그리고 말하고 싶지 않은데도 발언하도록 집단 분위기의 압력을 받는 상황에 부딪치게 된다. 이런 집단의 압력은 어느 의미에서는 필요한 것이고 치료적인 자극이 될 수도 있겠으나, 당사자인 내담자가 불필요한 불안이나 과도한 자기 방어에 빠지게 됨으로써 당초의 집단 참여 목적에 어긋나게 하는 사태가 발생하지 않도록 해야 할 것이다. 집단의 목적은 참여자들로 하여금 스스로의 해답과 생산적 행동 방향을 모색하도록 하는데 있다. 따라서 집단 지도자는 집단 압력에 대해 내담자들이 어떻게 적절하게 반응해야 할 것인지를 가르쳐 주어야 하며, 또 부당한 집단 압력이 중단되도록 개입할 수 있어야 할 것이다.

둘째, 집단 참여자들은 각자가 집단 과정의 시간을 공정하게 나누어 가질 권리가 있다고 말할 수 있다. 집단 지도자는 합리적으로 가능한 정도까지 각 내담자들이 집단의 자원을 고루 활용할 수 있는 기회를 보장해야 하며, 특정인이 발언 기회를 독점하지 않도록 해야 하는 것이다. 그러기 위해서는, 침묵을 지키거나 발언 기회를 포착하지 못하고 있는 내담자들에게 발언의 기회를 부여하는 한편, 장광설을 늘어놓거나 너무 자주 발언하는 내담자들을 부드럽게 그러나 엄정하게 제지할 필요가 있다.

셋째, 집단 참여자들이 포함되는 어떤 연구 보고서나 실험적 활동이 있을 경우에는 그에 관련된 정보를 알려주되 참여 내담자들의 사전 동의를 받아야 한다. 집단 상담에 관한 연구자는 굳이 연구의 절차 등을 자세히 알려 줄 필요까지는 없어도 대체적인 연구 목적과 참여자들의 신분이 보고서에 노출되지 않음을 분명히 주지시킬 책임이 있다. 또한 연구 결과나 최종 보고서의 요지를 사후에 집단 참여자들에게 간단한 유인물 또는 적어도 구두로 전달해 주는 것이 연구자의 윤리적인 책임을 다하는 것이다.

넷째, 집단에 참여함으로써 경험하게 될지 모르는 심리적인 부담에 관해서 사전에 또는 그런 부담 요소의 발생 단계에서 해당 참여자들에게 경고해 주는 일이다. 집단 과정은 개인적인 변화를 위한 강력한 촉매로 작용하기 때문에, 집단 참여자들이 경우에 따라서는 과거와 다른 행동을 함으로써 가족 또는 직장 동료들의 저항을 받을 수 있다. 또한 집단 과정에서의 직면적 자극 때문에 자신이 집중적 화살을 받고 있거나 일시적으로 희생양이 되는 상황이 벌어질 수 있음을 집단 참여자들에게 알리고, 그런 심리적 부담이나 모험이 최소화되도록 노력할 필요가 있다.

마지막으로, 집단 참여자들끼리 집단의 모임 밖에서 개별적인 만남이나 관계가 이루어질 경우, 이를 집단 모임에서 가능한 한 '보고' 하도록 권유할 필요가 있다. 집단 과정에서 이런 토의가 없을 때에는 당사자들 간의 이른바 '숨은 안건들' 이

전체 집단의 흐름을 정체시킬 우려가 있기 때문이다.

## ⑵ 집단 상담자의 윤리와 책임

① 집단 상담자는 상담자의 가치관이 집단에 어떤 형태로든 영향을 미친다는 것을 인식하는 것이 중요하다. 집단 상담자는 때때로 중립적이어야 하고 자신의 가치관을 지도력의 역할과 구분해서 수행하여야 한다. 특히 집단 참여자들의 가치관과 갈등이 발생할 경우에는, 상담자 자신의 가치관을 공개하는 것이 필요하다. 상담 집단을 구성하고 있는 내담자들의 발달 연령과 사회적 성숙도, 그리고 상담자의 훈련 배경과 인생관 등에 따라 어느 한쪽의 입장을 취할 수도 있을 것이다. 어느 입장을 취하든 그 원칙은 어디까지나 집단 목적에 부합하고 집단 참여자들의 발달을 촉진하는 방향에서 상담자의 행동이 이루어져야 한다는 것이다.

② 집단 지도자는 사용되는 집단 기법이 분명 집단 과정을 촉진하고 참여자들의 이익에 부합하는가를 자각 또는 확인해야 하고, 또 그 사용 결과에 대한 책임 의식을 지녀야 할 것이다. 상담자가 익숙하지 않거나 확신이 없는 기법을 집단에 부과 하지 말아야 하며, '게임'이나 '연습'과 같은 기법을 필요 이상으로 투입하여 집단 참여자들 간의 충분한 그리고 자연적 인 의사 소통 및 감정을 방해하지 말아야 할 것 이다. 그리고 실제 생활 장면과 갈등적이거나 내담자들의 인지 · 정서 기능 에 부담이 되는 기법을 도입하지 않아야 하며, 신체적인 접촉이나 강한 정서를 유발하는 기법을 활용할 때에는 특히 유의 해야 한다. 집단 기법의 활용에 있어서는 기법이 집단에 적용되는 근거와 효용성에 관해 집단 지도자가 분명히 인식하고, 기법의 활용과 자신의 관련 수행 능력에 대해서 확신을 가지는 것이 무엇보다 중요하다.

③ 집단 지도자가 집단 참여자들과 부적절한 개인적 관계를 갖지 않는다는 것이다. 상담자 개인의 이익을 위해 참가자들과 의 전문적인 관계를 이용해서는 안 된다. 집단상담 과정 동안 집단 구성원간의 사회적 관계 역시 집단과정에 방해가 되지 않도록 하는 것이 좋다. 집단 지도자들에 대한 내담자들의 신뢰와 의존성 때문에, 미숙한 지도자의 경우 자칫하면 그들의 접촉 욕구의 함정에 빠질 수 있다. 경험이 많은 상담자라고 하더라도 스스로의 인간적인 한계가 있기 마련이고 내담자들 의 요구와 접근에 이해적으로 반응하기 쉽다. 그렇게 되면, 객관적 판단 감각을 잃게 되고 오히려 내담자의 의존성을 충족 시켜주지 않는 것에 대한 비난과 공격을 받게 되는 경우도 생긴다. 따라서 상담과정 외의 개인적인 만남과 접촉은 피해야 한다.

# 가족상담

 가족관계는 인간 최초의 사회적 관계를 학습하는 장으로서 인간관계와 문제해결기술을 비롯하여 가치관 형성과 태도 형성의 기초가 된다. 가족은 각 개인들이 중요한 의미를 가지고 있는 원초적 집단이며, 대부분의 생활을 하고 있는 상황이기 때문에 상담자가 가장 많은 관심을 기울여야 하는 대상도 가족이다. 내담자들은 자신을 둘러싸고 있는 주위 환경을 민감하게 받아들이며 생존적인 필요에 의해 가족, 특히 부모, 배우자에 의존해 있기 때문에 그들의 행동을 올바르게 이해하고 또한 그들의 부적응행동을 원만하게 치료하기 위해서는 1차적 환경인 부모나 가족들에 대한 상담이 심리 상담과 함께 병행되어야 한다. 내담자가 현재 당면하고 있는 문제를 해결하기 위하여 상담자가 부모 또는 가족을 만나 상담하는 것을 가족상담이라고 한다.

 Olson은 '가족치료란 개인보다는 가족체제에 초점을 두고 치료하는 모든 치료형태를 가족치료라고 할 수 있다.'고 했으며, Goldenberg는 '가족구성원들로 하여금 가족의 역기능적 의사소통유형을 개선하도록 도와줌으로써 현재 가족 내의 역동적인 정서적 문제를 찾아 개선시키려는 일종의 심리치료'라고 하였다. 즉 가족치료는 개인이 아닌 가족체제에 초점을 맞추며, 그 체제 내에서 일어나고 있는 변화들에 관심을 집중하므로 가족치료의 대상은 가족 내의 특정 개인이 아니고 전체가족 및 각 가족구성원 간에 이루어지는 상호작용이며 역기능적 의사소통형태이다.

 가족치료는 개인치료에 새로운 이론이나 새로운 분야를 추가하여 만든 것이 아니라, 20세기 초 서구에서 시작된 유기체론적 세계관의 등장에 의해 비롯되었다. 유기체론적 세계관은 우주가 상호 연관된 관계망으로 되어 있으며, 본질적으로 역동적이라고 보는 관점이다. 사람, 자연, 생명체와 같은 유기체는 만들어지는 것이 아니라 태어나서 자라며, 부분들은 유기적으로 연결되어 있기 때문에 문제가 되는 부분만 제거하거나 고치기가 어려우며, 맥락이나 상황에 따라 상대적으로 행동하는 것으로 보는 것이다. 사람의 몸도 유기적으로 연결되어 있고, 몸은 정신과 연결되어 있으며, 또 다른 사람이나 환경과도 유기적으로 연결되어 있다고 본다. 유기체론적 관점의 출현으로 개인 치료적 접근을 보완할 필요성이 제기되었으며, 인간의 문제와 고통, 그에 대한 해결과 변화의 방향에도 혁신적인 변화가 일어나게 되었다.

 전통적인 심리 상담에서는 인간의 정서적 문제나 이상행동을 개인의 문제로 생각하여 고통을 당하고 있는 개인만을 상담 대상으로 보았지만, 가족상담에서는 부적응이나 정서적 문제를 가족이라는 하나의 단위가 직면하는 장애로 생각한다. 즉 가족상담은 가족구성원 개인이 나타내는 정신적 증상이나 문제행동은 가족을 구하기 위한 구조신호로 간주하여 가족전체를 하나의 단위로 보고 가족 내의 상호작용 양상에 개입하는 상담 형태이다. 한 개인에게 나타난 증상은 그 개인만의 문제가 아니라, 가족이나 사회의 문제이며, 개인만을 상담해서는 무의미할 수 있고, 일시적인 치유에 지나지 않는 경우가 많다는 것을 의미한다. 가족 구성원은 가족 내에서 서로 영향을 주고받으며 각각의 가족이 그 특유의 상호작용이나 갈등해결의 유형을 형성해 나가므로, 가족 중 어떤 구성원의 증상은 병의 원인이나 치료적인 관점에서 모든 가족 구성원에 크게 관련되어 있음을 의미하는 것으로 볼 수 있다.

가족상담은 1940년대 후반부터 1950년대 사이에 시작되어 처음에는 정신분석학적 입장에 근거한 가족상담의 접근이 대부분이었으나, 1970년대에 들어서는 이론과 기법에 있어서 급속한 발전을 하게 되었다.

## 1. 가족상담의 기초 개념

### 1) 개방체계로서의 가족

가족이란 구조와 과정을 가진 기능하는 하나의 사회체제이다. 가족은 개방체계로서 기능을 한다. 가족에는 여러 개의 하위요소가 포함될 수 있으며 이 하위요소들끼리 상호작용하고 각 요소가 다른 요소에게 영향을 미치며, 또 반대로 다른 요소에 의해 영향을 받기도 하면서 전체체계를 이룬다. 즉 가족은 가족 구성원의 정보, 에너지, 물질을 일정하게 서로 주고받는 가운데 가족구성원 간 또는 가족의 체계와 상호관계를 갖는다는 점에서 가족은 개방적이라 할 수 있다. 한 가족원의 행위가 모든 가족원의 행위에 영향을 주므로 한 가족원의 행동에 변화가 일어나면 다른 가족원의 행동에 이에 상응하는 변화가 온다. 또한 이 전체체계는 상호의존적인 각 부분들의 합만이 아니다. 왜냐하면 각 요소들 사이의 상호작용에 의한 부분이 더 포함되기 때문이다. 체계는 그 자체대로 위계질서를 가지고 있기 때문에 상위의 단계는 여러 하위체계들로 구성된다. 모든 체계는 또한 조직을 이루며 일종의 균형상태 또는 항상성을 추구해 나간다.

### 2) 가족 항상성

가족 항상성이란 가족이 어떠한 상황에서도 안정성을 유지하려는 속성을 의미하며 항상성은 가족 내에서 발전시킨 상호작용 유형에 의해 지속된다는 것이다. 체계로서의 가족은 안정된 상태로 돌아가려는 경향이 있다. 즉 가족이란 가족의 안정(항상성)을 도모하려는 시도와 계속적으로 변화하려는 노력이 있는 어떤 규범에 의해 지배되는 체계라는 것이다. 인간의 외부환경에 급격한 변화가 일어나면 인체 내 자동조절 장치를 작동시켜 안정된 상태를 유지하려는 경향이 있음이 알려졌다. 이처럼 가족원은 상부상조하는 방식으로 비교적 한정된 범위 내에서 상호관계를 유지하려는 일종의 규범을 만든다. 예를 들어, 한 가족원의 행위가 용납된 범위를 넘을 때는 다른 가족원들은 이러한 빗나간 행동을 바로잡고, 이전의 평형상태를 회복하기 위한 방향으로 행동한다는 것이다.

### 3) 가족 하위체계

가족은 상호의존적 하위체계, 또는 커다란 체계 내에서 상호작용하는 작은 체계들의 복합체로 구성되어 있는 하나의 살아있는 체계이다. 따라서 모든 가족체계는 여러 개의 하위체계로 구성되어 있으며, 하위체계는 전체로서의 하나의 체계 안에서 특정한 기능 및 과정을 수행하도록 배당된 부분들이라고 볼 수 있다. 남편과 아내가 하나의 하위체계를 이루고, 어머니와 자녀 또는 아버지와 아들이 하나의 하위체계를 이루게 되며, 형제자매들도 또 하나의 하위체계를 이룬다. 가족은 여러 가지 다른 하위체계를 통해 기능을 수행하게 된다. 따라서 가족 구성원 각자는 동시에 여러 하위체계에 속해 있기 때문에 어떤 하위체계에 소속되느냐에 따라 그때마다 가족 구성원들과 다른 상호작용을 일으키며 관계 또한 달라진다.

가족 체계에서 지속적이고 중요한 하위체계는 부부 하위체계, 부모 - 자녀 하위체계, 형제 하위체계이다. 특히 부부 하위체계는 한 가정에서 가장 중요한 위치를 차지한다. 이 하위체계에 역기능이 일어나면 곧 가족 전체에 영향을 미친다. 실제로 가족치료에서 많이 나타나는 사례는 부부 간의 갈등으로 인해 자녀가 속죄양이 되는 경우이다. 그리고 이러한 부부 하위체계는 자녀들의 사회화 과정에서 남녀의 친밀한 관계 또는 그러한 관계에서 의사소통의 모델이 되며 결혼한 자녀들의 부부관계에까지 영향을 준다. 부모 - 자녀 하위체계는 자녀양육에 있어 지도, 통제의 기능을 수행한다. 이를 통해 어린이는 의사결정과 자기통제의 능력을 발달시키며 권위자와 관계를 맺는 방식을 터득한다. 형제 하위체계는 어린이로 하여금 협상, 협동, 경쟁의 방식을 배우도록 해 준다. 어린이가 배우는 이러한 대인관계 기술은 가정에서부터 벗어나 학교에 들어갔을 때 그리고 나중에 사회생활을 할 때 중요한 의미를 지니는 것이 된다.

각 가족 구성원들 간에 또는 각 하위체계 간에는 경계(boundary)가 설정되어 있다. 경계란 가족 개인과 개인, 하위체계와 하위체계 간의 필요한 분화를 가능하게 해주고 그들의 분리성과 독자성을 보호해 주는 기능을 한다. 또한 경계란 하위체계들 간의 의사소통에 누가 어떤 방법으로 참여할 것인가를 규정하는 일종의 규칙이라고 할 수 있다. 경계는 눈에 보이지 않지만 가족성원들 간의 접촉의 양과 질을 결정한다. 건강한 가족은 경계가 분명하고 개방적이다. 경계가 분명하다 함은 개인이나 하위체계가 독립성과 자주성을 가지고 자기의 역할과 기능과 책임을 다하고 있다는 의미이다. 그러나 역기능적인 가족은 경계가 분명하지 못하고 모호하거나 분명하다 하더라도 개방적이지 못하거나 경직 또는 폐쇄되어 있다. 경계가 모호하면 각 하위체계가 제대로 기능을 못한다. 가족끼리 지나치게 간섭하고 침범하여 자주성과 독립성을 잃게 한다. 또한 경계가 경직되거나 폐쇄적일 때 가족 구성원들끼리의 의사소통은 이루어지지 않는다.

## 4) 가족 규칙

가족은 규칙에 의해 운영되는 체제이다. 가족구성원들 간의 상호작용은 일정한 유형의 원칙을 따르게 된다. 가족 규칙은 각 가족성원들의 행동을 유형화하고 가정생활을 운영하는 원리가 된다. 각 가정의 규칙을 이해하면 가족들의 관계가 어떻게 유형화되고 있는가를 알 수 있다. Jackson에 의하면 가족성원들의 행동을 규정하는 것은 개인의 욕구나 성격이라기보다 이러한 규칙들이다. 가족들은 규칙에 따라 일상생활을 영위해 나간다. 이러한 규칙들은 분명하게 제시되는 경우도 있지만 대부분 말로 진술되지 않은 것들이 많다. 따라서 상담자는 가족들의 반복적인 행동유형을 통해 추론할 수밖에 없다. 규칙이 없는 가정은 없다. 왜냐하면 규칙이 없는 그것도 그 가정의 규칙이기 때문이다. 그리고 규칙은 가정마다 다르다.

역기능적인 가족 규칙은 가족들의 역기능적인 행동을 유발한다. 따라서 상담자는 이러한 불문의 규칙들을 일깨워줌으로써 수정할 수 있도록 해야 한다. 역기능적인 규칙은 대체로 비인간적이며 경직되어 있다. 한 때 아무리 좋은 규칙이었다 할지라도 가족의 생활주기와 맞지 않는다면, 가족의 기능 개선과 자유로운 성장을 위해 수정되어야 한다.

# 2. 가족상담의 목표

Goldenberg와 Goldenberg는 가족상담이란 "가족구성원들로 하여금 가족의 역기능적인 교류(의사거래) 유형을 개선시킬 수 있도록 도와줌으로써 현재 가족체계 내의 정서적 문제를 찾아 개선시키려는 일종의 심리상담 기법"이라고 하였다. Robinson은 가족상담자의 임무는 "가족을 하나의 단위로 보고 가족구성원에게 증상을 유발시키는 가족의 행동유형을 분리, 변화시켜서 개인으로 하여금 가족에게서 분리되고 독립되어 성숙해지며 자기 또래집단과 정서적 유대를 맺을 수 있도록 도와주는 것"이라고 하였다. Zuk는 가족상담의 목표를 "가족구성원들 사이의 병리적 관계인 불균형을 변화시켜서 새로운 형태의 관계를 맺게 하는 것"이라고 하였다.

건강한 가족에 대한 정의가 다양할 수 있으나 "가족구성원들 사이에 경계가 있으며, 각자의 자의식을 갖고 있어서 각자가 느끼고 생각하는 것을 수용할 수 있으며, 여러 가지 변화에 적응해 나가며, 자유롭고 직접적인 의사표현이 가능한 가족"이라고 할 수 있다. 즉 가족상담은 가족 모두가 자기의 의사나 감정을 솔직하고도 분명하게 표현하고 또한 다른 식구가 지니고 있는 생각이나 감정, 또는 입장 등을 그대로 수용할 수 있도록 도와준다는 데 의의가 있다. 따라서 가족상담은 가족 간에 원만한 의사소통을 이루고 정확한 의미를 전달하고 받아들이는 태도를 가질 수 있도록 도와준다는 데 그 목표가 있다.

가족상담은 그동안 여러 이론이 발달되어 왔는데 요즈음에는 가족 간의 집단적 의사소통 양식의 변화에 초점을 맞추려는

'의사 및 감정 소통의 체계적 접근 방법'이 두드러지게 나타나고 있다.

# 3. 가족상담 이론

## 1) 세대 간 가족상담

세대 간 가족상담 모형은 보웬(Bowen), 프라모(Framo)를 중심으로 만들어진 이론으로 핵가족영역을 넘어서 확대가족의 영역까지를 다루고 있다. 보웬(Bowen)은 가족의 정서과정이 세대를 관통하여 지속되면서 이전 세대에서 제대로 정리되지 않은 문제가 다음 세대에 넘어가서 문제를 일으킨다고 보았다. 따라서 그의 이론을 다세대 가족치료 이론이라고 부르기도 한다. 즉 인간의 문제와 발생 및 해결은 다세대에 걸쳐 해결한다고 생각하고 가족의 원조는 개인의 발달과 부모 - 자녀 관계와 같은 역사적 세대적 관점에서 행해지는 것이 필요하다고 생각한다.

Bowen이론의 핵심은 가족의 분화와 통합이다. 그는 가족을 하나의 감정적 단위로 보았으며 상호 맞물린 관계로 다세대 간의 역사적 관점을 통해서 이해되어야 한다고 보았다. 개인의 성장이란 가족의 감정 덩어리로부터 자신을 분화해 내는 과정을 의미하며 이를 분화라 부른다. 분화를 위해서는 지적 체제를 통해서 자신의 감정을 통제하는 힘을 길러야 한다. 가족 구성원들은 감정적 삼각관계나 세대 간의 감정투사를 통해서 개인이 분화되지 못하도록 한다. 이러한 가족의 병리적 체제를 묶어서 분화를 하지 못하면 개인들은 불안 증상을 발달시킨다. 내담자들이 호소하는 심리적 증상은 미분화를 통해서 생기는 현상이다. 내담자를 돕는 상담활동은 분화를 촉진시키는 활동이다. 인간이 성장한다는 의미는 곧 한 인간이 자기 가족의 분화되지 않는 자아 덩어리로부터 자신을 분화시킴을 말한다.

### (1) 주요 개념

① 자아분화

자아분화는 Bowen이론의 핵심개념으로, 개인이 타인이 아닌 자기만의 방식에 따라 기능하는 것을 배우는 과정이라 할 수 있다. 자아분화는 정신내적 개념인 동시에 대인 관계적 개념으로, 정신내적으로는 사고와 감정을 분리할 수 있는 능력을 의미하며, 대인 관계적으로는 자신과 타인 사이의 분화를 의미한다. 즉 자아분화는 자신과 타인, 정서과정과 지적 과정을 구분할 수 있는 능력, 확고한 자기와 거짓 자기를 구분하는 능력이라고 할 수 있다. 가족에서의 유일한 문제는 정서체계와 지적체계를 분화하는 데 실패한 것으로 보았다. 분화가 많이 되면 될수록 진짜 자아의 부분이 가짜 자아의 부분보다 늘어난다.

② 삼각관계

Bowen이론의 또 다른 핵심개념인 삼각관계는 가족 내 불안과 긴장을 해소하기 위해 만들어지는 삼인 체계의 정서적 역동을 의미하는 것으로, 삼각관계에 가장 중요한 영향을 미치는 것은 불안이다. 즉 삼각관계는 세 사람과 불안에 의해서 형성되는 체제이다. 두 사람이 갈등이 생겼을 때 이를 직면하지 못하게 하는 불안이 커지면 두 사람의 체제를 유지하기 위하여 제 삼자를 관계 속에 끌어들이고 이를 통해서 삼각관계가 형성된다. 삼각관계가 형성되면 원래 두 사람 사이에 있었던 갈등은 삼각관계를 통해서 제 삼자와의 관계로 전이되어서 원래 두 사람 사이의 관계를 유지하게 된다. 가족관계에서 삼각관계가 지속되면 가족 구성원들은 개인으로 분화되기보다는 서로 간의 상호작용에서 고전적인 역할을 맡게 된다. 부 - 모 - 자 삼각관계는 가족체계에서 가장 흔한 삼각관계이다. 자아분화가 낮은 사람일수록, 두 사람 간의 관계가 중요할수록 삼각관계는 심하다.

③ 핵가족 정서체계

Bowen은 무의식적으로 자신과 비슷한 수준의 분화 상대를 배우자로 선택한다고 하였다. 즉 가족과의 분화의 정도가 비숫한 사람끼리 배우자로 선택하여 이들 관계에서 혼합의 정도가 높게 되면 분화가 낮은 가족을 만들게 된다. 핵가족의 정서적 분위기는 부모의 분화수준에 의해 결정되는데, 부모가 원가족에게서 이룬 분화수준에 따라 핵가족의 정서적 분위기가 결정되고 이는 다시 가족원의 기능에 영향을 미치게 된다는 것이다. 핵가족 정서체계는 다세대적 개념으로 개인이 원가족으로부터 학습된 방식으로 타인과 관계를 맺게 되며 결혼 선택을 통해 가족의 정서적인 장을 다세대에 걸쳐 반복됨을 의미한다. 부부의 분화수준이 높을수록 정서적 융합은 적으며, 부부관계 내에서 신뢰와 성실, 상호존중 등의 요인에 의해 분화가 더욱 강화된다.

④ 가족 투사과정

부모가 그들의 미성숙함과 분화의 부족을 자녀에게 전하는 과정이다. 부부 간의 감정적 혼란은 결혼갈등이나 정서적 거리감을 이끈다. 가족들 간에 감정적 갈등을 다루기 어렵거나 인지적인 힘을 통해서 처리를 하지 못하는 경우에 가족들 자신의 불안을 다른 가족 구성원들에게 투사하게 되는데, 이 과정을 가족 투사과정이라고 말한다. 미성숙한 부모는 가족체계나 부부관계를 안정시키기 위해 무의식적으로 자녀 중 가장 유아적이고 취약한 자녀를 투사 대상으로 선택한다.

⑤ 다세대간 전이과정

자녀들의 자아분화 정도는 현재 속해 있는 세대에서만 형성된 것이 아니고, 여러 세대를 거치는 동안 전개되어 온 투사과정에서 형성된 것이다. 따라서 전이과정은 세대 간에 가족들의 기능을 연결하는 질서와 예견할 수 있는 관계의 과정을 말한다. 세대 간의 전이과정은 가족들의 감정적 형태와 밀접한 관계가 있는데 이러한 감정적 형태가 세대를 통해서 전달되는 과정을 가리켜서 다세대간 전이과정이라고 한다.

⑥ 정서적 단절

이 개념은 세대 간에 이루어지는 정서적 과정에 관한 개념이다. 원가족으로부터의 정서적 단절은 투사과정에 많이 개입된 자녀에게 주로 일어나는 현상으로, 원가족을 접촉함으로써 생기는 불안을 줄이기 위해 부모의 집에서 먼 지역으로 이주하거나, 부모와 말을 하지 않는 등 부모와의 관계를 끊는 행위를 의미한다. 정서적 단절은 서로 정서적 의존성과 불안이 높은 가족에서 빈번하게 발생한다. 높은 융합과 불안은 강한 가족결속력을 요구하나 이것이 견딜 수 없는 수준에 도달하면 단절이 발생한다.

⑦ 형제 순위

출생순위가 각 개인의 성격적 특성과 밀접한 연관을 맺고 있다고 말한다. 배우자의 상호작용 역시 그들의 원가족 내에서의 형제 위치와 관련이 있다고 보았다. 각자가 태어난 가정은 달라도 출생순위가 동일하면 비슷한 성격적 특징을 나타내는 사실만 보아도 가족체제의 기능적 위치를 파악할 수 있다는 것이다. 그러나 형제의 위치와 역할이 반드시 출생 순위와 일치하는 개념은 아니다. 막내와 같은 역할을 하는 장녀도 있을 수 있고, 장자의 역할을 하는 차남도 있다.

## (2) 상담목표 및 방법

Bowen 가족상담의 목표는 가족성원들로 하여금 불안을 감소시키고 보다 높은 수준의 자아분화, 즉 미분화된 가족자아 덩어리로부터의 해방을 이루게 하는 것이다. 가족체계에서의 진정한 변화는 가족구성원들의 자율성을 조장하며 개인들의 성장을 촉진시키기 위해 폐쇄적인 가족관계를 개방하고 삼각관계에서 벗어나도록 하는 것을 의미한다. 치료에서 개인이나 가족의 증상에 초점을 두지 않으며, 가족 체계를 변화시키는 데 중점을 둔다.

Bowen의 전형적인 상담방법은 두 사람의 성인과 상담자를 포함한 체계를 가지고 시작하며, 비록 증상을 가지고 있는 사람이 아동이라 하더라도, Bowen은 부모에게 기본 문제가 있음을 상기시킨다. Bowen은 이러한 상황에서 어린이를 전혀 참여시키지 않는 경우도 있다. Bowen의 상담기법 중 공통적인 것은 부모 중 한사람을 선택하여 먼저 일정기간 동안 상담하는 것인데, 이때에는 보다 성숙하고 자아의 분화를 이룰 가능성이 많은 사람을 선택하는 것이 상례이다. 선택된 가족구성원이 행동의 변화를 보이게 되면 다른 성원들도 똑같이 행동하려는 경향이 있다고 보았기 때문이다.

Bowen의 상담기법은 조용하고 직접적이며, 정서적 긴장감을 유발시키지 않는다. 부부는 각자 서로에게 말하지 않고 각자 상담자에게 말하게 한다. 부부간에 일어날 수 있는 정서적 긴장을 피하기 위해 직면시키는 일은 삼간다. 부부 중 한 사람(또는 두 사람 모두)이 상담자를 끌어들여 삼자관계를 맺으려는 노력에 걸려들면 안 된다. 상담자가 가족에게서 탈삼각 관계로 남아 중립성을 유지할 수 있어야 가족원의 분화와 불안 감소를 성취할 수 있도록 도와줄 수가 있기 때문이다. 조용한 질문으로 정서적 긴장을 완화시키고, 부부로 하여금 어려움을 야기하는 문제에 대해 생각하게 한다. 그리고 상담자는 부부가 상대방을 비난하게 하거나 해결책을 얻기 위해 서둘러 일치를 도모하려 하지 않고, 부부 간의 관계문제에서 각자가 차지하고 있는 부분에 대해 고찰하게 하는 방법으로 돕는다. Bowen 가족상담에서 상담자의 자아분화 수준이 치료결과의 중요한 변수가 된다. 즉 상담자의 자아분화 수준이 항상 내담자의 자아분화 수준보다 높아야만 한다는 것이다.

## 2) Satir의 경험적 가족상담

경험적 가족상담은 즉각적이고 '지금 - 여기'에서의 경험을 중요시하는 인본주의 심리학에 근간을 두고 있다. 경험적 가족상담 모델은 가족체계 내에서 현재 일어나는 상호작용에 초점을 둔 접근으로 언어적 · 비언어적 의사소통을 연구함으로써 가족체계를 파악할 수 있다는 것을 전제로 한 이론이다. 따라서 상담의 목표는 가족구성원 간의 자아 존중감을 높여 주어 가족체계 내의 잘못된 의사소통을 인식하게 하고 그런 역기능적인 의사소통 방법을 교정하여 성장지향으로 개선함으로써 가족들이 건강하게 상호작용하도록 하는 데 있다. Satir(1983)는 가족구성원들의 정서적 측면과 감정에 관심을 두면서 가족체계와 의사소통하는 방법을 개선하는데 초점을 두며, 가족이 성숙한 인간으로 성장할 수 있도록 도와야 한다는 성장 모델을 개발하였다.

### (1) 주요 개념

#### ① 자아 존중감

자아존중이나 자기 가치는 다른 사람들이 자기를 보는 것과는 별개의 것으로 자기가 자신에게 가지는 애착, 사랑, 신뢰, 존중, 가치로움이다. Satir(1983)는 자아 존중감을 인간의 기본욕구로 간주하여 자신의 이론에 핵심적이고 기본적인 개념으로 사용하였다. 자아 존중감 형성에는 가족구조와 부모와의 관계가 중요하게 부각되는 생애 초기에 자녀가 어떠한 관계를 경험했는가가 매우 중요하다. 자아 존중감은 항상 인간의 내면에 있으며, 자기 자신을 신뢰하고 인식하며, 정당화하기 위해 의식적, 무의식적으로 노력하는 바탕이 된다. Satir는 자아 존중감을 에너지 개념으로 설명하였으며, 자아 존중감을 높이기 위한 치료기법을 개발하였다. Satir 가족상담의 궁극적 목표는 가족 구성원의 자아 존중감을 높이는 것이라고 볼 수 있다.

Satir(1972)는 자아존중감이 높은 사람은 전체적으로 원만하고 정직하며 책임감 있고 사랑, 활력, 많은 관심, 자신의 능력에 대한 믿음이 있으며, 다른 사람들에게 도움을 청할 수 있으며, 스스로 결정할 수 있는 자기 자신이 가장 좋은 자원이라고 믿으며 자신의 가치에 감사하며 언제나 다른 사람의 가치를 인정하고 존중한다. 그리고 일시적으로 낮아진 자아 존중감의 상태를 있는 그대로 나타낼 수 있고, 뭔가 불편한 것을 느낄 때는 숨기지 않고 그것을 한 순간의 위기로 다룰 수 있다. 반대로 자아 존중감이 낮은 사람은 자기 자신에 대하여 상당히 불안해하고 확실한 자기상이나 계획을 갖고 있지 못하며, 다른 사람이 자신을 어떻게 생각하는가에 대하여 지나치게 민감하고 신경을 쓴다. 그는 자기 스스로 가치가 없다고 여기고 있기 때문에 다른 사람들이 자기를 죽이거나 짓밟거나 비난하리라고 생각한다. 이런 상태에 있는 사람은 상황을 정확하게 파악하지 못하여, 거절당하는 것에 대하여 두려워하고 객관적인 자료와 견해를 근거로 자기 자신, 타인, 사건 등을 파악할 수 있는 능력이 부족하다. 이렇게 자아존중감이 낮은 사람은 자신의 낮은 자기 이미지나 존중감을 보충할 수 있는 존재로서가 아니라 자기 자신의 연장으로서 자기에게 부족한 부분을 제공해 줄 수 있는 사람을 배우자로서 선택할 것이다. 높은 자아 존중감을 가진 부모는 가족을 잘 돌보고 자녀를 잘 양육할 수 있고, 낮은 자아 존중감을 가진 부모는 문제 가족을 만들어낼 수 있다.

② 가족 규칙

　Satir는 가족을 돕기 위한 방법의 하나로 가족 규칙을 살펴보았다.  Satir에 따르면, 대부분의 인간은 비합리적인 규칙에 얽매여 비인간적인 삶을 살고 있으며, 이러한 규칙은 자아 존중감에 부정적인 영향을 미친다는 것이다. 규칙에는 합리적이고 융통성이 있으며 인간적이어서 개인의 성장에 도움이 되는 규칙이 있는가 하면, 도움이 되지 않는 규칙도 있다.

　모든 가족은 가족 규칙을 가지고 있지만 가족성원들은 규칙에 관하여 알지 못하고 가족 규칙에 대해 동의하지 않을 수도 있다. 가족 규칙 중에서 개인과 가족 역기능의 원인이 되며 성장에 방해가 되는 것은 수정되어야 한다.  Satir는 분명한 가족 규칙도 중요하지만, 관심의 초점은 감정규칙에 두고 있다. 즉 가족 내에 존재하는 감정 규칙이 무엇인가를 찾아 행동지침으로서의 기능을 할 수 있는 것으로 변화시킨다.

③ 의사소통 유형

　Satir는 의사소통을 정보를 주고받는 과정으로서 중요시하였으며, 언어적 과정과 비언어적 과정을 모두 중요시하며, 사람들이 의미를 전달하거나 전달받을 때에 사용하는 모든 상징과 단서를 포함한다. 따라서 의사소통이란 주고받는 과정이며 남들과 어떤 관계를 맺고 무슨 일을 겪는가를 결정하는 최대의 요인이 되는 것이다. Satir는 스트레스가 있는 상황에서 스트레스를 역기능적으로 처리하는 방법과 대인관계에서 거절당할 가능성이 있다고 느낄 때 자신을 역기능적으로 보호하는 방법을 역기능적 의사소통 방법이라고 하였다. 역기능적 의사소통 유형에는 회유형, 비난형, 초이성형, 산만형이 있다. Satir의 가족상담의 목표는 가족원들이 직접적이고 분명하게 정직한 의사소통을 하며 그런 경험을 토대로 가족 안에서 한 개인의 자아 존중감이 증진되고 성장하는 것이다.

- 회유형: 다른 사람들만을 즐겁게 하는 사람이다. 다른 사람들을 기쁘게 하고 즐겁게 하는 데에서 위안을 얻는다. 만일 다른 사람들이 위안을 얻지 못하면 자신이 형편없는 사람이라고 느끼게 된다. 회유형의 사람들은 자신에 대한 존중감을 가치 없게 여기고 다른 사람들의 요구에는 대부분의 것에 동의한다. 회유형은 자신의 가치를 부정하고 스스로 중요하지 않다는 메시지를 자신에게 보낸다. 회유형은 잘못되어 가고 있는 모든 일을 자신의 책임으로 돌린다. 표면적으로 아주 약하고 의존적이며 무조건 순종하는 것 같은 태도를 보인다. 무슨 일이든 상대방의 기분을 맞추려고 애쓰며 아첨하는 형이다.

- 비난형: 다른 사람을 비난하고, 비난을 통해서 상대방을 통제하려고 하는 사람이다. 상대방이 자신에게 굴복할 때 비난자들은 편안하고 안전하게 느낀다. 이런 사람은 쉽게 흥분하여 다른 사람들과 싸움의 관계에 잘 들어가게 된다. 자신을 제외하고 다른 사람들은 다 잘못한 사람들이라고 생각한다. 비난형은 회유형과는 정반대의 유형이다. 비난형은 다른 사람의 가치를 무시하고 단지 평가만 한다. 그들 자신을 보호하기 위해서 비난형들은 다른 사람에게 해를 입히고 다른 사람의 탓으로 모든 책임을 돌린다. 비난함으로써 상대방이 복종하게 되면 자신이 중요하게 되었다고 생각하기 때문이다. 비난형의 사람들은 자기주장이 강하고 독선적이고 명령적이고 지시적이다. 하지만 그들의 내면세계는 자주 외롭고 긴장감으로 가득 차 있다.  Satir는 심하게 비난하는 것은 도움을 구하기 위한 빌미를 찾기 위한 행동으로 해석하였다.

- 초이성형 : 모든 일을 비판하고 분석하며 평가하는 반응을 하는 사람들은 지나치게 이성적이고 잘 따지고, 주로 부정적인 면을 지적하고, 어떤 감정도 나타내지 않고, 매우 정확하고 세심하고 실수하지 않으려고 한다. 조용하고 침착하나 행동의 폭이 매우 좁다. 다른 사람들과 대화할 때 바른 말들만 하며 말의 속도는 대단히 느리다. 말 속에는 감정이 거의 들어 있지 않다. 감정적으로 매우 상처받기 쉽기 때문에 감정적으로 다른 사람들과 연결되는데 두려움이 있다. 그들은 다른 사람의 감정을 부정한다. 지나치게 합리적이며 객관적인 자료나 논리에 근거해서 의사소통을 한다. 그들의 심리적인 자세는 경직되어 있고, 공격적이며, 항상 올바른 것을 추구하는 것으로 묘사되어진다. 초이성형은 겉으로 보기에 차갑고 건조하며 지루하게 보인다.

- 산만형: 산만형은 일반적으로 즐거워하는 것이나 익살맞은 것과 혼합된 것으로 혼돈스러운 것을 말한다. 산만형은 초이성형과는 정반대의 유형이다. 다른 사람들이 자신으로부터 떠나도록 만들며 이로 인해 외로움과 공허감을 동시에 느끼

게 된다. 산만형들은 자신의 외로움이나 공허감과 부딪치지 않으려고 끊임없이 움직이며 다른 사람들을 혼란스럽게 만든다. 다른 사람들의 말이나 행동과는 상관없는 말과 행동을 하며, 적절하게 반응하지 못하고, 아무 곳에도 초점이 없기 때문에 말에 요점이 없고, 다른 사람의 질문을 무시한다. 아무도 자기를 걱정해 주지 않으며, 아무도 자기를 받아주지 않는다고 생각한다.

- 일치형: Satir는 기능적이며 원만함, 책임감, 정직성, 친근감, 능력, 창의성 그리고 현실 문제를 현실적으로 해결하는 능력을 가진 사람의 의사소통을 일치형이라고 부르고 치료의 표적으로 삼았다. 언어와 행동이 일치되어 있으며 다른 사람들과 감정적으로 잘 연결되어 있다. 이들은 자신의 대화 형태를 스스로 조절할 수 있으며 이를 통해서 다른 사람들과 좋은 관계를 맺을 수 있는 균형 잡힌 사람이다. 일치형의 사람은 자신, 다른 사람, 상황 모두를 존중한다. 즉 개인의 특성을 존중하고, 자신과 타인을 사랑하며, 변화에 대해 융통성이 있고, 상황을 아는 위치에서 반응하기를 원한다. 언어적 메시지와 비언어적 메시지가 일치하며, 관계가 편안하고 정직하고, 자존심에 대한 위협이 없다. 또한 자기가 하고 있는 일에 대해 알고 그 결과에 대해 받아들일 준비가 되어 있다.

## 3) 구조적 가족상담

Minuchin의 구조적 가족상담의 가장 큰 특징은 상담의 목적으로 가족 내의 구조적 변화를 강조한다. 즉 가족의 구조적 변화에 초점을 두며 가족의 재구조화하는 과정에서 상담자는 적극적인 자세로서 개입을 하는 것이다. 구조적 가족상담은 상당히 역동적이어서 짧은 면접 과정 속에서 가족의 문제점, 가족 특유의 양식을 한눈에 파악하여 가족의 구조를 변화시키는 매력을 갖고 있다. 가족의 구조가 변하면 동시에 가족 구성원의 지위가 달라져 결국 각 개인의 경험도 변할 수밖에 없다고 보았다. 구조적 가족상담은 기능적이고 역기능적인 가족구조의 상대성을 가족체계, 위계질서, 규칙, 역할, 협상과 조정 등으로 명확하게 규정함으로써 가족구조와 맥락 안에서 변화를 시도하려는 접근이다.

### (1) 주요 개념

#### ① 구조

구조적 가족상담은 가족 내 상호작용의 형태에 초점을 둔다. 가족구조란 가족구성원들이 상호작용하는 방법을 조직하는 것으로서 눈으로 볼 수 없는 기능적인 요소들이며, 가족은 상호교류 유형을 통하여 작용하는 체계로 보았다. 가족의 상호작용 유형을 관찰하는 목적은 가족이 어떻게 조직되고, 가족이 체계를 유지하기 위해 어떻게 구조화되어 있는지에 관한 정보를 얻기 위한 것이다. 가족의 유형과 구조에 대한 개념은 숨겨져 있는 규칙들을 나타내며, 가족구성원들은 이러한 규칙을 분명하게 모를 수도 있지만 상호작용에 지속적으로 영향을 주며 상호작용 유형을 규정하기도 한다. 가족구성원들의 행동이 지속적이고, 반복적이고, 예측이 가능할 때 가족의 구조는 정상적이라고 규정하였다.

#### ② 하위체계들

가족을 하나의 단위체계로 보면 가족은 밖으로는 보다 큰 사회의 다른 체계들(상부체계)과 연관되어 있고 가족 안으로는 또다시 여러 소체계(하위체계)로 구성되어 있다. 하위체계는 가족 구조의 구성요소이며, 하위체계는 전체적인 가족체계의 기능을 위해 다양한 가족의 관계를 수행한다.

- 부부 하위체계

이 체계는 결혼과 더불어 적응과 조화, 배우자 간의 역할과 타협을 이룬다. 부부 하위체계의 기본적 역할은 두 배우자의 성장과 발달에 필요한 정서적 환경을 제공하고, 서로 상대방의 욕구에 부응하여 상호적 만족을 제공하는 데 있다.

- 부모 - 자녀 하위체계

아이가 태어나면서 형성되는 체계로 부모로서의 책임이 있으며 아동의 각 발달단계에 따른 요구에 타협, 적응하는 것이다. 부모 - 자녀 하위체계의 주된 기능은 부부 하위체계의 정서적 지지를 계속 유지하면서 자녀의 발달 단계에 맞추어 성장할 수 있도록 도와주어 자녀의 사회화를 돕는 것이다. 부모가 자녀에게 적절한 권위를 행사하지 못하거나 한 자녀와 지나치게 밀착된 관계를 형성하면서 다른 배우자와 소원한 거리를 유지하면 역기능적이 될 수 있다.

- 형제 하위체계

자녀들은 형제 - 자매 하위체계 속에서 서로 지지하고, 분화하고, 희생하는 법을 배우게 된다. 형제 하위체계의 기본적인 기능은 아동이 또래집단과 어떻게 관계를 가질 것인지와 권위에 대해 어떻게 대할 것인지에 대해 배우게 하는 데 있다.

③ 경계선

경계선은 눈에 보이지 않지만 가족원 개인과 하위체계의 안팎을 구분하는 가족원 사이에 허용되는 접촉의 양과 종류를 규정한다. 경계선을 통해 개인 혹은 하위체계 간 친밀함의 정도, 정보의 상호교환 정도, 문제해결을 위해 서로 상호교류하는 정도를 파악할 수 있다. 구조적 가족치료는 명확한 경계선, 경직된 경계선, 혼돈된 경계선의 셋으로 구분된다.

④ 제휴, 권력, 연합

제휴의 개념은 그 체계 내에서 서로 협력하는 사람은 누구이고 대항하는 사람은 누구인가를 말해 준다. 그 체계가 특정한 목표를 성취하려고 할 때, 그 안의 사람들이 한 팀으로 함께 일하는지 아니면 서로를 반대하는지를 말해 준다. 서로 협력하는 것은 긍정적인 제휴이고, 서로 반대하는 것은 부정적인 제휴이다. 권력의 개념은 그 체계 내의 상호작용의 결과를 누가 결정하는가를 말해 준다. 예를 들면 한국문화에서 남자는 가족 내의 지배적인 인물이지만 여자가 돈을 관리하는 경향이 있다. 형식적인 구조에서는 남자는 궁극적인 권위를 가지더라도 형식적인 구조 뒤에서 여자가 가족 내의 비형식적인 권력을 사용할 수도 있다. 구조를 이해하려면 한 가지 기능이 한 수준에서 이루어진다고 보아서는 안 된다. 오히려 각 사람은 다른 영역과 다른 방법으로 권력을 가지므로 구조를 이해하려면 그 복잡성을 이해해야 한다. 연합은 제 3의 가족구성원에게 대항하기 위해 특정 가족구성원과 연합하는 것이다. 지속적인 연합은 고정되고 융통성이 없는 상태로 가족기능에 영향을 미치게 된다. 우회적인 연합은 서로 간에 어려움이나 갈등의 책임을 제 3의 가족구성원에게 전가하는 것이며, 이러한 현상은 자신들이나 가족 관계에 스트레스를 증가시킨다.

④ 정상적 가족발달

Minuchin은 최상으로 기능하는 가정에서는 가족 간의 경계가 분명하고 '우리' 라는 집단에 소속된 의식을 가지고 있으면서도 자의식을 잃지 않는다고 본다. 즉, 가족성원은 개성을 띠고 있으면서도 가정에 대한 소속감을 잃지 않으며 하위체계의 경계도 분명하여 올바른 가족 기능이 이루어진다고 본다. 반면, 가족 간의 경계가 모호한 '속박된 가정' 에서는 하위 체계의 경계가 미분화되거나 약하고 쉽게 뒤바뀐다.

속박된 가정의 가족성원들은 가족의 소속감을 지나치게 중시하여 자주성이 없거나 가정 밖에서 문제를 탐구하고 해결하려는 의지가 없다. 한편 경계가 지나치게 경직되어 하위체계들 사이의 의사소통이 힘든 '유리된 가정' 에서는 가족성원들은 지나치게 자주적 독립적으로 기능하여 상호의존성이 없고 필요할 때에도 가족들에게 도움을 청하지 않는다. 가족상담은 가족체제에 초점을 맞출 뿐만 아니라, 그 체제 내에서 일어날 수 있는 변화들에도 관심을 집중한다. 즉, 가족상담의 내담자는 가족 내의 특정 식구가 아니라 전체 가족 및 식구 간에 이루어지는 상호작용이며, 가족 내의 특정 식구가 갖는 문제는 오히려 병든 가족체제에서 생기는 하나의 결과적 증상에 불과하다고 이야기할 수 있다. 가족구조에 대한 도전에서 치료자는 가족의 기능을 진단하고 가족관계 지도(family map)를 그리도록 한다. 이것은 가족의 연합과 갈등의 문제와 양육자, 치료자, 속죄양이 누구인지를 보여준다. 가족이 역기능적으로 되는 것은 하위체계간의 경계가 뒤얽혀 있거나 너무 굳었기 때문이므로 치료의 과정은 이러한 접근과 거리감을 감시하는 것이라고 할 수 있다.

## 4) 전략적 가족상담

문제해결 치료(problem-solving therapy) 또는 제2의 의사소통치료라고도 불리며, Haley가 대표적 치료자이다. 구조적 가족치료보다 더욱 체계론적 입장에서 가족의 문제를 해석하고 치료한다. 전략적 가족치료에서 환자의 증상은 적절치 못한 위계나 두 개인 간의 갈등에서 기인한 체계 내의 권력투쟁이 있을 때 발생한다고 본다. 증상은 가족 내의 특정한 행동적 상호작용을 반영하며, 증상의 변화는 가족 내의 적합한 위계를 재정립할 수 있고, 갈등을 감소시킬 수 있으며, 권력투쟁을 약화시킬 수 있다. 치료의 목표는 가족의 현존하는 문제를 없애는 것이다. 따라서 치료자는 현존하는 문제를 제거할 수 있도록 가족의 상호작용을 변화시킬 전략을 개발하는 것이다. 가족의 저항을 깨뜨리고 변화를 가져오기 위해서는 치료자가 세밀히 계획하고 계산된 책략과 방안을 마련하여 좋은 방향으로 이끌어가야 한다고 하였다. 또한 치료자는 가족 내에서 변화를 수행하도록 할 책임이 있으며 가족의 지도자 역할을 하고 가족에게 지시하며 실천하게 하며 긍정적인 면을 강조하고 과제를 부과하며 가족관계와 의사소통의 재조직(reframing), 재해설(reinterpretation), 가족규칙의 수정, 역설적 개입(paradoxical intervention)을 하여 가족의 역기능적 행동을 치료하여야 한다.

이 입장을 취하는 대표적인 연구자인 Haley는 인간행동의 원인에는 관심이 없고 오직 행동을 변화시키는 전략에만 관심이 있다. 여기에는 문제의 발달에 대한 배경을 설명하는 이론적 틀이 전제되지 않는다. 그 문제들이 과거에 생겼는지 아니면 현재의 관계형태에 의한 것인지에 대해서도 역시 관심이 없다. 단지 문제행동을 변화시키는 해결방법을 기술하는 데 그 초점을 맞추고 있다. 따라서 인간행동을 통제하고 지배하는 가족의 규칙에 일차적 관심을 갖는다.

## 5) 해결중심 단기 가족상담

해결중심 단기 가족상담은 최근에는 해결방안 구축모델로 불리어지고, 그 기법과 개입에 있어 단순하고 분명하며, 문제보다는 대상자가 원하는 바에 초점을 맞춘다. 따라서 문제와 관련된 개인, 사회력 조사를 최소화하고 문제가 해결된 예외 상황이나 문제가 없었던 때에 관하여 질문한다. 문제의 사정보다는 대상자의 장점이나 예외에 대한 탐색이 대상자의 문제해결 능력을 향상시킨다고 본다. 이 모델에서는 대상자가 자신의 문제에 관한 전문가이다. 대표적인 치료자는 De Shazer, Insoo Berg이다. 해결중심 단기가족치료의 기본원리는 대상자의 강점, 자원, 건강한 특성들을 도출해 냄으로써 제시된 문제를 해결하려는 것이다. 대상자가 바라는 결과를 성취하기 위해 대상자가 이미 갖고 있는 자원, 믿음, 행동, 증상, 사회 관계망, 환경, 개인적 특성 등을 활용하는 것이다. 이 모델은 탈 이론적이고 비규범적이며, 대상자의 견해를 중시한다. 즉 대상자가 경험하는 문제에 대해 어떠한 가정도 하지 않고, 대상자가 호소하는 불평에 기초하여 개별화된 해결책을 발견하고자 한다. 치료의 목표는 대상자에게 중요한 것을 목표로 설정하면서 아주 작은 부분을 목표로 하고 구체적이고 행동적인 것을 목표로 한다. 인간의 삶 속에서 변화는 끊임없이 일어나고 있기 때문에 치료는 자연스럽게 일어나는 변화를 단지 확인하고 그 변화를 해결책으로 활용하는 작업이 된다. 따라서 치료자의 역할은 긍정적인 변화가 일어나도록 돕고 이를 해결책의 구축으로 이어지게 하는 것이다. 해결중심 단기 가족치료는 현재와 미래지향적으로 과거를 깊이 연구하기보다는 대상자로 하여금 현재와 미래의 상황에 적응하도록 돕는 데 일차적인 관심을 갖는다. 또한 이 모델은 해결 방안을 발견하고 구축하는 치료과정 중 대상자와의 협동을 중시한다. 진정한 치료관계는 대상자가 치료자에게 협력한다기보다는 치료자가 대상자에게 협력할 때 이루어진다고 믿고 의식적으로 노력한다.

## 6) 다중충격 가족상담

다중충격 상담은 여러 명으로 구성된 한 팀의 상담자들이 여러 식구들과 2~3일간 집중적으로 활동하는 방법인데, 이 때 상담자들은 매번 각 식구들을 서로 다른 식구끼리 짝을 짓게 하여 여러 형태의 짝을 만나게 된다. 여기에서도 상담의 초점은 가족체제에 있다. 이 상담은 다 학문적인 상담 팀을 활용하고 공식적인 상담시간을 집약시킨다는 특징이 있다.

## 7) 사회적 지지망 가족상담

사회적 상담팀은 3~4명으로 구성되어 가족문제 해결을 위해 가족과 의미 있는 사람(친척, 친구, 이웃 및 지역사회 주민)를 포함하는 사회적 지지망을 활성화시키게 된다. 사회적 지지망 가족상담은 전문상담자가 문제해결을 주도해 가는 것이 아니라 사회적 지지망이 자발적 해결을 활성화시키는 데 주안점을 두고 있다. 보편적으로 사회적 지지망 상담은 40명에서 100명 정도의 지지망을 관여시키는 대규모적 상담접근법이다.

상담의 범위를 핵가족으로부터 이웃사람, 친구, 의미 있는 타인들을 포함하는 가족과 관련되는 인사들까지로 확대하는데, 이러한 상담법도 가끔 필요하며 도움이 된다고 여겨진다. 사회적 지지망 상담은 갱생, 즉 곤란에 처해 있는 개인 또는 가족을 위해 생동적인 사회망을 창조하는 것을 목적으로 한다. 사회 지지망 상담의 기본 가정은 개인을 둘러싸고 있는 사회적 지지망은 그들 자체 내에 상담할 수 있는 힘을 지니고 있다는 것을 믿는다.

## 8) 복수 가족상담

복수 가족상담 모델은 서로 다른 여러 가족들이 동시에 만나는 상담 방법이다. 다른 가족들과 함께 있음으로 해서 상담자와 내담자(가족) 사이의 거리감이 완화될 수 있다. 내담자 가족이 다른 가족을 관찰하고 모방하고 동일시할 수 있는 기회를 가질 수 있기 때문에 상담자와 내담자 가족 간의 어떤 장애들이 쉽게 해소될 수 있는 것 같다.

## 9) 이야기 가족상담

이야기 치료(Narrative Therapy)는 해결중심 단기 상담이나 협력적 언어체계 등과 함께 1990년대 이후 널리 주목받기 시작한 치료적 접근 가운데 하나로, 초기 가족상담의 영향 이외에도 철학, 언어학, 인류학, 문학비평, 페미니즘, 사회심리학 등 광범위한 분야의 이론을 임상적으로 해석하고 적용하는 접근방법이다. 이야기 치료(Narrative Therapy)에서는 우리 삶이 마치 이야기와 같다고 본다. 초기 가족치료에서 가족의 역동을 설명하는 데 구조, 순환고리, 전략 등의 은유가 사용되는 것처럼, 이야기 치료에서 이야기와 내러티브는 개인, 가족, 집단의 정체성이 구성되고, 보이고, 재구성되는 매개이자 기제인 점을 강조하는 은유로 사용된다. 인간은 이야기하는 행위를 통해서 삶에서 일어나는 사건을 조직하고 해석하는 존재이기 때문에, 내담자 삶의 문제는 전문지식에 따라 이해하고 개입하기보다 당사자 이야기를 통해 드러나고 구성된 당사자 지식에 토대해 대안을 구축하는 방향으로 접근한다는 것이다.

이야기 치료의 목표는 단기적으로는 내담가족이 호소하는 문제를 감소시키는 데 초점을 둔다. 그러나 궁극적으로는 내담자 가족 스스로가 자신들이 선호하는 방향으로 자기 가족의 이야기를 써 나갈 수 있게 하는 데 있다. 가족이 하나의 단위로서 다른 가족과는 다른 삶의 이야기를 가지고 있으며, 그 가족을 이루는 각 구성원 또한 가족이 안고 있는 어려움에 대해 각자 자기 나름의 설명(이야기)을 갖고 있다고 본다.

# 4. 가족상담 과정

가족상담의 과정은 가족상담 상담자가 지향하는 이론에 따라 개입방법과 과정이 달라질 수 있다. Carl Whitaker는 가족상담 단계를 전기, 중기, 후기, 이별기로 구분하였으며, 사티어는 시작단계, 개입과 혼동 단계, 통합 단계로 구분하였고, 미누친과 헤일리는 가족의 문제나 증상에 초점을 맞추고 시작과 치료적 개입, 변화의 단계로 구분하였다. 여기서는 초기 단계, 중간 단계, 종결 단계로 구분하여 설명하기로 한다.

## 1) 가족상담의 단계

### (1) 초기 단계

초기 단계는 가족상담을 실시하는 첫 상담이 이루어지기 위해 약속을 맺는 때부터 처음 서너 번의 상담을 통하여 진단과 목표 설정이 이루어지기까지의 과정을 말한다. 초기 단계는 가족상담의 전 과정의 기초가 되므로 중요하다. 초기 단계에서 상담 접수, 치료적 관계 형성, 문제의 탐색과 가족 사정, 문제의 명료화와 상담 목표의 합의, 상담 계약과 상담의 구조화 등이 이루어진다.

## (2) 중간 단계

가족상담에 있어서 중간 단계는 변화를 위한 주된 작업이 이루어지는 단계이므로 가족상담의 중간단계는 상담과정에서 핵심을 이룬다. 이 단계에서는 가족들로 하여금 자신들의 관계를 보게 하고 치료를 받게 한 구체적 문제를 다루게 하여 가족상담의 효과적 방법을 발달시키고 행동을 변화시킬 수 있게 한다. 이 단계는 상담자가 상담에 필요한 전략이나 개입방법을 선택하여 실행하는 단계로 가족의 특성과 문제의 성격, 상담자의 능력과 전문적 판단에 의해 적절한 이론과 기법을 선택하고, 각 내담자에게 적절한 상담 전략을 선택하여 내담자가 오랫동안 자신을 파괴시킨 패턴에서 벗어나 자신을 강화시킬 수 있는 패턴을 습득할 수 있도록 문제에 개입한다. 상담자는 변화를 촉진하는 역할을 담당하고, 내담자가 가족의 기능과 문제점에 대해 긍정적 변화를 자각하며, 자율적 문제해결을 습득하도록 돕는다.

가족상담의 중간단계에서 가족구성원들은 자기들의 관계가 수정되어야 하고 가족들끼리 파괴적인 동맹을 무너뜨려야 한다는 사실을 깨닫게 된다. 이 단계에서는 문제 확인, 구조의 확인, 상담의 목적 설정과 계획수립 및 재구조화의 작업이 진행된다. 이 단계에서의 기법은 경계선 만들기, 실연, 재구조화, 강조, 균형 깨뜨리기 등이 있다. 가족이 상담에 참여하여 성공을 거두려면 가족구조의 재조직이 이루어지기 시작해야 한다. 가족성원들의 자주성이 증대되고 가정 내에서의 역할이 덜 경직되어야 하며 가족의 숨겨진 경험들을 서로 공유하고 인정해야 한다. 상담기법은 재구조화로써 적절한 구조의 소개와 강화, 결탁의 해제, 부모 하위체계의 강화, 그리고 개인 구성원간의 역기능적 배치의 교정 등이 포함한다.

## (3) 종결단계

가족상담자는 한 가족이 가족상담을 종결해야 할 시기를 언제로 정해야 할지 판단할 수 있어야 한다. 가족과 상담자가 다같이 이제 가족이 스스로 가정을 이끌어 갈 준비가 되어 있고 상담자의 도움이 없어도 당황하지 않고 독립적으로 기능하고자 한다는 점을 느낄 수 있을 때 종결을 준비할 수 있다. 가족관계에서의 문제점을 상담자에게 가져오지 않으며 집에서 해결하려고 하며, 증상과 불평이 사라지고, 가족이 서로 보다 만족할 수 있는 행동을 하며, 가정 밖에서의 독립적 활동으로 만족감을 느끼고, 자신들의 문제를 해결할 수 있는 효과적인 방법을 발달시키게 되면 치료를 종결한다. 또한 가족상담자는 상담자와 가족의 합의하에 순조롭게 치료를 종결하는 경우도 많지만, 치료 도중에 상담자는 가족에게 종결을 권할지 아니면 다른 상담자에게로 바꿀 것을 권할지를 결정해야 하는 경우도 종종 있게 된다.

가족상담자는 가족과 함께 종결에 대한 이야기를 시작하기 전에 자신의 감정을 직면하여, 상실과 관련된 감정을 해결하여야 하며, 내담자들이 종결에 대해 느끼는 감정의 문제들을 성공적으로 완성할 수 있도록 상담 과정에서 다루어 줄 필요가 있다. 가족상담자는 가족구성원들이 치료 초기에 이룬 변화에 대한 것은 물론이고, 치료 마지막 몇 주 동안에 그들이 실행한 작업에 대해 재검토해야 한다. 이러한 가족상담 전반에 대한 평가는 가족상담자와 가족 모두에게 성취감을 부여할 뿐만 아니라, 가족이 앞으로 나아가야 할 방향을 제시해 주기 때문이다. 가족상담 종결 후 가족상담자와의 접촉을 어느 정도 가능하게 해야 하는지는 일차적으로는 가족이 처한 상황에 따라 다를 수 있다. 치료 종결 후 가족상담자와의 접촉과 관련된 문제로는 사후지도를 위한 상담 면담 약속과 전화 연락을 약속할 수 있다.

## 2) 가족상담 기법

### (1) 동적가족도(kinetic family drawing)

가족들이 마주 앉아서 서로 보게 한 후 커다란 종이(30cm x 45cm)에 가족들이 무언가 하고 있는 것을 그리게 한다.

## (2) 가족 조각법(family sculpture)

가족성원이 다른 가족성원을 이용하여 자기 가족에 대한 이미지를 조각하게 하고, 조각을 만든 가족도 조각의 일부분이 되어 일 분간 행동을 정지한다(freezing). 각각의 가족 성원에게 조각되어질 때와 정지하였을 때에 어떻게 느꼈고 지금의 느낌은 어떤한지 물어본다.

## (3) 가계도(genograms)

3세대 이상의 가족성원과 그들의 인간관계를 기록한 가계도를 작성하게 한다.

## (4) 의사소통에 대한 개입

문제 행동은 그릇된 의사소통에서 비롯한 역기능적 관계이며, 행동이 곧 의사소통이라고 보는 의사소통 이론가(Don jackson, Jay Haley, Virginia Satir)의 영향을 받은 기법들이다. 한 마디로 이야기하면 언어적 의사소통과 비언어적 의사소통의 차이에 주목하는 것이다. 의사소통 이면에 숨어 있는 그릇된 의사소통 요인을 명확히 하면서 개입해 가는 방법으로, 좌석을 변경하여 의사소통의 흐름을 변화시키는 기법과 상담자가 특정 가족원의 family positon에 서는 방법, 역할 연기(role play)를 하게 하는 방법 등이 있다.

## (5) 실행(enactment)

어떤 특정 상황 시의 가족원의 구체적인 행동을 재현함으로써, 상담 장면에서 고립된 가족의 양상을 변화시키기 위한 새로운 교류 양상을 체험 학습하게 한다.

## (6) 가족 임무(family task, family ritul)

상담 장면에서만의 행동 변화를 추구하는 것이 아니라 실제 가족 내에서의 변화를 촉진시키기 위하여 어떤 과제를 지시함으로써 면접 후에도 가족 자신을 변화의 과정으로 끌어들이는 방법이다. 가족이 고착하고 있는 여러 가지 교류의 양상이나 규칙을 변화시키기 위하여 가족 전원이 언제, 어디서, 누구와, 무엇을, 어떻게 하라고 상세히 지시를 하게 된다.

## (7) 가족 게임

가족 간의 갈등이 은폐되어 있는 경우에는 그것을 곧 표면화하는 것에 상당한 불안을 느낀다. 그러므로 게임을 이용한 싸움 등을 하게 하여 행동화시키게 된다. 이 때 만약 정말 싸우게 된다면 "정말 연기가 흘룡하군요." 하여 어디까지나 게임이라는 것을 강조하여 서로가 상처받지 않도록 하면서 갈등의 표면화를 시도하는 방법이다.

## (8) 역설적 기법(paradoxical technique)

악순환에 빠진 가족의 행동 양상을 역설적 기법을 이용해 단절시키기 위해 지금까지 행하여 온 문제 행동을 그대로 하게 할 뿐만 아니라, 더 나아가 그것을 의식적으로 행하게 함으로써 정반대의 행동을 끌어내는 방법이다.

## (9) 긍정적 재조정

가족이 부정적으로 파악하고 있는 사건을 상담자가 긍정적으로 재조정하면 가족은 그에 대한 충격이 크며 그로 인한 새로운 시각을 제공하게 된다. 이와 같은 기법은 가족의 항상성(homeostasis)에 도전하여 안전성을 위협하는 것과는 달리 가족의 저항을 피하면서 항상성이 변화하고 성장하도록 돕는 데 목적이 있다.

### (10) 비디오테이프 녹화 재생(videotape playback therapy)

가족치료 장면을 비디오테이프에 녹화시켜 즉시 보여줌으로써 객관적으로 행동을 관찰하여 검토할 수 있게 하고 수정하도록 하는 방법이다.

### (11) 가족 안무 기법(family choreography)

가족안무 기법이란 가족조각기법에서 발달된 것으로서 가족의 의사거래 유형을 가족의 안무 장면으로 나타내 주는 방법이다.

## 3) 가족상담자의 자세

상담자는 상담 과정에서 중립적인 자세(neutrality)를 취하여야 한다. 중립적인 자세란 어떤 가족원이나 또는 특정의 하위체계의 편이 되거나 동맹을 맺지 않으며 가족성원에 대한 어떤 종류의 도덕적 판단도 하지 않는 것을 의미한다. 또한 상담자는 가족의 의식, 감정 수준과는 다른 수준에 서서, 가족전체의 구조를 볼 수 있어야 한다. 상담자가 이러한 중립적인 자세를 지니면서 효과적인 개입을 해나갈 때 가족체계 속에서 변화가 일어난다. 그리하여 상담초기의 문제행동이 포함되지 않는 새로운 가족의 항상성을 형성하여 가족 스스로가 문제를 해결할 수 있다는 자신을 되찾게 될 때 상담은 종결된다.

# 3

# 아동상담

아동에 대한 문제행동을 그대로 방치할 경우 이로 인해 또 다른 부적응 문제가 야기될 수 있으며, 적절한 치료시기를 놓치게 되어 문제를 더욱 악화시킬 수 있게 된다. 그 결과 아동 자신은 물론 부모와 주변인 나아가 사회에까지 어려움을 주게 될 수도 있다. 따라서 최근에는 아동기의 문제행동과 정신병리를 조기에 발견하고 최적의 시기에 전문적인 도움을 제공하기 위하여 아동기 문제행동에 대한 상담과 치료적 개입에 대한 관심이 높아졌다.

급변하는 현대사회에서는 성인의 정신건강 뿐만 아니라 아동의 정신건강 역시 심각한 위협을 받고 있다. 즉 인생의 가장 행복한 시기를 경험해야 할 아동들이 기어 다니기도 전에 걸을 것을 요구받고, 듣기도 전에 말할 것을 요구받는 등 성장을 재촉받는 압력 속에서 스트레스를 경험하게 된다. 가정과 학교에서 아동들은 부모의 과잉기대와 지나치게 경쟁적인 학교 분위기 속에서 받은 스트레스로 인해 여러 가지 문제행동과 학습장애, 성격장애, 우울과 열등감 등의 정신병리 현상을 겪게 된다.

성인들의 정신적인 문제와 질환들이 아동기에서 시작되었다는 것과 아동의 정서적 문제를 빨리 도와주는 것이 정신질환 발생률을 최소화할 수 있다는 사실들이 밝혀지게 되면서 아동의 상담의 중요성이 인식되기 시작하였다. 처음에는 아동의 교육과 양육방법에 대해 부모에게 조언을 하는 데 중점을 두다가 차츰 아동을 치료하고, 부모와 가족을 치료하는 데까지 발전하게 되었다. 특히 정신분석학의 영향으로 정신건강의 예방을 위해서는 아동기의 생활경험이 중요하다는 관점으로 인해 아동상담의 급속한 발전이 있게 되었다.

아동상담은 아동의 성별, 연령 등 아동 변인과 부모를 포함한 가족, 학교와 친구 등의 환경을 고려해야 하며, 아동의 연령에 맞는 발달과업, 인지 및 행동 양식, 사회 환경이 아동에게 미치는 영향을 이해하면서 그에 맞는 상담 전략을 수행하여야 한다.

## 1. 아동기 발달이론

### 1) 보올비(Bowlby)의 애착이론

보올비(Bowlby)는 애착(attachment)을 '한 개인이 자신과 가장 가까운 사람에 대해 느끼는 감정적 유대관계를 뜻하며, 출생 후 1년 이내에 영아가 맺는 애착형성은 이후의 지적 · 정서적 발달의 기초가 된다'고 하였다. 아동의 애착대상은 어머니에게만 국한되는 것은 아니며, 아버지나 할머니 등 자신을 주로 돌보아 주는 사람도 될 수 있다. 아동기에 형성된 애착양식과 관계형성 방식은 매우 안정적이고 지속적인 것으로 알려져 있다. 안정적인 애착을 경험한 아동은 적응성이 좋고, 친사회적이며, 집단생활을 잘 하는 편으로 알려져 있다.

보올비(Bowlby)는 애착발달을 전 애착단계(출생~6주), 애착형성 단계(6주~8개월), 애착단계(8~18개월), 상호관계의 형성

단계(18개월~2,3세)의 4단계로 구분하였다.

## 2) Freud의 정신분석이론

Freud는 성격발달을 설명하는데 정신성적 발달단계(psychosexual development)를 주장하였다. 인생의 초기 몇 년간을 기본적 성격형성에 결정적 역할을 하는 시기라고 하였다. 정신에너지의 일종인 '리비도'가 핵심개념으로 성격은 이 에너지를 중심으로 발달하며, 이 에너지가 중심이 된다고 믿는 신체부위가 바뀌면서 단계별로 성격이 발달한다고 보았다.

### (1) 구강기(oral stage)

이 시기는 출생에서 약 18개월까지를 말하며, 갓난아기의 요구, 소망, 지각, 표현방법이 입, 입술, 혀와 그 밖의 입 근처 기관에 집중되어 있는 시기이며, 이때는 입을 통해 외부세계를 평가하게 된다. 이 구강활동의 두 가지 형태, 즉 먹는 활동과 깨무는 활동의 결합은 나중에 발달되는 성격특성의 원형이 된다. 이 구강기를 어떻게 보내느냐에 따라 그것은 미래의 성격기반 형성에 큰 영향을 준다. 이 시기에 과잉보호를 받고 자란 아이는 의존적이고 요구가 많으며 잔인하고 욕심이 많은 성격인 구강기 성격(oral personality)이 형성된다. 이 시기를 적절히 지낸다면 그는 자신감, 관대함, 자급자족, 주고받음, 타인 신뢰와 남에게 의존하지 않는 긍정적인 성격기반을 이룰 수 있다.

### (2) 항문기(anal stage)

1.5세~3세 사이의 시기로 항문부위가 유아 libido의 초점이 된다. 이때 아동들은 배설이 항문의 점막을 자극하여 일으키는 쾌감을 점차 더 많이 느끼게 되고, 그들의 배설물에 흥미를 느껴 그것을 갖고 놀거나 만지기를 즐긴다. 이 시기는 대·소변을 자기 뜻대로 조절하게 됨으로써 마음자세가 수동에서 능동으로 변하게 된다.

이 시기는 부모에 의한 배변훈련(toilet training)이 아동의 성격형성에 많은 영향을 준다. 이 시기를 원만하게 보내는 유아는 장차 자주적이고, 리더쉽이 있고, 자기 판단과 자기 결정으로 머뭇거림 없이 행동하며, 협조적이고 긍지와 자존심이 높은 성격기반을 가질 확률이 높다. 반대로 욕구의 과잉충족이나 좌절을 계속 경험한 아동은 항문적 성격이 형성될 수 있다. 질서정연, 완고함, 인색함, 완벽주의의 성격기반을 가질 확률이 높게 되는데, 정신분석에서 이런 성격을 항문성 성격(anal personality)이라 부른다.

### (3) 남근기(phallic stage)

약 3세~6세 사이의 학령전기 아동들은 남근기 혹은 오이디푸스기(oedipal stage)에 들어간다. 이 시기는 부모·형제·자매 간에 갈등을 많이 느끼는 시기이므로 가족 삼각관계시기(family triangle period)라고도 하며, 이 시기는 남녀 성의 차이를 깨닫고 호기심을 갖게 되며 오이디푸스 콤플렉스(Oedipus complex, 친모복합)를 나타나게 한다. 오이디푸스 콤플렉스는 이성의 부모에 대한 성적추구와 동성 부모에 대한 적대적 감정으로 이루어진다.

남아는 그를 질투하는 아버지가 자기 성기를 제거할 것이라는 두려움을 가지는데 이를 거세공포(castration fear)라고 하며, 즉 이 거세불안(castration anxiety)은 어머니에 대한 성적욕망과 아버지에 대한 적개심을 억압하게 하고, 또한 남아가 아버지에게 동일시(identification)하도록 하는 데 도움을 준다. 오이디푸스 및 거세 콤플렉스가 나타나고 발달하는 것은 남근기에서 일어나는 중요한 사건이며, 그것은 성격에 크게 영향을 준다. 이 시기에 이러한 발달과제가 실패하면 심한 불안 등 여러 종류의 신경증 형성의 원인이 되며, 초자아 형성의 장애로 인해 반사회적 인격(남아의 경우), 히스테리성 인격(여아의 경우) 형성의 기반이 될 확률이 높다.

### (4) 잠복기(latency stage)

아동은 오이디푸스적 감정에 대한 강한 방어책을 수립하면서 6~7세에서 약 12세까지 지속되는 잠복기에 들어간다. 이 시기에는 성적이고 공격적인 환상들이 대부분 잠복상태에 있게 된다. 이 시기 아동들은 스포츠나 게임, 지적활동 등과 같은 구체적이고 사회적으로 받아들여질 수 있는 일에 그들의 에너지를 전환시킬 수 있을 만큼 자유로워진다. 이 시기를 '사회화 시기'라고도 하며, 동성 간의 동일화, 또래와의 집단형성이 두드러져 동성애 시기로도 본다. 이 시기가 성공적이면 적응능력이 높아지고 학업, 대인관계의 원만함에서 오는 자신감이 높아진다. 그렇지 않고 잠복기 이전 단계의 과제들이 해결되지 않은 상태로 남아 있어 성적, 공격적 충동이 잘 조절되지 못한다면 학습적응에 지장을 받아 열등감 속에 빠지게 된다.

### (5) 성기기(genital stage)

이 시기는 13세 이후로서 보통 청소년기를 말한다. 이 시기는 남·녀 간의 성기가 성적 즐거움의 중심처로서, 남·녀 간의 성생활 도구로서 올바르게 이해된다는 뜻에서 성기기라고 한다. Freud는 이 시기에 다시 한 번 오이디푸스적 감정이 의식 속으로 파고 들어오려고 위협하게 되는데, 그러한 감정들을 현실적으로 실행할 만큼 충분히 성장되어 있다고 하였으며, 이 시기를 원만하게 보내면 개인은 성숙, 조화, 주체성을 지닌 길을 걷는다. 그렇지 못한 경우는 과거의 잘못된 발달단계 어느 하나에 사로잡혀 그 영향을 받는 성격의 소유자가 되기 쉽고 주체성의 혼돈이 온다.

## 2) Erikson의 정신사회적 발달이론

Erikson은 Freud의 각 단계에서 아동이 자아발달에 의해 수행해야 할 과업에 대해 새롭고도 확대된 견해를 보여주었으며, 거기에다 성인기 이후의 세 단계를 새로이 추가하였다. 따라서 Erikson의 이론은 전 생애를 포괄하고 있다.

Erikson은 인격발달이 인생의 모든 시기를 통해 이루어진다고 보면서 모두 8단계로 나누었다. 만약 개인이 8단계 중 어느 단계에서든지 실패를 경험한다면 그 다음 단계에서 성공하는 데 어려움을 가지게 된다고 설명하고 있다.

### (1) 영아기(infancy: 0~1세)

이 시기는 기본 신뢰 대 불신(basic trust vs mistrust)의 갈림길에 놓인 시기이다. 모자관계가 좋아 서로가 심리적 반응을 적절히 할 때 아이는 어머니를 믿음으로써 신뢰감을 발달시키게 된다. 이 시기는 일관성 있고 예측 가능하며, 신뢰성 있는 어머니의 태도가 중요하다. 이 기본 신뢰감을 경험 못한 사람은 남을 믿지 못하는 성격, 즉 불신감을 지니게 될 확률이 높다.

### (2) 초기 아동기(early childhood: 2~3세)

자율성 대 수치, 의심(autonomy vs shame and doubt)의 갈림길에 있는 시기이다. 부모는 이 시기에 유아가 자신감을 잃지 않고 자신을 통제할 수 있다는 느낌을 발달시킬 수 있는 지지적인 분위기를 만들어 주는 것이 이상적이며, 아이와 함께 놀이를 통해 사회적 행동을 가르쳐 주는 것이 중요하다. 자율성이 발달하지 못하면 수치와 의심이 발달하는데, 기본적 신뢰가 충분히 발달하지 못했거나, 배변훈련이 너무 빠르거나 너무 심할 때 또는 과잉 통제하는 부모 때문에 아동의 의지가 손상될 때에 수치심과 의심이 나타나게 된다.

### (3) 후기 아동기(play age: 4~6세)

주도성 대 죄책감(initiative vs guilt)이라는 갈림길에 서 있는 시기이다. 이 시기에는 아동들이 부모와 동일시하는 것이 주제이며, 기본적 행동양식은 주도적이고 목표를 정하여 추진하고 경쟁하는 것이다.

### (4) 학령기(school age: 7~12세)

이 시기는 근면성 대 열등감(industry vs inferiority)의 둘 중 어느 한 쪽으로 기울어지는 시기이다. 기술과 지식을 배우는 성공적인 경험은 아동에게 능력과 숙달감, 근면감을 느끼게 해 주나 아동이 수행하려고 한 과제나 교사나 부모가 부과한 일들을 할 수 없을 때 열등감이 발달될 수 있다.

### (5) 청소년기(adolescence: 12~18세)

주체성 대 역할혼동(identity vs role confusion)이 결정되는 시기로, 이 시기에 개인은 현재 자신이 무엇이며, 장래에 무엇이 되기를 원하는가를 결정하는 시기이다. 청소년이 그의 동일시와 역할 및 자기 자신에 대한 개념들을 전체적인 하나로 통합할 수가 없으면, 그는 주체성 혼란을 가져와 자신의 역할에 대한 혼동을 가져오게 된다.

### (6) 성인기(adulthood: 19~44세)

이 시기는 친밀감 대 고립감(intimacy vs isolation)의 시기이다. 친밀감이란 타인을 사랑하고 돌보아 주는 능력을 말한다. 진정한 친밀감을 이루지 못하면 고립감이 형성되며, 대인관계는 상투적이고 차갑고 공허해진다.

### (7) 중년기(middle adulthood: 45~64세)

생산성 대 자기 침체(generativity vs self absorption)의 시기이다. 여기서 생산성이란 자녀양육이나 창조적인 활동 또는 생산적인 활동을 통해서 다음 세대를 키우고 교육하는 데 대한 관심을 말한다. 생산성의 부족은 자기 침체, 지루함, 심리적인 미성숙으로 표현된다.

### (8) 노년기(late adulthood: 65세 이후)

통합과 절망(integrity vs despair)의 시기이다. 통합이란 인생의 한계와 자기 자신이 역사의 한 부분임을 받아들이고, 노년의 지혜를 가지고 있다는 자부심과 지금까지의 7단계를 모두 통합하는 것이다. 이것에 실패하면 절망감을 느낀다.

## 3) Sullivan의 대인관계이론

Sullivan은 성격이란 인간생활을 특징짓는 비교적 지속적인 형태의 대인관계 상황이라고 정의하면서 성격발달을 개인이 가지는 대인관계를 중심으로 여섯 단계로 나누어 설명하고 있다.

### (1) 영아기(infancy: 0~18개월)

영아기는 태어나서부터 언어로 의사표현이 가능한 때까지이다. 이 시기는 구강부분(oral zone)이 환경과의 상호작용에 가장 중요한 역할을 하는 시기로서 아동에 대한 수유가 인간 최초의 대인관계 경험이 된다. 이 시기 환경의 특징적 양상은 수유와 관련된 젖꼭지와의 관계에서 나타난다.

### (2) 아동기(childhood: 18개월~6세)

아동기는 언어를 구사할 수 있을 때부터 놀이 친구를 필요로 하는 때까지이다. 이 시기의 가장 현저한 특징은 언어발달로서 종합적 경험의 조직을 가능하게 한다. 그 결과 아동은 보다 일관된 자기체계(self-system)를 형성하게 된다. 이러한 자기체계는 성개념을 발달시키기 때문에 아동은 자기 자신을 남성적 역할 또는 여성적 역할에 동일시(identification)시킨다.

### (3) 소년기(juvenile era: 6~9세)

소년기는 주로 초등학교 시기에 해당된다. 이 시기의 특징은 사회화 현상으로서 가족 외의 권위자에게 복종하는 경험을 쌓고, 경쟁적 또는 협동적 태도를 배우며 배척, 경멸 및 집단의식의 의미를 배우게 된다.

### (4) 청소년 전기(pre-adolescence: 9~12세)

청소년 전기는 비교적 짧은 시기로서 동성의 친구와 긴밀한 관계를 갖고자 하는 친교의 욕구(need for intimacy)가 이 시기의 특징이다. 이때의 친구란 자기가 신뢰할 수 있으며 일이나 인생문제를 의논하는 데 있어서 함께할 수 있는 사람을 의미한다. 또한 이 시기에는 의존적 관계에서 벗어나 타인과 순수한 대인관계를 가지기 시작한다는 점에서 아주 중요한 때이다.

### (5) 초기 청소년기(early adolescence: 12~17세)

초기 청소년기의 두드러진 특징은 이성에 대한 행동양식의 발달이다. 이 시기의 청년들은 사춘기의 생리적 변화로 인해 욕정(feeling of lust)을 경험하게 되며, 이러한 감정경험으로부터 욕망의 역동이 나오며, 그것이 성격에 작용하기 시작하고 이성간의 관계발달을 유도한다.

### (6) 후기 청소년기(late adolescence: 18~23세)

후기 청소년기는 선택적인 성적활동의 형성에서부터 여러 교육적 단계 및 개인적, 문화적으로 바람직한 기회를 거쳐서 완숙한 한 개인이 되어, 보다 성숙한 대인관계를 확립할 때까지를 말한다. 사회생활 및 시민의 특권, 의무 및 책임을 수행하기 시작하는 시기이다.

### (7) 성숙기(maturity: 24세 이후)

행복감을 느끼고 자기인식과 자기존중을 할 수 있는 인간으로서 성숙한 인간관계의 능력을 가질 수 있는 시기이다.

## 4) Mahler의 분리개별화이론

어머니라는 대상(object)과 떨어져 나오는 심리과정을 다음과 같이 3기로 나누어 발표했으며, 이를 분리개별화이론(theory of separation individualization) 또는 대상관계이론(theory of object relations)이라고 부른다.

### (1) 정상 자폐기(phase of normal autism: 출생~1개월)

자기와 자기 아닌 것을 구별 못하고 모든 세상을 자신으로 여기는 시기이다. 이 시기 동안 신생아는 절반은 잠자고 절반은 깨어 있는 상태로 존재하며, 타인이나 주변 환경의 존재를 전혀 인식하지 못한다.

### (2) 공생기(symbiotic phase: 1~5개월)

모자가 공생하는 시기로 아기는 어머니를 알아보고 반응하며, 어머니도 자식의 반응이 귀여워 온 마음이 아이를 키우는 데 쏙 빠지는 시기이다. 영아는 자신을 어머니의 연장으로 생각하면서도 어머니는 자신의 욕구를 충족시켜 주는 사람으로 인식하기 시작한다.

### (3) 분리개별화기(separation individualization phase: 5~36개월)

이 시기는 영유아가 어머니로부터 신체적 · 정신적으로 분리되어 개별화가 이루어진다.

### 5) Piaget의 인지발달이론

Piaget는 지적인 발달은 서로 다른 구조이면서 점차 안정된 적응구조로 되는 네 단계를 거쳐서 발달한다고 설명하였다.

#### (1) 감각운동기(sensorimotor stage: 0~2세)

감각운동기는 타고난 간단한 반사운동을 하면서 발달을 시작한다. 유아는 주위환경에 대해 감각운동으로 대처할 뿐이고 사고를 할 수 있다고 보지는 않는다. 이때는 인지능력의 시작이 감각운동에 있다고 보았다.

#### (2) 전조작기(preoperational stage: 2~7세)

전조작기는 아동이 아직도 어떤 규칙들이나, 조작(operation)들을 이해하지 못하는 시기이다. 이 시기는 언어를 사용하고 심상과 단어로 대상들을 표현하는 것을 배운다. 말을 할 수 있게 되면서 행동은 시간적으로나 공간적으로 매우 확대된다. 이 시기에는 아직도 논리적인 판단을 하지 못하고 지각을 근거로 직관적인 판단을 한다.

#### (3) 구체적 조작기(concrete operational stage: 7~12세)

초보 단계의 논리 수학적 사고 구조를 가지게 되며, 가역적인 사고, 즉 조작(operation)이 가능하게 된다. 하지만 불완전한 조작만이 가능하기 때문에 구체적인 대상에 대해서만 가능하다.

#### (4) 형식적 조작기(formal operational stage: 12세 이후)

가상적 장면에서 구체적 조작을 하고 추상적 문제해결의 논리적 추리능력이 생기는 단계이다. 청년기에 이르면 사고는 외부 현실에 직접 관련되지 않는 자유로운 사고의 방향으로 급전진 한다. 이것이 구체적 사고에서 형식적 사고로 이행되는 것이다.

형식적 조작기에는 연합적 사고(combinational thinking)가 가능하다. 어떤 문제에 직면하였을 때에 가능한 해결책을 모두 다 고려해 볼 수 있다.

## 2. 아동기 문제 행동

아동이 보이는 문제행동을 이해하기 위해서는 앞서 설명한 정상적인 발달과정에 대한 이해가 우선 전제되어야 한다. 정상에서 벗어난 일탈된 행동을 문제행동이라고 볼 수 있기 때문이다. 아동기의 문제행동은 판단하는 기준은 발달적 관점, 사회문화적인 기준, 주변 사람들의 역할 등에 따라 결정될 수 있다.

### 1) 발달적 기준

아동기는 연령에 따라 운동 능력, 언어, 인지, 사회성, 정서 등의 능력이 매우 빠르게 변화하는 시기이다. 따라서 정상발달에서의 문제는 주로 발달이 지연되거나 퇴행하는 것, 행동의 빈도나 강도가 극단적으로 높거나 낮은 것, 행동 상의 문제가 일정 시간 계속되는 것, 행동이 급작스럽게 변화하는 것, 상황에 부적절한 행동을 보이는 것, 그리고 정상과는 질적으로 다른 행동을 하는 것 등이다.

### 2) 사회문화적인 기준

인간의 모든 행동은 사회문화적인 맥락에서 일어난다. 따라서 이러한 사회문화적인 기준에서 벗어나면 문제행동으로 규정할 수 있다. 예를 들어 서양사회는 동양사회에 비해 조용하고 수동적이며 자기주장을 잘 하지 않는 아동에 대해 더 많은 걱정을 하는 경향이 있고, 동양사회에서는 오히려 조용하고 복종적인 아동의 행동이 더 바람직하다고 볼 수도 있다.

## 3) 주변 사람들의 역할

아동들은 스스로 자신의 행동을 평가하고 판단내릴 수 없다. 아동이 문제행동을 가지고 있다고 판단하는 것은 아동이 주변에 있는 어른들의 느낌과 생각이다. 아동을 양육하는 부모가 어떤 태도와 가치를 갖고 있는가 하는 것이 아동을 문제아로 만들수도 있고, 그렇지 않을 수도 있다.

## 4) 아동기에 자주 나타나는 문제 행동 유형

아동기 상담이 필요한 문제행동은 여러 가지가 있겠으나, DSM-IV의 기준이 널리 사용된다.

### (1) 정신지체

지적기능 발달의 결여상태로 18세 이전에 발병하며 남아에게서 높다.

### (2) 학습장애

지능은 정상이나 학습능력에 장애가 나타나는 현상이다. 읽기장애, 산술장애, 표현성 쓰기장애, 기타학습장애 등이 있다.

### (3) 발달성 조정장애

임상양상은 나이와 발달단계에 따라 다양하게 나타난다. 뒤집기, 기기 등 발달시기에 맞지 않으며, 2~4세 아동에서 운동조정능력이 미숙하게 나타난다.

### (4) 의사소통장애

낱말을 생각해 낼 수 있는 언어 능력이 기대수준보다 낮은 표현성 언어장애와 알아듣거나 이해하지 못하고, 자기가 말하고싶은 것을 표현하지도 못하는 수용성 - 표현성 혼합 언어장애, 음성장애, 말더듬기, 기타 의사소통장애(음성의 높낮이, 크기, 음절, 음조나 공명 등의 이상)가 있다.

### (5) 전반적 발달장애

소아기에 사회적 기술, 의사소통 및 언어장애, 행동장애, 지각장애 등 여러 분야의 발달이 제대로 발달되지 않거나 상실된 상태이다. 자폐장애, 레트장애, 소아기 붕괴성 장애, 아스퍼거 장애, 기타 전반적 발달장애 등이 있다.

### (6) 주의력 결핍 과잉 운동장애(ADHD)

아동기에 많이 나타나는 장애로, 지속적으로 주의력이 부족하여 산만하고 과다활동, 충동성을 보이는 상태를 말한다. 이러한 증상들을 치료하지 않고 방치할 경우 아동기 내내 여러 방면에서 어려움이 지속되고, 일부의 경우 청소년기와 성인기가 되어서도 증상이 남게 된다.

### (7) 파괴성 행동장애(disruptive behavior disorder)

① 적대적 반항장애(oppositional defiant disorder)

거부적, 적대적, 반항적 행동이 주 증상으로 사회적 규범을 위반하거나 타인의 권리를 침해하지는 않는다. 흔히 환자는 어른들과 논쟁을 하고 신경질을 부리고 쉽게 화를 낸다. 어른들에게 복종하지 않고, 규율을 따르지 않으며, 어른들을 화나게 한다. 만성화되면 거의 대부분 대인관계 장애가 와서 친구도 없게 되고, 학교생활에 문제가 많이 생긴다.

② 품행장애(conduct disorder)

소아의 행동이 반복적으로, 지속적으로 다른 사람의 기본 권리를 침해하거나, 나이에 맞는 사회적 규범이나 규율을 위반하는 것을 말한다. 품행장애아는 여러 형태로 공격적 행동을 표출한다. 약자를 괴롭히고, 반항적이며, 적대적이고, 건방지고, 복종하지 않으며 이런 행동을 숨기려 하지도 않는다.

(8) 섭식장애

① 유아기 및 소아기의 섭식장애(feeding disorder of infancy and childhood)

충분한 음식이 있고, 돌봐주는데 상당히 유능한 사람이 있으며, 기질적 질병은 없는데도, 음식을 거부하거나 극도로 변덕스럽거나 적게 먹거나 게걸스럽게 많이 먹는 섭식행태가 포함된다.

② 반추성 장애(rumination disorder)

반추란 구역질이나 위장관계의 질환이 없이 반복해서 음식물을 게우고 다시 먹는 것을 뜻한다. 장애의 정도가 명확히 정상범위를 넘었거나, 문제의 성질이 질적으로 비정상적일 때 또 적어도 1개월 이상 아이가 체중을 증기시키는데 실패할 때만 진단을 내려야 한다.

③ 유아기 및 소아기의 이식증(pica ofinfancy and childhood)

비영양성 물질(흙이나 페인트 조각 등)을 지속적으로 먹는 경우이다.

(9) 배설장애

인지 능력, 언어 능력 등이 연령에 적합하게 성장하고 있음에도 불구하고 대소변을 가리는 행동에 지속적으로 문제가 있는 것이다. 유분증(encopresis)은 소아의 나이나 발달 정도가 최소한 4세 이상인 아동이 최소한 3개월 동안 적당한 장소가 아닌 곳에 무의도적 혹은 고의로 대변을 보는 것을 말한다. 유뇨증(enuresis)은 5세 이상인 아동이 최소한 3개월 동안 주 2회 이상 반복적이거나 무의도적 또는 고의로 소변을 옷이나 방바닥에 보는 것을 말한다.

(10) 이별 불안 장애

이별불안 장애는 주된 애착 대상이었던 인물이나 가정, 기타 친숙한 사람이나 상황에서 이별, 분리될 때 나타나는 심한 불안 상태이다. 즉 정상적인 발달상 수준보다 훨씬 심한 정도의 불안을 보인다. 주된 장애는 부모, 가정, 기타 친숙한 환경으로부터 격리되는 데 대한 극심한 불안이며, 심할 때는 공포나 공황상태까지 온다.

① 학교거절증(school refusal)

학교가기를 꺼리거나 거부하는 증상을 학교거절증이라고 한다. 학교거절증인 소아는 학교에 가기 싫다는 것을 말로는 거의 표현하지 않는다. 표면적으로 나타나는 증상은 다양한 신체증상으로 두통, 복통, 설사를 호소하고, 어지럽고 토할 것 같다면서 밥을 잘 먹지 않거나, 심하면 기절도 한다. 이런 증상은 대개 아침 일찍 시작되며 학교 가지 않고 집에 있거나 등교시간이 지나면 증상이 호전된다. 또한 항상 어머니와 같이 집에 있고자 하는 것이 특징이다. 이런 경우 어머니 자신도 소아가 자기 곁을 떠나는 것을 불안해하는 경우가 대부분이다. 그러므로 치료할 때 소아 뿐만 아니라 부모도 같이 치료해야 한다.

### (11) 틱장애

틱은 아이들이 특별한 이유 없이 자신도 모르게 얼굴이나 목, 어깨, 몸통 등의 신체 일부분을 아주 빠르게 반복적으로 움직이거나 이상한 소리를 내는 것을 말한다. 전자를 운동 틱(근육 틱), 후자를 음성 틱이라고 하는데, 이 두 가지의 틱 증상이 모두 나타나면서 전체 유병기간이 1년을 넘는 것을 뚜렛병(Tourette's disorder)이라고 한다.


## 3. 아동 상담의 목표

아동 상담의 목표는 아동으로 하여금 치료에 의뢰된 문제행동을 해결하도록 하는 것과 미래에 아동이 일으킬 수도 있는 문제를 사전에 예방하는 차원에서 전반적인 성격의 변화를 가져오게 하는 것이다. 즉 아동 상담은 상담자와의 치료적 관계를 통해 아동의 행동적, 인지적, 정서적 측면에서의 변화를 가져오게 하는 것이다.

### 1) 행동적 변화

① 아동이 부정적인 결과를 가져오는 행동을 변화시킬 수 있게 한다.
② 아동이 상담실 밖의 외부 환경에 편안하고 적응적으로 행동할 수 있게 한다.
③ 아동이 발달단계에 맞는 행동을 할 수 있도록 한다.

### 2) 인지적 변화

아동이 가지고 있는 잘못된 인지를 재구조화하고, 사고를 논리적으로 개선하도록 도와준다.

### 3) 정서적 변화

① 아동이 고통스러운 정서적 문제를 표현하고 다룰 수 있게 한다.
② 아동이 자신의 한계와 장점을 받아들이고, 그것들에 대해 긍정적으로 느낄 수 있게 한다.
③ 아동의 사고, 정서, 행동이 일치할 수 있게 한다.


## 4. 아동 상담의 기법

### 1) 아동과 라포를 형성하기 위한 전략

상담자는 모든 연령의 아이들을 성인 내담자를 대할 때처럼 최대한의 존경에 예의를 갖추어 대해야 한다. 어휘나 목소리 톤을 바꿀 필요도 없고, '아이의 수준으로 낮출' 필요도 없다. 어린 아동과의 신뢰감 형성이 더 쉽다는 것은 당연한 일이다. 아이들은 자신을 존중하고 얕보지 않는 성인에게는 빨리 반응한다. 또한 어린 아이들은 어른이 공정하고 단호하며 친근한 태도를 보일 때, 또는 어른들의 행동이 이치에 맞다는 것이 분명해지면 반응을 보이는 경우가 많다. 때때로 어른이 그들을 이해한다는 것을 발견하고 나면 아이들은 안심하게 되는데, 그들이 느끼는 안도감은 짧은 인터뷰 후에도 확연히 느낄 수 있을 만큼 대단히 크다. 아이는 치료자에게 수줍어하면서 사탕을 건네주기도 하고 손을 흔들거나 포옹까지도 한다.

또한 아이들은 상담과정을 통해 참여하기, 감정에 귀 기울이기, 감정의 표현, 공감, 반영적인 경청, 그리고 메시지 보내기에 대한 기술을 개발시킬 기회를 가지게 되는 동시에 격려와 갈등해결에 대한 기술도 습득하게 된다. 이런 기술들은 우연히 얻어지게 되는 것이 아니라, 상담자가 체계적인 단계를 아이들에게 제공하여 얻어지는 것이다. 이 접근은 아동과의 상담을 더 조직적이고 효과적으로 할 수 있게 하는 매우 유용한 치료도구로 사용할 수 있다.

　놀이는 아이들의 언어이기 때문에 어린 내담자들을 간단한 게임이나 활동에 참여하도록 하는 것이 라포를 형성하는 좋은 방법이 될 수 있다. 이런 친해지기 위한 활동들을 사용할 때 내담자와 적극적으로 상호작용하고, 더 많은 정보를 얻기 위해 질문을 확장하여 묻고, 아동이 이야기하지 않기를 선택하더라도 인내심을 갖는 것이 중요하다. 첫 회기에서 다음 활동들 중 한 가지만을 사용해도 충분하겠지만, 이후 회기에서 다음 활동들 중 더 많은 것을 사용할 필요가 있을 수 있다. 상담자의 임상적 판단을 활용해서 아동이 얼마나 편안하게 보이는지를 결정하고, 일단 상담을 하도록 만들었던 문제에 대해 작업하기 시작하면 그 아동이 얼마나 마음을 열 것인지에 대해 파악할 수 있게 된다.

　아동과 청소년들은 보통 부모나 교사에 의해 상담이 의뢰되기 때문에 저항이나 꺼리는 정도가 매우 큰 차이를 갖는다. 어떤 사례이든지 간에, "나는 네가 여기에 있고 싶어 하지 않는다는 것을 알겠어. 그럴 수 있지. 하지만 다른 누군가는 너에게 문제가 있다고 생각하기 때문에 여기에 온 거야. 아마도 네가 그 문제를 잘 다루도록 내가 도와줄 수 있을 거야."라고 말하면서, 아동이 지각하는 것을 인정하는 것이 중요하다. 또한 어린 내담자가 상담을 어떻게 이해하고 있는가를 확인하는 것도 좋다. 어린 아동들은 그들에게 주사를 주는 의사에게 온 것이라고 생각할 수도 있고, 많은 청소년들이 자신에게 정신분석을 하거나 무엇을 해야 하는지를 말해 줄 '정신과 의사'를 만나러 온 것으로 생각할 수 있기 때문이다. 그들은 미친 것이 아니며 문제를 가지고 있다는 것이 나쁜 사람이라는 것을 의미하거나, 나쁜 의도를 지닌 사람임을 의미하는 것이 아니라고 안심시키는 것도 불안을 완화시키는데 도움이 된다. 후두염에 걸렸거나 다리가 부러졌을 때 도움을 받기 위해 의사를 찾는 것처럼, 사회적, 정서적 혹은 행동적 문제가 있을 때 상담자에게서 도움을 받을 수 있다고 그들에게 설명하는 것이 유용한 경우가 많다.

　어떤 어린 내담자들은 상담 받는 것에 대해 같은 연령의 다른 아이들이 어떻게 말했는지를 읽는 것을 좋아한다. 그래서 이전 내담자들이 익명으로 적은 몇몇 소감문을 공유하는 것이 종종 좋은 효과를 낸다. 상담이 어디에서 이루어지든 상관없이 많은 어린 내담자들은 상담이 어떤 것인지, 왜 그들에게 상담이 필요한지를 잘 모른다. 이런 이유 때문에 첫 번째 상담 회기에서 그들의 선입견과 거부감을 다루는 것이 필수적이다. 일상생활에서 문제를 경험하는 것을 정상적인 것으로 설명하고 어른들을 포함해서 모든 사람이 문제를 가지고 있다고 분명하게 설명하는 것은 즉각적으로 안도감을 제공할 수 있다.

　아동 내담자와 라포를 형성하기 위한 구체적인 상담자의 태도는 다음과 같다.

## (1) 비판단적인 입장을 취해라

　어린 내담자들은 일반적으로 그들을 판단하고 있다고 생각하면 많이 개방하지 않을 것이다. 그러므로 상담자가 그들에게 동의하지 않는다 하더라도, 일단 그들을 무조건적으로 받아들여야 한다. 언어적으로나 비언어적으로 비난을 전달하는 것은 상담 관계를 위태롭게 할 것이다. 특히 청소년들은 판단 받는 것에 매우 예민하다. "너 자신과 너의 행동은 다르다."라고 분명하게 말하는 것이 도움이 될 수 있다. 예를 들어 만약 그들이 법을 어겼다면 그들은 하지 말았어야 하는 어떤 것을 한 것이지만 그것이 그들을 나쁜 사람으로 만드는 것은 아니다.

## (2) 그들의 이야기에 진심으로 관심을 가져라

　어른들은 아동의 문제를 대수롭지 않은 것으로 취급하기가 너무나 쉽다. 어린 아동들에게 가장 친한 친구와 싸우는 것은 어른들이 배우자와 싸우는 것만큼이나 감정의 동요를 일으키는 일일 수 있다. 어린 내담자들이 그들의 문제를 균형있게 볼 수 있는 능력을 가지고 있지 않을 수 있으며, 그래서 심각한 부정적 결과를 낳을 수 있는 방식으로 반응하는 등 과잉반응하거나 충동적으로 반응할 수도 있다는 것을 기억하는 것이 중요하다. 이런 이유 때문에 그들의 이야기를 주의 깊게 듣고 그들의 관점에서 상황을 바라보는 것이 결정적으로 중요하다. 적극적이고 관심어린 경청자가 됨으로써 상담자는 좋은 역할 모델이 될 것이고 이후의 문제해결에 사용할 중요한 정보를 수집하게 될 것이다.

⑶ 기회가 있을 때마다 그들의 문제를 정상적인 것으로 취급하고 희망을 불어넣어 주어라

아동과 청소년들은 종종 왜 자신이 그런 식으로 생각하고 느끼고 행동하는지를 이해하지 못한다.

⑷ 문제에 대해 당신이 알고 있는 것을 그들에게 솔직하게 말해라

내담자가 부끄럽게 여기거나 불편한 행동에 대해 상담자에게 말하지 않을 가능성이 크다. 내담자가 말할 때까지 기다리기보다 그 문제를 먼저 솔직하게 꺼내 대화의 실마리를 풀어나가는 것이 필요하다.

⑸ 비밀보장의 특징과 한계를 설명해라. 그리고 부모와 교사와 어떻게 의사소통할 것인지에 대해 내담자와 논의해라

상담자는 이후에 공개할 필요가 생길 수도 있는 것에 대해 비밀을 보장한다고 약속하지 말아야 한다. 그렇게 하면 치료적 관계를 깨뜨릴 가능성이 높아진다. 그들의 삶에서 중요한 어른들이 그들에 대해 걱정하고 있으며 상담자와 연락을 하고 있음을 그들에게 설명해 주어라. 상담자와 이야기를 나누었지만 다른 누군가가 알지 않았으면 하는 내용이 있는지를 기회가 있을 때마다 어린 내담자들에게 물어보아라. 상담자가 상상했던 것보다 정보를 공유하는데 있어 더 적은 제한을 두고 있다는 것을 알고는 놀랄 수도 있을 것이다. 또한 본인이 직접 말하기 곤혹스런 문제들과 관련해서는 어른들과의 의사소통을 상담자가 대신 원활하게 해주는 것에 대해서는 감사히 여길지도 모른다. 부모나 교사에게 알려야 하는 상담자의 의무 때문에 내담자들의 요구를 존중할 수 없을 때, 상담자는 무엇을 알려 주어도 좋은지를 그들에게 묻고 그들에게 솔직하게 말하는 것은 관련된 문제들을 공개적으로 다룰 수 있게 한다. 이런 문제들에 대해 내담자에게 자문을 구하는 것은 내담자 - 상담자 관계를 강화할 수 있다.

⑹ 솔직하고 인간적이 되어라

어린 내담자들은 상담자가 '현실적인 사람'으로 다가올 때 더 잘 반응할 것이다. 어린 내담자와 함께 치료적 게임을 하거나 또는 청소년이 좋아하는 최신 유행곡 테이프를 함께 들으면서 회기의 첫 몇 분을 보내는 방법 등으로 인간적으로 가까워질 수 있는 기회를 허락하는 것이 필요하다. 이러한 방법이 당신이 전문적 역할을 벗어 버리고 그 아동이나 청소년의 친구가 되어야 한다는 것을 의미하는 것은 아니지만, 당신이 더 현실적이 됨으로써 좋은 관계를 형성할 수 있는 더 나은 기회를 가지게 됨을 말해준다.

⑺ 부모처럼 행동하지 말아라

어린 내담자들은 잔소리를 하고 과잉통제하고 원하지 않는 충고를 하는 것 같은 간섭에 분개한다. 따라서 어린 내담자와의 관계는 더욱 협동적이 되어야 한다. 함께 목표를 세우고, 자신 행동의 결과를 스스로 볼 수 있도록 도와주는 태도를 견지해야 하면서 가능한 충고하지 않도록 입을 다무는 것이 좋다. 어린 내담자들에게 변화가 시작되었다면, 그것은 강요받기 때문이 아니라 자신이 그렇게 해야 하는 이유를 알았기 때문일 가능성이 훨씬 더 클 것이다. 만약 상담자가 부모처럼 행동한다면, 그들은 더 큰 저항을 나타낼 가능성이 매우 크다.

⑻ 적극적인 태도를 보여라

어린 내담자들은 전에 상담을 받은 경험이 없을 수도 있다. 따라서 그들은 무엇을 해야 하는지 전혀 모를 수도 있다. 부모들 역시 창피함을 느낄 것인데, 자녀가 상담을 받는다면 자녀에게 문제가 있거나 그들 자신에게 문제가 있기 때문이다. 상담 받는 것을 그들에게 적극적으로 권하는 것이 라포 형성 과정에 도움이 될 수 있다. 상담자는 내담자에게 이익이 될 수 있는 전략을 가르치지만 줄 수 없는 것을 약속하지 않도록 주의해야 한다. 많은 사람들이 상담이 아무런 도움도 없다고 생각하거나 자신은 정서적 문제로 도움을 받을 필요가 전혀 없다고 생각하고 있기 때문에 그들에게 상담에 대한 생각을 적극적으로 권하는 것이 종종 중요하다.

(9) 융통성 있고 창조적이 되어라

아동과 청소년들이 자신이 어떻게 느끼는지를 정확하게 표현하거나 무엇을 경험하고 있는지를 묘사하는 것은 언제나 쉽지 않다는 것을 기억해라. 말하려 하지 않는 어린 내담자들과 작업을 한다면, 그들에게 계속해서 말을 시키는 대신 게임을 하거나 이야기를 읽거나 역할 놀이를 하거나 그들에게 문장을 완성하도록 하는 방법을 사용하는 것이 낫다.

(10) 자기개방을 두려워하지 말아라. 하지만 치료적 가치를 지닌 방식으로 해라

어린 내담자들은 상담자가 어떤 사람인지에 대해 궁금해 하곤 한다. "나는 네가 왜 할머니의 죽음에 대해 아직도 그렇게 슬퍼하는지를 이해할 수 있어. 나도 우리 할머니와 아주 가까웠는데 할머니가 돌아가셨을 때 정말로 나에겐 슬픈 시간이었어." 이런 식으로 경험을 나누는 것은 당신을 인간적으로 느끼게 한다. 또한 상식을 사용하는 것도 중요하다. 그러나 10대였을 때 술을 마신 탈선행위에 대해 청소년 내담자에게 자랑하는 것은 명백히 부적절하다. 이런 메시지를 음주에 대한 허락으로 잘못 해석하기가 매우 쉽기 때문이다. 또 다른 면에서 그것은 내담자와 치료자 사이에 존재해야 하는 경계를 침해하는 것이다.

## 2) 아동 심리치료의 기법

### (1) 놀이치료

놀이는 아동의 자연스러운 발달을 이끌고 통합적인 존재로서의 전체성을 갖는 데 있어 보편적 중요성을 갖는다. 놀이는 아동이 아무도 가르쳐 주지 않는 것을 배우는 방식, 즉 아동이 자신의 경험을 조직화하고 이해하기 위해 주변 세상에 대해 배우는 방식이다. 놀이는 아동에게 장난감과 여러 놀이감을 갖고 탐색하고 실험하면서 세상에 대한 통제감과 숙달감을 얻을 기회를 제공한다. 놀 줄 모르는 아동은 이후 성장발달에 치명적인 손상을 입을 수 있으므로 다시 놀 수 있도록 환경을 마련해 주는 것이 필요하다. 놀이치료 과정은 치료자와 아동간의 관계로 볼 수 있는데, 이 관계 속에서 아동은 자신의 개인적 세계를 탐색하고 안전한 방식으로 치료자와 접촉하기 위해 놀이를 활용하는 것이다.

### (2) 모래놀이치료

모래상자는 공간을 한정하고 공간에 대한 틀을 만들어 아동을 보호하며, 무의식을 표출하는 통로의 역할을 한다. 또한 모래가 갖고 있는 촉감으로 인해 유아나 아동이 자기치유력을 발휘하도록 원초적인 심리상태로 퇴행시켜 주는 좋은 재료가 된다. 모래를 만지는 동안 아동은 감각운동기로 퇴행하여 큰 저항이나 노력이 없어도 쉽게 내면을 표현할 수 있게 된다. 또한 모래는 감각을 통하여 심신을 통합하는 작용도 한다.

### (3) 미술치료

미술치료는 모든 연령에 적합한 창조적 과정으로, 특히 자신과 가족에게 고통을 일으키는 생활변화나 외상, 질병이나 장애를 경험하고 있는 사람에게 적합하다. 즉 창작을 통해 심리적, 정서적인 갈등을 완화시킴으로써 원만하고 창조적으로 살아갈 수 있도록 도와줄 수 있다.

아동 미술치료의 특성은 아동으로 하여금 이야기하기 어려운 감정을 표현하게 해 주며, 아동의 심상화와 창조성을 자극하게 해 주는 장점이 있다. 또한 건강한 대처기술을 발달시켜 자존감과 신뢰감을 증가시켜 주며, 문제와 관심사를 명료화시켜 주는 역할을 한다. 의사소통 기술을 증진시키고, 안전한 양육적 환경을 공유하게 해 주며, 운동 기술과 신체적 협응발달을 도와준다. 정서적 표현과 개인적 성장에 대한 감정과 걸림돌을 확인해 주며 방어를 감소시켜 주며 자료를 영속적으로 남길 수 있다는 장점도 있다.

### (4) 집단치료

아동 상담을 위해 집단을 구성할 때는 사전 면담을 통해 어떤 아동들을 집단에 포함시킬 것인지를 결정해야 한다. 아동들을 동질적인 특성으로 구성할 것인지, 이질적인 특성으로 구성할 것인지를 결정한다. 일반적으로 아동들의 재능과 지적 수준이 비슷한 것이 좋다. 극단적으로 공격적이거나 파괴적인 아동의 경우는 처음에는 개인치료로 시작했다가 어느 정도 집단에 참여할 준비가 된 다음에 집단에 포함시키는 것이 좋다. 집단원의 수는 아동의 나이나 성숙도에 따라 달라질 수 있는데, 나이가 어릴수록 적은 수의 아동과 짧게 만나는 것이 좋으며, 6~8명 정도의 아동과 20~50분 정도의 시간을 공유하는 것이 보통이다.

### (5) 가족치료

가족치료에서는 아동이나 어떤 가족 한 사람에게만 초점을 맞추어 문제를 보지 않고 전체로서의 가족체계 속에서 치료하는 것을 강조한다. 아동이 보이는 행동문제가 역기능적인 가족체계로 인한 증상으로 나타나는 경우일 경우가 많기 때문이다. 개인치료에서 상담자는 아동의 사회적 환경이나 가족체계를 분리시켜 아동을 깊게 연구하지만, 가족치료에서는 다른 가족구성원들과의 상호적용과 관련된 가족집단의 한 일원으로서의 아동을 연구한다. 따라서 치료의 목표는 아동 개인에 대한 진단, 분석, 치료가 아니라 가족이 효과적으로 기능하는 것이며, 가족구성원들끼리 건강하게 상호작용할 수 있도록 돕는 것이다.

# 청소년상담

청소년들은 생물학적인 변화와 더불어 가정, 학교, 또래, 지역사회 등의 사회 환경적인 맥락에서 다양한 문화적 자극들을 경험하게 된다. 그런 가운데 청소년들은 이전 시기와는 다른 역할과 기대, 그리고 책무성을 부여받을 뿐만 아니라 이러한 문화적 요구를 충족시켜야만 하는 도전감을 부여받으며 상당한 위기를 경험하게 된다. 따라서 청소년들이 이러한 위기를 잘 해결할 수 있도록 돕기 위해서는 청소년의 특성을 고려하여 신중하고 적합한 방법으로 청소년 내담자 및 문제의 특성에 대한 이해와 적극적이고 다양한 개입 전략, 주변 환경의 중재 및 조정 등의 다양한 상담자의 역할이 요구된다.

현대사회가 다양한 분야에서 급속한 속도로 변화함에 따라 많은 분야에서 그에 따르는 문제가 발생하게 되었다. 많은 사회적 문제 중 특히 청소년과 관련된 문제는 그 어떤 문제보다 심각하여 이에 대한 대책이 절실하게 되었다. 물론 과거에도 오늘날과 마찬가지로 청소년 문제는 존재하였지만, 과거의 청소년 문제와 오늘날의 청소년 문제는 그 원인과 양상에 있어서 많은 차이가 있다. 청소년이 처해 있는 환경이나 이들에게 요구되는 여러 가지 발달적 과업과 사회적 과업이 과거와는 많은 차이가 나기 때문이다. 오늘날 청소년들은 어른들의 견해를 계속해서 무시하고 또래의 인식과 수용에 점점 더 많은 관심을 가지는 특징을 가지고 있다. 많은 청소년들은 자신들이 사회와 문화적 주류에서 벗어나 있다고 보고, 자신들과 유사한 방식으로 사회와 고립되어 있는 다른 젊은이들과 결속하면서 부모와 학교로 상징되는 권위와의 전쟁을 벌이려고 하는 듯한 태도를 취한다. 즉 어른들의 가치에 그들 자신의 청소년 식으로 저항하려고 하는 것처럼 보이지만 청소년들은 그들과 가까운 성인들, 특히 부모들이 생각하는 것이 무엇인지를 알고 싶어 한다. 부모와 청소년 상담자들은 종종 이러한 사실을 간과하게 된다.

성인의 정신병리학적인 상태는 청소년에게서도 발견된다. 그러나 청소년들은 자신을 빠르게 변화시킬 수 있는 힘을 가지고 있다. 성인의 경우 정신장애 치료에 오랜 기간이 필요하지만, 청소년의 경우 서너 번의 상담 회기만으로도 충분한 효과를 볼 수도 있다. 이와 반대로 청소년 상담자는 많은 청소년에게서 나타나는 우울증의 빈도와 정도, 그리고 자살에 대한 심각한 잠재 가능성을 깨달아야 한다. 심각하게 고통 받고 있는 청소년에게 상담관계는 말 그대로 죽느냐 사느냐의 문제가 될 만큼 중요한 기회가 될 수도 있다.

청소년 상담자는 개인적인 판단을 유보하면서 융통성있는 자세로 상담에 접근하여 청소년들의 현재 상태를 수용할 수 있는 태도를 지녀야 한다. 청소년들의 어려움은 종종 집단 상호작용에 있는 경우가 많기 때문에 일반적으로 효과적인 치료의 형태는 집단 내에서 그들의 문제를 해결하는 것이다. 청소년들이 직면한 많은 문제들은 사회와 가정에서 그들이 어떤 대우를 받는가와 관련이 있다. 따라서 상담의 효율을 위해 내담자와 다소 거리를 두어야 한다. 만약에 상담자들이 가족, 학교, 공동체에 반대하는 청소년들의 대변자로 너무 깊게 개입하게 되면, 상당의 효과는 현저히 감소할 수도 있다.

# 1. 청소년 상담의 특수성

청소년 상담은 교정과 치료보다는 가르치고 인도하는 교육적 역할과 주변의 환경에 적극적으로 개입하여 변화 및 협조를 꾀하는 중재역할이 요구된다. 정서중심의 통찰이나 인식을 강조하는 접근보다는 구체적인 사고나 행동의 변화를 도와주는 적극적이고 융통적인 전략의 적용이 요구된다. 체험적 활동이나 게임, 집단활동 등의 효과를 추가하는 것이 바람직하다. 청소년의 환경이 바람직한 방향으로 변화할 수 있도록 도와줄 수 있어야 한다. 표면적으로 드러나거나 호소되는 문제 뿐만 아니라 문제와 연관되어 있는 가족관계, 학교생활, 교우관계, 거주환경 등에 대한 포괄적 이해를 토대로 문제 해결을 위한 다각적인 개입이 필요하다.

# 2. 청소년 상담의 목표

청소년 상담의 목표는 현재 가지고 있는 문제의 해결과 치료 및 예방 등이 될 것이다. 개인 상담을 통한 청소년 상담의 구체적인 목표는 다음과 같다.

① 행동 변화의 촉진
② 적응 기술의 증진
③ 의사 결정 기술의 함양
④ 인간관계의 개선
⑤ 내담자의 잠재력 개발
⑥ 자아정체감 확립
⑦ 긍정적 자아개념
⑧ 건전한 가치관의 확립

# 3. 청소년 상담 문제

## 1) 청소년과 인간관계

청소년이 주변의 사람들과 맺는 인간관계는 청소년의 대인관계나 생활의 적응 및 만족, 정서적 안정, 기능수준 등과 밀접한 연관을 가지고 있을 뿐만 아니라, 발달적인 측면에서 청소년의 자아개념, 도덕성 및 가치관, 사회성, 진로 등의 발달에 많은 영향을 준다. 청소년기의 인간관계와 갈등은 가족원, 특히 부모와의 관계에서 많이 발생한다. 친구나 선후배, 교사 등의 가족 외의 관계에서 발생하는 갈등을 통하여 가족관계에 제한되어 있던 청소년의 사회적 시각과 기능을 확대하게 된다. 갈등과 관련하여 나타나는 표면적인 문제는 부모 - 자녀 관계에 있어서의 권위와 자율성 및 책임을 중심으로 발생하고, 형제간의 관계에 있어서는 대인관계에 대한 관심, 권위, 물건의 소유 등의 문제를 둘러싸고 일어나는 것으로 보여진다.

인간관계 갈등이 청소년기에 많이 나타나는 이유에 대한 관점으로는 인지적 능력의 발달과 발달과정에 수반되는 다양한 스트레스 요인의 축적 등에 의해 파생되는 것으로 보고 있다. 발달 이론적 관점에서는 개별화의 개념을 사용하여 청소년의 애착 대상과 가치관 흥미 또는 관심이 부모로부터 분리되어 부모 외의 대상인 동성 또는 이성 친구에게로 전환되는 과정으로 설명하고 있다.

## (1) 청소년과 가족관계

청소년의 인지적 변화는 아동기와는 달리 부모의 명령에 동조하고 따르기보다 자신이 부모의 의견과 생각을 왜 따라야만 하는가에 대한 논리적인 사고로 부모와 논쟁에 부딪히게 된다. 청소년과 부모의 갈등은 양측이 서로에 대해 가지는 기대의 내용과 수준이 다르기 때문이라고 볼 수 있다. 청소년은 자기중심적인 사고로 인해 부모의 의견을 자신에 대한 간섭이나 참견으로 여겨 과민하게 반응하게 된다. 청소년의 사회적 생활 차원의 다양성과 변화도 부모와의 갈등을 초래하는 중요한 요인이 된다.

## (2) 청소년과 친구관계

청소년기에 있어서 또래친구는 학업 및 진로선택, 취미생활 및 전체적인 생활방식에 영향을 미치는 한편, 사회성 및 성격 발달에도 큰 영향을 미친다. 자신의 능력이나 조건에 대한 또래의 평가와 태도는 청소년의 자아개념 형성 및 발달과 소속감, 사회적 통합감을 제공하기도 한다. 청소년의 또래 관계는 동조성과 인기 및 거부 등의 특징을 나타내는데, 특별히 반사회적인 기준에 대한 동조는 부모와 청소년 간의 갈등의 주요원인이 된다고 할 수 있다.

# 2) 청소년과 자아개념

높은 자아개념은 자기가치감 및 자신감, 자신의 능력에 대한 긍정적 평가와 더불어 자기효능감, 심리적 안정과 만족감 등을 포함하는 청소년의 심리적 건강과 밀접한 연관을 갖는다. 청소년 자아개념의 형성과 변화는 부모와 또래, 교사 등의 청소년에 대한 평가나 태도 및 갈등의 정도, 청소년기에 당면하는 다양한 변화나 중요한 생활 사건들에 대한 적응, 학업 및 진로의 성취 정도 등에 따라 형성하고 변화된다. 청소년의 부정적인 자아개념 또는 낮은 자존감은 청소년의 다양한 문제나 비행과 밀접한 연관을 가지고 있다.

## (1) 자아 존중감의 정의 및 특징

자아 존중감은 자기수용 · 인정 · 가치 등의 개념을 포괄하고 있는 자신의 특성과 역할에 대한 전체적인 느낌과 태도를 의미한다. 이는 주관적이기 때문에 객관적 현실과 일치 또는 불일치할 수 있다. 자아 존중감은 자신의 경험과 타인의 피드백을 통한 자신의 행동 및 능력을 중심으로 하는 자기가치에 대한 신념체계이며, 힘 또는 무기력, 효율감, 자기통제에 대한 신념 등의 형태로 표면화된다. 자아존중감과 관련된 개념으로서 자신에 대한 믿음의 부족은 무기력감이나 낮은 자기효능감으로 표출된다. 낮은 자아개념을 가지는 청소년들은 낮은 자아존중감에서 오는 상처를 피하기 위해 심리적 방어기제를 발달시킨다. 낮은 자아개념을 가진 사람들의 특징은 산만하거나 소심하고 위축 · 억제 · 불안하며 흥미의 범위가 좁다.

## (2) 자아존중감과 관련된 요인

### ① 부모 요인

청소년의 자아존중감에 가장 지속적으로 큰 영향을 미치는 요인은 부모의 양육태도와 관련된 요인이다. 아동에 대한 완벽함의 기대와 자녀훈육에 있어서의 비일관성과 한계설정 부족 및 긍정적인 피드백의 결여 등과 같은 부모의 양육태도는 성취하지 못한 부모 자신의 욕구 충족을 위해 아동을 이용하는 부모에게서 발견할 수 있다. 이런 부모의 태도를 경험하는 아동은 혼란과 무가치함을 경험하며 낮은 자아 존중감을 갖게 된다.

### ② 사회적 요인

자아개념은 사회적 맥락에 의해 가장 큰 영향을 받는다. 카플란은 낮은 자아존중감에 영향을 미치는 요인을 다음과 같은 4가지로 설명하였다. 첫째는 자신의 가치관이나 수준에 자신의 행동이나 특성이 일치되지 않는다고 느끼는 자기인식이라고 하였고, 둘째는 의미 있는 다른 사람들이 자신을 부정적으로 생각한다는 자기자각과 셋째는 다른 사람들의 자신에 대한 부정적 평가에 대처하는 방어기제가 발달되지 못할 때라고 하였다. 넷째는 성역할 및 행동도 청소년의 자아개념에 영향을 미치는 주요한 요인이라고 하였다.

③ 심리적 요인

대인관계에서 오는 다른 사람들과의 연계성 등은 청소년의 자아 존중감을 유지해 나가는 데 큰 도움을 준다.

④ 신체적 요인

청소년이 자신의 신체적 특성에 대해 내리는 긍정적인 평가는 자아 존중감을 높이게 된다.

⑤ 환경적 요인

사회적 환경에서 가장 중요한 요인은 청소년이 동일시하는 환경 내의 또래 집단이다.

⑥ 문화적 요인

청소년이 속해 있는 문화나 국가, 계층 등의 전체 사회에서 경시되거나 차별될 경우 청소년의 자아개념은 낮게 형성되고 유지된다.

### (3) 청소년의 자아개념 향상을 위한 상담전략

- 청소년 자신의 능력과 중요성에 대한 자각을 증진시킨다.
- 삶에 대해 청소년이 가진 내적 힘과 영향력에 대한 자각을 증진시킨다.
- 자기이해 및 자기표현 능력과 자기조절과 통제능력 등의 개인내적 기술을 증진시킨다.
- 대인관계 기술을 증진시킨다.
- 청소년이 살고 있는 사회체제와 개인의 행동이 사회에 미치는 영향과 자신의 행동에 대한 책임감 인식 등을 중심으로 사회 체제에 대한 이해력과 판단능력을 증진시킨다.

## 3) 청소년과 비행

### (1) 청소년 비행의 유형

① 사회적 비행

반사회적 행동에 가담하는 사회적 비행자들은 초등학교 시절이나 청소년기에 적절한 부모의 훈육이나 감독을 받지 못한 경우로, 반사회적인 또래 친구에 의해 많은 영향을 받아 비행 문화를 접하게 되는 경우이다. 이러한 사회적 비행자에 대해서는 비행집단 이외에서 재미와 이익을 얻을 수 있도록 도와주는 것이 필요하다.

② 성격적 비행

성격적 비행은 비행자의 비사회적 또는 반사회적 성격구조에서 비롯되는 행동으로서 타인의 권리나 감정을 무시하거나 자신의 행동을 통제하는 능력이 부족하며, 자신의 공격적이거나 쾌락추구적인 충동을 즉각적 행동으로 옮기는 경향을 나타낸다. 성격적 비행에 대한 상담 전략으로는 도덕적 판단능력의 발달이나 자기중심적 사고 또는 인지적 왜곡을 변화시켜 주는 일이 필요하다.

③ 신경증적 비행

비행자가 자신의 욕구나 바람을 다른 방식으로 충족시킬 수 없는 경우에 자신의 욕구를 표현하는 방식으로서 저질러지는 비행이다. 주로 단독으로 일어나며 만성적이지 않고 급작스럽게 일어나며 상황적으로 결정되는 범칙행동일 가능성이 높다. 개인의 긴장·분노·실망과 밀접하게 관련되어 있을 가능성이 높으며 이런 감정들이 사라져 버리면 즉시 사라지는 경향이 있다. 상담 방법은 스트레스나 스트레스에서 오는 좌절감과 불안감 등을 적절하게 표현하고 대처하거나 갈등과 불만의 요소들을 합리적으로 해결할 수 있는 문제해결 기술들을 가르쳐 주어야 한다.

④ 정신병적·기질적 비행

정신병적 비행은 환경에 대해 비현실적으로 자각하고 행동의 결과에 대한 판단능력의 손상과 행동통제 능력의 부족 등을 나타내는 정신분열증 청소년에게서 나타낸다. 기질적 비행은 주의집중장애와 충동조절장애, 낮은 자아존중감 등의 특징을 가진 청소년들이 나타내며 갑작스럽게 화를 폭발하는 방식으로 행동하는 경향이 있다. 정신적 장애에 의한 비행의 경우에는 의학적 치료와 매우 지지적인 심리치료를 병행하여 자아의 기능을 회복시키는 데 초점을 두어야 한다.

### (2) 청소년 비행과 관련된 요인

#### ① 청소년 개인과 관련된 요인

청소년 개인과 관련된 요인들로서는 낮은 자아개념과 관련된다. 자기에 대한 만족 및 수용 정도가 낮은 청소년들은 열등감과 자신감 결여, 자기비하 등을 나타낸다. 낮은 자존감을 가진 청소년들이 자신의 자아정체감을 유지하기 위하여 비행 행위를 하기도 한다. 즉 자아의 손상감을 줄이거나 보상하기 위하여 비행 행동을 하거나 높은 자존감이 위협될 경우 공격적인 행동으로 자신의 우월감을 유지하려는 경향을 보이기도 한다. 충동성과 과잉행동 특성을 가진 청소년과 생활에서 직면하는 문제들을 해결하고 스트레스나 좌절, 위기 등에 대처하는 능력과 기술을 가지고 있지 못한 청소년에게서 비행 행동 발생이 높음을 알 수 있다. 인지적 왜곡이나 발달의 지연으로 타인의 욕구나 관심에 대해서는 상관하지 않는 사회 도덕적 발달의 지연을 나타내는 청소년과 사회적 기술이나 능력의 부족과 관련하여 인간관계를 형성하고 유지해 나가는 능력이 부족한 청소년, 자신의 감정 및 욕구를 인식하고 표현하는 능력이 부족한 청소년들이 비행 행동과 관련된다.

#### ② 환경과 관련된 요인

환경과 관련된 요인으로는 먼저 가족요인으로 부모의 감독 및 지도의 부족, 잘못되거나 지나치게 엄격한 훈육, 부모나 가족관계의 불화, 부모의 자녀에 대한 거부 등의 요인과 관련된다. 학교 요인으로는 교사와의 관계나 공부 등의 학교활동에서 실패하거나 소극적일수록 비행 친구들과 접촉하는 기회를 제공하게 되며, 학교에서의 또래 간, 선후배 간의 상호적 대인관계는 청소년 비행행동을 지속시키거나 발전시키게 된다. 비행 청소년은 친구관계를 통해 비행행동을 모방하거나 학습하여 비행 행동을 형성하게 된다.

### (3) 청소년 비행의 예방 대상

연령과 상관없이 모든 청소년을 예방의 대상으로 포함하여야 한다. 학교와 관련된 비행 행동으로는 자각 또는 태만, 결석, 학업 성적 저조, 무단결석, 유급, 학교 권위에 대한 반항적 태도, 규칙적이고 구조화된 활동에 대한 인내력 부족, 학교 중퇴 등의 문제가 해당된다. 정신건강 측면에서의 비행 관련 위험행동으로는 약물남용, 섭식장애, 임신, 자살 또는 자살에 대한 생각, 우울증, 성폭행, 폭력, 위축과 소외, 낮은 자아 존중감 등의 문제가 해당된다. 가정적 측면에서의 위험 행동으로는 가정의 규칙과 명령에 불순종, 가족 활동에 참여하지 않음, 자기 방에서 혼자 있는 시간이 많음, 사귀는 친구와 외부의 활동에 대해 말하지 않음 등의 행동이 해당한다.

### (4) 예방을 위한 상담전략

예방을 위한 상담전략으로는 생활기술의 개발, 인지적 변화를 위한 학습, 스트레스 대처방법, 지적 교육의 강화, 또래거절 훈련, 대인관계 및 의사소통 능력의 향상, 자기관리 및 자기통제 훈련, 과잉 행동 및 충동성의 감소, 부모관리 훈련 등의 전략이 필요하다.

### (5) 청소년 비행 문제의 상담

#### ① 저항의 극복 및 변화의 동기증진

상담에 대한 저항을 극복하고 자신의 행동에 대한 변화동기를 주는 것이 가장 중요하다. 비행 청소년의 변화에 대한 동기를 방해하는 가장 큰 원인으로는 비행 청소년의 자신의 행동에 따른 책임을 다른 사람의 탓으로 돌리고 비난하는 경향이다.

② 사회적 발달 영역의 부족에 대한 교육

비행 청소년들의 사회적 측면에서 부족한 영역을 사회적 기술의 결핍(deficiencies), 사회적 발달의 지연(delays), 인지적 왜곡(distortions) 등의 3D로 설명할 수 있다.

③ 분노조절과 감정조절 능력의 훈련

비행과 관련된 주요한 두 가지 정서는 분노와 불안이라고 할 수 있다. 분노조절 프로그램은 분노감정의 자기관찰, 교육, 자기지시적 훈련, 근육이완 등으로 구성되어 있다.

④ 도덕교육

도덕교육은 비행 청소년에게 공평함, 정의, 타인의 욕구와 권리에 대한 관심을 증진시키는 훈련을 의미한다.

⑤ 비행이 가져오는 부정적 효과에 대한 인식 증진

비행 청소년들에게 자신의 행동결과에 대해 분석하게 하는 것은 비행으로부터 긍정적 효과를 기대하는 심리를 직면하는 방법이 된다.

# 4. 청소년 상담의 기법

## 1) 청소년과 라포를 형성하기 위한 전략

청소년과 친해지는 것은 어린 아동들과 친해지는 것보다 종종 더 어려울 수 있다. 청소년들은 자신의 문제를 더 잘 묘사할 수 있지만, 그들은 더 방어적이고 그런 문제를 상담자와 나누는 것을 더 꺼려할 수 있다. 청소년들은 특성상 자의식이 강하고 상처받기 쉽다는 점을 명심하는 것이 중요한데, 이들은 상담실에 들어가는 것만으로도 그리고 스스로 매우 혼란스럽게 혹은 불편한 문제에 대해 얘기해야 한다는 것만으로도 힘들게 느낄 수 있다.

① 상담자는 청소년들에게 공감할 수 있어야 하고, 완전히 낯선 어떤 어른과 개인적인 생각과 감정을 나누는 것이 어떤 느낌일지를 상상하는 것이 필수적이다. 의뢰한 부모나 교사에게 이 청소년이 치료에 오는 것에 대해 어떻게 느끼고 있는지를 먼저 물음으로써 이런 걱정을 다루는 것도 좋은 방법이다. 만약 그 청소년이 상담자를 만나러 오는 것을 원하지 않았다고 부모나 교사가 인정한다 해도 화를 내어서는 안 된다. 대신 단순히 주의하면서 상담을 진행해 나가야 한다. 청소년이 왜 여기에 오는 것을 원하지 않았을지 상담자가 이해할 수 있다는 것을 내담자에게 알리고, 청소년을 돕기 위해 여기에 있다는 것을 믿게 하는 것이 좋다. 때로는 적어도 3회기를 계약하는 것이 필요할 수도 있다. 만약 청소년이 여전히 상담에 오는 것에 강한 거부감을 가지고 있다면 그 상황을 재평가할 수 있다. 만약 청소년을 상담받도록 설득할 수 없다면, 부모와 상의하고 미래의 상담에 더 개방적이 될 수 있을 가능성에 대해 논의하는 것이 필요할 것이다. 다른 청소년들처럼 도움을 구하는데 동의하기 전에 바닥을 경험할 필요가 있을지도 모른다. 그러나 그렇게 될 경우 이 청소년 내담자는 그러는 동안 충동적으로 행동하고 장기적 영향을 줄 수 있는 자기패배적인 행동에 참여할지도 모른다. 따라서 상담자는 그가 상담을 계속 받을 수 있도록 납득시키기 위해 첫 몇 회기에서 최선을 다할 필요가 있다.

② 이 연령집단과 작업할 때 상담자는 절대적으로 참을성을 지녀야 한다. 많은 청소년들이 얼마나 오래 상담자가 그들을 기다릴 수 있는지 확인해 보기 위해 침묵하면서 상담자를 시험할 수도 있다. 청소년들이 주로 하는 말은 "나는 여기에 억지로 왔고 말할 것이 없어요."이다. 이에 대한 반응으로 상담자는 그것이 사실일지는 모르지만, 그들이 일단 말하기 시작하면 그렇게 많은 회기 동안 올 필요가 없을 것이라는 점도 사실임을 알려줄 수 있다.

③ 상담자는 청소년들에게 침묵하는 것을 허용할 수 있어야 한다. 침묵을 선호하지는 않지만, 그들에게 참여하도록 강제할 수도 없다고 설명할 수 있다. 그들이 스스로 이 과정에 참여해야 할 회기의 수를 줄일 수 있기 때문에 결국에는 그들에게

더 이로울 수 있다고 넌지시 제안하는 것이 좋다. 그들에게 침묵을 지키는 선택안을 제공함으로써 이 청소년 내담자들에게 힘이 있다고 느끼게 할 것이고, 자기의지대로 자유롭게 상담에 참여할 수 있다고 느끼게 할 것이다.

④ 청소년들은 또한 책에 나오는 모든 외설스러운 말을 상담자에게 던질 것이고, 언어적이든 비언어적이든 상담자의 반응을 보고 싶어하는 경우가 있다. 이 미끼에 걸려들지 않게 주의해야 한다. 대신 그들로 하여금 이 공격을 끝마치고 어떤 일이 일어나는지를 보게 하라. 대부분의 경우 이런 내담자들은 결국 물러날 것이다. 청소년들은 이와 같은 그들의 말에 부정적으로 반응하기를 바란다. 일단 그들이 상담자를 화나게 하지 못한다는 것을 알게 한 후 그들에게 공격을 누그러뜨리라고 요구할 수 있다.

⑤ 유머감각과 균형감각을 유지하고 청소년 내담자들이 상담자를 화나게 하지 못하도록 하는 것이 또한 중요하다. 그들에게 약간의 유머를 사용하는 것이 적절할 수 있는데, 왜냐하면 그들은 추상적 사고기술 때문에 그 의도를 더 잘 이해할 수 있기 때문이다. 내담자를 놀리지 않으면서도 과장이나 유머를 사용해서 요점을 집어내거나 그들이 다른 각도에서 자신의 상황을 볼 수 있도록 도울 수 있다.

⑥ 청소년들은 또한 무례한 말이나 의견을 던짐으로써 상담자가 어느 정도까지 비판단적이 될 수 있는지를 시험할 수 있다는 점을 기억해야 한다. 상담자가 과잉반응하지 않고 자제하는 태도를 보여줄 때, 그들은 결국 상담을 더 잘 받아들이게 될 것이다.

## 2) 사춘기 자녀들의 반항에 따른 부모의 태도

### (1) 사춘기 자녀들의 반항

대부분의 십대 아이들은, 그들의 부모들이 어떤 일에 화를 낼 것인지 민감하게 알고 있다. 만일, 부모가 산뜻한 것을 좋아하면, 그들은 너절해질 것이다. 그들의 방은 지저분하고, 옷은 다 찢어지고, 머리는 빗질도 않고 길게 자라도록 내버려 둘 것이다. 부모가 예의바른 행동을 강요하면, 그들은 부모의 말을 중단시키고 모욕적인 언사를 쓰면서 부모와의 대화를 회피하려 할 것이다. 만일, 부모가 부드러운 뉘앙스가 있는 말을 사용하면, 그들은 속어를 사용할 것이다. 부모가 평화를 소중히 여기면, 그들은 이웃의 아이들과 곧잘 싸움을 하고, 개를 때리고, 어린아이를 못살게 굴 것이다. 만일, 부모가 교양서적이나, 고전 문헌을 좋아하면, 그들은 저속한 책과 만화로써 대항하려 할 것이다. 또한, 부모가 신체의 단련을 위해 운동을 권유하면, 반대로 운동을 하지 않고, 건강에 관심을 가지라고 부탁하면, 오히려 추운 날씨에도 여름옷을 입으려 할 것이다. 만일, 부모가 나쁜 공기와 폐결핵에 관해서 주의를 주면, 그들은 굴뚝에서 연기를 내뿜는 것처럼 담배를 피울 것이다. 그리고, 공부를 잘한다고 상을 주면, 그들은 자기 반에서 가장 밑바닥이 되려고 애쓸 것이다.

이렇게 되면, 당황한 부모들은 결과가 더 나빠질 것을 알면서도 심한 수단을 써서라도 그들을 제압해 보려고 할 것이다. 일단 부모들은 완고한 태도를 갖는다. 이것이 실패했을 때, 친절하고 부드럽게 대해 준다. 그래도 아무런 변화가 없으면, 이치를 따져 설득을 해 본다. 좋은 말로 타이른 것이 신통치 않고, 오히려 조롱과 비난을 당하게 되면, 나중에는 위협과 벌을 가하게 된다. 이것이 서로 욕구 불만을 가지고 사는 대부분 가정의 한 단면인 것이다.

#### ① 격동기

사춘기는 생각이 복잡하고 행동이 거칠어질 때이며, 생활은 늘 긴장해 있고, 질풍노도와 같이 변화가 많다. 권위와 전통에 대한 반항은 배움과 성장을 위해 필요한 것이며, 묵인할 필요가 있다. 자녀들의 사춘기가 부모들에게 대단한 심리적 고충을 준다. 걷잡을 수 없는 사춘기를 잘 넘기는 사람을 보기는 그리 어렵지 않다. 특히, 한번 나쁜 습관에 빠지면 고치기가 매우 어렵다. 물어뜯는 것, 콧구멍 후비는 것, 손가락으로 딱딱 소리를 내는 것, 발을 동동 굴리는 것, 곁눈질 하는 것, 콧소리를 내는 것, 찡그린 인상을 짓는 것 등은 모두가 일종의 좋지 못한 버릇이다.

십대 아이들은 다른 사람들이 자기 방에 들어와서, 마음대로 침대에 눕기도 하고, 부산을 떠는 것을 싫어한다. 그들은 환경이 바뀌거나, 자기들에게 불평을 늘어놓으면 기분 나빠 한다. 그들에게는 어떤 음식도 처음부터 맛있게 여겨지지 않으며, 그들은 집도 너저분하고 차도 다 낡은 것을 좋아하게 되고, 부모를 유행에 뒤진 사람이라고 비난하기도 한다. 십대 아이들은 매일 같이 초조하게 살아간다. 마치 전쟁터의 병사와 같이, 아침에 일어나면서부터 싸우기 시작한 것이 저녁에 잠자리에 누울 때까지 싸운다. 생활 그 자체가 싸움의 연속이다. 그들에게 있어서 공부나 목욕을 해야 한다는 것은 이차적인 문제다. 그들의 생활은 거의 전부가 모순된 행동으로 꽉 차 있다. 예를 들면 그들은 부모의 말이 도전적이요 궤변 같으며 분명하지 않다고 생각한다. 그러나 부모들이 그들의 익살스런 언행을 얼마나 불쾌하게 생각하는가를 안다면, 그들은 정말 놀라지 않을 수 없을 것이다.

그러나, 십대 아이들이 이해할 수 없는 행동을 하더라도 그 과정에 있어서 일정한 기간이 있다는 것이다. 그들의 이와 같은 행동은 성장해 가고 있다는 증거며, 아울러 성장 과정의 필연적인 사실인 것이다. 사춘기에 있는 아이들의 의도는 개성에 속박을 받지 않으려 한다. 그들의 개성은 자라면서 자연적으로 변화를 경험하게 마련이다. 예를 들면, 어릴 때는 질서를 잘 지켰으나 사춘기에는 무질서하게 되고, 다시 성인이 되어서는 질서를 회복하게 되어 있다는 것이다. 사춘기는 고칠 수 있는 미치광이 시기라고 말할 수 있다. 이때에 모든 십대 아이들은 자기의 개성을 개조해야만 한다. 그들은 부모들이 가지고 있는 어린아이라는 선입견으로부터 자신을 해방시켜야 하고, 자기 또래의 아이들과 동등한 위치에 새로운 관계를 맺어야 하고, 또한 자기 자신의 동일성을 발견해야 한다.

② 실존적인 질문

십대 아이들 가운데 어떤 아이들은 대답하기 곤란한 질문을 해 오는 경우가 있다. 그들은 생명에 대한 허무함을 느끼고, 죽음의 필연성을 생각하고 고민하게 된다. 많은 십대 아이들은 자기 자신의 삶에 대한 공포 때문에 괴로움을 당하고 있다. 그들은, 자기들의 불안이나 회의처럼 다른 사람에게도 그런 고민이 있음을 알지 못한다. 이러한 실존적인 문제에 관한 통찰력은 다른 사람에게서 배우기가 매우 어렵다. 자기 스스로 깨달아야 한다. 한 개인의 인격이 전 우주와 동등하며, 한 사람의 고통이 곧 전 인류가 고통을 당하는 것임을 깨닫게 하기 위해서는, 지혜와 시간이 필요하게 되는 것이다.

③ 정체성에 대한 추구

인격의 정체성에 대한 추구는 십대 아이에게 있어서 생활의 한 과제이다. 그가 거울 앞에 서서 자신을 바라볼 때, 자기 자신을 향해 이런 질문을 가끔 하게 된다. "나는 누구인가?" 그는 장래에 자기가 어떤 사람이 될 것인지 확실히 알 수는 없으나, 자기가 원하는 대로 되지 않는다는 것을 잘 알고 있다. 그는 보잘 것 없는 사람이나 아버지를 닮은 아들이 되는 것을 두려워한다. 그는 부모에게 자신의 정체성과 자발적인 행동을 경험하기 위해 반항하고 불복하게 된다.

## (2) 사춘기 자녀들의 반항에 따른 부모의 태도

① 침착성이 없는 태도와 불평도 받아들여야 한다.

사춘기는 늘 즐거운 시간만은 아니다. 불안하고, 자신에 대한 회의로 인하여 고통스러울 때도 있다. 사춘기는 우주적인 열망과 자만의 정열도 가져보고, 사회에 대한 관심과 자신의 문제에도 관심을 갖는 때다. 이때는 모순투성이며, 모든 일에 대립이 생긴다. 사춘기에 있는 아이들이 모순되고 예측할 수 없는 행동을 하는 것은 정상적이다. 그들은 감정을 억제해 보려고는 하지만, 사소한 일에도 충격을 받는다. 또한, 부모를 사랑하면서 한편으로는 부모를 미워하는 경우도 있다. 다른 사람 앞에서 어머니와 아는 척하는 것을 매우 부끄러워하면서 또한 어머니와의 따뜻한 대화를 바라고 있기도 하다. 그들은 끊임없이 자기 자신의 정체성을 찾는 동안에 다른 사람을 모방하고 닮아가게 되는 것이다. 그들은 점차로 생각이 깊어지고 관대하게 되어가지만, 다른 한편으로는 고집이 생기고, 이기적이며 타산적이 되어 간다. 이런 극단적인 상반된 성장 과정에서 십대 아이들은 비정상적인 성격을 조성하게 되는 것이다. 십대 아이들의 요구는 절박하고 당연한 문제들이다. 그러나 배고픈 것이나 아픈 것처럼 말에 의해서가 아니라, 이들의 요구는 단지 경험에 의해서만이 얻어지는 것이다. 즉, 부모들은 자녀들의 불안감과 고독을 해소시키고 불평을 받아들임으로써 도와줄 수가 있다. 그들의 눈에 띄지 않게 간접적인 방법으로 도와주는 것이 가장 효과적이다.

② 지나치게 이해만 해 주려고 애쓰지는 말아라

십대 아이들은 즉시 이해해 주기를 원하지 않는다. 갈등이 생겼을 때, 그들은 단순하게 생각한다. 그들의 감정은 새롭고, 자기만이 독특하게 느끼고 있는 것처럼 생각한다. 그들은 자기 외에는 어떤 사람도 이런 고민을 하고 있지 않으리라고 느끼고 있기 때문이다. 그들은 부모나 어떤 상담자로부터 "나는 네가 무엇을 생각하고 고민하는지 충분히 이해한다. 너희들 나이 또래에는 누구나 그런 비슷한 생각을 하게 마련이니까." 라는 말을 들었을 때, 그들은 대단한 모욕을 받은 것처럼 불쾌하게 생각한다. 또한, 그들은 처음 당하는 신비스럽고 이상한 고민이 별 문제 거리가 아니더라도 한없는 고심을 하게 된다. 십대 아이들이 이해해 주기를 바라는 때와 무관심해 주기를 바라는 때의 감정을 파악하기란 매우 어렵고 미묘한 것이다. 그러나 대부분의 부모들이 현명하지만은 않다는 것이다. 부모들은 십대 아이들의 눈에 어느 때에는 좋지 않게도 보일 수가 있다는 것을 알아 두어야 한다.

③ 받아들인다는 것과 찬성한다는 것의 차이

부모의 반응은 관용과 허용, 수락과 칭찬을 구별지어야 한다. 부모들은 흔히 많은 관용을 베풀면서도 허용해 주려고는 하지 않는다. 부모들도 못마땅한 행동을 허용할 수는 없더라도 최소한의 관용만큼은 베풀 수 있어야 할 것이다. 현명한 부모들은 십대 아이들을 억압하거나 싸우는 것이 파멸을 자초하는 것인 줄을 잘 안다. 노련한 운동선수일수록 위험한 환경에서의 시합을 회피하는 것이다. 그들은 결과가 어떤 것이란 것을 잘 알기 때문이다. 이와 마찬가지로, 십대 아이들의 부모들은 생활을 하는 가운데 그들과 완전한 접촉을 하기 위해 기회를 잘 포착해야 한다.

④ 말과 행동에 경쟁심을 불어 넣지 말아라

아이들은 아이다워야 하는 것처럼 어른은 어른다워야 한다. 분명히 십대 아이들은 어른들과 다른, 자기들만의 삶의 형태를 갖고 있는 것이다. 부모들이 저들의 스타일을 모방한다면, 이것은 오히려 저들로 하여금 더 강한 반발을 일으키게 하는 것이 된다.

⑤ 자녀의 결점을 공개하지 말아라.

부모들은 자기 자신이 불완전하다는 것을 알게 될 때, 그들은 이따금 자기 자식들만이라도 완전한 사람을 만들어 보려고 노력하게 된다. 어떤 부모들은 자녀를 잘 양육하는 것에 자기 일생을 바친다. 이런 부모는 자녀들의 행동을 세밀히 관찰하여 조그마한 잘못이나 실수까지도 일일이 지적하며 고쳐보려고 노력한다. 이런 부모는 자녀들이 자기들의 결함을 지적해 주기를 원하며, 고쳐 보려고 애쓰 것으로 생각한다. 사실상 이런 부모의 희생적인 행동이 오히려 부모와 십대 아이 사이의 대화를 단절시키는 것이 된다.

어떤 사람도 자기의 결함이나 약점 때문에 이익을 얻는 사람은 없다. 특히 십대 아이들에게는 자기의 개인적인 결점을 사실 그대로 드러내 보이는 것이 매우 두려운 일이 된다. 저들의 불완전한 상태가 우리 부모들에게는 분명하게 보이겠지만, 자신들에게는 그렇지 못하다. 자기들의 결점을 공개적으로 인정하기를 강요당하면 십대 아이들은 더 이상 개인적으로는 부모와 얘기도 하지 않으려고 든다. 이미 결점이 완전히 드러나게 된 상황에서는 부모들은 야단을 칠 것이 아니라, 그 상황을 인정하고 최선을 다해 도와주어야 한다. 자녀에 대한 부모의 계속적인 관심은 저들의 인격과 개성을 성장시키는데 중요한 역할을 한다. 부모들의 가장 중요한 목적은 자녀들로 하여금 자기 능력에 맞는 생활을 하게 해 주는 것이다. 이런 목적을 달성하기 위해서는 큰 소리로 야단을 치기 보다는 조용히 타이르는 것이 더욱 효과적이다.

⑥ 과거를 들추지 말아라.

모든 십대 아이들은, 스스로 지나치게 감정적인데 반해, 일종의 불안감을 갖는다. 대부분의 세상 사람들은 저들을 조롱하며 달갑지 않게 생각하기 쉽다. 키가 작은 십대 아이는 꼬마 난쟁이 따위의 별명을 듣게 되고, 키가 크고 야윈 아이들은 키다리, 갈비, 말라깽이, 또 살이 쪘으면 뚱뚱보, 드럼통, 비계덩어리 라는 별명을 듣게 되며, 나약하게 생긴 아이는 겁쟁이, 바보, 젖비린내 나는 풋내기라고 조롱을 받는다. 젊은 십대 아이들은 이와 같은 별명을 들음으로써 평생을 통해 깊은 상처를 받는다. 아무리 무관심하려 해도 잘 잊혀지지 않는다. 부모들은 농담으로라도 저들을 놀려대거나 조롱해서는 안 된다. 저들은 부모에게 그런 조롱을 받았을 때, 더욱 깊은 상처를 받기 때문이다. 또한, 부모로부터 받은 상처는 오랫동안 지워지지 않는 것이다.

부모들은 십대 아이를 어린아이들과 꼭 같이 취급하지 말아야 한다. 부모들은 이따금 십대 아이들에게 몇 해 전의 어릴 때 하던 행동을 캐내어 들려주기를 좋아한다. 부모들은 자기의 자녀들이 어릴 때 하던, 재치 있던 일이나 우둔한 것을 얘기해 준다. 예를 들면, 무서움을 잘 건디어 내던 일, 생일 날 아침 옷에 오줌을 싼 일 따위를 공공연히 이야기 한다. 십대 아이들은 어릴 적 일을 돌이켜 생각하기를 싫어한다. 저들은 지금의 자기와 어릴 때와는 차이가 많다는 것을 알아주기 원하고 있으며, 그 때문에 항상 성인으로 취급받기를 갈망한다. 그러므로 부모들은 자녀들의 이런 요구를 들어 주어야 한다. 십대 아이들의 면전에서 부모는 어릴 때나 갓난아이 때 사진을 보여 주면서 옛 추억을 이야기하는 것은 삼가야 한다. 과거에 관한 이야기나 상벌에 관한 것들은, 어른들에게 관심있는 것이지만 십대 아이들에게는 관심거리가 되지 않는 것이다.

⑦ 의존심을 기르지 말아라.

십대 아이들은 독립 정신을 필요로 하고 있기 때문에 의존심은 절대 금물이다. 의존심을 불어 넣는 부모는 자녀들에게서 분명히 원망을 사게 될 것이다. 현명한 부모는 자식들이 점점 자라 가면서 부모가 없이도 잘 살 수 있게 만든다. 또한, 그러한 부모는 동정을 갖고 자녀들의 성장과정을 주시하지만, 저들의 요구가 너무 지나칠 때에는 거절하기도 한다. 자녀들이 하고자 하는 일이나 관심사가 가능한 것일 때는, 저들 자신이 선택하고 자신의 힘으로 할 수 있도록 내버려 둔다. 이런 현명한 부모는 자녀들에게 독립심을 불어 넣어 주기 위해 언어 사용까지도 항상 조심스럽게 한다.

예를 들면, "선택은 네 자유야. 넌 그 문제에 관하여 자유로이 결정을 내릴 수 있어 !" "만일 네가 원한다면," "이건 분명 네 권한이야." "네가 택한 것이라면 무엇이든 나는 좋아 !"와 같은 부모의 긍정적인 대답은 저들에게 만족을 준다. 어떤 십대 아이는 자기 생활에 크게 영향을 미칠 일에 대해서는 깊이 조언해 주기를 요구한다.

⑧ 고쳐야 할 일이더라도 지나치게 서두르지 말아라.

십대 아이들은 어떤 사람에게 영향을 받거나 어떤 일에 강요당하는 것은 원치 않는다. 말이 거칠고, 거짓말을 잘 하는 부모는 사실을 가르칠 수가 없다. 그리고 한편으로만 자기 자신의 목적 달성을 위해서 진실하다는 것은 가족에게 있어서는 불행한 일이 아닐 수 없다. 동정심이 없는 진실성은 사랑을 파괴할 수 있기 때문이다. 어떤 부모들은, 자기들이 어째서 옳은지를 설명하려고 지나치게 애를 쓴다. 이런 시도는 저들에게 괴로움과 실망을 줄 뿐이다. 마음가짐에 적개심이 있으면 사실 그 자체에는 더욱 수긍이 가지 않게 된다.

⑨ 사생활을 침해하지 말아라.

십대 아이들에게는 사생활이 필요하다. 이것은 저들 자신의 생활을 위해서 필요한 것이다. 비밀이 보장되어야 서로를 존경할 수 있게 된다. 우리는 십대 아이들로 하여금 부모로부터 해방되어서 성장할 수 있도록 도와야 한다. 어떤 부모들은 지나치게 저들의 모든 형편을 낱낱이 살핀다. 이런 부모들은 자녀들에게 오는 편지를 몰래 읽어 보고, 또 전화할 때도 곁에서 듣기를 좋아한다. 그런 부모들의 예의에 벗어난 행동은 자녀들로 하여금 울분을 자아내게 할 뿐이다. 결국 십대 아이들은 화가 나서 속임수를 쓰게 된다. 저들의 입장에서 볼 때, 비밀을 침해당하는 것은 치욕과 모욕으로밖에 받아들여지지 않는다.

이렇게 대부분의 십대 아이들은 저들의 부모가 자기들의 사생활에 너무 깊숙이 관여한다고 노골적인 불만을 표시하고 있다. 저들이 사생활을 중요시하려고 하면 부모들이 교육하기가 어렵지만, 서로에게 필요한 간격이 있어야 하는 것이다. 부모들은 자녀들과 친밀하게 지내고 싶어하며, 그들에게 좋은 일이라면 무엇이든 강요한다. 하지만, 이런 허물없는 사이로서는 상호 존중의 관계가 성립되기 어렵다. 성장해 갈수록, 부모와 자녀들 간에는 일정한 거리를 유지해야 한다. 지나치게 관심을 보이는 것은 저들의 독특한 개성을 말살시키게 되기 때문이다. 결론적으로, 부모나 자녀들 모두가 다른 사람에게 속한 것이 아니라 각자가 자기 자신에게 속해 있다는 사실이 중요한 것이다.

⑩ 상투적인 말이나 설교 투로 훈계하지 말아라.

부모들은 자녀들이 자기들의 영향을 받지 않고 순수하게 자신의 감정이나 느낌에 의해 반응을 보일 수 있는 능력을 길러 줄 필요가 있다. 부모들은, 자신들이 노하거나 두려워하거나 당황하지 않는 태도로 십대 아이들의 분노나 두려움, 당황하는 것을 도울 필요가 있다. "내가 네 나이만 했을 때"란 말은 십대 아이들로 하여금 순식간에 귀머거리로 만들어 버린다. 저들은 듣지 아니함으로써 부모의 상투적인 독백에 반항을 하는 것이다. 십대 아이들은, 부모가 자기만 할 때에 착했다든지 악했다든지 하는 말을 듣고 싶어하지 않는다. 설령 그들이 지나가는 말로 그런 이야기를 들었다 하더라도 그들은 자기 부모가 어려운 일을 해 냈고, 단정했으며, 인내력이 있었고, 행동이 착했다는 것을 사실로 믿으려 하지 않는다. 사실상 저들에게, 부모들도 너희들처럼 젊었을 때가 있었다는 것을 인식시키기란 어려운 것이다.

⑪ 장황스럽게 훈계하지 말아라.

십대 아이들은 설교보다는 대화를 원한다. 간단한 질문에 대해 장황스런 해답을 늘어놓는 것을 싫어하며, 그러한 부모를 의식적으로 피하려 한다. 길게 얘기하는 부모의 말에는 귀를 닫아버리게 된다.

⑫ 마주보고 자녀들을 비판하지 말아라.

부모들은 십대 아이들을 마치 귀머거리와 같이 취급한다. 그리고 그들이 물건인 것처럼 면전에서 저들에 관해 비판을 한다. 부모들은 그들의 과거를 평가하고 미래를 예측한다. 이와 같이, 자녀들의 면전에서 그들을 평가하는 것은 매우 위험한 일이다. 부모들은 자녀들로 하여금 주어진 역량에 알맞게 생활하도록 가르쳐야만 할 것이다.

⑬ 자녀의 심리를 역이용하지 말아라.

부모들은 십대 아이들의 심리를 역이용하지 말아야 한다. 이런 부모의 태도는 오히려 자녀들로 하여금 반발심을 갖게 할 뿐이다. 부모의 충고가 언제나 저들에게 좋게만 들려지리라고 생각하는 것은 아주 위험한 일이다.

⑭ 분명치 않은 말로 갈등을 일으키게 하지 말아라.

십대 아이들은 부모들의 난잡하고 부정적인 말을 들을 때마다 많은 상처를 입는다. 자녀들에게 갈등을 주지 않으려면, 부모의 충고가 간단명료해야 한다. 허락할 수 없는 것은 분명히 금지한다고 말하고, 그렇지 않은 것은 분명히 허락을 하고, 선택할 필요가 있을 때는 저들 스스로가 판단해서 선택할 수 있게 해야 한다.

⑮ 내일 일을 걱정하지 말아라.

많은 부모들은, 자기의 자녀들이 기대하는 것처럼 성숙해 가고 있지 않다고 걱정을 한다. 그들은 자녀들이 성장하는 데 자극을 주는 동시에 장래의 운명에 대하여 걱정한다. "넌 매일 아침 일찍 일어나는 습관을 들이지 아니하면 직장을 구하기가 불가능할 거야!" "글씨를 예쁘게 쓰지 못하면 아무도 너를 채용하려고 하지 않을 거야. 너는 사실상 실력이 없지 않니?" "너의 그런 태도로는 복직하기란 정말 불가능 하겠는데 !"

자녀들의 장래 문제를 애써 예견해 두는 부모들은 대부분이 그 기대에 대해 실망을 가지게 된다. 사실상 부모들은 자녀들의 미래에 대해 절대로 예견할 수 없는 것이다. 다만, 부모들은 현재 그들의 문제에 대해서 최선을 다해 도움을 주어야 할 뿐이다. 십대 자녀들이 영혼의 기초가 흔들리는 경험을 하면서 살아가고 있다는 점을 이해해야 한다. 예를 들면, 사랑을 속삭이다가 실연을 당하는 것, 친구들로 말미암아 실망하는 것, 자기 그룹에서 푸대접을 받는 것, 학교에서 교사에게 학대받고, 심지어는 친척이나 친구의 죽음을 통해 삶의 뿌리가 흔들리기까지 하는 것이 바로 십대 아이들의 생활인 것이다. 그러므로 이들의 미래란 정말 예견치 못한다.

이와 같이 예측할 수 없는 일에 대해 미리 예견한다는 것은 모순된 일이다. 모든 십대 아이들은 생활하는 중에 부닥칠 위기에 대해 제 스스로의 힘으로 해결하도록 해야 한다. 부모의 은근한 사랑은 저들에게 매우 도움이 된다. 충고는 오히려 반발을 사게 되고, 이유를 붙이면 저들은 분개하기 쉽다. 가벼운 경고까지도 저들은 자기 인격을 모욕하는 것으로 받아들이기 때문이다. 부모로부터 사랑과 대우를 받는 십대 아이들은 자기 혼자서도 안심하고 여행을 할 수가 있으며, 또한 저들은 현재 자기 일에 충실하며 미래에 대해서도 두려움을 갖지 않는다.

# 부모상담

'세살적 버릇 여든까지 간다.' '콩 심은데 콩 나고 팥 심은데 팥 난다.', '문제아 뒤에는 반드시 문제 부모가 있다.' 라는 말은 아동의 성격 발달이나 증상 형성에 미치는 부모의 역할이 매우 크다는 것을 시사해 준다. 아동의 부적응 행동은 아동에 대한 부모의 왜곡된 태도나 부모 자신의 정서적 문제, 그리고 가족 전체의 긴장된 인간관계 등이 그 배경에 있는 경우가 많다. 부모의 소인적인 취약성이나 부모가 가지고 있는 문제로 인해 아동의 심리적인 문제가 촉발되는 경우가 많다는 것이다. 따라서 아동의 심리치료 과정에 부모를 참여시키고, 필요한 교육을 하여 부모 자신이 스스로 본인의 성격이나 태도에 대한 문제를 올바로 인식하면서 변할 수 있도록 도와주는 것이 아동의 긍정적인 치료를 가져오는 데 필수적이다.

아동 상담은 아동이 자발적으로 상담자나 치료자를 찾아오는 경우는 드물고 부모의 요구에 의해 상담이나 심리치료가 시작되는 경우가 대부분이다. 그러므로 아동의 심리상태나 심리요법에 대한 부모의 이해가 우선되어야 하므로 아동 상담을 유지시키기 위해서도 부모 상담은 필수적으로 선행되어야 한다.

## 1. 부모 상담의 목적

### 1) 치료 관계의 유지

부모 자신이 심리요법에 대한 불신이나 동요가 있는 경우에 아동에게도 전달되어 치료를 거부하는 경우가 발생할 수 있다. 이런 경우에는 부모와의 상담을 통해 아동과의 치료관계가 유지될 수 있도록 해야 한다.

### 2) 정보 수집

상담자가 아동의 상태를 진단하여 적용할 치료기법을 결정하고 치료효과를 확인하기 위해서는 아동에 관한 정보와 자료를 수집해야 한다. 부모는 자녀의 상태를 객관적으로 이해하여 사실 그대로를 구체적으로 보고하도록 해야 한다. 상담자는 치료대상 아동에 대해 부모가 고민하고 있는 특정 문제에 대한 정보 뿐만 아니라, 아동의 일상생활 전반에 관한 정보를 얻도록 해야 한다. 어떤 부모는 자녀의 행동에서 개선된 부분만을 이야기하거나 부모로서 고민하는 문제에 대해서만 이야기하는 부모가 많다. 이런 경우에는 자녀의 긍정적인 측면 뿐만 아니라, 부정적인 측면을 포함한 이야기를 그대로 할 수 있도록 유도해야 한다. 이처럼 부모가 자녀의 상태를 객관적으로 이해하도록 돕거나 부모에게 정보를 제공해 줌으로써 부모 자신도 자녀의 치료에 참가하고 있다는 의식을 높이는 효과가 있다. 부모도 책임감을 느끼도록 하고 부모 자신도 자녀의 치료에 능동적으로 참여하고 있다는 인식이 치료에 도움이 될 수 있다.

## 3) 정보 제공

부모 상담의 목적에는 아동에 관한 정보를 부모로부터 수집하는 데에만 있는 것이 아니라, 아동에 관한 정보를 부모에게 제공하는 데에도 있다. 즉 부모로부터 얻은 정보와 아동의 행동을 검토하여 얻은 결과를 가지고 가정에서의 바람직한 환경 조성과 부모의 대처법에 대한 구체적인 정보를 제공한다. 또한 심리치료에 대한 부모의 관심이나 협력을 얻어내기 위해서도 치료실 내에서의 아동 행동이나 상태, 치료자에 대한 아동의 반응 등을 이야기해 줄 수도 있다.

## 4) 부모 자신에 대한 심리치료

부모의 그릇된 양육 방식이나 인격 장애에 의해 아동의 부적응 행동이 발생하는 경우가 많다. 이런 경우에는 부모나 가족 구성원을 대상으로 한 상담이나 심리치료를 실시하여 부모 자신이 자신의 문제를 통찰하고 보다 성숙한 인격을 갖추도록 하는 것이 필요하다.

# 2. 부모와 면담하는 방법

① 부모가 관심 있어 하는 것을 빨리 알아내어야 한다.
② 아동 치료에 대한 부모의 욕구와 감정, 기대 등에 대해 공감적으로 이해하고 존중하는 태도를 보여야 한다.
③ 아동의 문제로 인해 부모도 심리적으로 지쳐있고 스트레스를 받고 있는 상태라는 것을 이해하고 지지적인 태도를 보여주는 것이 중요하다.
④ 자연스럽게 질문하고 강요하지 말아야 한다.
⑤ 부모에게 예의를 갖춘 태도로 대해야 한다.
⑥ 자녀에 대한 관심사를 논의하면서 부모와 상담자 사이가 돈독해 질 수 있으므로 자녀와의 관계를 우선 깊이 있게 형성하는 것이 중요하다.
⑦ 아동을 대화에 포함시키는 것도 도움이 된다.
⑧ 부모의 관심과 기대를 인식하고 이끌어 내는 대화를 한다.
⑨ 부모와의 협조 하에 치료 방안을 결정한다.
⑩ 면담이 끝날 즈음에는 지금까지의 결과를 요약해서 알려준다.

# 3. 부모 상담 과정

## 1) 초기 과정

아동 상담에 관한 기본적인 정보를 제공하고 심리치료의 구조화를 실시함과 동시에, 치료자와 보호자 간에 긍정적인 관계를 형성하고 부모가 겪고 있는 스트레스를 감소시켜 주어야 한다.

## (1) 치료에 대한 구조화

상담자는 부모가 궁금해 하는 아동의 문제에 대해 설명해 주고, 치료 방법과 과정에 대해 알려준다. 상담자는 심리치료가 어떤 것인지에 대해 부모들이 오해하지 않도록 교육하고 심리치료의 구체적인 절차에 대해 알려줌으로써 협조를 받을 수 있도록 한다.

## (2) 긍정적인 관계 형성

치료의 초기 단계에서 긍정적인 치료자 - 부모 관계가 형성되어야 부모가 적극적으로 개입할 동기를 갖게 된다. 상담자가 부모의 감정이나 욕구, 생각 등을 수용하고 공감하는 태도를 보여야 한다. 상담자가 성급한 마음에 아동의 문제 해결에만 초점을 두고 부모의 심리적인 고통을 헤아려 주지 못한다거나, 치료 초기부터 부모의 잘못된 양육방식이나 생활방식 등에 대해 직접적으로 지적한다면 부모는 자존감에 위협을 받거나 죄책감을 느끼게 되어 방어적이 될 수도 있다. 어떤 부모들은 처음부터 아동 문제에 자신들이 미친 영향에 대해 인식하고 변화할 준비가 되어 있기도 하지만, 어떤 부모들은 실제로는 자신들의 문제가 아동 문제의 직접적인 원인임에도 불구하고 자신들의 문제를 받아들이지 못하고 오히려 자녀나 타인을 비난하기도 한다. 또한 우울, 불안, 성격장애, 정신질환 같은 심리적 장애를 가지고 있는 부모들은 관계 형성에 시간이 오래 걸리거나 힘들 수 있다. 이런 경우에는 부모가 심리치료를 받을 수 있도록 도와주어야 한다.

## (3) 부모의 스트레스 감소

대부분의 부모들은 자녀의 심리치료에 대해 걱정과 양육으로 인한 스트레스를 많이 경험한다. 어떤 부모는 빨리 문제를 해결하고 싶어서 자신의 모든 생활을 포기하고 자녀에게만 매달리는 경우도 있다. 그러나 변화가 일어나기 위해서는 시간이 걸리므로, 이런 조급함은 사람을 지치게 만들어 오히려 치료에 역효과를 가져오게 될 수도 있다는 것을 교육한다. 부모가 먼저 심리적으로 건강하고 일상생활을 잘 할 수 있어야 자녀에게 모범이 되고, 자녀 문제 해결에도 도움을 줄 수 있으므로, 상담자는 부모가 겪고 있는 스트레스를 효율적으로 대처할 수 있는 정보를 주고 실천할 수 있도록 격려한다.

## (4) 아동과 좋은 관계를 맺는 방법 교육

대부분의 부모는 자녀의 문제 해결을 위해 자신들이 무엇을 어떻게 해야 되는지를 궁금해 한다. 상담자는 부모도 치료자로서의 역할을 어느 정도 감당할 수 있음을 알려주고, 부모 - 자녀 관계의 중요성을 설명해 주어야 한다. 심리 치료를 받으러 온 경우, 대부분은 부모 - 자녀 관계가 좋지 않은 경우이므로 아동 행동 변화를 위해 먼저 부모-자녀 관계를 회복시키는 것이 우선되는 것이 중요하다. 따라서 긍정적인 부모-자녀 관계를 형성하는 방법에 대해 구체적으로 교육할 필요가 있다.

자녀에 대한 긍정적인 관심과 격려는 좋은 부모 - 자녀 관계의 기본이며, 아동의 행동을 변화시키는데 도움이 된다는 점을 가르쳐 주는 것이 필요하다. 자녀의 감정과 생각, 욕구를 있는 그대로 일단 수용해 주는 것이 중요하며, 자녀의 장점에 대해서는 인정해 주며 비언어적 태도를 통해 관심을 표현해 주게 한다. 자녀의 노력에 대해서는 인정과 칭찬을 표현하고, 단점이나 실패에 대해서는 너그러운 태도를 보여주며, 다른 형제와 비교하지 말고 자녀의 권리를 인정해 주는 태도가 자녀의 자존감을 높여주는 것임을 알게 한다. 또한 함께 즐겁게 놀아주는 것이 부모 - 자녀 관계를 개선하는 데에 큰 도움이 되므로, 같이 놀면서 관심과 애정을 표현하는 신체 접촉을 하거나, 자녀의 생각과 느낌을 이해하려는 태도를 가지는 것이 중요함을 가르쳐 준다.

## 2) 중기 과정

이 단계는 상담자와 부모가 협력하여 아동의 문제를 적극적으로 해결하는 단계이다. 따라서 상담자는 자녀의 문제를 감소시키기 위한 실제적인 방법들을 교육하며 실천하도록 돕는다. 이 단계에서 행해지는 부모 교육의 내용에는 부모의 가치관과 생활방식 수정, 양육방식 및 의사소통 방식의 개선, 가족 문제와 갈등의 해결, 화와 분노를 효과적으로 해결하기, 행동수정방법 교육

등이 포함된다.

## (1) 부모의 가치관과 생활방식 수정

부모들이 가정에서 어떠한 가치를 강조하고 자녀들에게 어떠한 행동을 요구하는가 하는 것이 아동들의 지적, 정서적, 행동적 특성 모두에 중요한 영향을 미친다. 부모가 명예, 권력, 물질적 부, 사회적 지위, 관습 등의 사회적 가치를 지나치게 강조하게 될 때 부모의 태도는 권위적이고 통제적이며 제한적일 수밖에 없으며, 이로 인해 아동의 사회적 성장과 심리적 건강은 장애를 받게 될 것이다. 이로 인해 아동의 사회적 성장과 심리적 건강은 장애를 느끼게 될 것이다. 아동이 보이는 심리적 문제들 중의 일부는 부모의 경직된 가치관이나 건강하지 못한 생활방식과 관련되어 있는 경우가 많다. 완벽주의나 일류주의를 지향하는 가치관을 가진 부모들에게서 자란 자녀들은 직접적으로 또는 간접적으로 영향을 받게 된다. 실패를 두려워하고 불안이나 강박증, 자기비하, 우울, 비행행동에 빠져들 수 있다. 이렇게 부모의 가치관이 현재 아동의 문제와 관련되어 있다면 부모 가치관의 수정이 필요하다. 또한 부모의 생활방식은 모방을 통해 자녀에게 전달되므로 자녀의 문제를 교정하기 위해서는 부모의 생활방식 문제점을 파악하고 수정해 나갈 필요가 있다.

## (2) 양육방식의 개선

부모가 자녀의 자율성과 독창성을 안정하고 허용적이고 민주적인 분위기를 조성하는 등 창의적 가치를 지향할수록 부모의 태도는 민주적, 자율적, 애정적, 수용적이 될 것이며, 이것은 곧 자녀들의 건전한 성장을 촉진시켜 줄 것이다. 부모에게 거부당하는 자녀들은 부모에게서 받은 반감을 타인에게 투사하여 부정적이고 적대적이며 공격적인 행동을 나타내며, 다른 사람의 호의를 잘 받아들이지 못하고 의심하는 반응을 보이게 된다. 또한 필요 이상으로 과잉보호하며, 지나치게 간섭하고 신뢰 못하고 매사에 불안해하는 부모들의 태도는 자녀를 의존적이고, 소극적이게 만든다. 일관성 없이 부모가 자신의 기분이나 상황과 형편에 따라 칭찬하고 벌주는 태도를 보이면, 자녀는 자신의 행동에 대해 자신감을 잃고 눈치를 보며 우유부단한 태도를 발달시키게 된다. 따라서 부모는 스스로 자신의 양육태도가 어떤 유형인지를 평가하고 문제점과 개선할 점이 무엇인지를 찾아 고쳐 나갈 필요가 있다.

## (3) 의사소통 방식의 개선

부모들은 자녀가 자신을 받아들이고 좋아하며, 자신의 가치로움을 느낄 수 있도록 영향을 줄 수 있다. 부모가 자기 자녀를 수용하는 것과 수용한다는 것을 자녀가 느끼게 하는 것은 다르다. 부모의 수용이 자녀에게 전달되지 않는 한, 부모는 자녀에게 영향을 줄 수 없다. 그러므로 부모는 자녀가 부모의 수용을 느낄 수 있도록 의사소통 하는 법을 배우지 않으면 안 된다.

심리적인 문제를 가진 자녀들은 부모에게 자신의 이야기를 하는 것이 아무런 도움이 되지 않으며, 안전한 일도 아니란 것을 경험적으로 배워 부모가 자녀들의 문제를 도와줄 수 있는 진정한 의사소통 관계가 단절되어 있는 경우인 것이다. 부모가 바람직한 의사소통의 기술을 습득하면 자녀가 책임감을 가지고 자신의 문제해결법을 스스로 찾아내게 하면서 자녀의 성장에 도움을 주는 역할을 할 수 있게 된다. 따라서 부모가 평소에 의사소통 하는 방식에 대해 평가하고 문제점을 개선해 나가는 것이 필요하다. 부모들이 많이 사용하는 부정적인 의사소통 방법인 명령하기, 경고(위협)하기, 설교하기, 충고하기, 판단하기, 빈정대기 등의 방법을 개선하고 자녀의 감정을 적극적으로 경청하며 나-전달법을 통한 의사소통을 할 수 있도록 교육받는 것이 필요하다.

## (3) 가족 문제와 갈등의 해결

아동의 문제는 대개 가족의 역기능과 관련되어 있는 경우가 많다. 따라서 부부간 또는 가족 간의 갈등이 있을 때 이를 적극적으로 해결하는 것이 선행되어야 아동 문제를 해결하는 데 도움이 된다. 심각한 경우에는 전문적인 가족치료나 부부치료를 받아야 하겠지만, 심하지 않을 경우에는 부부 교육이나 가족 교육을 통해 해결할 수 있을 것이다.

## 3) 종결과정

아동의 문제가 어느 정도 해결되는 단계로 부모가 아동에 대한 신뢰감을 바탕으로 정서적으로 지지하는 격려하는 역할을 지속적으로 할 수 있도록 도와야 한다. 아동의 상태가 좀 나아졌다고 해서 부모의 양육방식이나 가치관 등이 예전의 비효율적인 방식으로 되돌아간다면 아동 문제가 재발할 수도 있기 때문이다. 치료의 종결 과정에서 일시적으로 아동의 문제행동이나 증상이 재발 혹은 악화될 수 있음을 부모에게 알려주어 걱정하지 않도록 해야 한다. 상담자와의 이별을 앞두고 아동이 일시적으로 우울이나 문제행동을 나타낼 때, 부모가 정서적으로 지지해 줌으로써 부모 - 자녀 관계가 더욱 돈독해 질 수 있다는 것을 미리 알려 주는 것이 필요하다.

치료가 종결된 후에 아동이 잘 적응해 나갈지 부모가 염려하는 경우, 부모가 걱정하는 부분에 대해 경청하며, 앞으로의 대처 방법과 부모가 할 수 있는 실질적인 역할에 대해 자신감을 가질 수 있도록 교육하고 돕는 것이 중요하다. 부모의 노력으로 힘든 경우가 발생할 때 상담자에게 자문을 구하거나, 필요하다면 다시 치료를 받을 수 있다는 것도 알려주어 안심시켜 준다.

# 4. 의사소통의 걸림돌

자녀들이 문제를 느끼고 있을 때, 부모들은 종종 자신들의 경험을 바탕으로 자녀들에게 도움을 주려고 '좋은 조언' 이나 '가르침' 을 주는 형태로 문제에 개입하거나 '사실' 을 알아내기 위해 질문을 던지곤 한다. 그러나 이러한 시도들은 좋은 의도와는 달리 종종 해결보다는 문제를 오히려 더 많이 만들어 내며 고민에 빠진 자녀와의 대화를 방해하게 된다.

다음은 자녀가 문제를 가지고 있는 경우에 부모들이 시도하는 가장 빈번한 12가지의 대화 방법으로 문제해결에 도움이 되지 않을 뿐더러 적절하지도 않은 의사소통 방법이다.

## 1) 명령, 강요

"너는 반드시" "너는 꼭" "…해야 할 것이다."
- 공포감이나 심한 저항을 유발시킬 수 있다.
- 저지당하는 것을 시도해 보도록 만든다.
- 반항적인 행동, 말대꾸를 증가 시킨다.

## 2) 경고, 위협

"만약…하지 않으면, 그때는…" "…하는 게 좋을 걸, 그렇지 않으면…"
- 공포감, 복종을 유발시킬 수 있다.
- 위협받는 결과를 시험하게 만든다.
- 원망, 분노, 반항을 유발시킬 수 있다.

## 3) 훈계, 설교

"너는…해야만 한다." "…하는 것이 너의 책임이야."
- 의무감이나 죄책감을 일으킨다.

- 자녀로 하여금 자기 입장을 고집하고 방어하게 만들 수 있다.
- 자녀의 책임감을 믿지 못한다는 것을 전달한다.

## 4) 충고, 해결방법 제시

"내가 말하고자 하는 것은…" "…하는 게 어떻겠니?" "내가 네게 충고하자면…"

- 자녀가 자신의 문제를 해결할 수 없다는 점을 암시할 수 있다.
- 자녀가 문제를 충분히 생각하고, 대안이 되는 해결책을 찾아 실생활에 적용해 보고자 하는 노력을 방해한다.
- 의존성이나 저항을 유발시킬 수 있다.

## 5) 논리적인 설득, 논쟁

"네가 왜 틀렸냐 하면" "문제가 되는 것은" "그래, 그렇지만…"

- 방어적인 자세와 반론을 유발시킨다.
- 자녀로 하여금 부모의 말을 듣지 않도록 만든다.
- 자녀로 하여금 열등감, 무력감을 느끼게 만든다.

## 6) 비판, 비평, 비난

"너는 신중하게 생각하지 않아." "너는 게을러서…"

- 무능력하고 어리석고 형편없이 판단한다는 것을 암시한다.
- 부정적인 판단이나 호통 치는 것에 대한 공포를 넘어서 대화를 단절시킨다.
- 자녀가 비판을 사실로 받아들이거나("나는 게을러.") 말대꾸를 한다("아빠는 뭐 그리 잘났어요?").

## 7) 칭찬, 찬성

"야, 너 참 잘했다." "네가 맞아! 그 선생님이 두렵게 생각된다."

- 자녀가 명령에 따르는 지를 부모가 감시할 뿐 아니라 매우 기대하고 있다는 것을 암시한다.
- 선심 쓰는 것처럼 보이거나 바라는 행동을 조장하는 교묘한 노력으로 보일 수 있다.
- 자녀가 자신이 부모의 칭찬과 일치하지 않는다고 여길 때 불안이 생길 수 있다.

## 8) 욕설, 조롱

"이 울보야." "그래, 너 잘났구나"

- 자녀로 하여금 자신을 가치 없고 사랑 받지 못한다고 느끼게 할 수 있다.
- 자녀의 자아상에 파괴적인 영향을 끼칠 수 있다.
- 종종 말대꾸를 유발시킨다.

## 9) 분석, 진단

"무엇이 잘못 되었느냐 하면…" "너는 단지 피곤한 거야." "네가 정말로 말하려는 것은 그게 아니야."

- 위협과 좌절을 줄 수 있다.
- 자녀가 궁지에 몰리고, 노출되거나 불신 당했다고 느낄 수 있다.

• 자녀가 왜곡되고 노출되는 것을 두려워하며 대화를 멈춘다.

## 10) 동정, 위로

"걱정하지 말아라." "앞으로 나아질 거야." "기운을 내!"

• 자녀로 하여금 이해받지 못한다고 느끼게 한다.
• 강한 적개심을 유발시킨다("말이야 쉽지!").
• 자녀는 종종 부모의 말을 "네가 안 좋게 느끼는 것은 옳지 않아." 로 받아들인다.

## 11) 캐묻기와 심문

"왜…" "누가…" "무엇을…" "어떻게…"

• 질문에 답하면 종종 비판이나 해결책이 따르므로, 자녀는 대답하지 않거나 피하거나 대충 말하거나 거짓말을 하게 된다.
• 질문을 하면 자녀는 부모가 무슨 의도로 말하는지 혼란에 빠져 불안해하거나 두려워 할 수 있다.
• 부모가 퍼붓는 질문에 대답하는 동안 자녀가 자기문제의 방향을 잃을 수 있다.

## 12) 화제 바꾸기, 빈정거림, 후퇴

"즐거운 일이나 이야기 하자…" "세상일 다 해결해 보시지!" 침묵한 채 외면한다.

• 삶의 어려운 문제를 대처하기보다 회피해야 한다는 것을 암시한다.
• 자녀의 문제가 중요치 않고, 사소하거나 쓸모없다는 것을 나타낼 수 있다.
• 자녀가 어려움을 겪고 있을 때 마음을 열지 않는다.

　이 12가지 걸림돌 외에도, 반대 혹은 거부하는 것과, 남과 늘 비교하는 것을 포함하면 14가지 걸림돌이 있다고 볼 수 있다. 걸림돌을 사용하면 감정의 격화로 말하고자 하는 내용전달이 안되고, 따라서 문제해결이 안되며 자존감은 낮아지고 관계가 악화되며 상호성장에 방해가 된다.

# 5. 책임감을 발달시키는 자녀 교육
## (NLC: Natural and Logical Consequence, 자연적이고 합리적인 행동규제 방법)

## 1) 상 · 벌 방법과 NLC 방법의 장, 단점

### (1) 상 · 벌 방법

(단점)
① 아이들 행동을 부모가 책임지려 한다.
② 자신의 결정에 결과를 스스로 터득할 수 있는 기회를 주지 않는다.
③ 권위자의 존재 하에서만 바람직한 행동이 가능하다.
④ 복종을 강요하여 저항을 불러 일으킨다.

(2) NLC 방법

(장점)

① 아이들 행동은 아이들이 스스로 책임지게 한다.

② 자신이 스스로 자신의 행동을 결정하게 한다.

④ 모든 일에 대해 자연적이고 사회적인 질서를 배울 수 있도록 허용한다.

예: 먹지 않겠다 → 배고프도록 놔두라.

　　장갑을 끼지 않겠다 → 그냥 찬 손으로 있도록 하라.

　　NC적용이 안 되는 경우 → 위험한 경우


(3) 상 · 벌 방법과 NLC의 차이점

① 보상과 벌은 아이들이 자신들의 결정을 내릴 수 있고 행동에 책임을 질 수 있는 기회를 주지 않는다.

　NLC는 선택의 자유를 준다. 아이들이 원하는 것을 고려하여 스스로 선택할 수 있을 때 효과가 있고, 협조도 받을 수 있다. 예를 들어 엄마와 함께 외출 가고 싶다면 적절한 행동을 해야 함을 주지시킨다. 적절한 행동을 하지  못할 때 다음 기회를 준다. 가고 싶지 않다고 하면 집에 있게 한다.

② NLC는 아이들에게 자신의 행동에 책임을 지도록 요구한다.

③ NC는 아이들에게 세상에 대한 자연적인 순리를 배울 수 있도록 허용한다.

　예를 들어 먹지 않으면 배가 고프다는 것을 경험하게 한다.

④ LC는 아이들에게 사회 질서를 현실로부터 배울 수 있도록 허용한다.

　예를 들어 일찍 일어나지 않는 아이들은 학교에 늦어 지각을 하게 되고 그 결과로 보충 공부를 해야 한다는 것을 배우게 된다.

⑤ LNC 목적은 아이들을 책임감 있는 결정을 내릴 수 있도록 만드는 것이지 복종을 강요하는 것은 아니다. 결과에 대한 책임을 본인이 스스로 지게 하는 훈련이다.

　예) 아이들을 데리고 시내 외출 시 시끄럽게 떠들면서 장난을 친다.

　　(어머니) (길가에 멈추며) : "너희들이 얌전해지면 가자." 조용해 져 다시 걷기 시작 → 곧 다시 떠들고 장난 → 엄마는 아무 말 않고 길 옆에 서 있음 → 아이들 조용해지면 다시 걷기 시작 → 반복

　　그 다음 외출 시 - 똑같은 상황 계속될 때

　　첫 나들이 때 3번 멈추었으나 두 번째 나들이 때는 1번 멈추며 해결됨.


(4) 기본 원리

① 아이들의 행동과 목적, 감정을 이해하라

② 강인하면서도 친절하라

　어떤 경우에도 목소리는 친절하게 하고, 적절한 행동으로 초지일관된 태도를 보여 강인함을 보여야 한다. 강인함은 엄함 (strictness)과 다르고, 혹독함 (harshness)과도 다르다. 부모는 침착하고 강인하면서도 친절한 태도를 유지한다. 친절함은 아이들이 선택을 하도록 주선해 주는 태도이고, 강인함은 아이들의 선택에 따른 결정을 부모가 끝까지 밀고 나가는 태도를 말하는 것이다. 중요한 점은 태연한 목소리와 정다운 태도를 유지하면서 아이들의 결정을 받아들이는 태도이다. 아무리 논리적이라 할지라도 목소리가 거칠고 너무 많이 요구하고 절대적인 태도를 보인다면 "벌"과 다를 바 없다. 감정적이지 않고 벌주지 않는 태도를 유지하는 것이 가장 중요하다. 즉 부모의 인내심이 요구되는 교육법이다. 자녀의 잘못한 행동을 배우기 위한 경험으로 생각할 수 있어야 한다.

③ 좋은 부모가 되려고 노력하지 말라

　아이들이 자신의 결정에 따른 결과를 경험하도록 하기 위해서는 과잉보호하거나 아이들 대신 책임지려 하는 태도를 가져서는 안 된다.

④ 행동에 일관성을 가져라

　부모는 단지 기대를 표현하고 그에 따른 결정은 아이들이 하게 한다.

⑤ 행동을 행동하는 사람으로부터 구분하라

　아이들의 행동이 나쁘더라도 소리와 무언의 행동으로 항상 존경을 표현하라.

⑥ 독립심을 격려하라

　자신에 대한 신뢰를 가지게 하고 자신감을 갖게 하기 위해서는 부모가 자녀의 일과 결정을 대신 해 주지 말아야 한다는 것을 명심해야 한다.

⑦ 동정을 피하라

　동정은 과잉보호를 낳고, 과잉보호는 자녀를 무능하게 만든다.

⑧ 다른 사람을 상관하지 말아라

　부모가 아이들의 모든 행동에 다 책임질 수 없다.

⑨ 누가 문제를 갖게 되는가 알아내라

⑩ 말은 적게 하고 행동으로 보여주라

　부모가 너무 말을 많이 하면 효과는 떨어진다(부모 귀머거리 "parent deafness")

　다정스런 대화는 더 잘 들으려 하게 되지만, 잔소리는 점점 부모 - 자녀 관계를 멀어지게 만든다.

⑪ 싸우거나 포기하면 안 된다

　한계를 세우고 아이들 반응을 스스로 결정하도록 한다. 아이들과의 큰 시합이 아니라는 것을 기억하고 이길 필요가 없음을 인지해야 한다. 어디까지나 아이들을 책임감 있게 양육하는 것이 목적이라는 것을 염두에 두어야 한다.

⑫ 아이들 모두가 공동 책임을 갖게 하라

　누가 잘못했는 가를 찾아내려 노력하지 말고 아이들이 함께 문제해결을 결정하게 하라. 누군가 일러바칠 때 귀를 기울이지 마라.

⑬ 참으라!

　시간이 걸리는 법이다! 3P를 기억해야 한다. 인내+연습=발전(Patience + Practice = Progress)

| 벌 | NLC |
|---|---|
| 1. 권위 강조<br>아버지 : "철수야, TV 꺼라. 엄마, 아빠가 주무셔야 한다." | 1. 사회질서의 현실성과 상호권리 존중<br>아버지 : "철수야, 오늘이 일요일 아침이고 네가 TV만화 보고 싶은 줄은 안다. 그런데 너무 시끄러우니 TV볼륨을 줄이던지 아니면 조용히 책을 읽든지 하렴. 네가 하고 싶은 데로 결정해라."<br>(문제점) 듣지 않을 때 |
| 2. 대체로 상황에 불합리, 임의적<br>어머니 : (화가 나서) "영희야, 방을 깨끗이 정돈해 두라고 몇 천 번 말했잖니? 토요일 밤에 영화구경 못 간다." | 2. 합리적<br>어머니 : "네 방이 이렇게 정돈되어 있지 않으니 네 친구가 놀러 와도 오늘은 네 방에서 놀 수 없다. 다음번에 또 기회를 주겠다." |

### 3. 개인적 침해와 도덕적 비판심

아버지 : (화가 나서) "네가 내 망치를 허락도 없이 쓰고 잃어버려? 그것이 도둑질이라는 것을 모르니? 도둑질은 나빠! 네 용돈에서 망치값을 빼겠다."

### 4. 과거 행동 관여

(철수는 오후 6시까지 집에 돌아오기로 했는데 7시가 되어도 돌아오지 않았음)
어머니 : (화가 나서) "철수야, 지금 몇 시냐? 너는 항상 늦는구나. 이게 몇 번째냐? 너는 아예 신경쓰지도 않지? 앞으로 일주일 간은 꼼짝 말고 집에 있거라. 자전거 사주기로 한 것도 취소다."

### 5. 존경받지 못함, 폭력, 사랑의 상실 등에 대한 위협, 사람을 깎아 내림

(어머니가 철수에게 만약 강아지에게 먹이를 준다면 데리고 놀 수 있다고 하였다.)
어머니 : (훈육조로) "너는 강아지에게 먹이를 주지 않았으니 오늘은 같이 놀 수 없다. 이게 바로 너에게 강아지에 대한 책임감이 얼마나 중요한가를 가르쳐 줄 것이다."

### 6. 복종 강요

(두 아이가 저녁식사 시간에 서로 싸운다.)
아버지 : "당장 그치지 않으면 밥 먹지 못하고 잔다!"

### 3. 사람에 관계시키지 않음, '사실' 에 중점을 둠

아버지 : "철수야, 너는 잃어버린 망치를 어떻게 대치해 놓을 셈이니?"

### 4. 현재와 미래 행동에 관여

(그 다음날 철수가 나가 놀아도 되느냐고 물었을 때)
어머니 : "미안하지만, 네가 아직 정해진 시간까지 집에 돌아올 수 있는 책임감이 준비가 되어있지 않은 것 같구나. 오늘은 안 되고 내일 다시 기회를 주겠다."

### 5. 부모의 음성은 정답고 호의적

철수 : "엄마, 지금 강아지하고 놀래요."
어머니 : (태연하게) "안 돼, 철수야. 너 오늘 강아지에게 먹이를 주지 않았잖니? 내일 다시 기회를 주겠다."

### 6. 선택하게 한다.

아버지 : "얌전히 밥을 먹든지 아니면 얌전해질 때까지 식탁을 떠나 있거라."

# 6

# 노인상담

## 1. 노인상담의 이해

노인상담이란 전문적인 훈련을 받은 상담자가 노인 내담자가 가지고 있는 다양한 문제들을 신체적, 심리적, 정서적 상황을 고려하면서 바람직한 방향으로 해결하도록 돕는 상호적 과정을 말한다. 노인들은 자신들이 겪어 온 어려움이나 현재의 어려움을 드러내는 표현방법이 미숙하고, 익숙한 삶의 패턴을 선호하여 변화에 민감하지 않은 특성이 있다. 이러한 특성으로 인하여 노인들이 상담의 상황으로 찾아오는 것이 쉽지 않다. 또한 노인들의 문제는 숨겨져 있고, 드러나지 않은 상처들과 해결되지 않은 인생의 문제들, 관심과 사랑에 대한 욕구, 사회적 인정 등의 욕구들이 감추어져 있다. 이러한 차원에서 노인 상담은 노인들의 욕구와 필요에 민감하게 대처하고 적극적으로 탐색하여 연구해야 할 필요가 있다.

노인상담은 노인들이 인생의 발달 단계에서 경험하고 있는 다양한 변화와 적응에 적절하게 대처하도록 돕는 역할을 해야 한다. 노인들은 상대적인 박탈감을 경험하며 빠르게 변화하는 세상 속에서 자신들이 소외되었으며, 더 이상 생산적인 역할을 감당하지 못한다고 느낀다. 노인상담은 노년기가 생애발달 단계 중 한 부분이라는 것을 인식시키고 만족스런 삶을 살 수 있도록 적절한 지지를 하는 것이다. 또한 노인상담은 노인들이 가지고 있는 다양한 문제들을 이해하고 이에 대한 정서적 지지와 문제해결을 위한 적절한 도움과 앞으로 발생할 수 있는 문제들에 대한 예방도 돕는다.

## 2. 노인의 특성과 상담

인간은 연령이 증가함에 따라 노화의 과정을 거치게 되는데 이것은 일생을 통해 계속적으로 일어나는 과정이다. 노화란 인간의 정상적 발달의 한 과정으로 연령이 증가함에 따라 나타나는 신체·심리·사회적 측면의 쇠퇴현상이다. 노년기에는 신체적 능력의 쇠퇴 및 질병이환, 사회적 관계의 축소, 사회경제적 지위의 하락 등과 같은 쇠퇴적 발달이 주로 일어난다.

따라서 신체변화에 대한 적응, 인생에 대한 평가, 역할 재조정, 여가시간 활용, 죽음에 대한 대비 등의 발달과업을 적절히 수행하고 노후생활에 적합한 생활환경을 조성하여야 한다.

### 1) 노년기 신체 변화와 상담

#### (1) 노화에 대한 신체적 변화

① 피부의 변화
- 피부 세포와 혈관이 얇아져 창백해 보이며 손상 시 치료에 대한 반응이 늦고 복구가 느려져 욕창 발생률이 높아진다.
- 피부는 겹쳐져 주름지며 체온 조절 능력이 감소하고 외상을 입기 쉽다.
- 피하지방 및 근육조직이 감소하여 사지가 가늘어진다.
- 멜라닌색소 생성의 불균형으로 반점이 나타난다.
- 한선 기능의 감퇴는 적정 체온 유지 능력을 방해한다.
- 손·발톱은 무뎌지고 부서지기 쉬우며 딱딱하고 두꺼워진다.
- 모발이 회색으로 변하기 시작하며 탈모 현상이 두드러진다.

② 심혈관계의 변화
- 심장의 크기는 노화에 의해서 변하지 않으나, 힘이 감소되면서 심근의 수축과정에 보다 많은 에너지가 소비된다.
- 관상동맥의 동맥경화와 고혈압은 서구사회에서 매우 발병률이 높고 심장기능에 대한 지대한 영향을 미친다.

③ 호흡기계의 변화
- 폐조직의 탄력성 감소, 1회 환기량 감소, 호흡능력 감소, 잔기량 증가, 흉곽의 석회화, 술통모양의 가슴, 섬모배출능력 감소, 기능하는 폐포수의 감소 등이 있다. 이로 인해 폐활량의 감소를 가져오며 심근의 기능 저하와 함께 심박출량을 감소시킨다.

④ 신장 기능의 변화
- 신장의 노화는 구조 및 기능의 변화를 초래하는데 일반적으로 기저막의 비후, 국소적 사구체경화증으로 특징지어 진다.

⑤ 소화기계의 변화
- 치아가 마모되고 빠지며 잇몸의 이상으로 치주질환이 발생할 수 있고, 타액 분비의 저하와 소화기의 기능 저하는 영양 섭취 능력을 감소시킨다.
- 구강인두 및 상부 식도의 운동성, 대장의 기능, 위장관의 면역성과 약물대사에 영향을 미친다. 반면에 위장관은 상당한 여유능(reserve capacity)을 가지고 있기 때문에 장액분비와 같은 많은 중요한 소화기능은 나이가 들어도 유지된다.
- 만성질환이나 약물, 알코올, 담배와 같은 생활습관에 노출되면 노인환자에서 위장관 기능에 더욱 손상을 입힐 수 있다. 특정한 약물의 부작용이나 동반되는 질환이 존재하는 경우 위 점막의 보호나 식도의 산 제거가 취약해 질 수 있다.

⑥ 근육과 관절의 변화
- 근육 긴장도와 근육질량의 감소, 인대와 건, 관절 연골의 섬유화와 석회화는 관절가동범위를 줄여 일상생활에 필요한 움직임을 제한한다.
- 추간 원판이 얇아지고 추골 간격이 좁아짐에 따른 척추 간 압박의 증가는 척추 길이를 줄이며 척추의 상체는 굽어진다.
- 골 대사의 변화와 골밀도의 감소로 발생한 골다공 현상은 쉽게 골절을 일으키고 척추 전만이나 척추 후만의 원인이 된다. 또한 관절염이나 골다공증 등 근골격계 질병과 외상은 노인의 활동을 제한한다.
- 근골격계를 이루는 조직들의 나이와 관련된 변화들은 노인에 있어서 흔한 만성질환을 야기한다. 실제로 근골격계 질환은 65세 이상 성인의 만성 장애의 가장 흔한 원인이다. 이는 근골격계 질환의 유병률 및 신체활동에 있어 근골격계의 중추적 역할에 의한다.
- 노화 뿐만 아니라 사용하지 않음으로 해서 생기는 변화들이 이 조직들에 영향을 미친다. 운동을 통한 근골격계의 적당하고 규칙적인 스트레스가 나이와 관련된 신체기능의 감소를 막거나 늦출 수 있다.

⑦ 내분비계 변화
- 다른 장기와 마찬가지로 내분비계도 여유능의 점차적인 감소로 환경적인 변화에 대한 적응력이 감소한다. 이러한 항상성 조절의 소실은 호르몬 합성, 대사, 작용에 중요한 변화를 가져오지만 임상적으로 뚜렷하지는 않다.

- 호르몬과 대사산물의 혈청 내 농도는 노화에 따라 변화하지 않는다.
- 내분비계 노화는 다른 호르몬의 기능이 소실된 것을 보상하기 위한 호르몬 분비의 변화로 유지한다.

⑧ 생식기계 변화

- 남자 노인보다 여자 노인에서 현저한 변화가 나타난다.
- 여자 노인은 폐경으로 인하여 난소의 위축이 일어나며, 이로 인하여 난자 생성 능력을 소실한다. 외음부 지방조직이 감소하여 점액 분비량의 저하에 의해서 질 점막은 평평하게 된다. 그러므로 질의 염증이나 감염이 증가하게 된다.
- 남자 노인은 혈관경화로 음경과 고환의 크기가 감소하고, 성적인 저하가 나타나나 이를 성적 무능력으로 잘못 해석하면 안 된다. 정자의 생성 능력은 노년기 남성에 있어서도 충분하게 이루어지고 있는 것으로 알려져 있다.

⑩ 종양과 노화

- 암은 한국에서 사망원인 중 첫 번째로 나이가 암의 가장 중요한 위험인자라는 데는 어느 학자도 이의가 없다.
- 미국의 통계에 의하면 새롭게 진단된 암의 60%, 모든 암으로 인한 사망의 70%가 65세 이상에서 발생하는 것으로 되어 있다.

⑪ 그 밖의 변화

- 세포가 위축되거나 사멸되고 세포분열이 정지되어 장기의 크기가 작아지고 기능이 저하된다.
- 면역기능의 저하로 감기, 폐렴 등 호흡기 합병증에 잘 이환된다.
- 신경원의 감소, 신경섬유의 퇴화 및 신경전달물질의 감소는 자극에 대한 반응 속도를 느리게 하고 균형과 조절력을 감소시킨다.
- 청력과 시력의 저하, 시야의 축소는 외상의 잠재성을 증가시킨다.

## (2) 급성질환과 상담

노인들은 노화를 경험하면서 다양한 신체 질환에 노출된다. 신체 변화에 따른 약화, 부족, 변형, 악화 등 신체에 부정적인 영향을 미치는 요소들로 노년기에는 급성의 질환이 발생하기 쉽다. 사고나 다양한 질병으로 인한 갑작스런 상황에 대한 노인들의 심리적 반응으로는 ① 당혹감 ② 분노 ③ 원망 ④ 불안 ⑤ 정서적 퇴행 ⑥ 무기력감과 죄책감 ⑦ 늙었다는 느낌을 가질 수 있다. 이를 위한 상담 내용은 다음과 같다.

① 상황을 침착하게 받아들일 수 있도록 돕는다
② 회복할 수 있다는 희망을 불어넣어준다
③ 질병 관리 전반을 통해 합리적인 결정을 내리도록 돕는다
④ 정보를 수집하여 전달해 준다
⑤ 지지와 위로를 제공한다

## (3) 만성 질환과 상담

노인기에는 동맥경화증, 고혈압, 당뇨병, 심장병, 신장병 등의 만성질환이 증가하고, 생리적 기능의 노화, 신경계의 자극에 대한 반응 저하, 면역력 저하로 감염에 취약, 소화기능이 약해져 영양섭취량이 감소한다. 심장 질환, 뇌혈관성 질환, 폐질환, 동맥경화증, 관절염, 당뇨, 암과 같은 만성 질환들은 질환 초기에는 가족들의 관심도 크고 본인 스스로도 고통을 이기고자 하는 의욕도 강하다. 그러나 병의 회복 조짐이 보이지 않고 기간이 점차 연장되면서 가족들은 정서적, 경제적, 사회적인 면에서 탈진하거나 내담자에게 무관심하게 된다.

만성 질환이 지속되면서 노인들은 무기력감, 통제력 상실감, 자존감 저하, 우울감, 분노, 무가치감 등을 느끼게 된다. 만성 질

환을 가진 노인을 위한 상담은 우선 꾸준히 안부를 묻고 심리상태와 불안감, 우울감 등을 살피는 것이 중요하다. 만성 질환과 관련된 다음과 같은 질문이 상담에 있어서 중요한 사항이 된다.

현재 가장 큰 고통은 무엇인가?

질환이 악화되었을 때는 어떻게 극복했는가?

지금 필요한 것은 무엇인가?

질환이 호전된다면 어떤 일들을 하고 싶은가?

가족 관계에 있어 변화된 점이나 어려운 점은 없는가?

## 2) 노화에 대한 정신적 · 심리적 변화와 상담

생리적인 변화와 관련되는 현상으로서 환경으로부터의 자극에 대하여 예민하게 반응하지 못하고 감각이 둔해짐으로써 빛 · 소리 · 냄새 · 동통에 대한 감수성이 저하되는 결과를 초래한다. 노인은 실제로 보고, 듣고, 냄새 맡고, 느끼는 기능을 못할 때 심리적으로 위축된다. 노인이 감각을 예민하게 느끼지 못하게 되고, 특히 시각과 청각능력이 저하되면 외부로부터 정보를 받아들이는 데 장애가 되어 유용한 정보가 감소되거나 정보를 왜곡시킨다. 포괄적인 정보가 부족한 상태에서 이루어지는 노인의 의사결정이 흔히 실패할 수 있는데, 이 점이 노인에게 심리적인 위축을 초래한다. 또한 노인이 되면 일반적으로 자기중심적이 되고 점점 자신감이 적어지며 신체에 대한 민감한 반응과 죽음이 임박해 온다는 사실을 실감하고 과거를 회상하는 등 인생의 반추가 공통적으로 나타난다. 노인들은 타인과의 접촉을 피하고 고립되어 자신에게만 집착하여 사회생활공간이 좁아지며 자신과 가까운 주위 사람에게만 의지하는 경향이 증가되어 간다. 개인차가 많지만 인지기능도 지능, 학습, 기억, 동기 유발의 저하로 영향을 받게 된다. 노인들의 정확성, 경직성, 조심성 때문에 지능검사에서 점수가 낮고, 학습능력이 저하되고 기억이 감퇴되며 정보처리기능이 둔화되고 추상적 사고를 할 수 없어 문제해결과 새로운 사업시작 및 직업선택에 효율성이 떨어지게 된다.

오늘날의 노인은 상실에 대한 적응을 필요로 하고 심리적, 사회적 측면에서 해결해야 할 많은 문제들을 내포하고 있으며, 특히 이러한 상실과 적응의 문제는 노년기의 우울과 밀접한 관련이 있다. 연령의 증가와 함께 노인이 경험하게 되는 다양한 상실은 자아 존중감에 위협을 주고 가족과 사회로부터의 소외와 고독감을 증가시키며, 이러한 상실에 대한 대처능력과 적응능력에 따라 우울 발생 유무와 그 정도가 달라지게 된다. 성공적인 노화와 적응을 하기 위해서는 노화에 대한 인지와 능력의 한계를 이해하고, 개인생활의 욕구만족을 위해 새로운 활동이나 취미를 개발하고 자아를 재평가하고 자기의 인생관과 인생목적을 재통합해야 한다.

### (1) 노화와 심리적 변화

① 내향성 및 수동성의 증가

노화에 따라 관심과 주의를 외부보다는 자기 자신의 내면으로 돌리는 경향이 증가한다. 외부의 자극에 반응하기보다는 자신의 감정이나 사고에 따라 사물을 판단하고, 모든 문제를 능동적으로 해결하기보다는 누군가의 도움을 받아 수동적으로 해결하려는 경향이 증가한다.

② 조심성 및 경직성의 증가

자신에게 익숙한 방법을 우선적으로 선택하는 경향이 증가한다. 시각, 청각 등의 감각능력 쇠퇴를 비롯한 신체적, 심리적 기능이 쇠퇴한 결과로서 조심하는 경향이 있다거나, 결정에 대한 자신감이 낮아지기 때문에 확실성이 확인될 경우에만 결정이 용이하게 되기도 한다. 또한 노년기에는 경직성이 증가되어 새로운 환경에 적응하기가 어렵고 이로 인하여 노인의 학습능력과 문제해결 능력이 저하될 수 있다.

③ 우울증 경향의 증가

우울증적 경향은 노년기 전반에 걸쳐 증가하게 된다. 신체적 질병, 자녀의 출가와 배우자의 죽음, 경제적 무능력, 사회와 가족으로부터의 소외 및 고립, 일상생활에 대한 자기통제의 불가능, 지나온 세월에 대한 회한 등이 원인이 되어 우울증이 증가하게 된다.

④ 과거에 대한 회상의 증가

노년기는 생의 시간이 얼마 남지 않았다는 생각으로 지나온 생을 회상하는 경향이 있다. 지난 시간의 회상을 통해서 갈등요인을 발견하고 이를 새로운 의미로 받아들이는 기회가 되기도 한다.

⑤ 친근한 사물에 대한 애착성

생에 대한 회상의 증가와 더불어 노인은 오래 사용해 온 물건에 대한 애착심이 증가하며, 이러한 물건들이 마음의 안락과 만족감을 느끼게 한다. 집, 가구, 사진, 골동품, 일용품 등 여러 가지 친숙한 물건들은 노인들로 하여금 지나온 과거를 회상하고 마음의 안락과 만족을 느끼게 하며 비록 자신의 주변 세상과 세월은 많이 변하였지만 자신과 자신의 주변은 변하지 않고 일정한 방향으로 유지되고 있다는 느낌을 갖게 되어 노인에게는 마음의 안정을 갖게 하는 좋은 역할을 한다.

⑥ 자아개념의 변화

자아 개념이나 자아상은 개인이 자신에 대해 어떻게 생각하며 어떻게 느끼고 있는가이다. 이와 같은 생각과 태도는 '나'로서 인식되어진 추상적 개념을 형성한다. 노인의 자아상은 여러 가지 요인이 결합하여 이루어지는데, 이는 의미 있는 타인과의 상호작용 또는 과거경험 및 현재 일어나고 있는 상호작용의 특성이라 할 수 있다. 자아존중감은 과업 중심의 존중감(task specific esteem)과 사회적으로 영향을 받는 자아존중감(socially influenced self-esteem) 등 인간에 대한 유용한 정보에 따라서 사회적 자아와 연관성을 가진다. 즉, 인간은 주어진 활동에서 성공감을 느낌으로써 과업에 의한 자아존중감을 달성한다. 그러나 노인들은 정당한 권리를 박탈당하거나 자격기준에서 제외되는 등의 제약들이 무력감이나 무가치함을 느끼게 한다.

⑦ 의존성의 증가

노인은 신체적, 경제적 능력의 쇠퇴로 인하여 의존성이 증가하는 경향이 있으며 의존성의 유형은 4가지로 들 수 있다. A. 경제능력 약화에 따른 경제적 의존성 B. 신체적 기능의 약화로 인한 신체적 의존성 C. 중추신경 조직의 퇴화로 인한 정신적 의존성 D. 생활에서 의미 있는 중요한 사람을 잃음으로서 생기는 사회적 의존성 등을 들 수 있다.

### (2) 노년기 심리변화와 상담

역할 상실과 가치감 상실로 인해 노인들은 스스로 존재감을 갖기 위해 고집스러워지고 대인관계에 있어서도 불필요한 감정을 형성하게 된다. 노인들은 자신이 필요한 존재이며 사회와 가족과 친구들에게 필요로 하는 사람임을 확인받고 싶어한다. 노인들은 자신들이 다른 사람들을 괴롭히거나 그들에게 의존하고 있는 사람으로 인식되기를 싫어한다.

노인들은 자신들이 무시당하거나 자신들이 가지고 있는 지식이 시대에 뒤떨어져 있다고 생각한다. 노인들은 자신감을 잃어버리게 되고 다른 가족원들과의 대화도 그만큼 한정된다. 노인들은 자신들이 할 수 없는 부분에 집착하기보다는 자신들이 할 수 있는 부분을 강화시키고 새로운 기술을 습득하기 위해 노력할 필요가 있다. 이를 통해 생활상에서의 자신감 뿐만 아니라 대인관계에서의 자신감도 강화시킬 수 있게 된다. 이러한 노인들의 심리적 변화와 적응을 돕기 위해서는 의사소통 훈련이나 자존감 증진 프로그램 등이 좋다.

## 3) 노화에 대한 사회적 변화와 상담

### (1) 노화와 사회적 변화

① 사회적 지위와 역할 변화

사회적 지위나 역할은 한 개인이 행사할 수 있는 권력이자 영향력으로 삶의 질을 결정하는 데 매우 중요하다. 노년기에는 이러한 사회적 지위나 역할의 변화와 상실에 따른 여러 가지 심리적 · 사회적 문제를 겪게 된다. 즉 직업인의 역할 지위 상실과 퇴직인의 역할 획득, 가장의 역할 축소, 배우자의 사망으로 인해 남편이나 아내의 역할이 상실, 의존자나 조부모의 역할 획득 등의 변화를 경험하게 된다. 또한 여성은 남성호르몬이, 남성에게는 여성호르몬이 많아지면서 여성과 남성의 역할이 조금씩 바뀐다. 사회적 상황과 관련하여 사회적으로 이익을 창출하는 집단이 아니게 되므로 점점 소외받게 되거나 동화되지 못하고 힘들어 하게 될 수도 있다.

② 자력으로 여행하거나 이동할 수 있는 능력이나 기회 감소

③ 정치, 경제, 사회, 문화에 대한 최신 정보 파악의 기회 감소

④ 사회적 상호작용의 대상 및 기회 감소

⑤ 의식주에 영향을 미칠 수 있는 정규 수입원의 감소 및 단절 등 재정 결핍이 있다.

⑥ 생활환경의 변화

여가시간이 증가하고 가정에 머무는 기간이 많아 역할수행에 갈등이 생긴다.

⑦ 텅 빈 둥지 증후군

공들여 키운 자식들은 모두 결혼, 직장 대학으로 집을 떠나고 텅 빈 집에 홀로 남게 된 어머니는 마치 빈 둥우리에 앉아있는 어미 새 같은 허전한 마음과 인생무상을 느끼는 것

### (2) 노년기 사회적 변화와 상담

노년기 사회적 변화로 인한 심리적 위축감을 경험하는 노인들은 가족 구성원에 대한 심한 양가감정과 잦은 갈등을 빚으며, 가족들로부터 인정받지 못한다고 느끼고, 가족 구성원간의 접촉이나 긍정적인 상호작용이 거의 없다. 집에 들어가기를 싫어하고, 가족에 대한 이야기를 잘 하지 않으며, 가족과의 갈등을 해결하는데 무기력하고 절망감을 보인다. 이러한 가족 갈등 문제를 호소하는 노인들을 상담하기 위해서는 자신과 자녀나 가족 사이의 갈등을 기술하게 하고 그 갈등의 원인을 이해하도록 한다. 가족 간 갈등에서 자신의 역할을 인식하도록 하고, 내담자가 가족에게 계속적으로 느끼는 불편과 원망의 감정의 요인을 살펴보고, 그것을 어떻게 극복할 것인가를 알아내도록 한다. 가족역동을 탐색하고, 가족체계와의 관계성을 파악하여 노인 내담자의 긍정적인 자원을 사용하여 개인의 독립적 수준을 높인다. 긍정적인 가족 간의 상호작용을 증가 시키고, 자녀나 가족과의 갈등적인 상호작용의 빈도를 줄이도록 한다. 공격적이고 방어적으로 이야기하지 않고 자신의 입장을 충분히 표현함으로써 갈등을 해결하는 능력을 증가 시킨다.

직업적 지위와 중요한 역할을 상실함으로써 노인 스스로 자신의 가치를 평가절하하게 되며 자존심이나 삶의 만족도 등이 낮아지게 된다. 퇴직으로 인해 직업의 상실이라는 변화가 부정적인 자아상을 유발하기도 하는데 퇴직을 긍정적으로 예견하고 미리준비 할 수 있도록 하는 것이 중요하다. 노년기 심리적 건강을 유지하기 위해서는 사회활동을 지속하여 친구관계를 유지하며, 알콜과 약물 남용을 피하고, 긍정적 사고와 행동으로 적극적으로 교육과 관계의 기회를 확보하는 것이 좋다는 것을 교육한다.

## 4) 노화에 대한 영적 변화와 상담

영(Spirituality)은 종교적인 맥락에서 다루어지거나 단순히 '삶에 대한 헌신'으로 생각될 수 있다. Kathleen(1991) 등은 영(Spirituality)의 문제는 단순히 종교나 신에 대한 믿음과는 별개임을 강조하고 있고, 이원희(1988)는 영(Spirituality)의 문제가 성직자들의 영역이거나 종교적 과제로 인정하는 경향을 배제할 수 없다는 견해를 제시하고 있다.

영(Spirituality)은 물리적 본성을 떠난 어떤 믿음이고, 자신을 떠난 감각이며, 삶에 의미를 부여하고 통합하는 힘이다. 만일, 영(Spirituality)이 삶의 힘이고 생활의 헌신이라면 영적 고통은 목적이나 의미가 없는 것, 삶의 힘과의 조화를 이루지 못하는 것, 타인과의 결속감이 없는 것 등으로 볼 수 있으며, 도덕적 위기, 신이나 자신 또는 타인에 대한 믿음에 의문이 생기는 것을 경험함이 포함된다. 영적 고통은 사람이 삶을 포기하거나 실망하는 것을 의미하지는 않으며, 개인의 삶의 신비와 의미에 대하여 투

쟁하는 것으로 볼 수 있다. 이러한 투쟁은 생을 깊이 있게 이해하고 평화, 의미, 목적 등의 깊은 의미를 알게 해 주는 긍정적인 경험이 될 수 있다. 그러나 이러한 투쟁과 고통이 고독이나 절망감을 느끼게 한다면 부정적인 경험이 될 수 있다.

노인은 신체적 · 정신적 능력이 감소하면서 오히려 영적 능력이 성장하고 개발된다. 노인에게서 영(Spirituality)은 불안감을 해소시키고 목적, 의미, 통합의 감각을 제공한다. 그리고 개인적 자아존중감의 원천이 될 수 있으며 죽음에 대한 준비를 도와준다. 영(Spirituality)은 스트레스를 효과적으로 관리하는 요점이 될 수도 있다. 스트레스를 관리하는 데에는 신념체계의 개발이 좋은 방법으로 알려져 있는데, 자선이나 이타적 가치에 대한 믿음 특히 시설에 있는 노인의 스트레스 해소에 도움이 되며, 상실감이나 변화, 삶에 대한 의미의 부여, 죽음에 대한 준비를 하는 데 도움이 된다. 그러나 노인들은 독립감의 결여, 죽음의 불가피성, 전통적인 지지체계의 결여, 시설기관에서의 규격화의 가능성으로 인하여 영적 고통의 위험이 있다. 영적 고통은 노인의 경우 불가피한 과정이 아닐 수 없다. 생의 후반기는 평화, 희망, 의미부여, 생의 연장으로서의 죽음의 수용 기회가 될 수 있다.

지금까지 노화의 변화에 대해 살펴보았지만 노화로 인한 변화가 반드시 모든 노인에게 공통적으로 나타나는 것이 아니고 노인 특유의 것만도 아니다. 노년기에 대한 부정적인 시각은 상당부분이 가족과 주위사람들 그리고 우리사회의 노인에 대한 이해 부족, 정의 부족, 노인 자신의 삶에 대한 의욕감퇴에서 생겨난 것이라고 생각할 수 있다. 그러므로 주변 가족들은 노부모에 대하여 애정어린 이해와 보살핌을 주도록 노력해야 할 것이다. 노화는 일생을 통해서 계속적으로 일어나는 과정이므로 신체적, 심리적, 사회적으로 변화하고 있는 노인들은 각자의 특성에 맞는 적절한 준비, 치료와 대처를 통해 행복한 삶을 영위하여야 할 것이다.

# 3. 노인상담의 실제

## 1) 노인상담의 지침

어떤 자격으로 노인과 만나든지 간에 사회복지사, 심리학자, 간호사, 내과의사, 전문보조원 혹은 행정가들은 일 대 일 또는 집단의 형태로 효과적인 상담 또는 자문을 해 줄 수 있다. 대부분은 상담과 관련된 정규적인 것이 아니고 일상적 환경에서 비공식적으로 이루어진다. 이런 상담의 개입에는 보통 격려하기, 정보주기, 목표 발견하기 등이 포함될 수 있다. 혹은 좀 더 전문적인 기술들이 필요하거나 특정한 자문을 찾아야만 하는 경우도 있다.

노인을 위해 일하는 전문가의 중요한 과제는 노인에 대한 태도이다. 노령공포란 65세 이상의 내담자와 치료적인 성공에 도달하는 것에 관한 전문가의 비관적인 견해를 의미한다. YAVIS 젊고(young), 매력적이고(attractive), 언어적 표현이 가능하고(verbal), 지적이고(intelligent), 성공적인(successful) 환자만이 치료가능하다고 믿는 전문가들은 노인환자에게 실망하게 될 것이다. 노인에 대한 고정관념이나 부정적인 선입견을 갖고 있는 상담자는 노인들의 문제를 도와주는 좋은 상담자의 역할을 수행하기가 어렵다.

### (1) 노인 상담의 특징
① 내담자 연령이 상담자보다 높다.
② 내담자의 저항이 강하다.
③ 내담자 경험의 폭이 넓다.
④ 새로운 삶에 대한 의지와 변화 욕구가 상대적으로 약하다.
⑤ 노인은 남은 삶에 대해 의미를 부여하려 하지 않으며, 죽음과 연결시키려는 경향이 강하다.
⑥ 가족 및 보호자의 지지가 약하다.

(2) 노인 상담 시 유의해야 할 사항

① 태도(attitude)

전문가는 항상 사람을 존중해야 한다. 내담자가 다른 방식을 요구하지 않는 한, 상담자는 내담자의 성과 이름을 불러서 언어적으로 존중을 표현하고 비언어적으로는 서두르지 않으며 관심을 기울이는 태도, 감정, 신념으로 그에게 공감한다는 것을 보여주어야 한다.

② 음성(voice)

만약 잘 들리지 않는다는 눈치를 보일 때는 천천히 또박또박 더 큰 소리로 말해야 한다.

③ 접촉(touch)

악수, 가벼운 포옹, 또는 어깨를 토닥거리는 것 등 어느 것이건 간에 접촉은 배려와 관심을 전한다. 우리 문화에서 통상 사회적 거리 또는 '사적 공간'은 사람들 간의 거리가 3피트(약 90cm) 정도이다. 그러나 대부분의 노인은 좀 더 작은 공간에서 편안해 하고, 좀 더 가까이 앉거나 서 있는 것을 선호한다.

④ 시간(time)

특히 내담자가 쉽게 지친다면 면담은 짧게 하라, 여러 번의 짧은 회기가 한 번의 긴 회기보다 낫다.

⑤ 초점(focus)

특히 처음 만났을 때 지지적이고 문제지향적이 되라. 내담자가 고뇌, 외로움, 무력감, 자책감과 같은 일반적인 주제들에 관해 그들 스스로 표현할 수 있도록 격려하라.

(3) 평가

① 비생산적인 행동과 그 대처방식의 목표나 수준의 관점에서 개인의 행동을 평가하라. 가능하다면 시간이 허락하는 한 간단한 생활양식평가를 실행한다. 가족구도자료는 집단내담자의 기능을 이해하는데 있어 특히 유용하다.

② 삶의 과제의 관점에서 배우자, 친구들, 직업, 지위, 신체적 건강 그리고 독립심의 상실 등과 같은 개인의 주요한 위험요인을 평가한다. 다른 위험요인으로는 친구, 친척, 교회나 사교와 같은 사회적지지 체계의 범위와 유용성으로부터의 사회적 고립, 빈곤, 다른 사람들의 의도나 상황을 제대로 지각하지 못하게 하는 청각과 시각 쇠약과 같은 감각상실, 그리고 특히 죽음, 의료보호, 경제적 어려움과 같은 문제에 대한 두려움 등이 있다.

③ 개인의 신체상태와 일상생활에서 정상적인 활동이 가능한지를 평가해야 한다. 노인이 처방받은 많은 약의 부작용은 그의 기분과 인지기능에 밀접한 영향을 미친다. 노인은 대부분 약물에 대해서 보통 우울증, 순간 또는 단기간 기억 감소, 불면증 등의 반응을 보인다.

(4) 재정향 설정

① 상담사는 상담을 할 때는 내담자와 그 가족에게, 자문을 할 때는 직원에게 유용한 사람이 되어야 하며 전화로 연락할 수도 있어야 한다. 만약 상담 또는 자문이 일회적이거나 비공식적인 것일 때, 원한다면 공식적으로 계속 도움을 줄 수 있다는 사실을 알려주어라.

② 항상 사회적 흥미를 격려하라. 언제 맞닥뜨릴지 모를 삶의 과제를 해결할 수 있는 방법을 확인하도록 도와라. 인생단계에서 가지고 있는 발달잠재력과 그 사람의 강점을 강조하라. 그들이 타인과 그들 스스로를 위해 여전히 할 수 있는 것들을 확인하도록 돕고 계속 행하도록 격려하라. 그들이 가능하다고 믿지 않았거나 하고자 하지 않았던 것을 하도록 도전시켜라.

③ 자기를 존중하도록 격려하라. 많은 방법으로 장려할 수 있지만 회상기법과 삶을 회고하는 것은 특히 노인들에게 매우 유효하다. 내담자가 그들의 삶의 사건을 정리하여 그것을 완성된 것으로 볼 수 있도록 도움을 준다. 이 같은 정리는 내담자

에게 삶이 성취 뿐 아니라 위기와 투쟁의 연속이라는 사실과 그들이 잘 참고 견뎌서 승리했다는 사실을 상기시킨다. 상담사가 이런 방법으로 노인의 과거를 체계화시키도록 돕는 것은 노인들이 현재의 요구들에 대처하는데 있어서도 계속 노력하거나 그런 대처방법을 사용하도록 동기화시키는데 강력한 도구가 될 수 있다.

④ 격려는 노인에게 가장 중요한 기술이다. 격려는 열등감의 근본적인 해독제이다. 사회적 관심과 양립하는 감정과 행동을 좀 더 가지기 위해서 열등감을 재고하고 버리도록 요청받는 과정에서 노인은 자신이 중요하고 가치있는 사람이라는 믿음과 힘을 얻게 된다.

⑤ 가능한 한 충분히 가족을 참여시켜라. 일반적으로 그들 자신의 개인적 대처를 위해서 뿐만 아니라 나이 많은 친인척 관계를 다루기 위한 적합한 기술을 가족구성원에게 가르치는 것이 필요하다. 일부의 예외를 제외하고 가족은 노인의 기능을 위해서 자신들의 기대를 조절하는 것을 배울 필요가 있다. 가족의 기대는 종종 비현실적으로 낮아서 노인을 돕는 가족들의 노력은 실제로 노인의 적응, 책임, 독립심을 감소시키는 결과를 가져온다. 기본적인 상담기술은 노인을 모시는 것과 관련된 가족의 노여움, 좌절, 분노를 다루는데 도움을 준다.

⑥ 이용 가능한 사회자원과 특히 노인과 관련된 법적, 재정 상의 정책들에 관한 유용한 산지식을 발달시켜라.

## 2) 노인 상담의 기법

### (1) 생애회고요법(life review therapy):회상요법

생애회고요법은 Butler에 의해 처음으로 기술되었다. 이것은 긍정적인 정신치료 기능으로서 개인이 삶을 반성할 수 있는 기회를 제공하고 고통스럽고 문제를 일으키는 영역을 해결하여 재조직하고, 재통합하는 것이다. 개인적으로 의미 있는 과거 경험을 생각하거나 그 경험을 현실의 문제와 연관시키는 것으로 말로 진술하는 구술방법과 글로 적어 내려가는 서술방법, 혹은 혼자서 과거를 되돌아보는 명상법을 사용한다. 회상의 긍정적인 결과로는 지난 과오들을 살피고 이 기억들과 화해하고 용서하게 되는 것, 현재 존재하는 심리적인 갈등의 해결, 과거와 현재 문제로 갈등하던 가족들과의 화해 등이 있다. 회상기법은 개인 상담과 집단 상담 모두에서 긍정적인 결과를 보인다.

### (2) 자서전의 저술이나 녹음자서전(autobiography)

내담자가 자신의 삶을 정리·기술하는 기법이다. 자서전 방법에서는 자서전에 기술되는 주요 사건, 관계경험, 연관된 사람들이 중요하다. 또한 여기에 기술되지 '않은' 것에 대해서도 주의를 기울이는 것이 필요하다.

### (3) 생애 순례 여행

노인들은 자신이 태어나고, 아동기, 청년기, 성년기를 보낸 곳으로 여행을 떠남으로 자신의 과거와 만날 수 있다. 생각을 정리하기 위해서 방문한 곳마다 사진을 찍고 기록을 하는 것도 좋다. 현실적으로 이 같은 일이 불가능하다면 그곳에서 지금껏 살고 있는 사람과 직접 또는 간접적으로 접촉하는 것도 좋은 방법이다. 이것도 용이하지 않다면 기억을 최대한 활용하여 기억 여행을 떠나는 것도 가능하다. 각 시기 별로 나누어 지난 행로를 기억해 보고 이 시절로 되돌아가 봄으로써 해결하지 못했던 과거의 감정들과 화해하고, 인생의 기억 속에 남아 있던 인물들과 만남으로 과거 시기 공백들을 채울 수 있다. 이를 통해 노인들은 지난 후회를 담담하게 받아들이고 삶을 긍정적으로 정리해 보는 기회를 가질 수 있게 된다.

### (4) 중요 인물들과의 재회

사람들은 초·중·고교 동창, 대학동창 모임이나 가족모임, 종교단체나 시민단체의 모임에서 친구들 및 그들의 인생에서 중요한 사람들을 보면서 자신을 돌아볼 수 있는 기회를 갖는다. 과거 희망을 얻었거나, 상처를 주고 받았던 사람들과의 재회를 통해 자신의 가치를 느끼고 삶의 보람을 얻도록 시도하는데 도움이 된다.

### (5) 가계족보

가계를 밝히는 일은 개인에게 역사의 연속성을 느끼게 해 주고, 자신이 역사의 어느 지점에 서 있는가를 알려준다. 또한 얼마나 많은 가족성원들이 이미 사망했는가를 앎으로써 죽음의 두려움을 완화시키고, 죽음을 자연스럽게 준비하는 데 도움이 된다. 이 같은 연구는 노인들이 선친이나 일가 친인척의 묘지를 방문하고, 관련된 마음의 기록들을 찾아보고, 교회나 그 밖의 종교단체의 기록들을 조사하는 일도 포함한다. 이는 그 자체만으로도 창조적인 행위이자 흥미로운 일이 된다.

### (6) 스크랩북, 사진첩, 오래된 편지, 보관된 비디오자료 및 그 밖의 기억할 만한 중요 기사 살피기

사람들이 보관해 온 물건들은 보통 자신의 인생에서 특별하고 즐거운 기억을 담고 있다. 대개 기억들은 보관된 자료들을 자주 보고 이를 기억하면서 특별한 방식으로 재구성되고, 재경험될 수 있다. 사진첩이나 기록된 비디오테이프 등에 관해 이야기함으로써, 노인들은 오랫동안 잊고 있었던 사건들을 기억하며 지난 과거를 정서적으로 재경험하게 되면 잊고 있던 친구와 친지들에 대한 관심을 갖게 된다.

### (7) 일생의 업적 정리

노인들은 세상에 기여했다고 여겨지는 일을 정리하는 것 자체로 통합감을 느끼는 계기를 갖게 된다. 업적 정리는 지난 시절 동안에 했던 각 분야에서의 업적을 구체적으로 나누어 적어봄으로써 자신이 세상에 뜻 깊은 기여를 했으며 이를 통해 다음 세대에 기여했다는 성취감을 갖게 한다.

### (8) 인지훈련 및 인지요법

인지훈련은 노인들이 정신적으로 활동적이 되게 해서 정신적 안녕을 증진시킨다. 이러한 방법은 시간 제한적 성격이 있어 특별한 시간 내에 긍정적인 변화라는 목표를 강화한다. 환자의 관심과 기술을 활용하기 위해서 상담자는 환자의 과거 직업, 취미, 여가활동 들을 알아야 한다.

### (9) 이완요법

신체적 안녕감을 증진시키는 것 외에도 이완요법은 긴장을 완화하고 스트레스를 감소하고 의사소통의 장애물을 감소시킨다. 환자들은 호흡법과 함께 간단한 긴장을 이완시키는 근육훈련부터 시작할 수 있다.

### (10) 지지적 상담집단

노인들은 지지적 집단구조에서 잘 반응하는데 그것은 자존감, 자신감, 모험심과 공감능력을 증가시키기 때문이다. 유머는 비언어적이고 위축된 노인에게 접근하는 효과적인 방법이 될 수 있다. 유머를 표현하고 적극적으로 웃는 것은 노인들이 자신의 상황을 내딛게 하고 노화에 따른 변화와 그것을 대처하는 데서 오는 어느 정도의 긴장을 완화시킨다.

# 성격상담

## 1. 성격에 대한 이해

　성격이란 용어의 의미는 매우 다양하지만, 이 용어 속에 공통적으로 포함되어 있는 내용은 세 가지로 요약할 수 있다. 첫째는 성격의 정의에 개인이 가지고 있는 독특한 성질이 포함되어 있다는 것이다. 그래서 사람마다 생리적 · 환경적 요소가 다르기 때문에 성격에도 차이가 있다. 둘째는 개인의 독특성이 매우 안정적이고 시간이 지나더라도 그 특성이 변하지 않고 나타나는 안전성을 포함하고 있다. 셋째는 개인이 독특한 성질을 안정적이고 일관성 있게 나타내는 데, 무엇을 그렇게 나타내는 가에 대한 것으로 성격의 요소나 내용이 정의에 포함되어 있다는 것이다. 성격의 특성에는 내면적인 특징 뿐만 아니라 외양적인 특징도 포함되어 있다. 그래서 성격은 인간이 가지고 있는 정신적 · 영적인 독특한 총체이다. 이와 같은 점을 고려하여 성격의 의미를 이해한다면, 성격이란 '한 개인이 환경과 상호작용하면서 나타내는 독특하고 일관성이 있으며 안정된 인지적 · 정의적 · 행동적 양식'이라고 할 수 있다.

　오늘날 인격과 성격이라는 용어를 구분하는 경향이 있다. 본래 어원적으로 '인격'을 뜻하던 'personality'를 성격이라 부르고, 'character'를 인격으로 이해하여 이 두 단어에 각기 다른 의미내용을 부여하기도 한다. 성격의 의미에 대하여는 앞에서 언급한 것처럼 무척 광범위하게 사용되고 있으므로 성격상담의 필요성과 정당성을 찾기란 쉬운 일이 아니다. 우리가 무엇을 성격의 문제로 규정할 것인가에 대한 객관적인 판단과 인식이 필요하다.

## 2. 성격 장애에 대한 이해

　성격 장애라는 말을 처음으로 도입한 사람은 윌헬름 리치(Wilhelm Reich)이다. 그는 '성격의 갑옷(character armor)'이라는 개념을 소개하면서 인간이 불안감을 줄이기 위해 특정한 형태의 행동을 하고, 생각과 지각, 느낌에 적응하는 것을 의미한다고 하였다. 이러한 과정을 거쳐서 형성된 형태의 성격은 융통성 없이 경직되어 있고 불안감으로부터 자신을 보호하기 위하여 더욱더 자신의 갑옷 속으로 움츠러들게 된다고 하였다. 이렇게 경직된 성격의 형태는 두 가지 방법으로 나타나는데 그 하나는 적응이고, 다른 하나의 형태는 부적응이다. 성격 장애로 정의된 사람은 부적응 현상의 성격 경향을 지닌 사람을 의미한다. 인간은 실망, 거부 또는 부끄러움과 같이 원하지 않는 느낌으로부터 회피하기 위하여 타인을 믿고 가까워지기보다는 오히려 마음의 문을 닫아 버리는데, 이러한 경우는 어느 한 가지 방법으로 적응을 한 형태이다. 그러나 이러한 형태의 적응은 다른 종류의 문제, 즉 외로움, 소외감, 지루함 또는 우울함 등과 같은 욕구좌절을 가져올 수가 있게 되는 것이다.

한편 성격 성향은 '환경과 자신과의 관계를 지각하는' 형태로 알려져 있다. 즉 다른 사람과 관계를 갖는 방법, 자신과의 관계 방법, 생각과 느낌을 지각하는 방법 등이라고 할 수 있다. 그리고 성격 장애란 그런 성격 특성이 비적응적이고 유연성이 없어서 그의 기능 수행에 심각한 손상을 주거나 심적 고통을 심하게 줄 때를 말한다고 볼 수 있다. 즉 인격 장애는 뜻 깊은 관계를 유지하고 충족감을 느끼며 삶을 즐길 수 있는 능력을 저해하는 일련의 양상이며, 그것은 개인의 문화에 대한 기대로부터 너무나 빗나간 내부 경험과 행동의 만성적인 양상이라고 할 수 있다. 인격 장애는 청소년기나 그 이전에 시작되어 성인기 동안에 지속된다. 성인의 인격병리를 이해하는데 있어 아동기와 청소년기의 발달 상태를 이해하는 것은 중요한 열쇠가 된다. 인격 장애에 대한 진단적 기준이 되는 것은 성인기 초반 이후 그 사람의 과거 몇 년 동안과 오랜 기간 동안의 행동양상들이다. 행동양상들은 사회적 관계나 직업역할에 심각한 손상을 야기하거나 주관적인 고통을 불러일으킨다.

인격 장애에서 몇 가지 중요한 점들은 다음과 같다. 인격 장애는 과거로부터 기인되는 진단이다. 상담에서 보이는 내담자의 즉각적인 행동은 종종 정신병리를 이해하는데 중요한 단서들을 제공하지만 진단을 내리는 중요한 기준은 내담자의 과거력이지 상담자체에서 보여지는 내담자의 행동이 아니다. 과거의 흔적들은 매우 다양하다. 내담자의 경직된 방어기전으로 다른 사람들을 괴롭히거나 스스로의 감정의 동요를 초래한다. 인격 장애의 행동표현들은 부모와의 관계, 형제관계, 연인관계, 고용관계, 친구관계 등의 인간관계에서 독특한 양상을 보인다. 따라서 인격 장애의 흔적들은 보통 사회적 관계에서 발견된다. 인격병리의 특징들은 인간관계를 파괴시키는 형태로 나타난다. 따라서 상담자는 특히 청소년기 이후 지속되는 행동양식을 적극적으로 활발히 조사해야 한다.

## 3. 성격 장애의 행동 특성

### 1) 조종(manupulation)

조종 행동은 다른 사람을 물체로 대하고 통제권 문제를 위주로 하는 관계를 형성하는 행동이다. 이러한 행동은 오해를 사기 쉽다. 남을 속이는 행위가 그들에게 보상을 주는 경우가 많기 때문에 이러한 환자들은 대개 바람직한 목표의 성취를 촉진하는 변화에 대한 동기가 거의 없다. 남을 속이는 사람은 목표 지향적이고 자기 지향적이며 타인 지향적이 아니다. 이러한 특성은 반사회적 인격 장애를 가진 사람의 전형적인 특징이다.

### 2) 자기애(narcissism)

자기애라는 용어는 물에 비친 자신의 모습과 사랑에 빠진 나머지 죽어버렸고 그가 죽은 자리에는 그의 이름을 딴 꽃이 피어났다고 하는 그리스 신화에 나오는 나르시스에서 유래된 말이다. 성공한 사람 중엔 자기애적인 사람이 많으며 이러한 인격적 특징을 지닌 사람들은 주로 연기자, 모델, 운동선수, 그리고 정치인들이 많다. 이들은 사람들에게 매력적인 직업인으로 간주되지만 자기중심적인 사람들이 많아서, 자신이 얻어 마땅하다고 생각하는 자리를 얻지 못하거나 지위를 잃었거나 대인관계를 맺기 위해 노력해야 할 때 문제를 일으키게 된다. 인정을 받지 못함으로 인한 좌절은 분노, 우울증, 약물남용 혹은 기타 부적응적 행위로 표출될 수 있다. 자기애적 인격장애를 가진 사람들의 자긍심은 약하기 때문에 끊임없이 칭찬, 인정, 존경을 찾아다니게 된다.

### 3) 충동성

충동성은 과장하는 버릇, 자신의 생애에 대해 계획을 세우고 수행하지 못하는 태도, 경험에서 배우지 못하는 태도, 판단력 부족 그리고 믿음이 가지 않는 면모 등에서 드러난다.

Millon과 Davis(1995)는 인격장애의 특성에 대하여 다음과 같이 세 가지로 설명하였다.

(1) 관계를 맺는 전략을 거의 획득하지 못했고 인간관계나 환경에 접근하는 방식에 유연성이 없으며 부적응적이다.

(2) 개인의 요구, 인식, 그리고 행동이 도움이 되지 않는 잘못된 방법을 지속하고 다른 사람들로부터 부정적인 반응을 조장하는 경향이 있다.

(3) 스트레스를 받는 상황에 처했을 때의 적응 기술은 안정감이 결여되고, 잘 포기하며, 회복력이 부족하다.

그 외에도 성격 장애를 가진 사람은 변화에 대해 저항적이며, 성격 장애의 행동 패턴은 새로운 사람을 만나도 다시 반복되는 특징이 있다. 성격 장애에게서 나타나는 문제는 간헐적으로 나타나는 에피소드가 아니라 그 사람의 행동, 생활방식으로 특징지워지는 포괄적이면서도 만성적인 문제이다. 성격 장애는 본인이 문제를 느끼기보다는 그 사람과 접촉하는 주변 사람들에게 느껴지는 문제인 경우가 많다.

# 4. 성격 장애의 분류

DSM-IV-TR(미국정신의학협회, 2000)는 서술적 유사점을 기반으로 하여 인격 장애를 다음과 같이 세 집단으로 분류하였다.

- A집단(편집성, 분열성, 분열형 인격장애) : 기이하고 괴벽스럽다.
- B집단(반사회적, 경계선, 연극성, 자기애적 인격장애) : 감정적이고 극적이며 변덕스럽다.
- C집단(회피성, 의존성, 강박행동성 인격장애) : 불안하거나 두려워한다.

각각의 인격장애와 관련된 대인관계 및 행동 특징에 대한 구체적인 내용은 다음과 같다.

## 1) 편집성 인격 장애(Paranoid Personality Disorders)

편집성 인격 장애는 타인을 불신하고 의심하여 그들의 행위를 악의가 있는 것으로 해석하는 유형이다. 청년기에 시작하여 여러 장황으로 나타난다. 편집성 인격 장애는 그 행위유형이 정신분열증이나 정신병적인 기분장애 혹은 심리장애가 진행되는 동안에 발생하거나 혹은 그것이 신경병학의 직접적인 심리적 형향 때문에만 발생할 경우에는 진단해서는 안 된다. 편집성 장애자들은 주로 투사(projection)의 방어기제를 사용하고 망상, 환각, 사고장애가 없는 것이 편집성 정신분열병과는 다른 점이다.

이 경우에 속하는 사람들은 주로 고루한 고집쟁이, 주정행위, 수집가, 배우자에 대한 병적 질투심을 갖는 자, 사소한 일에 소송을 남발하는 사람 등이다.

## 2) 분열성 인격 장애(Schizoid Personality Disorders)

분열성 인격 장애의 기본양상은 일생동안 사회로부터 철회되어 있으며 다른 사람들과의 관계형성 능력과 적절히 반응하는 능력에 심각한 장애가 있고 지나치게 내향적이며 온순하고 빈약한 정서가 특징이다. 이들은 다른 사람들이 볼 때 괴벽스럽고 외톨이처럼 보인다. 혼자 지내고 정서적으로 냉담하고 무관심하며 타인에 대해 따뜻함이나 부드러움이 없으며, 이성교제에 대한 욕구도 거의 없고, 타인의 느낌, 칭찬, 또는 비평에 무관심하다. 가족을 포함해서 친밀한 관계에 있는 사람은 단지 한 두 사람뿐이지만 분열형 인격 장애에서 보는 언어, 행동 또는 사고의 괴이한 면은 없다.

## 3) 반사회적 인격 장애(Antisocial Personality Disorders)

반사회적 인격 장애는 사회적응의 여러 면에 걸쳐서 지속적이고 만성적으로 비이성적, 비도덕적, 충동적, 반사회적 또는 범죄적 행동, 죄의식 없는 행동 또는 남을 해치는 행동을 나타내는 이상 성격이다. 즉 사회의 정상적 규범에 맞추지 못하는 성격이다.

## 4) 경계성 인격 장애(Borderline Personality Disorders)

경계성 인격 장애의 특징은 대인관계, 자아상, 정서적인 면에서 불안정하고 매우 충동적인 양상을 보인다는 점이다. 자신에 대한 평가 및 자아정체성, 정서, 타인에 대한 평가에서 일률적인 양상이 없이 극도의 불안정성을 보인다. 정서는 정상에서 우울, 분노, 짜증을 자주 왕복하며, 자제력이 부족하고 충동적이어서 행동이 예측 불가능하고 자해와 자살 행위도 빈번하다. 다른 인격 장애와 다르게 경계성 인격 장애 환자들은 인지-지각이상과 정신증과 유사한 증상(예를 들면 관계사고, 입면 시 환각, 일시적인 환각이나 신체상의 왜곡)을 보이기도 한다.

## 5) 히스테리성 인격 장애(연극성 인격장애, Histerionic Personality Disorders)

이 장애의 핵심적인 증상은 광범위하고 지나친 정동성과 타인의 관심을 끌려는 행동을 한다. 이런 행동 양상은 초기 성인기에 출현하며, 여러 상황에서 나타난다. 이들은 남성에서는 드물고, 주로 여성에게서 발생하는데, 첫인상에서 활기차고 유머 감각이 풍부하며 열정적이고 개방적이라는 느낌을 줄 정도로 주위사람들에게 관심을 끌려는 욕구가 강하다. 또한 약물중독에도 잘 노출되며, 우울증, 자살기도, 전환장애, 신체화장애, 해리장애가 흔히 나타난다.

## 6) 자기애적 인격 장애(Narcissistic Personality Disorders)

자기 중요성 또는 자기 재능과 성취에 대한 과대적 사고의 양상이 장기간 지속되며, 성공, 권력, 뛰어난 재치, 미모, 이상적 사랑을 내용으로 하는 공상에 몰두하는 경향이 있다. 남으로부터 끊임없는 관심과 칭찬을 받고자 하는 자기 현시적 욕구와 비난, 무관심 또는 패배에 대해서 냉담한 무관심이나 분노감, 굴욕감 또는 공허감으로 반응한다. 특권 의식, 자기 이익을 위해 다른 사람들을 이용하는 것과 타인의 느낌에 대해 공감할 수 없다. 남을 지나치게 이상화했다가 느닷없이 평가하는 등의 극과 극을 오락가락 하는 태도를 보이기도 한다.

## 7) 회피성 인격 장애(Avoident Personality Disorders)

회피성 인격 장애는 거절과 배척에 대한 극도의 예민성이 특징이며 이 때문에 환자는 사회적으로 위축된다. 그들은 내심 친밀함을 강하게 원하고 있으나 겉으로는 부끄러워한다. 그들은 사람들이 전적으로 자신을 받아들이기를 원한다. 흔히 열등콤플렉스를 가지고 있다고 생각된다.

## 8) 의존성 인격 장애(Dependent Personality Disorders)

상대에게 너무 의존해서 자신이 스스로 자기 일을 선택하고 결정하지 못하고 복종적인 성격을 나타내는 장애를 의존성 인격 장애라고 한다. 의존이란 아주 흔히 쓰이는 개념이다. 의존이란 우리 모두가 다 지니고 있는 보편성이라고 할 수 있다. 우리는 존재하기 위해서 서로 의존 관계에 있다. 따라서 자존심이란 상대에 의존해서 생기는 것이라고 할 수 있다. 자존심은 상대의 인정과 공감을 바탕으로 생겨난다. 의존성 인격 장애 환자는 의존이 너무 심해서 자신의 일을 언제나 상대에게 결정하도록 한다. 따라서 복종적이고 누군가 자신을 돌보아주지 않으면 아무것도 할 수 없다.

## 9) 강박성 인격 장애(Obsessive-Compulsive Personality Disorders)

강박성 인격 장애는 감정적 억제, 규칙성, 고집, 완고함, 우유부단, 완벽주의, 융통성 없음 등이 특징이다. 강박성 인격을 가진 경우에 결단력이 부족하고 감정이 없는 일에 몰두하는 사람이 많다. 질서정돈주의, 완벽주의, 마음의 통제, 대인관계의 통제가 특징적으로 나타나는데, 이러한 인격적인 특성 때문에 융통성이 없고, 개방성과 효율성이 상실되어 있다.

정확한 것을 추구하므로 전반적인 것을 보지 못하고, 말초적·지엽적인 것에 집착한다. 대인관계는 수평적인 것보다는 지배와 복종의 관계로 유지되고 있어서 자신이 윗사람에게 철저하게 복종하듯이 아랫사람도 그렇게 하기를 요구한다. 그러나 자신의 행동이 다른 사람들을 얼마나 괴롭히고 있는지를 알지 못한다. 주위 사람으로부터의 비판에 대하여 지나치게 민감하고, 특히 직장에서 상당한 위치에 있는 사람이나 권위적 존재로부터 비판을 받았을 때는 더욱 민감하게 반응하는 경향이 있다. 시간의 배정도 잘 하지 못하는 편이어서 가장 중요한 일을 오히려 맨 나중에 하도록 미루어 놓는다.

항상 능률과 완전함을 이상적인 것으로 추구하지만 그것을 달성하는 경우는 매우 드물다. 또한 평소에 도덕적으로 철저하고, 완벽하며, 엄격하게 하려고 노력을 한다. 이러한 성격 때문에 사회적으로 성공을 하기도 한다. 자신의 완벽주의적 성향이 좌절될 경우에는 쉽게 우울증에 빠지고, 완고한 고집 때문에 힘든 사회생활을 한다. 정서적으로도 냉담하므로 가정생활도 성공적이지 못하다.

## 10) 수동-공격성 인격 장애(Passive-Aggressive Personality Disorders)

해야 할 일을 질질 끌고 심술부리고 책임을 회피하면서 방해하는 성격을 지니고 있으면서 다른 사람들을 고통스럽게 하는 성격 장애를 수동-공격성 인격 장애라고 한다.

## 11) 우울성 인격 장애(Depressive Personality Disorders)

우울성 성격장애자들은 매사에 지나치게 심각하고, 즐기거나 휴식을 취하지 못하고 유머감각이 없다. 또한 자신이 인생의 재미를 누리거나 행복할 자격이 없다고 생각하기도 한다. 매사에 부정적이고 걱정이 많으며 늘 불행한 생각을 하고 있는 경우가 많다. 어떤 일을 하기 전에 항상 최악의 상황을 상상하고 스스로는 자신을 현실적인 사람이라고 생각하지만 주변의 사람들은 대개 부정적인 사람이라고 평가한다. 이들은 자신을 평가하는데 지나치게 가혹할 뿐만 아니라 타인에게도 가혹하게 판단하는 경향이 있어서 타인의 장점보다는 실패에 초점을 맞추고 타인에 대하여 부정적이고 비판적이다. 이들은 자신의 단점이나 실패에 대하여 지나치게 심한 죄책감을 느끼는 경향이 있다. 또한 이들은 전반적으로 자존감이 낮다. 우울성 성격 장애자들은 기분 부전 장애나 주요 우울장애에 걸릴 가능성이 높으며 다른 기분장애에 비하여 조기에 시작되는 것이 특징이다.

# 5. 성격 장애 상담

성격 장애에 대한 상담 목표는 비교적 구체적이고 관찰 가능한 형태로 설정한다. 타인과 자긍심을 증진시키는 관계를 확립하고 유지함으로써 내담자가 최대한의 대인관계 만족을 얻을 수 있게 하는 것이 목표가 된다.

## 1) 성격 상담에서의 상담자의 태도

만성적인 성격 문제를 다룰 때, 상담자는 내담자가 자신의 경험에 어떤 의미를 부여하고 있는지를 밝혀내는 데 주력하며 많은 시간을 할애한다. 그 이유는 내담자에게 특별히 취약하고 민감한 부분이 무엇인지를 알아내고, 어째서 특정한 상황에서 과도한 반응을 보이는지를 확인하기 위함이다. 내담자가 자신의 경험에 부여하는 의미는 대부분 기저의 믿음에서 비롯된 것이기 때문에, 그 의미를 밝혀내기 위해 상담자는 점진적인 단계들을 밟아가야 한다.

병리적인 성격을 탐색하기 위해 상담자가 밝혀내야 하는 많은 특성들은 내담자에게 심각한 죄책감을 불러일으킬 수도 있기 때문에 내담자에 대한 상담자의 무조건적인 수용이 필요하다. 만약 상담자가 비판적인 태도를 보인다면 이런 죄책감은 강화될 것이며, 내담자는 불편함을 느끼게 되고 치료적인 경험이 아닌 모욕감을 경험하게 될 것이다. 병리적 특징들을 밝혀내는 상담자의 기술은 겸손하고 자연스럽게 민감한 문제들에 대하여 질문하는 능력에 있다. 내담자의 절망감을 비롯하여 알코올 문제, 복잡한 성관계 그리고 범죄행위를 하는 등의 예민한 행동에 대하여 상담자가 그러한 행동들을 너그럽게 봐주어야 한다거나 내담자 행동들을 질책하려고 애쓰는 것이 아니라 내담자를 이해하기 위하여 경청해야 하는 것이 중요하다.

상담자가 '나쁜 것을 들추어내고 있다'는 느낌 없이 민감한 부분에 접근하는데 필요한 다양한 기술들을 사용할 수 있어야 한다. 또한 치료관계를 교육적인 체험의 기회로 활용하기 위해서는 치료자가 다양한 방법으로 가설을 제시하고, 상투적인 표현이 되지 않도록 새로운 단어들을 가려서 사용하며, 비유나 일화를 들어가면서 요점을 제시해 줄 필요가 있다. 마치 양념을 뿌리듯이 현명하고도 가벼운 유머를 사용하는 것도 도움이 된다.

## 2) 인격 장애의 실마리 찾기

상담을 통하여 상담자는 내담자의 말과 행동을 평가할 기회를 가지게 된다. 상담자는 내담자의 행동들이나 상호작용의 형태에 중점을 두거나 내담자가 언급하는 불편감이나 과거력에 중점을 둘 필요가 있다.

### (1) 신호행동

인격 장애의 행동양식은 장기간 유지되어 온 것이기 때문에 상담 중간에 그들의 병적인 행동들이 드러나는 것은 흔하다. 특히 초기에 이런 방어적인 행동 특성이 빈번하게 보이는 것은 상담자와의 만남으로 자극된 내담자의 불안감 때문일 수 있다. 이런 불안감은 내담자의 가장 두터운 방어기전을 유발하는 계기가 되었을 것이다.

내담자의 정신상태와 행동을 사정하는 단계에서 중요한 부분은 의미 있는 행동을 상담자가 세심하게 인식하는 것이다. 의미 있는 행동들은 특정한 인격 장애를 암시하는 신호이다. 그것들은 내담자가 특정장애를 가지고 있다는 기준이 되는 것은 아니지만 특정장애가 나타날 수도 있다는 경향이 높다는 것을 의미한다. 의미 있는 행위들 중의 하나는 상담 동안에 상담자나 혹은 상담 자체에 대하여 내담자가 언급한다는 것이다. 인격장애를 제외한 대부분의 내담자들은 상담이라는 새로운 상황 때문에 긴장하고 있고 잘못된 것을 하고 싶지 않기 때문에 상담 과정에 대해 언급하지 않는다.

### (2) 신호증상

상담이 진행되는 동안 내담자는 빈번히 특정한 인격 장애를 생각할만한 행위나 증후에 대해 언급한다. 그러나 어떤 증후들은 특정 장애에 전형적이지만, 그로 인해 하나의 특정 장애라고 결론지을 수 있는 것은 아니다. 그러나 작은 자살 시도의 과거력이 있는 사람들은 경계성 인격 장애의 가능성을 높인다. 경계성 인격을 가진 사람들은 손목을 긋거나 담뱃불로 자해하거나 충동적으로 폭력을 휘두르거나 잦은 약물남용과 같은 행동으로 유명하다. 뭔가를 충분히 하지 못했다는 것에 대해 초조감을 보이고 초자아가 강하게 나타나는 경우는 강박성 인격 장애일 것이다. 계속되는 법적 구속, 강도짓 혹은 잦은 싸움 등은 반사회성 인격을 강력히 암시한다. 끊임없이 강력한 불안감을 보이는 내담자들은 강박성 인격, 의존성 인격, 회피성 인격 그리고 수동 공격성 인격의 가능성을, 효과적으로 감정이입을 할 수 있는 능력이 결핍되는 특성은 반사회성 인격, 연극성 인격, 분열성 인격 그리고 자기애성 인격의 가능성을, 자주 미미한 정신병적 발작이 나타나는 것은 경계성 인격, 분열형 인격 그리고 편집성 인격의 가능성을 시사한다.

### (3) 인격 장애의 윤곽 찾기

인격 장애의 윤곽을 그리는 것에는 두 가지 방법이 있다. 첫 번째 기술은 특정 장애를 염두에 두고 탐색질문을 하는 것이다. 만약 내담자가 탐색질문에 대해 부정적인 대답을 한다면 특정 장애에 대해서 더 이상 확장시키지 않는다. 반면, 긍정적 대답들에 대해서는 구체적인 질문을 시행하여 특정 장애를 밝혀낼 수 있다. 두 번째 기술은 단지 언급된 것을 좀 더 질문하는 것이다.

재능 있는 상담자는 진단을 위한 증거를 집요하게 추적하면서도 내담자를 꼬리표 붙은 사람이 아닌 한 개체로서 이해하기 위한 방식을 사용한다.

## 3) 성격 장애 치료

### (1) 일반적 원칙

인격 장애 내담자들 위한 치료의 원칙은 먼저 스스로의 행동에 대한 내담자의 설명보다는 행동 자체에 초점을 두고, 행동의 결과에 대해 내담자 자신의 책임을 강조하는 것이다. 또한 치료자나 내담자의 안전이나 치료의 결과를 위협하는 어떠한 행위도 처음부터 제한을 설정하는 것이 좋다. 인격 장애 내담자를 대하는 치료자는 자신의 인격이 내담자에게 어떤 영향을 줄 수 있는지 인식해야 하고, 치료자 자신이 내담자의 구원자라는 환상을 가지지 말아야 한다. 오히려 치료자는 내담자와 함께 무엇을 해나가고 있다는 협력의 자세를 가져야하고, 내담자의 행동에 대해 감정적으로 받아들이면서 객관성과 전문성을 유지하기 위해서 그리고 치료자 자신을 잘 지탱하기 위해서 상급자나 동료의 도움과 감독을 통해 자신의 접근방법에 대한 안정감과 자신감, 상담자적 자부심을 지니고 있어야 한다.

### (2) 인지행동 치료

일반적으로 인지행동 치료의 목표는 내담자의 인지구조를 통하여 내담자의 감정과 행동양식의 변화를 시도하는 것이다. 인지행동 치료에서 인지는 성격의 핵심적 구조로서 선택적 지각의 원인으로 이해되어 왔다. 인지행동 치료는 인지변화의 수단 혹은 매개로서 행동적 절차를 적극적으로 활용하는 절차이다. 그리고 감정의 수용, 촉진적 관계가 상담의 성공에 핵심적인 조건으로 받아들여지고 있어 순수한 인지치료의 의미는 인지의 변화를 상담활동의 최종목표로 삼는다는 점이다. 주요 정신장애와는 달리 인격 장애자들의 역기능적 신념은 지속적이고 구조화되어 있다. 따라서 치료의 과정은 오랜 시간 지속되고 극적인 진전이 거의 없다. 인격 장애자를 위한 인지행동요법에서 치료자가 사용할 수 있는 인지적 기법에는 다음과 같은 것들이 있다.

① 안내를 통한 발견

내담자가 자신의 정형화된 역기능적 패턴을 인식하도록 돕는다.

② 개인 특유의 의미를 탐색

자신의 경험에 대한 극단적이고 평범하지 않은 해석을 탐색하도록 돕는다.

③ 그릇된 추론과 왜곡에 이름 붙이기

내담자가 자동적 사고패턴이 비합리적으로 편향되어 있다는 것을 인식하도록 돕기 위해서 부정확한 추론과 왜곡을 명명한다.

④ 협력적 경험주의

내담자의 신념, 해석, 기대의 타당성을 검증하기 위해 치료자와 내담자가 함께 작업한다.

⑤ 타인의 행동에 대한 설명 검토하기

타인의 행동에 대해 설명을 검토한다.

⑥ 척도화 하기

척도를 사용하여 극단적 해석을 이분법적 사고가 아니라 다차원적 사고로 변환시킨다.

⑦ 재귀인

행동과 결과에 대한 책임을 재분배한다.

⑧ 고의적으로 과장하기

고의적인 과장을 사용하여 어떤 생각을 극단으로 과장해서 역기능적 결론을 재평가하고 안심하도록 한다.

⑨ 이득 - 손해 분석

신념과 행동을 유지하는 것과 변화시키는 것의 이익과 손해를 검토한다.

⑩ 탈재앙화

자신의 최악의 결과만을 생각하는 경향을 인식하고 극복하도록 돕는다.

### (3) 집단치료

분열성 인격 장애의 경우 집단치료의 초기에는 협조하기 어려운 경향이 있으나, 안정된 집단의 경험은 대인관계에 가치를 두기 시작하고 사회조직망을 발달시킬 수 있는 사회적 접촉을 제공하는 기회가 된다. 분열형 인격 장애인 경우에도 집단을 통해 타인들에 대한 평안함을 증가시킬 수 있다. 회피성 인격 장애에도 집단치료는 효과적인 치료양식이다. 치료자와의 건강한 관계정립, 집단의 지지 등을 통해 이들이 사회적 불안을 극복하고 대인관계에서의 신뢰를 발달시키는데 도움이 된다.

### (4) 약물치료

인격 장애의 치료에서 약물치료의 효과는 아직 제한적이다. 약물은 불안이나 불안정한 기분, 충동성, 정신증적 증상 등을 완화시킴으로써 다른 치료의 효과를 촉진시키기 위하여 사용된다. 인격 장애 내담자들에게 흔히 사용되는 약물은 증상에 따라 항우울제, 기분안정제, 항불안제를 사용할 수 있는데, 특히 선택적 세로토닌 재흡수 차단제는 충동성과 공격성의 감소에 흔히 사용되며, 분열형 인격에서와 같이 일시적으로 정신증적인 증상을 보이는 경우에는 항정신병 약물을 사용하기도 한다.

## 4) 성격 장애 진단

### (1) 강박성 인격

① 당신은 스스로를 꽤 힘들게 몰아가는 경향이 있거나 종종 어떤 일에 대해 조금만 더해야 할 필요를 느낍니까? (예)

② 대부분의 사람들이 당신을 재치 있고 낙천적인 사람으로 본다고 생각합니까? (아니오)

③ 당신은 완벽한 존재로 나아가려는 경향이 있습니까? (예)

④ 당신은 행동목록들을 가지고 다니거나, 문이 닫혔는지 확인하는 행동처럼 같은 일들을 반복 체크할 필요를 종종 느낍니까? (예)

### (2) 수동/공격성 인격

① 종종 당신 친구들이나 고용인들이 당신을 아주 하찮게 생각하는 경향이 있다고 생각합니까? (예)

② 때때로 상사들은 당신에게 잔소리를 하고, 당신에게 무엇인가 하기를 몇 번씩 부탁하는 경향이 있습니까? (예)

③ 만약 당신의 당사가 당신에게 어리석은 일이나 당신이 동의하지 않는 일을 부탁한다면 늑장을 부리거나 최대한의 노력을 기울이지 않고 점수를 얻기 위해서 노력합니까? (예)

④ 다른 사람들이 지나치게 낙천적이라고 생각될 때 그들의 생각에 문제점이 있다는 것을 그들에게 보여주려고 하는 경향이 있습니까? (예)

### (3) 의존성 성격

① 당신의 배우자가 당신 때문에 미치거나 당신을 싫어하게 될지도 모른다는 걱정 때문에 배우자와 논쟁하는 것이 힘듭니까? (예)

② 아침에 일어나서 배우자의 활동을 중심으로 당신의 하루를 계획하는 경향이 있습니까? (예)

③ 당신이 대부분의 결정을 내리는 것을 즐거워합니까 혹은 남들이 대부분의 중요한 결정을 내리는 것을 더 선호합니까? (다른 사람들이 의사결정 하는 것을 선호한다.)

④ 당신이 어렸을 때, 당신을 돌보아주고 지도해 줄 누군가를 찾기를 종종 꿈꾸었습니까? (예)

### (4) 회피성 인격

① 대부분의 시간 동안 사람들이 당신을 싫어할 것을 걱정하는 자신을 발견한 적이 있습니까? (예)

② 당신은 종종 새로운 도전이나 혹은 업무들이 부적절하고 감당할 수 없다고 느낀 적이 있습니까? (예)

③ 당신은 친구를 고르는데 매우 신중한 편으로, 평생 동안 한두 명의 가까운 친구들을 가지는 것도 신중한 편입니까? (예)

④ 당신은 종종 다른 사람들에 의해서 상처 받게 될까봐 남들에게 자신을 개방시킬 때 꽤 세심한 주의를 기울입니까? (예)

### (5) 분열성 인격

① 사람들 주변에 있는 것을 정말 즐기는 편입니까 혹은 혼자 있는 것을 더 좋아하는 편입니까? (혼자 있기를 더 좋아한다.)

② 사람들이 당신을 어떤 사람으로 생각할까에 대해 많이 신경을 씁니까? (신경 쓰지 않는 편이다.)

③ 당신은 정말 정서적인 사람입니까? (아니오)

④ 평생 동안 한두 명의 친구만을 가지고 있습니까? (예)

### (6) 반사회성 인격

① 당신은 상황이 타당하면 꽤 쉽게 거짓말을 할 수 있을 것이라고 생각합니까? (예)

② 당신은 경찰에 체포되거나 경찰조사를 받아본 적이 있습니까? (예)

③ 수년에 걸쳐 당신은 육체적인 싸움에서 스스로를 보호할 수 있다고 생각하십니까? (예)

④ 당신은 종종 당신에게 지시를 내리는 사람들에 분개하게 됩니까? (예)

### (7) 연극성 인격

① 이성들이 종종 당신을 매력적이라고 생각하는 것 같습니까? (아무 거리낌 없이 "예")

② 당신은 심지어 당신이 원하지 않는데도 사람들의 관심을 받는 존재라고 생각합니까? (예)

③ 당신은 스스로를 아주 정서적인 사람이라고 봅니까? (예)

④ 당신은 당연히 좋은 배우가 될 것이라고 생각합니까? (예)

### (8) 자기애성 인격

① 대부분의 사람들은 당신의 기준에 미치지 못한다고 생각합니까? (예)

② 사람들이 당신을 힘들게 한다면 그들을 비난하는 경향이 있습니까? (예)

③ 누군가 당신을 비난하는 경우 금방 화를 내게 되는 편입니까? (예)

④ 다른 사람과 비교해볼 때 당신은 매우 특별한 사람이라고 생각하십니까? (예)

### (9) 경계성 인격

① 종종 사람들 때문에 낙담한 적이 있습니까? (예)

② 친구들이나 가족들이 당신에게 상처를 주는 경우 당신은 종종 자신의 감정을 해치고 속을 태움으로써 당신 스스로 상처를 주고 싶어집니까? (예)

③ 다른 사람들이 일주일에 여러 번 당신을 화나게 만든다고 생각합니까? (예)

④ 당신 친구들이 당신을 변덕스럽게 여긴다고 생각합니까? (예)

## (10) 분열형 인격

① 당신이 다른 사람들과 같이 있고 싶을 때도 당신은 혼자 있는 편입니까? (예)

② 당신은 종종 사람들이 당신을 관찰하거나 당신에게 특별한 관심을 가지고 있는 것을 좋아합니까? (예)

③ 다른 사람들에게 어떤 특별한 힘이나 마술적인 영향력을 가지고 싶었던 적이 있습니까? (예)

④ 사람들이 종종 당신을 거부하려고 하고 당신을 이상하게 생각한다고 느낍니까? (예)

## (11) 편집형 인격

① 사람들이 종종 불성실하거나 정직하지 못한 경향이 있다고 생각합니까? (예)

② 특히 누군가 당신의 배우자에게 관심을 가질 때 꽤 쉽게 질투합니까? (예)

③ 잘못된 사람들은 옳은 정보를 취하지 않는다는 것을 확신하고 당신의 입장을 고수하는 편입니까? (예)

④ 다른 사람들이 당신을 이용한다고 느낍니까? (예)

몇 가지 예를 들어 편집증적 인격자에게 질투에 대한 탐색 질문에 대해서 긍정적으로 반응하는 경우 편집성, 자기애성, 연극성, 경계성 인격 장애들도 심사숙고 해볼 만하다. 어떤 진단들을 배제하기 위해서 탐색질문을 할 수도 있다. 예를 들면 '당신은 정말 사람들과 함께 있는 것이 즐겁습니까?' 라는 질문에 '오, 나는 정말 사람들과 함께 있는 것을 좋아합니다.' 라고 내담자가 대답한다면, 정신 분열성 인격은 배제할 수 있게 된다. 탐색 질문은 상담의 자연스러운 흐름 안에서 이루어져야 하며, 상담 도중 어느 때나 가능하나 현 병력이나 사회적인 관계의 영역에서 탐색하는 것이 적절할 것이다. 내담자들은 인간관계나 직업생활에서 갈등을 흔히 경험할 것이다.

# 8

# 진로 및 직장상담

## 1. 진로상담의 정의와 개념

진로상담이란 내담자로 하여금 장래의 불확실한 진로를 개척하기 위하여 치밀한 방법과 계획을 세워, 생애 문제에 어떻게 대처해 나갈 것인가에 관한 여러 가지 문제를 현명하게 선택하고 적응하게 하는 방법이다. 그리고 진로발달 과정을 통하여, 자기이해와 자신의 잠재력을 발견할 수 있도록 전문가인 상담자와의 원만한 인간관계 속에서 내담자가 진로결정을 할 수 있는 계기를 마련해 주는 적극적인 상담의 종합적 과정이라 할 수 있다.

진로상담에 대한 학자들의 개념을 정의하면 다음과 같다. Super(1951)는 '일의 세계에서 적절히 융화된 자신의 역할상과 자아상을 발전시키고 수용하여 현실 속에서 자신의 모습을 검토해 보고, 검토한 결과 그 자체에서의 자신에 대한 만족 그리고 사회에 이익이 되는 현실로 전환하도록 개인을 도와주는 과정'이라 하였다. Super(1957)에 의하면, '진로나 직업의 영역에서 내담자가 자신의 역할을 이해하고 적절한 모습으로 자기 개발을 하도록 하며, 또한 현실에서 이러한 개념들을 검토하고 실현시킬 수 있도록 상담자가 내담자를 돕는 과정'이다. Crites(1981)에 의하면, '직업심리 검사의 실시와 해석, 진로나 직업 탐색 및 의사결정 과정에 내담자의 적극적인 참여를 요구하는 상담자와 내담자 사이의 관계'라고 정의하였다. Nugent(2000)에 의하면 '내담자가 직업에 대해서 가지고 있는 우유부단, 불확실성, 불만, 삶의 불만족, 직업선택과 발전에 대한 다른 사람과의 갈등에 대해서, 개인이나 집단이 올바른 진로계획을 세우고 준비할 수 있도록 도와주는 과정'이다. 미국 진로발달협회(National Career Development Association : NCDA)의 정의에 따르면 '내담자가 가장 적절한 진로나 직업을 결정할 수 있도록 자신과 환경에 대한 이해를 종합하고 응용하도록 돕기 위한 상담자와 내담자 사이의 관계'이다.

이장호(2000)는 진로상담이란 '내담자가 자기 자신에 대한 정보와 사실을 탐색, 수용하고, 자기에 관해 확인된 사실들을 토대로 적절한 직업을 선택하고 직장생활에 잘 적응하도록 도와주는 활동'이라고 하였다. 김충기(1995)는 진로상담이란 '내담자(학생)로 하여금 장래 또는 미래의 불확실한 진로를 개척하기 위하여 치밀한 방법과 계획을 세워 생애 문제에 어떻게 대처해 나갈 것인가에 관한 여러 가지 문제, 즉 교육·직업·가정·신체·사회·이성·성격·도덕·종교적인 문제를 현명하게 선택하고 적응하는 방법과 진로발달 과정을 통하여 자기이해와 자신의 잠재력을 발견할 수 있도록 전문가인 상담자와의 원만한 인간관계 속에서 내담자가 합리적인 진로 탐색과 진로 결정을 할 수 있는 계기를 마련해 주는 적극적인 상담의 종합적인 과정'이라고 정의하였다.

이상의 학자들의 개념을 정리하면, 진로상담이란 '상담자와 내담자 사이의 관계를 중시하면서 개인의 진로발달을 도와주는 일련의 과정으로서 한 순간의 학교선택이나 직업선택만을 위한 활동이 아니라 과거, 현재, 미래를 총괄하는 연속적인 과정이며, 개인의 진로문제해결과 적응을 단계적으로 도와주는 연속적인 과정'이라고 할 수 있을 것이다.

진로상담은 학생들의 진학과 직업선택에 관련하여 다양한 진로정보의 제공, 진로 계획, 의사결정능력을 돕는 체계적인 활동으로서 다음과 같은 주요 개념을 포함한다.

① 진로상담은 개인의 진로발달을 도와주는 일련의 과정으로서 한 순간의 학교 선택이나 직업선택만을 위한 활동이 아니라, 과거, 현재, 미래를 총괄하는 연속적인 과정이며, 개인의 진로문제 해결과 적응을 단계적으로 도와주는 연속적인 과정이다.

② 진로상담자는 내담자가 당면하는 진로목표나 진로문제의 해결과 적응을 도와 내담자가 원만한 인격적 통합을 이룰 수 있도록 한다.

③ 진로상담은 상담자와 내담자 사이의 관계를 강조한다. 상담자와 내담자 사이의 인간관계는 진로목표와 문제해결을 위한 필수적인 조건이다.

## 2. 진로상담의 주요원리

① 진로상담은 진학과 직업선택에 초점을 맞추어 전개되어야 한다.

② 진로상담은 개인의 특성을 객관적으로 파악한 후 상담자와 내담자간의 라포(rapport)가 형성된 관계 속에서 이루어져야 한다.

③ 진로상담은 개인의 진로결정에 있어서 핵심적인 요소인 합리적인 진로의사 결정 과정과 기법을 체득하도록 이루어져야 한다.

④ 진로상담은 진로발달이론에 근거하며, 진로발달은 진로선택에 영향을 미친다.

⑤ 진로상담은 변화하는 직업세계의 이해와 진로정보 활동을 중심으로 개인과 직업의 연계성을 효율적으로 연결시키는 과정에서 합리적 방법으로 이용되어야 한다.

⑥ 진로상담은 각종 심리검사의 결과를 기초로 하여 합리적인 결과를 끌어낼 수 있도록 도와주는 역할을 해야 한다.

⑦ 항상 개별적인 진단과 처치의 자세를 견지해야 한다.

⑧ 진로상담은 상담윤리 강령에 따라 전개되어야 한다.

## 3. 진로상담의 필요성

진로상담에 대한 요구가 심리치료에 대한 요구보다 더 많은 것이 현실이다. 진로상담은 인간의 내적 세계와 외적 세계 모두를 다루고 있음에 반해, 심리 치료는 내적 세계를 주로 다룬다. 내담자들은 진로에 대한 전반적인 적응이 이루어진 후에 개인적 변화를 원한다. 심리치료와 진로상담 양자를 제대로 훈련받아 이 둘을 모두 제공할 수 있다면, 내담자들이 원하는 바에 대해 더 잘 알 수 있을 것이다. 현명한 직업선택 과정을 통하여 직업세계에 만족하고 잘 적응하며 행복한 삶을 누리기 위해서는 사전에 계획적인 진로준비 작업이 요구된다.

개인의 인생에서 중요한 위치를 차지하는 직업을 선택하기 위해서는 개인의 적성과 흥미, 능력과 성격, 신체적 조건, 개인의 가치관에 알맞은 직업 선택이 필요하다. 이를 위해서는 합리적인 진로계획 수립에 필요한 탐색과정을 통하여 자아개념을 확립하고 자아실현을 위한 도구로서 확고한 직업가치관을 형성하는 데 적절한 진로상담이 필요하다. 따라서 미래의 생활을 준비하는 데 필수적인 진로에 관해 조직적인 상담을 전개함으로써 보다 나은 미래를 성공시키는 데 크게 기여할 수 있다.

# 4. 진로상담의 목적

진로상담의 목적은 진로상담과 지도를 통하여 개인이 자신을 정확히 이해하고 주위 여건을 충분히 고려하여 자신에게 적합한 진로를 계획하고 선택할 수 있도록 도와 주는데 있다. 진로상담의 구체적 목표를 제시하면 다음과 같다(김충기 외, 2000).

## 1) 자신에 관한 보다 정확한 이해 증진

일반적으로 자아개념이란 한 개인이 자신의 능력 · 인간 · 특성 · 적성 · 흥미 · 대인 관계 · 외모 등에 대하여 갖는 이미지를 뜻하는데, 대부분의 경우 자신의 이미지를 비현실적으로 생각하는 경우가 많다. 따라서 진로상담을 통하여 정확하고 현실적인 이미지를 형성하도록 도와줄 필요가 있다.

## 2) 일의 세계에 대한 이해

일의 종류, 직업, 세계의 구조, 직업 세계의 특성, 변화하는 직업의 요구조건과 필요한 기술, 고용기회 및 경향, 피고용자와 고용자와의 관계 등에 관하여 이해시켜야 한다. 이는 진로상담만을 통해서는 구현하기 어렵기 때문에, 별도로 자료와 시간을 할애하여 체계적으로 이해시켜야 한다.

## 3) 진로계획에 대한 책임감

인간은 자신의 진로를 스스로 계획하고 추구하여 나갈 권리와 의무가 있음을 인식시켜 준다. 이러한 인식을 굳히기 위해서는 주기적으로 진로상담을 실시하여야 하나, 자신의 앞날을 스스로 계획함으로써 그만큼 선택의 자유가 보장되고 아울러 선택의 폭이 확장된다는 점을 인식시켜야 한다.

## 4) 의사결정 능력

자신의 진로를 현명하게 계획하고 이를 추진하기 위해서는 상황을 정확히 판단하고 최선의 것을 선택할 수 있는 수준 높은 의사결정 능력이 요구된다. 이러한 능력을 신장시켜주기 위해서는 의사결정시 고려하여야 할 요소, 결정의 우선순위, 필요한 정보 등을 제공하고 연습하도록 도움을 준다. 그러나 최종결정은 언제나 내담자가 스스로 하도록 배려되어야 한다.

## 5) 협동적인 사회행동

일이란 대부분의 경우 다른 사람과 함께하기 마련이므로, 이들과 협동적인 관계가 유지되어야 일의 효율성이 증가한다. 따라서 진로상담과정에서도 협동적인 사회행동의 중요성을 강조하고 이러한 능력이 신장되도록 각종 교육을 통하여 지도한다.

## 6) 일에 대한 태도

일에 대한 태도는 상담을 통하여 개선될 확률이 상당히 희박하다. 그러므로 이는 가정생활과 학교교육을 통하여 올바르게 형성되어야 하며, 진로상담에서는 이를 확인하는 정도에서 그쳐야 한다. 그러나 이 세상에 존재하는 합법적인 일은 모두 가치가 있는 것이며, 그로부터 우리는 혜택을 받고 있다는 점을 강조하여 일에 대한 긍정적인 태도를 형성하도록 도와주어야 한다.

# 5. 진로상담의 이론

진로상담은 체계적으로 검증된 이론에 기초하여 전개되어야 하는데, 여기에 기여할 수 있는 것이 진로발달 이론과 진로선택 이론 등이 있다.

## 1) 진로발달 이론

### (1) Ginzberg의 발달이론

Ginzberg(경제학자), Ginsberg(정신의학자), Axelrad(사회학자), Herma(심리학자)는 직업선택 과정에 발달적 접근방법을 도입하였다. Ginzberg 등은 1930년대 이후 등장한 생애단계 이론과 직업흥미 이론 및 그들 자신의 경제학, 정신의학, 사회학, 심리학 등의 여러 학문적 배경을 바탕으로 포괄적인 진로이론을 제시하였다. 이들은 "직업선택은 하나의 발달과정으로, 그것은 단 한 번의 결정이 아니라 일련의 결정들이 계속적으로 이루어지는 것이다. 각 단계의 결정은 전 단계의 결정 및 다음 단계의 결정과 밀접한 관계를 가지고 있다."고 주장하였다. 그래서 직업선택을 하나의 발달과정으로 보고 있다. 즉, 직업선택 과정은 일회적인 행위, 즉 단일 결정이 아니라 장기간에 걸쳐서 이루어지는 일련의 연속적인 결정이며, 직업선택 과정은 비가역적이다. 따라서 나중에 이루어지는 결정은 그 이전의 결정의 영향을 받게 된다고 하였다.

직업선택 과정의 중요한 요인으로 현실요인(환경적 요인), 교육의 양과 종류, 감정적 요인, 개인의 가치관 등을 들었다. 이러한 4가지 요인의 상호작용으로 태도가 형성되고, 태도는 진로선택을 결정하게 되는데, 진로선택 과정은 바램과 가능성간의 타협으로 볼 수 있다고 하였다. 타협을 직업선택의 핵심으로 본 그는 직업선택 과정을 환상기 직업선택 단계(fantasy period, 6-10세), 시험적 직업선택 단계(tentative period, 11-17세), 현실적 직업선택 단계(realistic period, 18-22세)의 3단계로 구분하였다.

이 이론은 직업선택이 20대 초반에 절정에 달하는 과정으로 봄으로써, 진로발달이 아동기로부터 20대 초반에 이루어지는 제한적인 과정으로 보았다.

### (2) Super의 발달이론

Super의 이론은 Ginzberg 이론의 한계를 지적하면서 진로선택 및 진로발달에 대한 견해를 종합하여 개인적 요인과 환경적 요인 간의 상호작용을 강조하는 통합적 이론을 구축하였다. Super는 Ginzberg의 이론과 같이 직업의 선택과 적용을 구분한 것이 아닌 서로 연결된 일련의 연속적인 과정으로서 개인의 다면적 가능성, 직업적 능력의 유형, 부모와의 동일시 및 모델의 역할, 직업유형 발달의 지도 가능성, 진로유형의 역동성 등의 요인들을 포함한다고 하였다. 그의 접근방식은 직업생활 단계, 직업적 성숙, 자아개념의 직업적 자아개념으로의 전환 및 진로유형의 4가지 주요 요인에 초점을 맞추고 있는데 특히 그의 이론의 바탕을 형성하고 있는 것은 자아개념이다. 이러한 자아개념은 유아기에서부터 형성(formation), 전환(transition), 실행(implementation)의 과정을 거쳐 계속적으로 발달되어 간다고 보았다. 이 모형은 개인의 진로발달을 성장기(growth stage, 출생-14세), 탐색기(exploration, 15-24세), 확립기(establishment,25-44세), 유지기(maintenance, 45-64세), 쇠퇴기(decline, 65세 이후)로 구분했다.

Super는 사회학적 요소 뿐만 아니라 자아개념과 지능도 진로성숙의 발달 단계에 영향을 미친다고 하였다. 그의 이론은 직업적 성숙과정에 대해서 가장 체계적으로 정리하였으나, 지나치게 자아개념 지향적이며 지적인 면을 강조하고 직업발달 측면만을 강조하였다는 비판도 받고 있다.

### (3) Tuckman의 발달이론

Tuckman은 자아인식, 진로인식, 진로의식 결정이라는 3가지 요소를 중심으로 8단계의 진로발달 이론을 발달시켰는데, 이 이론은 학생들의 진로발달을 위한 교육에서 요구되는 사항이 무엇인지를 알게 해 주는 토대를 마련해 주고 있다.

Tuckman이 제시한 8단계는 다음과 같다.

① 일방적 의존성(유치원에서 초등학교 1학년까지의 과정)

이 단계는 외적 통제에 의존하며, 일에 대한 정보와 가정에서 사용하는 도구들을 중심으로 진로의식을 형성하는 단계이다.

② 자기주장(초등학교 1~2학년까지의 과정)

점차 자율성을 갖게 되는 시기로 친구의 선택과 같은 간단한 형태의 선택이 가능하고 일에 대한 간단한 지식이나 개념을 이해하기 시작하는 단계이다.

③ 조건적 의존성(초등학교 2~3학년까지의 과정)

이 단계에서 자아를 의식하기 시작하여 보다 독립적으로 된다.

④ 독립성(초등학교 4학년 과정의 시기)

일의 세계를 이론적으로 탐색해 보기 시작하며, 기술과 직업세계에 대한 인식, 사회 내에서의 자신의 위치 등을 생각해 보며 진로결정에 관심을 갖게 되는 시기이다.

⑤ 외부 지원(초등학교 5~6학년까지의 과정)

외부의 승인이나 인정을 구하면서 직업적 흥미와 목표, 직업의 조건과 직무 내용에 대해 관심을 갖게 된다.

⑥ 자기결정(중학교 1~2학년까지의 과정)

직업관을 갖기 시작하며 진로결정의 기본 요인들을 현실적인 관점에서 탐색하는 단계이다.

⑦ 상호관계(중학교 3학년~고등학교 1학년까지의 과정)

또래 집단의 문화와 교유관계를 중시하는 관점에서 진로를 선택하며, 직업선택의 가치, 일에 대한 보상과 작업환경, 의사결정의 효율성 등에 대해 관심을 갖는다.

⑧ 자율성(고등학교 2~3학년까지의 과정)

직업문제에서 자신의 적합성 여부, 교육조건, 선택 가능성 등에 초점을 두면서 자신에 대한 인식을 확고하게 하는 단계이다.

이 이론은 현존하는 여러 연구와 이론들을 광범위하게 종합하여 상담자들이 개인의 진로발달을 촉진시키기 위하여 활용할 수 있는 많은 시사점을 주고 있다.

## (4) Tiedeman과 O' Hara의 발달이론

Tiedeman과 O' Hara(1963)의 이론은 Super의 이론과 유사한 면이 있다. 그러나 Super의 이론이 각 발달단계에 해당하는 연령을 고정시키고 있는 반면에 Tiedeman과 O' Hara는 직업발달의 단계는 연령과 관계없이 문제의 성질에 의해 좌우되며 일생 동안 여러 번 반복될 수도 있다는 입장을 취하고 있다. 그들은 직업발달이란 직업자아 정체감을 형성해 나가는 계속적인 과정이라고 하였다. 직업자아 정체감이란 개인이 자신의 모든 특성을 정확히 파악하고, 자신의 자아를 실현시킬 수 있는 일이 과연 무엇인가에 대해 가지고 있는 자기 나름대로의 인식 또는 생각을 말한다.

진로의사결정 단계는 예상기(anticipation), 실천기(implementation)로 구분하였다. 예상기는 탐색, 구체화, 선택, 명료화로 나누며, 실천기에는 적응, 개혁, 통합으로 나누었다. 이 이론 '탐색 → 구체화 → 선택 → 명료화 → 적응 → 개혁 → 통합'의 연속적 관계는 진로와 관련된 선택을 해야 할 때마다 거치게 된다. 즉, 직업 발달을 교육 또는 직업적 추구에 있어서 개인이 나아갈 방향을 선택하고, 선택한 방향에 들어가서 잘 적응하고, 성장하는 과정에서 이루어지는 자아의 발달로 개념화한다고 볼 수 있다.

## 2) 진로선택 이론

### (1) Roe의 욕구이론

　Roe는 Maslow의 욕구 위계론을 바탕으로 해서 직업과 기본욕구 만족의 관련성을 논의하는 것이 가장 효율적이라고 보았기 때문에, 성격이론 중 Maslow의 이론이 가장 유용한 접근법이라고 하였다. 그는 직업에서의 곤란도와 책무성을 고려하여 8가지 분류체계를 완성했는데, 그가 제안한 직업군은 서비스직, 비즈니스직, 단체직, 기술직, 옥외활동직, 과학직, 일반문화직, 예능직이며, 각군집은 다시 책임, 능력, 기술의 정도를 기준으로 하여 각각 여섯 단계인 고급 전문관리, 중급 전문관리, 준전문관리, 숙련직, 반숙련직, 비숙련직으로 구분하였다.

　Roe는 초기 아동기 때의 가족관계에서의 상호작용이 진로선택에 미치는 효과를 연구하여, 아동기 때의 부모−자녀 관계가 개인의 직업선택에 영향을 미치는 변인이 된다고 하였다. 부모 - 자녀간의 상호작용을 세 가지 유형으로 설명했다. 정서집중형은 자녀에 대한 애착은 과보호적이거나 과요구적으로 될 수 있으며, 회피형은 자녀에 대한 회피가 감정적 무시와 거부로 표현되며, 수용형의 부모는 자녀에 대한 수용이 무관심한 수용과 애정적인 수용으로 나타난다고 하였다.

　그러나 Roe의 이론은 실증적인 근거가 결여되어 있으며, 검증하기가 매우 어렵고, 구체적인 절차를 제공하지 못한다는 평가를 받고 있다.

### (2) Holland의 인성이론

　Holland는 진로선택과 적응은 개인의 성격과 관련이 있다고 보고, 진로환경에 맞는 성격형태의 유형학을 제시하면서, 사람들은 자신의 성격 유형에 일치하는 환경을 제공하는 직업을 선택하며 개인의 특성과 환경의 특성이 유사한 분야를 선택하고 거기에 종사할 가능성 높다고 제시했다.

　Holland의 이론은 다음과 같은 네 가지 가정을 기초로 하고 있다.

　첫째, 대부분의 사람들은 여섯 가지 유형 중의 하나로 분류될 수 있다. '실재적(Realistic), 탐구적(Investigative), 예술적(Artistic), 사회적(Social), 설득적(Enterprising), 관습적(Conventional).' 머릿글자 RIASEC는 여섯가지 유형의 이름과 순서를 기억하는데 도움을 준다.

　둘째, 여섯 가지 종류의 환경이 있다. '실제적, 탐구적, 예술적, 사회적, 설득적, 관습적' 환경에는 그 성격유형에 일치하는 사람들이 머물고 있다.

　셋째, 사람들은 자신의 능력과 기술을 발휘하고 태도와 가치를 표현하고 자신에게 맞는 역할을 수행할 수 있는 환경을 찾는다.

　넷째, 개인의 행동은 성격과 환경의 상호작용에 의해서 결정된다. 사람의 성격과 그 사람의 직업 환경에 대한 지식은 진로선택, 직업변경, 직업적 성취감 등에 관해서 중요한 결과를 예측할 수 있게 해 준다.

　Holland의 유형학은 이와 같이 진로정보를 상담과정에 통합하는 데 도움을 주고 있으며, Strong-Campbell 흥미검사, 직업선호도(Vocational Preference Inventory), 나의 직업상황과 탐색(Self-Directed Search)과 같은 도구들을 통해서 측정의 역할도 하고 있다. 그러나 Holland의 이론은 인성유형의 발달과정을 설명하지 못하고, 개인과 직업의 최적 연결에 초점을 둠으로써 개인이나 환경이 끊임없이 변화하고 있다는 점을 간과함으로써 정적인 접근이라는 비판을 받고 있다. 또한 Holland의 이론은 성격요인을 중요시하고 있으면서도 그 발달과정에 대한 설명이 결여되어 있다는 점에서 비판받고 있다.

### (3) Blau 등의 사회학적 이론

　Blau(1956), Miller와 Form(1951), Hollingshead(1949) 등에 의해서 제시된 이 이론의 핵심은 가정, 학교, 지역 사회 등의 사회적 요인이 직업 선택과 발달에 영향을 미친다는 것이다. 이 이론에 따르면, 문화나 인종의 차이는 개인의 직업적 야망에 별로 큰 영향을 미치지 않는 데 반해, 개인이 속해 있는 사회계층은 이에 지대한 영향을 미친다고 한다.

　가정의 환경적 요인으로는 부모의 직업, 수입, 교육 정도, 주거지, 주거양식 및 윤리적 배경 등과 같은 사회 경제적 지위와 자녀에 대한 부모의 기대, 형제간의 영향, 가족의 가치관 및 내담자의 태도 등이 해당된다. 학교의 환경적 요인으로는 학업성취도, 친구나 교사와의 관계, 학교에 대한 태도 등이며, 지역사회 요인으로는 개인이 속한 지역사회에서 주로 하는 일, 그 지역사회 집단의 목적 및 가치관, 그 지역사회 내에서 특수한 경험을 할 수 있는 기회 또는 영향력 등이다.

### 4) Krumboltz의 사회학습이론

　Krumboltz의 진로의사결정에 대한 사회학습이론은 교육적·직업적 선호 및 기술이 어떻게 획득되며, 교육프로그램, 직업, 현장의 일들이 어떻게 선택되어지는가를 설명하기 위하여 발달된 이론이다. Krumboltz는 진로결정에 영향을 주는 요인으로는 첫째, 유전적 요인과 특별한 능력이다. 이는 진로기회를 제한하는 타고난 특질을 말한다. 둘째, 환경적 조건과 사건이다. 이는 환경에서의 특정한 사건이 기술개발, 활동, 진로선호 등에 영향을 미친다는 것이다. 셋째, 학습경험이다. 이는 도구적 학습경험과 연상적 학습경험으로 나눈다. 도구적 학습경험이란 주로 어떤 행동이나 인지적인 활동에 대해 정적 강화나 부적 강화를 받을 때 나타난 반면, 연상적 학습경험이란 이전에 경험한 감정 중립적인 사건이나 자극을 정서적으로 비중립적인 사건이나 자극과 연결시킬 때 일어난다. 넷째, 과제접근 기술이다. 과제접근 기술은 개인이 환경을 이해하고, 이에 대처하며 미래를 예견하는 능력이나 경향으로 학습 경험, 유전적 요인, 환경적인 조건이나 사건의 상호작용으로 나타난다.

## 6. 진로상담의 방법

### 1) 진로상담의 방법

#### (1) 개별면담

　진로상담은 생각과 동기를 명료화하기, 대안들의 탐색, 대안들에 대한 객관적인 평가, 합리적인 의사결정 등을 중요시하는 상담이다. 그러므로 대안과 정보를 가지고 있어도 의사결정을 하지 못하는 내담자를 위해서 상담자는 내담자의 성격적 문제를 충분히 고려한 가운데 진로상담을 해야 한다.

#### (2) 컴퓨터를 활용한 진로상담

　컴퓨터를 활용한 진로상담은 진로정보를 찾는 상담가나 내담자에게 매우 유용하다. 또한 컴퓨터는 내담자가 컴퓨터를 이용할 수 있는 준비가 되어 있을 때 상담에서 도움이 된다. 컴퓨터를 활용한 진로상담 형태는 진로정보 시스템과 진로지도 시스템이 있다.

　① 진로정보 시스템

　　각종 직업정보와 교육정보를 정리한 것인데, 정보의 단순 나열이 아니라 이용자의 흥미나 적성검사 점수, 교육수준과 연관을 지을 수 있도록 되어 있다.

　② 진로지도 시스템

　　진로정보 시스템보다 자기 탐색적이고 복잡하다. 단순한 정보제공이 아니라 본인의 의사결정 및 구체적인 진로계획 과정을 도와주려는 목적을 가지고 있다. 프로그램 내에 흥미, 적성검사는 물론, 가치관, 진로탐색에 필요한 각종 질문이 수록되어 있다.

### (3) 인쇄매체

간략한 인쇄물을 이용하여 시각적으로 흥미롭게 구성하여 제공되는 이 방법은 내담자 스스로 질문하고 답하는 자기보고 형식으로 구성되어 있다.

### (4) 역할놀이

진로상담 프로그램은 역할놀이를 통하여 타인을 이해하고 자신을 표현하는 데 도움이 된다. 역할놀이는 직업인의 역할과 자신의 역할을 연기해 봄으로써 그 직업에 속한 역할에 대한 이해의 폭을 넓힐 수 있는 장점이 있다.

### (5) 현장탐방과 실습

내담자가 직접 현장을 방문하여 자신이 원하는 진로정보를 수집하거나 체험을 통하여 얻는 방법이다.

## 2) 진로상담의 과정

### (1) 초기 단계

① 진로상담에 관한 정보 제공

상담자는 내담자에게 상담의 목표, 절차, 비용, 한계 혹은 예상되는 결과 등과 관련된 상담 자체에 관한 정보를 비롯하여 상담자의 자격 사항이나 경험과 관련된 정보, 기타 도움이 될 수 있는 정보 등을 제공한다.

② 상담 목표의 설정

상담의 목표는 내담자가 모두 수용 가능한 것이어야 한다. 가능한 한 내담자의 현재 문제 직접적으로 관계있는 것이어야 하며, 상담자와 내담자 상호간의 논의를 통하여 상호 협력적으로 도출되어야 한다. 또한 상담자와 내담자는 환경과 상황에 따라 목표를 바꿀 수 있다는 점을 이해해야 한다.

### (2) 중기 단계

① 내담자의 자기이해 증진

진로상담은 자기 자신을 이해하는 일 자체가 중요한 목적이 될 수 있다. 다른 개인 상담과는 달리 어떤 직업이 내담자를 만족시켜 주면서 그 개인의 성격과 원하는 생활양식에 부합될 수 있는가를 발견하기 위하여 자기 이해를 활용한다.

② 진로에 관한 적절한 대안의 개발

이 단계는 내담자가 직업 세계를 탐구하거나 몇 가지 구체적인 직업 등에 관하여 탐색하는 것이다. 자신의 적성이 충분히 고려된 후 진로를 설정해야 하며, 진로정보를 적절히 이용해야 한다. 진로정보는 진로와 관련된 교육학적, 직업적, 심리학적 정보를 모두 포함한다. 진로정보가 올바른 정보로서 역할을 하기 위해서는 개인이 그 정보를 올바르게 평가할 수 있는 능력이 필요하다. 따라서 자신의 적성과 능력을 파악하고 직업의 사회적 역할을 이해하여 자신의 진로선택에 이를 활용할 수 있어야 한다.

③ 진로대안의 선택

내담자는 여러 가지 가능한 진로 대안들을 선택하고 조사하여 자신이 선호하는 몇 가지 대안들을 가지고 목록을 만들어야 한다. 내담자는 객관적인 자료에 근거하여 진로 대안을 선택해야 한다. 진로 대안의 선택에서는 준비에 대한 검토, 대안들에 대한 평가, 대안의 선택, 대안의 수용, 또 다른 대안의 선택이 이루어져야 한다.

### (3) 종결단계

① 문제해결

이 단계에서는 내담자가 자신의 적성을 충분히 고려하여 진로를 결정하는 단계이다.

② 성과 다지기

진로문제가 해결되고 상담을 종결해도 좋다는 판단이 드는 시점에서 상담을 종결한다. 상담을 종결하기에 앞서 상담자는 내담자의 적응 여부를 살펴보기 위해 추후상담을 약속할 수 있다. 성인 내담자의 경우에는 상담 종결 후 2개월에서 6개월 이내로 실시한다.


# 7. 직장 상담

## 1) 직장 문제

### (1) 직장의 중요성

① 직장은 인생에서 가장 중요한 삶의 터전이다.

한 사람이 태어나 청년기까지는 직장을 위해 준비하는 기간이며, 청년기 이후에 직장에서의 생활은 가정생활 이상으로 많은 시간과 정신적 에너지를 필요로 한다.

② 직장은 한 사람이 자기를 실현하는 곳이기도 하다.

직장은 인생의 가치를 실현하고 성취감과 만족감을 얻는 곳이다. 프로이트(S. Freud)는 '인생에서 사랑과 일에 있어서 만족을 느낄 수 있는 사람은 건강한 사람이다'라고 했다.

③ 직장은 개인이 정서적 또는 인간관계 측면에서 안정을 유지할 수 있는 곳이어야 한다.

### (2) 직장과 관련된 상담문제

① 과다한 스트레스를 경험하고 소진되거나, 지나치게 일에 빠지게 되는 일중독의 문제가 발생한다.

② 상사와 부하 또는 동료 간에 인간관계 갈등을 겪는다.

③ 새로운 직장의 결정과 선택 또는 이동 시 선택과 적응에 따른 어려움을 겪는다.

### (3) 소진

① 소진의 개념은 다음과 같이 설명할 수 있다.

• 일을 지나치게 많이 또는 열심히 했지만 성취감보다 좌절과 허탈감을 더 많이 경험함으로써 신체적 · 심리적으로 탈진되는 현상이다.

• 소진은 스트레스는 많이 받으면서 실제로 일의 성과는 눈에 잘 보이지 않는 일에 종사하는 사람에게 나타나기 쉬우며 육체적인 노동보다는 정신적인 노동을 하는 사람이 경험할 가능성이 높다.

• 소진은 다양한 사회 · 심리 · 신체적 증상을 유발할 가능성이 높다.

• 소진의 초기 증상으로는 신체적 피로감, 정서적 고갈, 정신적 탈진상태 등이 나타난다.

• 심리적 증상이 나타난다.

잘 잔 것 같은데 피곤하다. 분명한 이유 없이 슬프다. 중요한 일을 자주 잊어버린다. 자주 아프다. 일은 하고 있지만 일이 어떻게 되든지 별 상관이 없다. 일에 집중하기가 어렵다. 미래에 대해 앞으로 기대할 것이 별로 없어 보인다. 자신이 없어지고 삶 자체에 대해 부정적인 태도를 보인다. 휴식시간이나 점심시간에도 일하지 않으면 불안하다. 휴가도 잘 쓰지 못한다. 열심히 일하는 것 같지만 업무능률은 떨어진다. 쓸데없이 고집을 부리거나 짜증을 자주 낸다.

② 소진 현상을 예방하기 위한 방법은 다음과 같다.

- 일에서 벗어나 자신의 일과 일하는 습관에 대해 새로운 관점으로 본다.
- 일의 능률이 오르지 않는 것에 대해 자신을 비난하기보다는 휴식이 필요한 상태라는 점을 인정한다.
- 정서적 지지나 실제적인 정보를 구할 수 있는 사회적 지지망을 구축한다.
- 가끔 엉뚱한 행동을 하여 일상적인 생활 패턴에서 벗어나 본다.
- 신체관리를 적극적으로 한다.

## (4) 일 중독증

일 중독증은 남달리 일을 많이 하고 일을 좋아해서 계속 일에 자신을 몰아넣는 현상이다. 단순히 일을 좋아하는 것을 넘어서서 일을 하지 않으면 불안해지는 증상이기 때문에 강박적인 특성을 가지고 있다. 일로부터 진정한 의미와 즐거움을 찾기보다는 자신이 일에 대해 통제력을 가지지 못하는 현상이다. 일차적으로는 자신보다 배우자나 가족들에게 심리적·정서적으로 많은 문제를 초래할 수 있다.

① 일 중독에 빠질 우려가 있는 사람의 특징

- 가족과 함께 하거나 다른 일을 할 때보다 일할 때 흥분된다.
- 집에 일거리를 가져가기 시작한다.
- 순서를 기다릴 때나 무슨 일이든 시간이 오래 걸린다 싶을 때 짜증이 난다.
- 뭔가 마음이 바쁘고 조급하다.
- 가족들은 이미 집에 제시간에 돌아오는 것에 대해 포기했다.

② 일 중독증을 가진 사람의 톡성

- 아무리 늦게 잠들어도 아침에는 일찍 일어난다.
- 혼자서 점심 식사를 할 때에는 옆에 책이나 서류를 펼쳐 놓고 보면서 먹는다.
- 매일매일 할 일을 리스트로 만들어 놓는다.
- 아무 것도 하지 않고 쉬는 것을 견디지 못한다.
- 주위에서 정력적이고 경쟁적이라는 평을 듣는다.
- 주말이나 휴일에도 쉬지 않고 일할 때가 많다.
- 언제 어디서나 일할 자세가 되어 있다.

③ 일 중독증을 해소하기 위한 방법

- 자신이 왜 오랜 시간 동안 일을 하지 안 되는가에 대해 깊이 생각해 볼 필요가 있다.
- 새로운 생활습관을 가진다.

강제로라도 일 이외의 다른 것에 대한 관심을 가지도록 노력하거나 퇴근시간 후에는 일하지 않도록 해 본다. 집에 일거리를 가져가지 않는다는 규칙을 실행해 보고 주말에는 배우자나 가족과 함께 지내는 시간을 가진다. 정기적으로 운동을 한다.

## (5) 만성적인 미루기

어떤 타당한 이유나 목적이 없으면서도 자신이 꼭 해야 한다고 생각하는 일이나 결정을 하지 않고 자꾸만 연기하는 과제회피 행동을 말한다. 미루기 행동의 원인을 설명하는 방식으로는 ① 정신분석적 이론: 자아를 보호하기 위한 방어기제 ② 행동주

의 이론 : 미루기를 함으로써 얻을 수 있었던 보상에 의한 강화 및 불안의 회피과정 ③인지이론 : 완벽성에 대한 비합리적 신념에 의한 것 등의 이론이 있다.

### (6) 일로 인한 스트레스

① 직장에서 스트레스가 중요하게 다루어져야 하는 이유

- 스트레스는 직원들의 심리적 · 생리적인 면에 손상을 입히고 조직의 효율성을 떨어뜨린다.
- 스트레스는 직원의 이직이나 결근의 주요 원인이 된다.
- 한 직원이 받고 있는 스트레스는 다른 직원의 안전에도 영향을 미친다.
- 스드레스 관리를 잘 하면 조직의 생산성을 높일 수 있다.

② 스트레스를 유발하는 요인

내적인 요인으로는 성격이나 사고방식에 따라 스트레스를 더 많이 받거나 적게 받을 수 있다. 즉 개인의 낙관성의 정도에 따라 다르다. '완벽해야 한다.' '실패하면 안 된다.' 와 같은 경직적 사고와 '완벽한 성공이 아니면 실패' 라는 양극적 사고 등이다. 스트레스를 유발하는 외적인 요인으로는 일상생활에서 경험하는 심각한 사건들로서, 조직 내에서의 역할갈등과 역할모호성, 역할과부하 등이 있으며, 작업조건이나 조직의 응집력, 집단내의 갈등, 작업에 대한 평가 등이 있다.

③ 스트레스 관리방법

단기적 스트레스 관리법으로는 스트레스를 주는 특정상황의 중요성을 평가절하하거나 불확실성을 줄인다. 심상법, 자기 최면 및 암시, 명상 및기 타 신체적 활동을 통한 스트레스 관리법으로 해결한다. 장기적 스트레스 관리법으로는 문제에 대해 새로운 관점으로 볼 수 있는 태도를 가진다. 즉 문제를 기회로 보는 태도와 큰 문제를 작게 잘라서 보는 태도와 자신의 인생에 대해 통제력을 가지는 태도를 훈련한다. 또한 변화에 대해 개방적인 태도를 가지려고 노력한다.

## 2) 직장 상담

### (1) 직장 상담의 운영형태

① 내부 모델

직장 내 상담의 초기형태로서 조직 내의 직원과 관리자 및 경영자 모두가 친밀한 관계를 맺으며 신뢰를 구축하는 데 크게 기여했다. 조직 내부의 문제와 전문적인 상담시설에 익숙한 상담자가 상담을 하기 때문에 문제를 가진 직원이나 관리자 모두에게 도움이 되는 모델이다. 조직 내에서 문제를 발생시키고 스트레스의 원인이 되는 문제에 직접 다가가서 변화를 이끌어 낼 수 있다. 통합적 서비스가 가능하며, 조직의 풍토에 강력한 영향력을 미칠 수 있다. 직장 내부의 문제에 대한 정보의 외부유출을 방지할 수 있다.

② 외부 모델

외부 전문기관에 상담을 의뢰해야 할 필요성 때문에 생겼다. 다양한 방면의 많은 전문가를 확보할 수 있다는 점에서 전문성을 인정받기 쉽다. 각 전문가들이 조직으로부터 요구받은 범위에 한정된 활동을 독립적으로 수행하기 때문에 통합적으로 기능하는 데는 어려움이 있다. 내담자 개인의 비밀보장에 어려움이 있다.

### (2) 직장 상담이 성공하기 위한 조건

① 최고 경영자의 의지

② 편리하고 접근이 용이한 상담

③ 상담 프로그램의 내용

④ 외부 모델에 대한 비용 지원

⑤ 전문적인 상담자

⑥ 추후활동 및 성과에 대한 평가 및 홍보

# 위기상담

위기(crisis)는 그리스어 '카이로스'에서 유래된 말로서, 그 뜻은 중대 국면, 안정상태의 혼란, 극적 전환기 등의 의미를 내포하고 있다. 신체적, 정서적, 사회적, 영적인 변화에 직면하여 일어나는 중요한 갈등이나 문제이며, 지금까지의 대응기전으로는 해결되지 못하고 위협으로 인지될 때 나타나는 불균형 상태이다. 이로 인해 위기에 처한 사람은 불안이 증가하고 효과적인 인지기능이 감소하며 행동이 와해된다. 개인의 성숙도에 따라 위험 상태가 될 수도 있고 좋은 기회가 될 수도 있다. 지금까지 사용해 왔던 문제대처 및 해결방법이 이제는 더 이상 효력이 없다는 것을 인지하게 되어 새로운 대처방법이나 문제해결 방법을 탐색하고 학습할 수 있는 전환점이 될 수 있다. 스트레스라는 용어와 흔히 혼용되어 사용되어 왔으며, 한 개인이 스트레스 상황을 해결할 수 없을 때 위기가 된다. 스트레스는 발병할 수 있는 병리적 가능성이 있는 반면, 위기는 성장촉진 가능성을 지니고 있어, 위기는 오히려 낡은 습관을 변화시키는 촉매제로, 새로운 발달을 가져오는 주된 요소로 새로운 대처기전을 찾게 되며, 적응 역량을 강화시켜 정신건강의 수준을 높여줄 수 있다는 것이 스트레스와의 차이점이라 할 수 있다.

Lindermann과 Caplan은 위기 이론의 선구자로 1940년대 후반에 위기중재의 이론적 근거를 제시하였다. Lindermann에 의하면 사별 후 슬픔 반응은 뚜렷한 반응을 거치며 사별 후 나타나는 필수적이고 자연스러운 반응이라고 하였다. 보통 사람들은 4~6주간의 비통을 경험한 후 적응할 수 있었지만 어떤 사람들은 정신질환이나 정신신체 장애 등으로 장기간 동안의 부적응 반응을 일으키게 된다고 하였다. 이러한 소견은 위기중재의 이론적 근거를 제공하였고 위기중재는 정신질환 예방에 유용하다고 생각하였다. Caplan은 위기를 평형상태 또는 항상성의 장애라고 하였다. 위기란 평소에 사용하던 문제해결방법으로 극복할 수 없는 생활상의 문제가 있을 때 유발한다고 하였으며, 위기 상황을 학교 입학, 형제출생, 결혼, 퇴직 등과 같은 성숙 위기와 위협적 사건에 의해 유발되는 상황적 위기로 구분하였다. Erikson에 의하면 인간의 성숙은 일련의 위기를 성공적으로 해결한 결과라고 하였고, 한 단계에서 다음 단계로 이행되는 전환기로서의 기간은 발달과정상의 위기 또는 성숙위기라고 하였다. 또한 각 단계에 따른 사회·심리적 위기를 성공적으로 해결하는 개인의 능력은 다음 단계의 위기를 극복하는 개인의 능력에 영향을 미친다고 하였다.

France(1990)는 위기를 다음과 같이 설명하였다.

① 위기는 통상적인 문제해결 기술로는 해결할 수 없는 특정 사건으로 촉발된다. 특정 사건이란 상황에 대처하는 능력의 결여나 파괴적인 여러 사건들, 일련의 스트레스 상황이 축적된 결과일 수 있다.

② 모든 사람은 자신의 삶에서 어떤 시기에 대처할 수 없다고 느끼는 위기에 처할 수 있다.

③ 사람에 따라 스트레스 상황에 다르게 반응한다. 어떤 사람에게는 스트레스로 받아들여지는 상황이 다른 사람에게는 스트레스로 여겨지지 않을 수 있다. 이는 위기가 개인의 불안 수준과 대처 기술, 상황 해석에 따라 초래되는 개인적이고 주관적인 상황이라는 것을 의미한다.

④ 위기의 지속 기간은 비교적 짧다. 위기는 단지 개인이 강한 스트레스를 견딜 수 없다는 사실에서 기인하는 한편, 문제가 해결되지 않더라도 긴장은 곧 사라지게 된다.

⑤ 위기 반응에는 적응적 반응과 적응적 반응의 2가지 유형이 있는데, 적응적 반응은 개인이 새로운 대처기술이나 문제해결 기술을 배우는 경우을 뜻하며, 부적응적 반응은 개인이 점차적으로 비조직화되거나 방어적으로 되는 것을 의미한다.

# 1. 위기의 특성

위기는 일반적으로 제한적이며 대략 6주 안에 어떤 방법으로든 해결이 된다. 그 해결은 보통 개인이 평소 가지고 있던 대응력의 최고 수준 또는 최저 수준에서 가능하다.

1) 위기는 병리적인 사건이 아니다. 진행과정이나 구조적인 면에서 볼 때 일반적인 병리현상과는 다르다. 위기는 증상이라기보다는 곤란한 사건에 대한 개인 혹은 가족들의 반응양식이라고 할 수 있다.

2) 위기는 기간이 제한되어 있다. 무한히 지속되는 것이 아니라 대개 1주에서 6주이므로 단기적 집중개입이 필요하다.

3) 위기는 발생에서 회복되기까지 일정한 단계와 과정이 있다. 그러므로 예방활동과 중재활동의 준비가 가능하다.

4) 위기상태는 불안정하고 변화하기 쉬운 상태이다. 바람직한 방향으로 변화되거나 바람직하지 않은 방향으로 갈 가능성이 있다.

5) 위기는 인간의 성장과 발달을 위한 좋은 기회이다. 그동안 잠재되어 있던 심층적인 문제가 위기상황에서 겉으로 드러나 이전의 갈등상태도 처리할 수 있는 기회가 될 수 있다. 즉 이전의 갈등처리와 새로운 학습기회를 통해 성장과 발달의 기회를 갖게 된다.

# 2. 위기발달 단계

1) 1단계 : 지각된 위협이나 사건들로 인해 불안이 상승된다. 긴장이 고조되기 시작할 때 평소에 사용하던 문제해결의 방법으로 위기를 극복하려고 노력한다. 이러한 방식으로 안심이 되고, 부적절한 지지가 이루어진다면 2단계로 넘어간다.

2) 2단계 : 1단계에서의 대처기전의 실패로 불안과 왜곡현상이 증가된다. 개인은 미칠 것 같고 사고를 할 수 없으며, 무엇을 해야 할지 모르고 쓰러질 것 같으며, 더 이상의 대처능력도 없고 불편감만 증가한다. 3단계로 넘어가면서 전문가의 도움을 구하려고 하는 단계이다.

3) 3단계 : 내적, 외적 자원을 동원하여 새로운 대처방법을 시도하거나, 예전 방법으로는 해결할 수 있는지를 확인하기 위해 그 위협을 재정리 해 본다. 만일 이 시기에 새로운 해결방법이든 예전의 해결방법이든 간에 적용효과가 있을 경우 위기는 해결되나, 만일 어느 수준에서도 해결이 되지 않을 경우 4단계로 넘어간다.

4) 4단계 : 계속적 실패로 위기가 그대로 남아 있을 경우, 불안이 극심해져서 공황수준에까지 이르며, 인지적, 정서적, 행동적 왜곡을 나타내게 된다. 3단계에서 해결되지 않았을 때 긴장이 견딜 수 있는 수준을 넘어서 부담감이 커지게 된다. 심한 정서불안 형태나 정신 장애가 나타나며 긴장을 완화시키는 부적응적인 방법으로 위기를 해결할 수도 있다.

## 3. 위기의 종류

### 1) 성숙위기

발달위기로도 불리며 예상이 가능한 삶의 사건이다. 출생, 입학, 사춘기, 독립, 결혼, 부모 됨, 젊음의 상실이나 은퇴 등이 해당될 수 있다. 이전단계의 발달이 된 후에 다음 단계로 이어갈 수 있으며, 개인은 많은 역할변화가 필요한데 역할모델이 부적절하거나 자원이 부족한 상태가 되면 곤란을 겪게 된다.

### 2) 상황위기

예상하지 못하는 사건의 발생으로 생리적, 사회적, 심리적 통합을 위협 받는 경우로 연인의 죽음, 직업의 변화나 상실, 재정적인 변화, 지리적인 이동 등이 해당한다.

### 3) 사회적인 위기

우발적이며 흔하지 않고 다양한 상실이나 광범위한 환경적 변화를 포함하는 예상치 못한 위기로 화재, 홍수, 지진 등의 사건이 해당한다.

## 4. 위기상담

위기 상황에 처한 사람은 정서적 고통이 심각하며 일시적으로 직면한 문제를 효율적으로 대처할 수 있는 능력을 상실한 사람이다. 따라서 더 이상 위기상태를 견딜 수가 없으므로 타인의 도움이 필요하다. 위기상담은 스트레스 사건을 어떻게 효과적으로 적응하고 대처하는가를 도와주는 단기적이고 집중적이며 시간제한적인 치료전략이다. 즉 위기상담은 위기에 처한 사람을 돕는 하나의 접근기법으로서 위기 전의 평형상태 또는 그 이상의 기능 수준에 도달하도록 돕는 체계적인 문제 해결의 접근 방법이다. 위기의 결과는 적절한 도움을 얼마나 즉시 받을 수 있는가에 달려 있다. 즉 적절한 중재로서 위기 상황을 효율적으로 대처할 수 있도록 도와줄 수 있지만, 적절한 중재를 받지 않으면 부정적인 방법으로 문제를 해결하게 되며, 자살을 시도하거나 알콜중독자나 정신질환자가 될 수 있다.

상담자는 올바른 중재 방법을 습득함으로써 위기상황을 성공적으로 해결할 수 있는 좋은 기회를 제공할 수 있다. 그러나 올바른 중재방법을 모른다면 위기상황에 직면한 사람을 만날 때 두려움을 가질 수 있으며 위기 대상자에게 무엇을 어떻게 해야할 것인지에 대해 또는 어떻게 대처해야 할지에 대해 도와주기 힘들 것이다.

### (1) 위기상담의 목표

위기상담은 주로 현재에 초점을 둔 현재 지향적인 단기 치료로 위기상담의 목표는 즉각적인 위기의 해결이다. 구체적인 목표는 ① 증상제거 ② 위기 전 상태로 기능 회복 ③ 위기 장애를 야기시킨 촉진 요인 이해 ④ 새로운 적응 유형 개발 등이다.

그러므로 상담시 첫 과제 중의 하나가 위기 상태를 촉진시킨 요인과 당면 문제를 신속히 파악하고 그 사건에 관련된 감정, 즉 긴장, 불안, 죄악감 등을 제거해야 하며 과거에 유용하게 사용된 대처 방법을 탐색한 후 현재 문제를 해결할 수 있는 새로운 대처 능력을 강화하는 것이다.

(2) 위기상담의 대상

위기이론에서는 발달과정의 위기와 상황적 위기에 처한 사람들 모두 위기상담의 대상이 될 수 있다고 본다. 일반적으로 위기상담을 효율적으로 적용할 수 있는 대상은 심리적 문제의 발단이 분명하고 위기 전 적응을 비교적 잘한 사람이라고 본다. 그러나 만성적 상태로 감정과 사고의 장애가 있는 사람은 위기상담의 접근이 적절하지 않을 수도 있다. 위기상담을 적용하기에 해당되는 경우는 ① 현재 대상자의 위기상태와 직접 관계가 있는 분명한 위협사건이 있는 경우 ② 대상자가 변화를 위한 동기와 잠재능력을 가졌으며 불안과 고통이 심한 경우 ③ 최근의 문제가 해결되지 않은 흔적이 있는 경우 등이다.

(3) 위기상담 원리

① 신속한 중재

위기에 처한 사람은 혼란 상태와 불안, 우울, 분노 등과 같은 정서적 고통이 고조되어 있으므로 오랫동안 위기상황을 견딜 수가 없다. 따라서 즉각적인 중재가 요구되며 시간제한의 특성을 내포하고 있다. 위기의 결과는 적절한 도움을 얼마나 즉시 받을 수 있는가에 달려 있으며 위기상담 기간은 보통 4~6주이다. 기간 내에 적절한 해결을 시도하지 못하면 즉시 도움을 받을 수 있는 곳으로 의뢰해야 한다.

② 적극적 행위

위기에 처한 사람은 아무것도 하지 못하며 긴장과 불안, 절망감 등이 고조되어 있다. 따라서 위기상담자는 직접적이고 능동적인 참여자가 되어야 한다. 상담자는 설정한 계획에 따라 적극적으로 돕고 지지하며 상담을 이끌어 나가야 한다.

③ 제한된 목표

위기중재의 목표는 위기 전의 정서적 평형상태로 회복 또는 더 좋은 기능 수준에 도달하도록 돕기 위한 것이다. 자살, 타살, 정신질환, 가족 파탄 등을 예방하는데 목표를 두며 성격변화에 목표를 두지 않는다.

④ 희망과 기대

위기에 처하여 절망감을 가진 사람에게 그들의 문제가 마술적으로 해결될 수 있다는 지나친 희망을 갖게 하는 것은 피해야 하지만 위기 대상자에게 희망을 갖게 하는 것이 중요하다. 위기상담시 상담자는 처음부터 적극적인 문제해결방법을 적용하며, 문제가 해결될 것이며, 위기대상자가 기능을 잘 수행할 것이라고 기대한다. 상담자의 이러한 기대는 위기 대상자에게 희망을 주고 자존심을 높이며 자기상을 변화시키는 데 도움이 된다.

⑤ 지지

위기중재자는 우선 심리적 접촉을 할 수 있는 감정이입의 경청능력이 요구되며 우선 지지가 제공되어야 한다. 가능한 한 신속히 위기해결에 도움이 되는 사회적인 조직망을 강화하고 이들이 위기대상자를 지지하도록 돕는다. 위기대상자를 지지하는 주요 원리는 필요한 만큼 지지를 제공하지만 필요 이상으로 지지하지 않는다. 상담자에게 지나치게 장기간 의존하지 않고 비현실적인 기대를 갖지 않도록 한다.

⑥ 직접적인 문제 해결

가능한 한 신속하게 위기를 유발시킨 문제를 해결하는데 초점을 두는 것이 위기상담 접근법의 중심이 되어야 한다. 즉, 평형상태를 되찾기 위해 문제가 해결되는 것이 우선이므로 문제를 파악하는데 초점을 두며 그다음은 문제 해결에 초점을 둔다. 위기사건이 일어난 직후 초기단계에서는 대상자가 조절할 수 있는 만큼 현실에 직면하도록 도우며 한번에 너무 많이 직면하지 않도록 한다. 일반적으로 모르는 것과 상상하는 것보다는 차라리 아는 것이 문제 해결을 위한 중요한 출발이 될 수도 있으므로 사실에 직면해야 되고 사실을 토의하는 것이 좋다.

⑦ 자기상

위기에 처한 사람은 자신을 실패자라고 생각하는 경우가 많다. 그러므로 위기상담시 상담자는 대상자의 자기상을 사정하고 자기상에 영향을 주는 요인을 고려하여 대상자의 자기상을 보호하고 증진시켜야 한다. 상담자가 위기대상자와 빠른 시간 내에 신뢰관계를 형성하여 공감적인 이해를 통한 정서적 지지를 제공하는 것이 자아상 증진에 도움이 된다.

⑧ 자립심

상담자는 위기상황을 사정하고 중재계획을 할 때 대상자와 함께 참여할 기회를 제공하고 대상자의 의견을 고려하는 것이 바람직하다. 어떤 대상자는 계속 의존상태에 있으며 항상 마술적인 기대를 추구한다. 자립심을 촉진시키는 기본원리는 자신이 할 수 있는 것에 대해서는 아무것도 해주지 않고 스스로 할 수 있도록 돕는 것이다.

## (4) 위기중재의 유형

① 전화상담

상담자는 위기 초기에 대상자에게 적절한 치료기관을 연계해 주며, 급박할 경우에는 위기팀을 급히 파송하도록 한다. 이 전략은 이용성과 접근성이 용이하며 자신을 알리지 않고 상담할 수 있으므로 익명성이 보장된다.

② 이동위기 서비스

지역사회나 가정으로 찾아가서 문제를 사정하고 간단한 위기상담 후 적절한 의뢰와 입원을 돕는다. 대도시 지역의 병원 응급실도 해당된다.

③ 가정상담

위기상황으로 인해 가족 기능의 이상이 발생했을 때 가족과 지속적인 관계를 유지하도록 돕는 일을 수행한다.

④ 위기집단상담

개인적인 위기가 어느 정도 감소되었을 때 필요한 위기집단에 소개하여 연결하는 형태이다.

⑤ 가족위기상담

가족 치료 모형을 사용하며 가족구성원 모두를 포함시켜 문제를 지지하는 형태를 발견하고 변화시키며 해결전략을 개발한다.

## (5) 위기상담 방법

① 신속한 신뢰관계 형성

위기에 처한 사람을 효율적으로 돕기 위해서는 우선 신뢰관계를 신속히 확립하여야 한다. 위기에 처한 사람의 감정에 대한 공감 및 공감적 경청 (Empathic Listening)과 반영적 진술 (Refletive statement) 등이 신뢰관계 형성에 도움이 된다. 현재의 위기 상황 내에서 어떤 사건이 일어났으며, 그 사건에 대한 어떻게 느끼는가에 귀를 기울여 주고 실제로 대상자가 이야기한 사실과 느낌 모두 잘 듣고 있다는 것을 인식시켜 준다. 감정이 언어로는 표현되지 않지만 비언어적으로 표현되었을 때는 상담자가 그 감정에 대해 자연스럽게 이야기 할 수 있다. 상담자는 위기 대상자의 이런 감정을 인식할 뿐만 아니라 대상자의 격한 감정에 휩싸이지 않고 침착한 태도로 반응해야 한다. 어떤 경우에는 비언어적인 접촉이 가장 효율적인데, 심리적 접촉의 목적은 위기에 처한 사람의 느낌을 듣고 받아들이고 지지함으로서 격한 감정의 정도를 감소시키기 위함이다.

② 문제영역 사정

위기를 촉진시킨 사건과 위기상태를 정확히 파악하는 것이 위기사정의 중요한 부분이다. 이러한 정보는 대상자와 중요한 관계를 맺고 있는 사람으로부터도 정보를 수집할 수 있다. 위기사정 영역은 촉진사건, 현재문제 및 위기상황, 위기사건 전 기본적인 적응 능력, 위기사건 후 기본적인 적응기능 등에 초점을 두어 정확한 정보를 수집한다.

• 촉진 사건

위기를 촉진시킨 사건이 무엇이며, 이 사건이 언제 어디서 일어났는지, 누가 개입되었는지, 대상자는 이 사건을 상실·위협·도전 중 어떤 면으로 보는지 등에 관해 사정한다.

- 현재 문제 및 위기상황

  현재 위기대상자가 겪고 있는 정서적 고통은 무엇이며 어떤 문제 때문에 도움을 요청하는지, 어떤 도움을 받고자 하는지, 촉진 사건에 대한 정서적 반응은 무엇인지 등에 대해 사정한다.

- 위기사건 전 개인의 기본적인 적응 능력 및 행동 특성

  위기사건이 일어나기 직전 대상자의 행동특성과 적응기능을 사정하는 것으로, 이러한 사정은 위기의 충격을 평가하는 기준이 되며 동시에 성공적인 위기해결을 결정하는 척도가 된다. 개인이 지니고 있는 감정은 무엇이며 가장 취약한 점은 무엇인지, 대상자의 일상적인 대처반응의 특성과 위기사건 전 생활사와 관련된 발달단계의 특성 등에 대해 사정한다.

- 위기 시 기본적인 적응 능력 및 행동특성

  위기사건으로 인해 개인의 생활양식에 어떤 변화가 일어났는지, 자해나 타살의 징후가 있는지, 가장 중요한 영향을 미치는 사람은 누구이며, 가까운 친척 및 친구가 있는지, 가족과 친구로부터 도움을 받을 수 있는지, 도움을 줄 수 있는 사회적 지지체계가 어떠한지 등에 대한 인간관계의 특성을 사정한다. 또한 위기사건을 어떻게 느끼고 해석하는지, 위기사건으로 인해 인생목표가 위협을 받고 있는지, 위기사건으로 인해 악몽을 경험하는지, 위기가 개인의 자아상에 영향을 주는지에 관한 인지적 기능 특성도 사정한다. 이러한 정보는 가장 핵심이 되는 위기문제를 규명하고 일상적인 사회적 기능을 파악하는 데 필요하다.

③ 위기중재 계획 설정

위기중재 계획은 대상자의 특정한 위기문제를 해결하고 일상적인 활동과 적응능력을 회복하도록 돕기 위하여 필요한 중재 방법을 모색하는 것이다. 대상자가 갖고 있는 심각한 문제영역을 확인하며 즉각적인 중재 계획을 설정해야 하는데 대상자가 위기 상황을 건설적으로 대처할 수 있는 능력을 회복하도록 중재를 계획해야 하며, 중재 계획 시 대상자를 참여시키는 것이 중요하다. 문제를 해결할 수 있는 대상자의 자질과 능력, 과거에 성공적으로 사용하던 대처 능력, 그를 도와줄 수 있는 사회적 지지체계 등이 중요한 요인으로 고려되어야 한다. 또한 각 해결책마다 이득과 손실을 탐색하며 계획수행 시 장애 요인을 조사하는 것이 중요하다. 중재 계획에서 가장 위급하고, 심각한 문제 또는 쉽게 해결할 수 있는 문제부터 우선순위로 선정해야 한다.

④ 구체적인 활동계획 수행

구체적인 활동계획 수행은 위기중재의 목표 및 활동과 직접 관계가 있으며, 위기를 극복할 수 있는 구체적인 활동을 수행하도록 돕는 것이다. 이때 기억할 것은 대상자가 할 수 있을 만큼 하도록 해야한다는 것이다. 활동 단계에서 상담자가 환자의 문제를 직접 해결하려고 시도해서는 안 되며 대상자 자신이 스스로 해결하도록 돕고 지지해야 한다. 위기 시 대상자가 자신을 돌볼 수 있는 수행능력이 어느 정도인지에 따라 상담자는 위기에 대처하도록 돕는 촉진적 또는 지시적 역할을 취할 수 있다. 주책임은 대상자에게 있으며, 위기대상자가 활동을 수행하도록 돕는 것이다. 만일 생명의 위험이 높고 자신을 돌볼 수 있는 행동을 취할 수 없다면 상담자는 확고하고 단호한 지도적 역할을 수행해야 한다. 지도 및 지지적 활동의 범위는 지역사회의 자원을 적극 활동하는 것부터 행위를 억제하는 통제적 행위까지 포함된다.

⑤ 종결 및 평가

위기가 해결되고 개인이 위기 전 상태로 기능 수준이 회복되면 치료는 종결된다. 목표에 도달했는지를 결정하기 위해 평가과정을 거치게 되며, 필요하다면 계획을 수정한다. 위기 중재는 위기 상황에 대한 새로운 관점을 갖도록 도와주는 것이다. 그러면 문제를 대처할 수 있는 건설적인 방법을 발견할 수 있고 결과적으로 문제가 해결될 수 있다. 비록 치료가 끝나더라도 대상자는 위기상태를 더욱 잘 대처하는 방법과 앞으로의 사건을 어떻게 해결하는가에 대한 방법을 습득해야 한다.

⑥ 추후관리

위기중재의 결과를 평가하고 앞으로의 계획을 설정할 수 있다는 점에서 추후관리에 대한 계획이 필요하다. 만일 계획된 구체적 행위로 문제가 해결되었다면 위기 중재는 끝난다. 해결되지 않은 문제가 있다면 문제해결을 위한 활동을 다시 계

획할 수 있다.

## 5. 외상 후 스트레스 장애(PTSD) 상담

　PTSD(외상 후 스트레스 장애)는 삶의 기능을 손상시킬 수 있는 복잡한 질환이다. 트라우마적 사건들은 마음 뿐만 아니라 신체에도 부정적인 영향을 미친다. 이런 증상은 '높은 각성 상태가 지속되는 증상'으로 설명된다. PTSD 중재를 위해서는 마음 뿐만 아니라 신체의 통합된 치료를 고려한 종합적인 대책이 세워져야 한다.

　임상적 중재가 가능한 초기에 시행될 수 있다면 PTSD는 보다 나은 예후를 보이게 된다. 트라우마를 둘러싼 상황들 때문에 많은 PTSD 환자들이 대인관계에서 신뢰 형성에 어려움을 보인다. 이 때문에 안전함, 신뢰감, 일관성, 그리고 사적인 영역의 존중에 대해서 임상적으로 특별한 주의를 기울여야 한다. 게다가 PTS D증상은 트라우마가 있었던 기념일이 돌아오거나 트라우마를 떠올리게 하는 다른 요소들과 연관지어지면 표면화되거나 악화될 수 있다. 치료사가 PTSD 진단을 다루고 있을 때에는 안도감을 활용하고 치료 과정에서 나타날 수 있는 저항을 줄이기 위해서 증상을 정상화시키는 것이 중요하다. 극심한 스트레스 장애초기에 중재가 이루어진다면 PTSD로 발전하는 것을 예방하고 만성적인 스트레스로 발전하는 것을 막아줄 수 있을 것이다.

### 1) PTSD 환자들이 겪는 어려움

PTSD 환자들이 나타내는 증상들은 다음과 같이 다양하다.

- 불안정한 기분 장애
- 자기 파괴적인 충동
- 분열
- 정체성의 병리적인 변화
- 신체화
- 대인관계의 어려움
- 치료에 대한 양가감정과 회피
- 빠르고 예측이 어려운 기분의 변화
- 감정을 확인하고 설명하지 못함
- 감정 조절의 어려움
- 감정을 경험하는 것에 대한 회피와 공포
- 자해와 자살의 위험
- 과거를 현재 상황으로 간주하는 혼란스러움
- 심각한 애착 이슈
- 학대 가해자와의 휘말린 관계
- 이해받거나 도움을 받지 못할 것이라는 신념
- 치료적 환경에서 트라우마의 재경험
- 퇴행의 위험
- 의존의 위험
- 특혜(대우)를 받고 싶어 하는 태도

## 2) PTSD를 위한 상담

PTSD 환자들의 경험을 정상화시키고, 환자들에게 증상의 발현이 압도적인 경험에 대한 생물학적 반응임을 이해시키는 것은 그들을 인정하고 위안을 주며 안심시키는 일이다. 극심한 스트레스는 뇌의 작동을 방해하는 생물학적인 변화를 일으킨다. 이러한 대화를 환자와 나누는 것은 시간이 지나고 적절한 치료가 이루어진다면 지금의 증상이 수정, 완화, 제거될 수 있다는 희망을 환자들에게 제공한다. 만약에 적절한 중재가 이루어진다면 환자들은 PTSD가 환자 자신의 나약함이나 결점이 아니라 극심한 스트레스와 트라우마에 대한 정신생물학적인 반응이라는 사실을 이해할 수 있게 된다.

모든 치료적 중재는 사람들에게 증상과 관련된 범주 뿐만 아니라 통합적인 중재의 모든 다양한 면에 대하여 알려주는 데 도움이 된다. 이런 교육적인 요소는 환자가 치료 계획의 결정에 참여하도록 준비하는 데 필수적이다. 가장 핵심 요소는 환자의 기능 수준에 맞추어 개별화된 치료 계획을 사용하며 이루어지는 환자와의 만남이다. 이것은 트라우마 치료에서 환자들이 정서적으로 덜 불안정하도록 만들어 줄 뿐만 아니라 환자들이 치료 과정에서 너무 빠르게 재트라우마를 경험하게 되는 위험성을 감소시킨다.

### (1) PTSD 환자를 상담할 때 고려해야 할 사항

- 안전함을 보장한다
- 안정을 목표로 삼는다 : 증상의 억제와 감소
- 기본 교육의 강조 : 현재 상황에 적절하게 대처한다.
- 회상과 애도를 허용한다.
- 트라우마에 관해 말하도록 격려한다.
- 정서적인 지지를 보낸다 : 사람들의 수준에 맞추어서 그들을 만난다(감당할 수 있는 수준을 넘어서서 밀어붙이지 않도록 조심한다).
- 방어를 없애는 것에 초점을 두지 않는다 : 방어는 종종 내적자원이자 대처 전략이 된다.
- 대처 기술의 발달, 성장, 증상을 감당하는 것의 숙달 기술을 강화시켜나가는 과정 중에 과다한 스트레스 증상을 경험하는 것은 아주 흔한 일이라고 환자들을 안심시킨다.
- 트라우마의 기억, 감정적인 반응, 신체적인 반응의 탈조건화를 목표로 한다.
- 비합리적인 죄책감을 완화시킨다.
- 증상의 발현과 트라우마적 사건이 일어났던 기간에 기초를 둔 극심한 스트레스와 외상 후 스트레스에 관한 교육을 제공한다.
- 트라우마적/개인의 스키마들을 재구조화하는 것을 목표로 한다.
- 정서적인 경험을 치료한다.
- 재활을 재통합한다(모든 중요한 삶의 영역에서 자존감, 자신감, 자기효능감을 재구축한다).

상담자는 자신의 구조화된 신념체계를 잠시 옆으로 치워 둘 수 있도록 해야만 하며, 내담자를 그들의 사고, 정서 그리고 기능 수준에서 만나면서 그 순간 동안에는 치료자 자신을 도구로 사용될 수 있도록 준비해야 한다. 내담자와의 만남에서의 다채로운 순간들을 간과하지 않고, 내담자의 욕구 대신에 상담자의 욕구를 충족하게 되는 불필요한 스트레스를 만들지 않는 중재로 간주되는 임상적 유연성 수준에 대해 언급하는 것이다. 환자의 개별적 특성을 무시한 구조와 대처 기술의 강요는 환자에게 더 많은 부정적인 영향을 초래한다.

### (2) 안전하고 안심되는 환경 만들기

Davis(1990)는 트라우마로부터 생존한 사람이 안전과 안심을 느낄 수 있었던 경험이 중요했다는 것에서 환경을 조성하는 것의 중요성은 치료의 출발점 혹은 '치유 과정의 핵심'이라고 하였다. 안전함은 위험이나 상처로부터 보호받는 경험이다. 우리는 안전한 환경 안에서 삶의 질이 보장된다는 것을 알기 때문에 안전함 속에서 이완되며 우리 본연의 자신이 될 수 있다. 우리는 성장과 변화를 향한 감당할 수 있을 정도의 위험 안에서는 자유로움을 느낀다. 안전한 환경 안에서 자신의 삶에 대하여 진솔하게 이야기하기 시작할 때 치유는 자연스럽게 일어나기 시작한다. 어떤 사람에게 비록 어려운 문제들이 있다고 하더라도 안전과 안심을 느낄 수 있도록 기저선이 만들어지는 것은 중요하다.

## 3) 심리 치료적 중재

### (1) 개인치료

#### ① 인지행동치료(CBT)

CBT의 목표는 개인적인 PTSD 경험에 담겨 있는 생물심리사회적 측면을 명확하게 하고 진술하는 것이다. CBT의 핵심적인 치료적 과정은 먼저 치료적인 관계를 구축하고 유지하며 트라우마와 PTSD에 관한 심리교육을 하는 것에서 시작한다. 감정 조절과 스트레스 관리에 대해 교육한다. 트라우마와 연관된 사고, 정서, 행동을 구별하고 연결시키고, 트라우마 기억들과 그 기억들을 떠오르게 하는 것들에 대해 적절하고 점진적인 노출을 격려하여 치료한다. 트라우마에 대한 인지적이고 정서적인 처리와 건강한 대인관계에 대한 교육과 리허설, 개인의 안전 기술 훈련 등이 주요 치료 기법이 된다.

#### ② 인지치료

인지치료는 개인이 트라우마적 사건과 관련된 정서, 사고, 행동을 변화시키는데 영향을 미치는 작업과 관련이 있다. 일반적으로 인지치료는 생각이 어떻게 행동과 정서에 영향을 미치는지에 대한 간단한 교육과 함께 시작되며 그런 다음에는 다음과 같은 과정을 진행하게 된다. 글쓰기, 집단치료, 개인치료, 숙제, 독서치료 등을 활용하여 사고, 정서, 행동 유형을 확인하고 명확하게 하며, 과다한 스트레스를 주는 트라우마와 관련된 생각을 확인하고, 사고의 비합리적인 부분을 보다 합리적인 사고로 전환시킨다. 자아, 타인, 세상에 대한 왜곡된 핵심 신념을 확인하고 수정하여 합리적인 행동의 변화를 촉진시킨다.

#### ③ 트라우마 상담

트라우마 상담은 환자와의 라포를 형성하고 감정을 표현하고 탐험할 수 있는 안전한 환경을 제공하는 것을 강조한다. 주로 환자들의 반응을 다루며, 환자들의 감정에 대한 생산적인 태도를 표현하게 하고, 환자들이 살아남은 어려운 경험들을 이름 지어주고 일상생활과 결부된 문제들을 해결하도록 도와준다.

#### ④ 노출치료

상상을 통한 트라우마적 사건에 대한 노출은 생존자가 안전하고 통제된 환경에서 트라우마 사건을 재경험 할 수 있도록 해 주며 그 사건과 관련된 그들의 반응과 신념을 조심스럽게 경험할 수 있게 해 준다. 핵심적인 임상적 주제는 바로 회피인데, 회피란 생존자가 자극 요소들을 통해 활성화되는 것을 피하려고 하는 시도이다. 노출치료는 존재하고 있는 병리적인 요소와 양립할 수 없는 요소를 짝을 지움으로써 공포 구조의 병리적인 요소들을 고쳐나가는 것을 추구한다. 노출 치료를 통한 활성화는 올바른 정보를 통합할 기회를 불러일으키고, 그 결과 병리적인 트라우마의 기억이 수정되거나 변화된다. 노출 치료는 심각한 정신병리, 자해 행동, 혹은 자살 충동으로 진단받은 사람들에게는 권장되지 않는다. 노출 치료에서 사용된 두 가지 행동 치료 기법은 심상적 노출법과 실제적 노출법이다. 노출치료의 목적은 PTSD의 근본적인 구조를 바로잡는 데 있다. 노출 치료는 상상 혹은 실제적 상황에서 여러 시간 동안 환자들이 공포(사람, 대상, 감정, 기억)에 직면하는 것이 가능할 수 있도록 설계되었다. 국제 외상 후 스트레스 연구 협회는 노출 치료에 대해서 "실제로 노출치료 외에 다른 어떤 치료 방법들도 그 효과가 강하게 예측되는 증거를 보이지 못했다."라고 하며 복잡하고 다양한 트라우마 증상들을 치료하는 데 노출치료가 매우 효과적이라고 설명했다. 반복되고 오랫동안 지속되는 노출은 환자의 습관화를 촉진시킨다. 이것은 환자들이 회피하거나 달아나지 않고서도 불안이 감소되는 것을 발견하도록 해 준다. 공감적인 치료사가 함께 있을 때 트라우마를 재경험하는 것은 트라우마에 대해 생각하는 것이 위험하지 않다는 사실을 환자가 깨닫게 하는 데 효과적이다.

⑤ 체계적 둔감화

체계적 둔감화는 이완하는 것과 병행되는 노출 치료의 변형된 형태이다. 보통 구성된 자극제는 심상적 노출이며, 실제적 노출이 될 수도 있다. 이런 근본적인 도전은 불안이 증가되면서 노출에 의해 유도된 불안 반응과 한 쌍을 이루고 이완과 연결되어 형성된다. 결국 환자가 불안을 느끼는 반응 없이도 불안을 유발하는 자극에 맞설 수 있게 한다.

⑥ 자기조절치료

자기조절치료는 안전하고 지지적인 환경에서 환자가 트라우마의 다양한 측면을 참을 수 있는 만큼 조금씩 다루는 마음과 신체에 접촉이 없는 둔감화 기법이다.

⑦ 불안 관리

CBT의 주된 요소인 불안 관리는 트라우마 생존자들에게 압도되거나 정서적 마비가 되지 않고서도 과거 트라우마에 대한 기억, 트라우마를 상기시키는 것과 좋지 못한 느낌을 극복하는 방법을 가르친다. 치료를 받는다고 해서 트라우마의 기억들이 완전히 사라지지는 않는 것이 보편적이기는 하지만 새로운 대처 기술들을 다루기 시작할 수 있다. Expert Consensus Guidelines(2000)는 불안 관리는 PTSD환자들을 위한 가장 유용한 방법이라고 언급했다. 불안관리 기술로는 점진적인 근육이완, 심호흡, 긍정적인 생각과 셀프토크, 생각 멈추기, 이미지 트레이닝, 바이오 피드백 등이 이용된다.

⑧ 정신역동적 치료

정신역동적 치료에서는 외상 후 증상을 트라우마로 인한 스트레스를 감당해 나가려는 시도라고 간주한다. 그러므로 증상을 환자의 결점으로 보는 것이 아니라 적응적인 반응으로 보는 것이다. 정신역동적 상담자는 무의식적인 의미와 상징적 의식을 생성하기 위해서 의미들을 이끌어 낸다. 환자들에게 그들의 경험, 반응, 그리고 그것을 조작하는 법에 대해 안내하고 강화된 기저의 신념체계에 대한 이해를 향상시키며 더 나은 대처를 할 수 있는 기회가 나타난다. 정신역동 심리 치료는 상호 관계의 기본적인 문제에 초점을 두기 때문에 복합 PTSD로 진단된 환자에게 유용하다. 복잡한 정신역동적 치료는 환자와 치료사가 강한 치료적 동맹을 맺고 임상적 이슈들과 치료 계획에 대해서 명확하게 동의하면 유의하다. 정신역동적 치료는 자기감의 회복을 가능하게 하고 강력한 감정을 다루는 새로운 대처 전략을 습득하는 것을 도와주는데, 안전감을 확립하기와 트라우마 경험을 깊이 탐색하기, 환자 가족, 친구, 사회적 상호작용, 다른 의미 있는 자원들의 연결을 재구축하는 것을 돕기 등의 3단계로 구성된다.

### (2) 집단치료

집단치료는 환자들이 비슷한 경험을 가진 타인에게 자신의 트라우마에 대해 말하는 것에 대한 안전한 환경을 제공해 준다. 이 과정은 그들에게 일어난 일과 증상, 기억, 관련된 다른 삶의 문제들을 극복하는 그들의 능력을 향상시키는 것에 대해 보다 편안하게 이야기할 수 있게 해 준다. 이것은 과거로 인해 압도당하는 것 대신에 그들의 현재 삶에 집중할 수 있게 해 준다. Foy 등(2000), Ouimette(2003), Witkiewitz 등(2005)은 모두 집단치료가 PTSD 환자들이 고립, 소외, 감정의 감소를 다루는 데 도움이 된다고 말했다. 본래 집단치료는 치유 뿐만 아니라 부적응적인 반응을 수정하도록 하는 지지와 상호작용을 통하는 집단 내 치료적인 요인을 사용한다.

### (3) 가족치료

PTSD는 전체 가족에게 부정적인 영향을 미친다. 트라우마를 겪은 사람의 자녀나 배우자는 그들이 경험한 모든 내적 갈등과 스트레스에 대해 이해하지 못할 수도 있다. 가족 체계의 역동 안에서 숙련된 상담자에 의해 가능하고, 전체 가족이 포함되는 가족 치료는 의사소통을 향상시키고, 좋은 관계를 유지하고, 어려운 감정을 극복하게 한다. 트라우마와 가족의 관계 사이에는 양

방향성이 있으며 종합적이고 개별화된 PTSD 치료 계획의 부분으로 부부 치료와 가족 치료를 함께 고려하는 것이 중요하다. 부부치료와 가족치료는 트라우마를 회복하는 데 있어 잠재적으로 중요한 역할을 한다. 트라우마적 사건과 이와 연관된 영향은 결혼생활과 가족 관계에 지대한 영향을 미칠 수 있기 때문이다. 트라우마를 경험한 가족들의 치료에서는 가족에게 상실과 스트레스, 적응 문제를 극복하고, 그 경험을 통해 배울 수 있는 권한을 부여하는 것이 치료의 목표가 된다. 효율적인 의사소통과 문제해결 능력 및 갈등해결 능력의 기술을 발달시켜서 미래의 어려움을 다룰 수 있는 대비를 증가시키는 것도 주요 목표이다.

### (4) 통합적 중재

PTSD에 도움이 되는 것으로 전문가들이 의견 일치를 본 중재 방법들은 다음과 같다.

① 최면

최면은 치료에 대한 보조적인 기술이며 전쟁 신경증, 전쟁 피로증, 트라우마 노이로제, PTSD를 포함한 다양한 임상 상태에서 긍정적인 결과를 증가시키는 것이 관찰되어 왔다. 최면은 트라우마적 기억들을 통해 보다 적응 가능한 반응을 발전시키는 데 유용할 수 있다. 고통, 불안, 분열 증세와 악몽 등의 PTSD 증상이 최면 치료에서 가장 도움이 되는 증상이다. 최면은 또한 트라우마적 사건의 기억으로부터의 정서적 거리감과 인지적인 거리감을 조절하기 위해서 사용될 수 있다. 결과적으로 최면은 환자들로 하여금 과도한 스트레스와 연관된 트라우마적 기억의 강렬함을 조절하는 능력을 제공한다. Cardena(1996)는 PTSD를 지니고 있거나 또는 PTSD 증상을 경험한 이들이 다른 임상적 집단이나 비임상적 집단 사람들보다 최면에 걸리기 쉬운 경향을 보인다고 말했다.

② 영적 · 종교적 상담

트라우마적 사건들은 환자의 영적인 관점 또는 믿음에 영향을 미칠 수 있다. 신뢰받는 영적 · 종교적 상담이 도움이 된다. 목표는 PTSD 증상을 감소시키는 것과 사회적으로 영적인 지지를 사용하여 환자의 기능을 향상시키는 것이다. Hunter(1996)은 PTSD의 성공적인 치료는 정서적 · 심리적 · 인지적인 대인관계 과정, 그리고 인간 존재에 관한 의미에 대해 고심해야 한다고 말한다.

③ 바디 워크

요가를 비롯한 바디워크는 불안이나 과잉경계로 인한 신체의 긴장과 근육 통증을 풀어주는 방법으로 유용하다.

④ 무술 훈련

무술은 환자 삶의 효율감과 안전감을 회복하는 방법으로 사용될 수 있다. 성폭행과 다른 폭력 범죄에서 생존한 사람들을 위해 특별히 개발된 무술 프로그램들이 있다.

⑤ 예술치료, 댄스치료, 창의적 글쓰기

이러한 치료 방법들은 모두 강렬한 감정을 위한 안전한 배출구를 제공한다.

⑥ 저널 쓰기

저널 쓰기는 자신의 생각과 감정을 배출하고, 명확히 하고, 모니터링하고, 문제를 해결하도록 한다.

⑦ 침술

침술은 의학적이고 전인적인 것 둘 다로 간주된다. 침술의 이점으로는 강렬한 욕구와 불안의 감소, 정신과 육체의 안정, 적개심의 감소, 자신감의 상승, 약물의 감소와 제거가 있다. 한의학은 매일 매일의 삶의 감정과 정신의 요소들이 어떻게 신체 건강 영향에 결합되는지를 고려하고 분명히 설명한다.

⑧ 마사지 치료

마사지 치료는 신체 인식과 이완을 증진시키고, 근육피로와 긴장도를 감소시키고 치료 과정에 기여하는 것으로 보인다.

⑨ 기공

의식적인 호흡에 통제와 완전한 이완상태를 강조하는 이완 형태이다. 이 방법에는 움직임과 호흡조절, 그리고 이완요소들이 결합되어 있다.

⑩ 요가

　요가에는 내면의 고요함과 깨달음을 촉진시키는 호흡과 자세에 작용하는 수많은 기법들이 있다.


# 6. 자살 상담

　자살(suicide)이란 sui(자기 자신을)와 caedo(죽이다)의 두 낱말의 합성어로 '개인이 자유의사에 의하여 자신의 목숨을 끊는 행위'를 말한다. 그 원인이 개인적이든 사회적이든 행위자가 자유의사로 자신의 목숨을 끊는 행위를 일컫는다. 자살은 함부로 저지르거나 의미 없는 행동이 아니라 개인에게 고통을 주는 위기나 어려운 문제로부터 벗어나기를 원하는 행동으로 '도움을 구하는 신호(cry for help)'이다.

　우울증은 자살의 주된 원인이다. 미국 존스 홉킨스 의과대학은 우울증 환자의 자살 위험이 일반인의 41배에 이른다고 분석하였다. 세계보건기구는 우울증은 2020년 인류를 괴롭힐 3대 질병 중 하나가 될 것이라고 예견하였다. 한 개인의 자살은 주변의 사람들에게 정신적 충격을 줄 뿐 아니라 다른 주위 사람들에게 자살을 유발하게 하며 국가 사회적으로 큰 경제적 손실을 초래한다. 또한 자살은 한 사람의 생명을 소중히 하는 윤리와 규범으로부터 이탈하여 삶의 의미와 가치를 혼란하게 만들어 사회 통합을 저해하는 원인이 되기도 한다. 그러기에 자살은 개인적 선택의 문제가 아니라 사회적 문제로 받아들여 체계적인 대책을 만들어야 할 필요가 있다.

## 1) 자살의 원인

### (1) 사회학적 원인

　뒤르껭(E. Durkheim)은 사회적 관점에서의 자살 유형을 다음과 같이 3가지 형태로 설명하였다.

① 이기적 자살

　개인과 사회와의 결합력이 약할 때의 자살로, 개인이 한 사회에 밀접한 관계를 맺지 못하여 사회적 유대가 끊겨져 사회적으로 격리되고 지지를 잃음으로써 고립감, 소외감에 빠진 상태에서 일어난다.

② 이타적 자살

　개인이 사회와 너무 밀접하여 사회를 위해 자살하는 경우로 의무감으로 인해 자신을 희생시키는 형태의 자살이다. 즉 사회를 위해 자기를 희생한다는 심정이 강할 때의 자살 형태를 말한다.

③ 아노미적(무통제적) 자살

　아노미란 사회집단과의 결속에서 끊겨 나온 결과로 생기는 사회적 고립 현상을 의미하는데, '아노미'가 현대사회에서의 자살을 이해하는데 가장 중요한 요소라고 강조되고 있다. 사회정세의 변화라든가 사회 환경의 차이 혹은 도덕적 통제의 결여에 의한 자살이다. 사회와의 갑작스런 차단으로 발생하는 자살로 경제적 파탄이나 가치의 붕괴 시 발생하고, 가난한 사람이 벼락부자가 된 경우의 자살, 경제공황 때문에 직장에서 해고당한 이후의 자살 등이 해당한다.

### (2) 심리적 원인

　최초의 자살에 대한 심리학적 통찰을 한 사람은 프로이드로 그는 그의 저서 「애도와 우물」에서 자살이란 자신이 동일시한 대상에 대한 무의식적 공격이라고 기술하였다. Menninger는 프로이드의 개념에 덧붙여 자살을 반전살인으로 생각하였으며, 다른 사람에게 향한 분노로부터 야기된, 역으로 전도된 살인이라고 하였다. 그는 역시 자살이란 죽음의 본능이 자신에게로 향한 것이라고 하였다. 최근의 자살에 관한 많은 연구는 어떤 특정한 정신역동이나 인격구조와의 관련보다는 자살하려는 사람들의 공상 즉 내가 죽으면 어떤 일이 일어날 것인가 그리고 그 결과는 어떻게 될까 하는 공상으로부터 자살의 정신역동을 많이 이해할 수 있다고 한다. 그러한 공상들 중에는 복수, 권력, 지배 혹은 징벌, 용서, 희생, 혹은 회복, 탈출 혹은 수면, 혹은 구원, 재생 죽은 사람과의 재회 혹은 새로운 삶과 같은 소원들을 내포하고 있다. 자살하려는 공상을 실행에 옮기는 사람은 사랑하는 대상을 상실하고 고통을 당하고 있거나 혹은 자기애적 손상을 받은 사람, 지나친 분노나 죄책감에 사로잡혀 있거나 혹은 죽은 사람과 동일시하는 사람들이다.

### (3) 생리적 원인

유전적 원인으로는 조울증이나 우울증에서 자살이 많은 이유를 고려하여야 한다. 최근의 연구에서는 뇌에서 세로토닌의 영향에 주목하고 있다. 에후다와 그의 동료들(R.Yehuda, et al)은 세로토닌과 아드레날린과 관련하여 시상하부 - 뇌하수체 - 아드레날린 체계의 조절부전이 원인이라고 하였다. 만과 그의 동료들(J Mann, et al)은 극단적인 방법으로 자살한 사람들의 전두엽 피질에서 세로토닌-2 수용체가 증가하는 것을 연구하였다.

## 2) 자살의 경고 증상

① 농담 반 진담 반의 모습으로 주위 사람에게 자살하겠다는 이야기를 하는 경우
② 정서적 불안, 심한 우울증세로서 사는 것이 무의미하다는 느낌이나 절망상태, 무력감 등을 강하게 보이는 경우
③ 가까운 친구나 친척의 죽음, 부모의 이혼이나 사고, 병, 실업, 성적부진, 따돌림 등의 심한 스트레스를 경험하는 경우
④ 식사 습관과 잠버릇이 눈에 띄게 변화하는 경우 즉 수면과 식욕 욕구가 현저히 줄어드는 경우
⑤ 평소 참가하던 행사나 활동을 그만두고 가족이나 친구들과 잘 어울리려 하지 않는 경우
⑥ 자살 표현의 말 또는 메모를 남기는 경우("어디론가 멀리 가고 싶다.", "깨지 않으면 좋겠다." 등)
⑦ 일기장이나 친구에게 죽음에 관한 내용을 암시하는 경우
⑧ 자살에 관한 책을 읽거나 자살 관련 사이트에 가입하여 활동하거나 글을 쓰는 경우
⑨ 평상시 해오던 일생 활동을 거부하고 학업 성적이 계속 떨어지거나, 장기결석 또는 가출하는 경우
⑩ 사소한 일로 짜증을 내고 도전적인 발언을 하거나, 평상시와 다른 반항, 파괴적 행동, 급격한 성격변화 등을 나타내는 경우
⑪ 갑자기 밤에 잠깐씩 나갔다 들어오는 경우
⑫ 성직자와 의사, 주변 동료를 찾아가는 경우
⑬ 평소 소중히 여기던 물건 나누어 주는 경우

## 3) 자살 상담

### (1) 자살의 대처 방법

① 평소와 다른 행동은 도움을 요청하는 외침이라는 걸 깨닫고 무언가 문제가 있음을 알리려는 몸부림이기 때문에 화를 내거나 심한 반박을 해서는 안 된다.
② 당사자가 겪고 있는 문제를 인식하고 있음을 알리면서 기꺼이 도움을 주고 싶다는 의도를 당사자에게 알려야 한다. 자살을 생각하기까지 느꼈던 고통과 불행에 대한 이해와 공감을 전달할 수 있어야 한다.
③ 자살을 시도하는 십대는 부모나 가족, 친구로부터 소외되고 고립되었다는 느낌을 갖고 있기 때문에 이상행동에 대응해야하는 것 뿐만 아니라 행동의 기저에 있는 원인을 파악하고 대처하는 것이 중요하다.
④ 정신과 의사, 청소년 문제 전문가 등 전문가의 도움을 받아 자살을 시도한 원인 규명을 하고 필요하면 입원을 하게 한다.

⑤ 문제가 심각하다는 것과 당사자의 비관적인 느낌을 공감하고 있다는 것을 보여주어 솔직한 심정을 털어 놓도록 도와준다.

⑥ 대상자의 자살 이유를 진지하게 받아들이는 것이 중요하다. 특히, 방관자적이거나 무관심한 태도로 '자살을 하고 싶으면 한 번 해 보라.' 는 식의 농담이나 태도는 삼간다. 중요한 것은 대상자의 마음의 세계로 들어가 대상자의 시각으로 세상을 보는 것이다.

## (2) 자살의 위험이 높을 경우

당사자의 입장에서 진지하고, 공감적으로 이해해야 한다. 대화의 목표는 문제 해결이 아니라 문제를 이야기하도록 하는 것이며 존중하는 태도가 중요하다. 논리적인 설득, 비난이나 자극적인 언행, 결정적인 묘수 제공, 자살만이 해답이 아님을 강조하는 등의 태도는 피해야 한다. 자살이 끼칠 파급 효과를 설명하고, 잊고 있는 긍정적인 면을 강조하면서 자살동기와 원인을 찾도록 노력한다. 분위기 쇄신도 도움이 되며, 신속한 조치를 취한다.

## (3) 자살이 임박했다고 생각되는 경우

자살 시도를 못하도록 막는다. 부정적인 문제는 위기의 순간이 지난 후 다룬다. 즉시 가족과 주변 사람들에게 연락하며 혼자 있지 못하게 한다. 자살 도구가 될 수 있는 위험한 물건이나 상황으로부터 격리시키고 즉시 정신과 전문의를 만나게 한다.

## (4) 자살 예방을 위한 대화기법

① 상대방의 이야기가 끝날 때까지 기다리며, 한 번에 한 주제에만 초점을 맞춘다.

② 상대방을 평가하지 말고 짧게 이야기하며, 차분한 목소리로 이야기한다.

③ 눈을 마주 보고 이야기하며, 편안하게 앉아서 이야기한다.

④ 짧게 이야기하고 상대방이 이야기할 수 있는 기회를 준다.

⑤ 상대방의 기분을 소중히 여기며, 상대방의 분노와 고통을 이해해 준다.

⑥ 절대적인 평가를 하려 하지 말고 현재 진행되는 일에만 초점을 맞춘다.

⑦ 되도록 제안을 하고 요구를 하지 않으며, 상대방을 존중하는 방식으로 이야기한다.

⑧ 다른 사람에게 반감을 사지 않는 방법으로 내 감정을 전달한다.

# 10

# 호스피스 상담

## 1. 임종 환자의 심리 상담

### 1) 호스피스 대상자의 심리 상태

대부분의 사람들은 평소에 죽음을 아예 자신과는 관계없는 일로 알고, 죽음 같은 것은 생각지도 않고 살아가는 데만 급급하다가, 어느 날 갑자기 죽음이 눈앞에 다가오면 그때서야 비로소 공포 속에서 어찌할 바를 모르며, 당황해 하고 불안해 하게 된다. 마치 절벽에 부딪친 것 같고, 칠흑같이 깜깜한 미지의 세계에 발을 내딛는 것 같아서 모두가 불안해 하고 당황해 한다. 다시는 못 돌아오는 길로 알고 슬퍼하며 죽지 않으려 한다. 자신의 여명이 얼마남지 않았음을 인지하는 대부분의 사람들은 더 이상 돈도, 명예도, 출세도, 쾌락도 추구하지 않는다. 이제 그런 것들은 빛을 잃어버리고 만다. 지금은 시간이 없고, 그런 것들을 추구하기에는 너무 늦었음을 알게 된다. 그리고 그런 것들은 '잘' 죽는 데 아무런 의미가 없음을 그들은 직감적으로 아는 것이다.

죽음을 맞이해야 하는 대상자들의 심리반응은 사람에 따라 다양하게 나타난다. 두려움을 비롯하여 슬픔, 무력감, 외로움, 절망감, 분노, 슬쓸함, 허무함, 비참함, 실망감, 패배감, 거절감 등의 감정을 느끼게 된다. 또한 자신의 인생을 돌아보며 후회와 어리석음, 괴로움, 부끄러움, 억울함 등을 느끼는 사람들도 있을 것이며, 남아 있는 다른 사람들에 대한 질투와 배신감을 느끼는 사람들도 있다. 남아 있는 가족들에 대한 걱정과 근심, 염려, 미안함 등으로 괴로워하게 되는 경우도 많다.

임종을 당면한 사람에게서 나타나는 심리 문제는 이렇게 다양하지만 그 중에서 몇 가지 중요한 문제를 살펴보면 다음과 같다.

#### (1) 두려움

죽음에 직면한 인간은 여러 가지 형태의 두려움을 느낀다. 인간이 느끼는 두려움은 궁극적으로 죽음에 대한 두려움으로 직결되며(sterkel, 1949) 죽음에 대한 두려움이 피해 의식의 기본이 되고 간접적으로 모든 불안의 근원이 된다(Klein, 1948). 자신의 죽음을 알게 된 환자가 임종과정에서 겪는 두려움에 대해 Pattison(1974)은 8가지로 설명하고 있다.

① 죽음의 미지에 대한 두려움

　죽음을 경험하지 못한 인간에게는 '자기'라는 존재가 말살된다는 것이 무엇인지 모르는 것에서 공포를 갖는다. 다른 것은 평생 다 직접 경험에 보거나 경험담을 들어 아는데 죽음에 관한 것만은 전혀 예외이기 때문이다.

② 고독에 대한 두려움

　인간은 병만 들어도 외로움을 느끼기 마련인데 죽음 앞에서 더욱 고독감, 고립감을 느낀다. 실제로 가족, 친지, 의사, 간호사까지도 환자가 죽어갈 때는 피하는 경향이 있어서 당사자의 외로움은 말할 수가 없다.

③ 가족과 친지를 잃는다는 두려움

죽음의 과정에서 가족과 친지를 잃는다는 현실이 있다. 자신이 아끼는 한 사람을 잃어도 슬픈데 온 세상을 다 잃게 된다는 데서 큰 두려움이 온다. 따라서 때로는 문병 온 사람들과 마지막 인사를 나누게 하는 것이 오히려 좋을 때가 많다.

④ 신체적 상실에 대한 두려움

신체는 우리 자신의 자아상의 한 부분이므로 병으로 신체 일부가 변형될 때 그 변형으로 오는 기능상실 뿐만 아니라 자기 애적 상실(narcissistic loss)도 함께 온다. 인간은 눈에 보이는 외견상 뚜렷한 신체질환, 변형, 상실이 온 경우보다 눈에 보이지 않는 속병을 더 두려워한다. 따라서 심장병이나 내부 장기의 암과 같은 질환은 한층 더 공포감을 높여 준다.

⑤ 자제력 상실에 대한 두려움

장기간의 투병과정은 자기 지배 능력을 감소시킨다. 특히 정신 기능의 침체나 뇌손상 환자인 경우는 더 심하다. 실제의 기능상실보다 그로 인한 자기 지배 능력상실에 대한 일종의 예기 불안이 더욱 문제가 되는 경우가 많다. 임종환자는 대소변 조절기능의 상실, 맑은 의식의 상실 등을 두려워한다. 자신이 자기 운명을 지배할 수 없다는 느낌 때문이다.

⑥ 주체성 상실에 대한 두려움

타인과의 접촉이 단절되고 가족과의 접촉도 뜸해지면 내가 누구인지? 내가 누구의 형제로 왔는지? 내가 무슨 존재인지도 모르는 상태에 이르게 된다. 말기 환자들은 자신의 주체성이 말살되려는 위험을 곳곳에서 직면하며 자신의 신분을 자식, 사업, 제자들에게서 찾으려 하기 때문에 인생에서의 업적을 상기시켜 주고 위로하고 격려해 주는 것이 필요하다. 자신의 신체 일부를 안구은행이나 신장이식에 기증하는 행동 등은 이러한 이유 때문이다.

⑦ 통증에 대한 두려움

통증에 대한 공포는 신체적인 아픔 이외에 정신적 고통, 불쾌, 참지 못하는 것, 불청객이라는 것 등의 이유에서 올 수 있다. 인간은 통증 그 자체는 견딜 수 있으나 정신적 고통은 오래 견디지 못한다. 따라서 환자에게 진통제를 주어서 고통을 완화시키거나 아니면 통증이 단순히 자신의 의지가 약해서 오는 것이 아님을 의학적으로 설명해 주면 좋다.

⑧ 퇴행에 대한 두려움

환자는 정신적, 신체적 고통 때문에 어린아이 같이 되어 남에게 의존하여 연명하지 않을까 하는 두려움을 갖기 때문에 환자가 고집스러워진다.

(2) 상실감

임종환자는 죽어가는 과정을 통하여 신체적, 정서적 사회적 상실감을 체험하게 된다. 건강악화에서 오는 신체상의 변화로 인한 신체적 상실, 절망감, 고립감, 자기 조절감, 존엄성에 대한 위협에서 오는 정서적 상실 및 사회적 접촉과 인간관계의 제한 역할변화에서 오는 사회적 상실 등이 그 예이다. 이러한 상실감에 대한 대응기전으로서 부정, 분노, 협상, 우울, 수용 등의 기전이 사용된다.

(3) 절망감

절망감이란 무능력감과 무력감 및 실망 그리고 포기가 순환적으로 작용하는 연속적인 상태이다. 무능감은 자아가치의 소멸, 자아조절의 상실, 의사결정능력 감소 시에 발생하며 무력감은 자가 간호 능력의 소멸, 좌절된 의존감, 자원이 고갈된 경우에 생기며 실망은 미래가 어둡게 느껴지고 무익하며 불가능하고 무의미하게 느낄 때 발생한다. 포기는 더 이상 대치를 할 수 없다고 느낄 때 생기는 반응이다.

(4) 슬픔

조절 능력 상실, 자립의 상실, 신체적 · 심리적 기능과 사고 능력 상실, 중요한 사람의 상실, 정체성 상실, 의미와 타인 관계의 상실 등에서 유래한다.

## 2) Kübler Ross의 임종환자 심리적 단계

### (1) 부정과 격리(denial & isolation)의 단계

이 단계에서 나타나는 특징으로는 주치의가 실수를 했을 거라고 말하면서 이 의사 저 의사 찾아다니기도 하고, 진단결과가 다른 사람의 것과 바뀌었을 것이라고 말하며 마치 다른 사람 얘기하듯 가볍게 병의 증상을 얘기한다. 증상이 자연히 없어지기를 기대하면서 치료를 거부한다. 아직 죽을 수 없는 이유를 댄다. 환자는 미래에 관한 계획을 세우기도 하고 증상이 곧 없어질 것이라고 느끼기 때문에 치료를 거부하고 만류를 뿌리치고 직장에 나가 아무 일도 없는 듯 근무를 하기도 한다. 무의식적 심리 과정에서 일어나는 이러한 부정은 갑작스런 충격에 대한 하나의 완충 장치로서 작용하며, 죽음의 현실에 대한 고통을 덜 느끼도록 하는 역할을 하므로 때로는 효과적인 대응기전일 수도 있다.

### (2) 분노(anger)의 단계

불평 불만거리를 찾는 사람처럼 이래도 불평, 저래도 불평한다. '하필이면 내가' 라고 말하면서 자기 자신, 사랑하는 대상, 가족, 병원직원에게 또는 신에게 분노를 표현한다. 그러나 그가 분노하고 있는 것은 그 대상 개개인이 아닌 자기가 지금 잃고 있는 모든 것, 예를 들면 생명, 건강기능, 에너지에 대한 것으로 대표하기 때문이다. 이 분노의 단계는 가족들이나 직원들이 극복하기 힘들다. 왜냐면 환자의 분노는 어디서나 불만스러운 것을 찾아내려고 애쓰는 것 같이 보이기 때문이다.

### (3) 협상(bargaining)의 단계

환자는 생명을 연장시키기 위하여 또는 그가 항상 하고 싶었던 어떤 일을 하기 위하여 자신의 가족이나 의료진들과 혹은 하나님과 타협하려고 한다. 내가 이렇게 훌륭하게 최선을 다해 노력을 한다면 하늘도 무심치 않으리라는 심정에서 환자는 의료인, 가족 또는 신과 운명, 하늘에 타협을 구하는 시기이다. 예를 들어 자신의 생명을 연장시켜 준다면 환자는 자신의 몸 전체를 과학적인 실험목적으로 사용할 수 있도록 약속한다든지, 진실한 신자가 되어 교회를 위해 봉사하겠다고 약속한다. 그리하여 환자는 자신이 협상하고자 하는 것을 얻을 수도 있다. 그 소망이 아주 강할 때 생명이 연장되는 수도 있다.

### (4) 우울(depression)의 단계

치유되지 않고 점점 상태가 악화되어 가는 임종에 가까운 환자는 자신의 실제상태를 알게 되고 이에 대해 질문하기 시작하며 이로 인하여 우울증에 빠지게 된다. 슬픔에 빠져 울거나 매우 조용해지고 낙심, 걱정한다. 말이 많아지기도 하고 없어지기도 한다. 이 시기에 비로소 자기가 상실한 것에 대해 애도를 하고 자신의 실제의 상태를 알게 되고 자신의 상태가 어떤지에 대한 질문을 하기 시작하면서 그로 인해 우울증에 빠지게 된다.

### (5) 수용(acceptance)의 단계

침착하고 평안한 감정을 갖게 되는 시기이다. 이는 삶을 포기한 사람의 감정과는 다르며, 외부세계에 대한 흥미가 현저히 감소하여 뉴스 등을 멀리한다. 아주 가깝고 꼭 만나고 싶어 하는 사람 이외에는 혼자 있기 원한다. 만일 환자가 충분한 시간을 갖고 지금까지의 단계를 지나는 동안 도움을 받았다면, 죽음을 받아들이는 수용의 단계에 도달할 것이다. '그래, 나는 죽어가고 있어.' 라고 생각하며 어느 정도 조용한 기대 속에서 닥쳐올 자신의 종말을 깊이 생각하게 된다. 이 시기는 어떻게 보면 승리이며 내적 평화이기도 하다.

### 3) 호스피스 대상자의 심리 상담

죽어가고 있는 과정에 있는 임종 환자와 그 가족의 심리를 이해하고 그들이 죽음에 대처하도록 돕는 심리적 지지는 중요하다.

#### (1) 호스피스 대상자들의 심리적 요구

① 정서적으로 고립되거나 자포자기 하지 않으려 한다.

② 인간의 존엄성을 유지하면서 익숙한 장소에서 임종을 맞고 싶어 한다.

③ 신체적 기능, 대인관계, 지적인 기능에서 스스로의 통제력을 최대한 유지하기 원한다.

④ 미완성의 일을 다 하고자 한다.

#### (2) 호스피스 대상자 심리 상담 목표

① 불안을 감소시키고 자신의 질병과 임종에 대해 받아들일 수 있게 한다.

② 남은 인생을 유지시키고, 인격통합이 이루어지게 한다.

③ 죽음을 잘 수용할 수 있도록 내적인 힘을 증진시킨다.

#### (3) 호스피스 대상자의 주요 정서적 문제 상담

① 두려움(fear)에 대한 상담

• 대상자가 경험하는 두려움의 종류와 강도를 확인하도록 시도한다.

• 방문객이 없을 경우 옆에서 열린 마음으로 함께 있어주는 것도 한 방편이다.

• 가족과 긴밀한 유대관계를 통해서 대상자를 지지해 준다.

• 치료, 진단과정에 가능한 환자를 참여시켜 불안을 감소시킨다.

• 이완요법을 교육시킨다.

• 극도의 공포감이 있을 때는 진정제를 투여한다.

• 질문에 대해 성실한 태도로 대답해 주는 태도를 나타낸다.

② 절망감에 대한 상담

절망 상태에 있는 임종환자에게 가장 중요한 간호중재는 희망을 고취시키는 것(Enabling or Inspiring hope)이다. 희망은 죽어가는 과정 속에서도 의미 있는 삶을 살다가 편안한 죽음을 맞게 하는 중요한 요인이다. 짧은 기간이지만 확실한 목표가 있고 희망을 가짐으로써 고통 없이 잘 지낼 수 있다 그러나 이러한 희망의 근원은 영적인 것과 관련이 되어 있으므로 단순한 심리 간호만으로는 곤란하며 적절한 영적 간호가 필요하다. 희망을 고취시키기 위해서는 실제적이고 수용 가능한 현실적인 단기목표를 세우도록 도와주는 것이 도움이 된다. 목적을 달성할 수 있기 위해 이용 가능한 지역사회 자원을 확인해 주고 친구나 의료인 자원봉사자 등의 도움을 받을 수 있도록 매개 역할을 한다. 작은 성공을 인정해 주고 같이 기뻐해 주며 계속 노력하도록 격려한다.

③ 슬픔에 대한 상담

정상적인 슬픔과정은 몇 가지 단계를 거친다. 즉 부정, 분노, 양가감정, 수용, 통합 등의 단계를 거치나 이런 진행과정은 꼭 순서적으로 일어나는 것도 아니며 어떤 경우에는 어떤 단계가 그냥 지나쳐 버리기도 한다. 대상자들은 실제로 이 단계들을 거치면서 관련된 감정을 표현하고 수용해야 한다. 대상자가 표현하기 힘든 감정들을 편안하게 표현할 수 있도록 관계를 수립한다. 대상자의 감정을 잘 들은 후에, 죄책감만을 계속 되씹을 때는 슬픔의 다른 측면에 대해 이야기하도록 한다. 대상자의 감정이 불편하기는 하지만 그것은 자연스러운 것이고 필요한 것임을 이야기해 준다.

슬픔은 건강, 직업, 동물이나 사랑하는 사람, 역할 등 중요한 어떤 것을 상실했을 때 일어나는 문제이므로 대상자와 신뢰관계가 수립된 후 지지적인 태도로 상실을 다룬다. 상실을 객관적으로 바라볼 수 있도록 도와주며, 상실한 사람이나 물건과의 관계, 그에 대한 느낌을 표현하도록 격려한다. 상실한 사람이나 사물에 대한 분노감이나 양가감정, 그리고 자신에 대한 감정을 표현하도록 격려한다. 환자가 상실한 대상에 대한 느낌을 표현하는 것은 그것이 부정적인 감정이더라도 건강한 것이고 정상적인 것임을 알려 표현하도록 격려한다.

④ 위축에 대한 상담

일시적인 위축행동은 어떤 정신적 외상에 따라 일어나는 것으로 방어기제라고 생각할 수 있다. 이러한 짧은 기간 동안의 '정서적 충격'은 휴식기간을 주며 그 정신적 외상에 대응해 나갈 방책을 강구하도록 하는 건강한 행위로 보여질 수 있다. 그러나 위축행동이 점차로 심해지게 되면 일상적인 건강 유지에 방해가 된다. 먹는 것을 거절하기까지 하는 위축행동은 사망을 일으킬 수 있다. 환자가 완전히 위축되고 말을 안하며 태아의 자세를 취하는 경우라면, 규칙적으로 환자 옆에 편안하게 있어 준다. 상담자가 그에게 관심이 있으며 도와주고 있음을 부드러운 목소리로 이야기한다. 대상자에게서 반응이 나타날 때까지 계속한다. 조금이라도 반응이 나타나면 그에게 긍정적인 피드백을 주며 계속하도록 격려한다. 대상자에게 눈을 뜨도록 요청하고 이야기하고 있는 상담자를 바라보도록 요청한다. 처음에는 대상자가 한 사람과 짧은 기간 동안 같이 시간을 보내도록 돕는다. 자극을 주기 위해 라디오나 TV를 켠다. 오랫동안 독방에 두어 고립시키지 않는다. 감정표현을 격려하며, 지지적이며 안전한 환경을 제공한다.

## (4) Kuübler Ross의 심리적 단계에 따른 상담

### ① 부정(denial) 단계

상담자는 환자의 부정 자체를 인정하면 안 되지만 부정하는 시간이 필요하다는 점을 염두에 두어야 한다. 병에 대해 충분히 현실적인 견해를 제공해 주되, 사실에 직면할 준비가 되었을 때 말로서 그들의 고통을 표현하도록 격려한다. 상담자들 역시 이 시기에는 무엇을 하든지 간에 자주 임종 환자의 분노의 대상이 된다. 도대체 대상자의 요구를 맞출 수가 없는 것처럼 보인다. 상담자는 대상자가 왜 그런 행동을 하고 있는지 이해하려고 노력하는 것이 중요하다.

### ② 분노(anger) 단계

대부분의 분노는 대상자가 스스로에게 용납되기 어려운 느낌들을 남의 탓으로 투사하여 나타나는 결과이다. 보통 대상자는 통제력을 잃지는 않을까 두려워서 분노감을 표현하는데 어려움을 갖고 있다. 환자가 느끼는 분노는 정당한 것일 수 있으며 보통 주위환경, 느낌 또는 입원 그 자체에 대한 건강한 반응으로도 나타난다. 그러므로 환자가 분노를 느낄 때 그 분노의 원인이 무엇이며, 그로 인해 자기나 타인에게 해를 끼칠 위험은 없는지 등을 사정하는 것이 중요하다. 그리하여 환자가 분노를 표현할 때 그것이 자기나 남에게 해를 끼치지 않는 방법으로 그리고 본인에게 받아들여지는 방법으로 표현될 때는 지지해 주는 것이 중요하다. 확고하고 일관성 있으면서 부드러운 태도로 대하며, 대상자와 논쟁하지 않는다. 필요시에는 침묵을 지킨다. 대상자가 스스로 공격심을 조절하였거나 분노나 적대감을 적절히 표현한 경우 지지적이고 긍정적인 피드백을 준다. 감정을 적절히 표현할 수 있는 방법이 무엇인지 대상자와 함께 의논한다.

### ③ 타협(bargaining) 단계

이 시기에 상담자들은 내담자의 소망을 심각하게 받아들이지 않아도 된다. 그리고 내담자가 협상하고자 하는 행동을 피하거나 거절하는 경우가 많은데, 그 이유로는 내담자의 행동이 미성숙하고 어린아이 같이 환상에 젖어 있고 성인으로서 적절한 행동이 아니라고 생각하기 때문에 내담자의 소망을 이룰 수 있도록 도와줄 수 없다고 생각한다. 그러나 내담자의 이러한 행동은 정상적인 반응으로서 다음 단계를 위한 준비라고 생각해야 한다.

### ④ 우울(depression) 단계

이 시기의 대상자는 슬퍼하며 그의 슬픔을 같이 느끼고 자기 옆에 있어 줄 사람이 필요하다. 따라서 이 시기에 상담자는 억지로 내담자에게 밝은 면을 강요하기보다는 내담자가 절박한 죽음을 생각할 수 있도록 그냥 슬픔에 젖도록 그냥 두어야 하고 자기의 감정을 표현할 기회를 주어야 한다. 감정을 표현할 때 옆에 가만히 앉아 있거나 혹 이야기를 하며 조용히 귀 담아 들어주고 부드럽게 대해주는 것이 필요하다. 그리하여 다음 단계인 수용의 단계로 촉진하는 데 도움을 주어야 한다. 대상자와 대화를 가질 때는 조용한 목소리로 대한다. 너무 쾌활한 목소리는 피하도록 하고 대화할 때는 열심히 경청하고 침묵을 사용한다. 대상자에게 관심이 있음을 알리고 가치 있는 인간으로 생각하고 있음을 알 수 있게 한다. 대상자에게 너 무 많은 질문은 하지 않는 것이 좋으며 필요시에는 간단한 질문만 한다. 대상자가 편안해 하는 주제에 대해서만 함께 이야 기를 나눈다. 대상자와 처음에 이야기할 때에는 단순 명료한 문장을 사용하고 복잡한 문장은 피한다. 대상자가 편하게 느 끼는 방법으로 자신의 느낌을 표현하도록 격려한다. 그가 표현하는 말은 무엇이든지 들어 주고 수용해 줄 것이라는 것을 대상자가 알 수 있도록 한다. 말없이 조용히 대상자 옆에 앉아 있어 주면서 대상자가 말하는 것은 무엇이든지 들을 준비가 되어 있음을 알 수 있게 한다. 대상자가 마음껏 울 수 있도록 허락하고, 그가 원한다면 혼자 있게 하거나 함께 있어 준다. 대상자의 감정을 경시해서는 안 되며, 스스로 받아들이기 어려운 감정을 표현할 때는 특히 지지해 준다.

⑤ 수용(acceptance) 단계

수용단계에 있는 사람들은 그전보다 흥미를 잃고 혼자 있기를 원하거나 적어도 뉴스나 외계의 문제에 대해 잘 들으려 하 지 않는다. 이 단계는 비록 의식은 맑지만 대화를 통한 인간관계를 그리 좋아하지 않으며 그저 편안히 기대앉아 상대의 손 을 가만히 잡고 있기를 원한다. 이때는 말없이 뜻을 전하는 단계로 느낌이나 감정을 표현할 단계를 이미 초월했다고 할 수 있다. 상담자는 내담자를 피하지 말고 말을 많이 하지 않아도 그와 같이 있음으로도 도울 수 있다. 수용단계에서는 말이 많이 필요하지는 않으나 대상자와 같이 있어 줌으로써 대상자를 더욱 편안하게 해 줄 수 있다.

## 2. 임종 환자의 영적 상담

인간은 죽음의 문제와 직면하게 되면 신체적, 심리적 측면의 요구 뿐 아니라 종교 유무를 떠나 영적인 요구도 갖게 된다. 그 래서 죽음과 관련된 대화를 하고 싶으나 실제적으로 죽음을 '생의 한 과정'으로 생각하기보다는 별개의 것으로 보고 생의 영속 만을 염원하기 때문에 죽음에 대한 두려움이 크다. 따라서 언급하기가 어려워지고 회피하려고 부정하려는 현상이 생겨 결국 죽 음에 대한 긍정과 부정의 양면성을 보인다(Kubler Ross, 1963). 죽음을 긍정한다는 것은 자기 자신의 신체, 사회, 심리적 활동이 끝나는 것으로 이해하고 죽음을 준비하며 이를 인정하는 것을 말하며, 죽음을 부정한다는 것은 개인적으로 죽음의 현실을 믿고 인식하기를 거절하는 것을 말한다. 임종 상담이란 임종 환자의 신체적, 사회적, 심리적, 영적인 측면을 모두 돌봄으로써 환자의 요구를 충족시켜 평안하게 지내도록 하는 것이 그 근본 목적이므로 신체적이고 심리적인 도움 뿐만 아니라 영적인 상담도 동시 에 제공되어야 한다. 임종의 상황은 환자가 영적 스트레스를 일으킬 수 있는 위기상황으로서 대상자에 대한 적절한 영적 중재 가 꼭 필요하다고 했다(Pumphrey, 1977).

영적 요인은 물론 과학적으로 규정하기 힘들지만 임종을 앞둔 환자가 여러 가지 어려운 심리현상으로 괴로워 할 때 그가 경 험하고 있는 여러 가지 고통을 과학적인 지식이나 기술만으로 해결할 수 없음을 잘 알 수 있다. 영적 상담이란 사회, 심리적 간 호와 서로 얽혀서 구별이 곤란하지만 이 두 개념에는 근본적인 차이가 있다. 정서적인 것은 한 개인과 자아와의 관계나 다른 이 들과의 관계나 즉각적인 환경과의 관계에서 발생되는 것으로 설명할 수 있다. 그러나 영적 상담은 개개인의 대인 사물과의 관 계보다 더 큰 절대자와의 관계를 의미한다. 임종환자의 영적 상담은 죽음에 대한 두려움을 감소시키고, 죽음을 수용하게 함으 로써 위엄있고 평안한 죽음을 맞이할 수 있도록 돕는 데 있다. 영적 상담은 인간의 사회 심리적 측면을 초월한 절대자와의 관계 가 포함되므로 개인의 신념, 가치, 종교에 따른 다양한 접근이 필요하다. 상담자의 입장에서 대상자의 요구를 해결해 주기 위해 서는 다양한 종교적 · 문화적 배경에 대한 이해와 지식이 필요하다. 이러한 이해는 상담자 자신의 종교관과 문화적 배경을 초월한 개방적 태도를 필요로 한다.

## 1) 죽음의 고통과 영성

인간은 "누구나 죽는다."라는 필연성과 자연성을 지니고 있음에도 불구하고 인간에 있어서 '죽음' 이란 미지의 세계이기 때문에 두려움이 있고 비관적인 경우가 많다. 그러나 대부분의 종교에서는 죽음을 생의 끝이라기보다 과정으로 보고 있으며, 죽음의 문제를 영적인 면에서 해결하고자 한다. 죽음이라는 초월적 행위를 통해서 영구적인 세계적 존재가 된다는 의미에서 영혼과 육신이 분리되는 것으로 설명하고 있다. 대부분의 인간은 근본적으로 불멸의 영적 존재라는 것을 이론적으로는 수긍하지만 막상 이것이 나의 문제로 대두될 때는 죽음에 대해 두려워하고 슬퍼하며 필연적인 과정으로 수긍하기보다는 부정하고 저항하는 것을 보게 된다. 또한 죽음은 현실 세계에서의 행실과 관련해서 인과 관계 즉 죄의 결과로 보기 때문에 인간의 필연적인 귀결이라기보다는 죄의 대가로 보고 당해서는 안 될 일로 생각하는 경우가 많다. 죽음에 대한 의미는 개인의 신념에 따라 달리 해석되며 이개인의 신념에 영향을 미치는 것이 종교나 문화인 경우가 많다.

인간이 가장 두려워하는 것 중 하나는 바로 죽음이다. 하지만 심리학적인 관점에서 본다면, 인간이 죽음의 공포를 극복하는 것이 불가능한 것은 아니다. 마크 트웨인은 이러한 문제에 대해 "나는 죽음이 두렵지 않다. 나는 태어나기 전 영겁에 걸친 세월을 죽은 채로 있었고 그 사실은 내게 일말의 고통을 준 적이 없다." 라고 유머러스하게 말하기도 하였다. 모리 교수는 제자에게 "죽게 되리라는 사실은 누구나 알지만, 자기가 죽는다고는 아무도 믿지 않지. 만약 그렇게 믿는다면, 우리는 다른 사람이 될 텐데." 라고 아쉬워하며 말했다. 그 후 그는 "어떻게 죽어야 할지 배우게 되면 어떻게 살아야 할지도 배울 수 있다네." 라고 조언하였고 살아가면서 죽음과 화해하는 일의 중요성을 역설하였다.

죽음의 고통에 대처하는 효과적인 방법 중 하나는 삶을 심리학적으로 완성하는 것이다. 삶에 대한 심리학적인 완성은 삶 속의 개별 사건들을 의미있게 재구성함으로써 궁극적으로 개인이 자신의 삶에 대해 가치부여를 할 수 있도록 돕는 것을 말한다. 이러한 심리학적인 연금술은 우리의 삶을 단순한 삶 이상의 것이 되도록 해 준다. 삶을 심리학적으로 완성해 나가는 과정에서 죽음으로 인한 '허무감' 또는 '무상감' 을 극복하기 위해서는 '영성' 의 행복기제를 통해 '경외감' 을 체험하는 것이 필요하다. 경외감은 인류가 초창기부터 경험했던 감정으로서 두려움, 놀라움 그리고 신비감에 기초해 기쁨을 동반하는 형태로 특정 대상을 우러러 볼 때 체험하게 되는 감정을 말한다. 심리학자 제임스에 따르면, 경외감은 인간이 '여명과 무지개의 약속, 천둥의 목소리, 여름비의 온화함 그리고 별들의 장엄함' 에 직면했을 때 경험하게 되는 감정이다. 그리고 영성은 유한한 존재로서의 인간을 무한성을 지닌 초월적 존재와 관계 맺도록 해주는 지혜로운 믿음을 말한다.

심리학적인 관점에서 본다면, 영성과 종교는 다르다. 영성에서는 자연세계의 무한성과 같이 경외감을 불러일으키는 대상이 모두 초월적 존재로 받아들여질 수 있으며, 영성은 지혜로운 믿음을 전제로 하는 개념이다. 영성에서는 열린 해석이 가능한 메타포에 기초해 감사, 용서, 사랑 그리고 공생 등의 긍정적인 가치에 주안점을 둔다. 성숙한 종교적 신념과 미성숙한 종교적 신념의 결정적인 차이 중 하나는 영성의 깊이라고 할 수 있다.

21세기의 시대정신 중 하나는 영성의 가치를 강조하는 것이다.  슈바이처박사는 영성에 대해 다음과 같이 말했다. "인간은 혼자서는 살 수 없는 존재다. 우리는 모든 생명이 가치 있는 것이라는 점을 안다. 그리고 우리는 이러한 생명과 통합적인 관계를 맺고 있다. 우리가 우주와 영적인 관계를 맺는 것은 바로 이러한 사실을 인지하는 것으로부터 출발한다."

이처럼 영성은 유한한 세계와 무한한 세계의 결합 및 그들의 상생적 가치를 기반으로 삼고 있기 때문에 그러한 영성을 깊게 하는 것은 죽음의 문제를 다루는 효과적인 수단이 될 수 있다. 영성이 죽음의 두려움을 다루는데 도움이 되는 또 다른 예로는 영국의 작가인 애덤스의 얘기를 들 수 있다. 그는 무한성을 지닌 우주와 영적인 관계를 맺고 있음을 깨닫게 될 때의 기쁨을 다음과 같이 표현하였다. "세계는 한없는 경외심을 불러일으키는 대단히 무절제한 복잡성과 풍성함과 기묘함을 간직하고 있습니다. 나는 그런 복잡성이 단순성에서 비롯되었을 뿐만 아니라, 전적으로 무에서 나왔을 수 있다는 생각이 전혀 믿기지 않을 만큼 탁월한 개념이라고 봅니다. 그리고 그런 일이 어떻게 일어났는지를 어렴풋이 깨닫고 나면, 경이롭기 그지없습니다. 그리고 자기 인생의 70년이나 80년을 그런 우주에서 보낼 기회가 있다면 내 생각에 시간을 잘 보내는 겁니다."

아무래도 죽음의 문제를 다룰 때는 실제로 생의 마지막 순간을 눈앞에 둔 시점에서 사람들이 보이는 태도를 살펴보는 것이 더 가슴에 와 닿을 것이다. 이런 점에서 하버드대학의 교수였던 진서는 영성을 통해 죽음의 문제를 다룬다는 것이 무엇을 뜻하는지를 잘 보여 준다. 그는 백혈병으로 죽어가고 있는 상황에서조차 운명을 원망하지 않고 겸허한 마음으로 자신에게 주어진 삶에 감사하면서 기품 있게 그리고 여유감 속에서 죽음을 맞이하였다.

## 2) 영적 요구

### (1) 영(spirit)

Tournier(1969)에 의하면 영(spirit)은 인간의 육체, 정신과 마음에 의미를 부여하는 것이며 서로의 관계를 융합하게 하며, 본질적으로는 무의식적인 것으로써 객관화되거나 분석될 수 없다고 하였다. 영(spirit)은 인간에게 활기를 주는 생명의 근원이며, 육체에 생명을 주는 기본 에너지라 규명하고 있다. 종교적 측면에서의 영적이란 신의 존재에 대한 확신, 즉 초인간적인 절대자의 힘을 믿고 이 힘에 대한 숭배나 순조하는 마음과 연관된 믿음, 소망, 용기의 원천이다. 또한 Conrad(1985)는 영(spirit)이란 임종과정 중 자신을 지탱해주는 궁극적인 지지체계의 필요성을 인식하게 되므로 상담자는 위기에 처한 대상자를 상담할 때 영적인 것에 더욱 관심을 가져야 한다고 강조하고 있다. 그러나 정서적(Emotional) 개념과 영적(Spiritual) 개념은 정확히 구분하기는 어렵지만 혼돈되어는 안 되는 개념이다. 즉 '정서적' 이란 개념은 개인이 자아, 타인 및 환경과의 관계를 설명하는 것이며, '영적' 이란 인간이 생각하기에 인간보다 더 위대하다고 생각되는 대상과의 초월적 관계를 말한다.

인간은 정서적으로 성숙할수록 자아가 통합되듯이 영적으로 성숙하여 영적 통합감을 갖게 될수록 자기와 다른 종교적 신앙을 가진 사람을 받아들일 줄 알며 종교가 지닌 공통점을 발견하려고 노력하게 된다.

### (2) 영적 요구

인간의 요구는 신체적 요구와 정신적 사회적 요구 및 영적 요구로 나눌 수 있는데, Conrads(1985)는 임종 환자의 영적 요구를 다음과 같이 구별하여 설명하고 있다.

① 의미와 목적에 대한 요구(search for Meaning)

자신에 대한 의미, 고통에 대한 의미, 죽음에 대한 의미 등을 찾고자 하는 요구이다. 인간은 원래 의미를 추구하는 영적 존재이다. '나는 누구인가?' '어디서 와서 어디로 가는가?' '인생의 진정한 의미와 목적은 무엇인가?' '왜 태어났다가 이렇게 일찍 죽어야 하는 것인가?' 등에 관해 의문을 가지며 해답을 추구하려는 욕구를 가진 존재인 것이다.

사실 인간의 모든 것 즉 삶과 죽음, 사고, 고통 등 모든 좋은 일과 나쁜 일에도 나름대로의 의미가 있다. 그러나 이러한 의문에 대한 해답을 쉽게 찾을 수 없어 포기한 척 살아갈 뿐이다. 그러나 죽음이나 고통이 왔을 때, 인간은 마음 속 깊이 잠재되어 있던 질문을 다시 끄집어 내게 된다. '나는 왜 실패했는가?' '왜 나만 몹쓸 병에 걸리는가?' '내 고통의 의미와 이유는 무엇인가?' 등에 대한 의문이 들기 시작하는 것이다. 특히 죽음을 앞둔 사람은 현재의 자신과 과거를 뒤돌아보면서 죽어가고 있는 자신에 대해 의미를 부여하고자 한다. 즉 의미 있는 죽음을 맞고자하는 욕구, 죽음에 대한 두려움이 적고 적응을 잘 할 수 있는 욕구, 미지의 세계에 대해 이해하고자 하는 욕구, 사인(death causes)에 대한 좌절감을 극복하려하는 욕구 및 생의 가치를 확인하고자 하는 욕구, 고통의 의미를 이해하고자 하는 욕구가 포함된다.

② 용서에 대한 요구(sense of Forgives)

임종을 앞두게 되면, 가능했던 일을 하지 않았던 것에 대한 죄의식과 본인 자신이나 타인에 대해 기대된 역할을 이행하지 못한 것에 대한 죄책감을 느끼고 용서받기를 원한다. 그러나 절대자가 자신의 죄를 용서해 준다는 것을 믿는 경우나 또는 인간이 자신을 용서해 준다는 것을 확인하였을 때 좀 더 평화로운 임종을 맞게 될 뿐 아니라 과거생활에서의 불성실이나 미완성으로 인해 남은 여생을 포기하려는 마음에서 보람 있게 최선을 다하려고 하는 노력으로 전환시킬 수 있다.

③ 사랑에 대한 요구(Need for Love)

인간은 사랑에 대한 요구를 가진 존재로, 인간관계에서의 사랑과 절대자와의 관계에서의 사랑을 경험하기를 원하는 존재라고 할 수 있다. 자신들이 사랑을 받을 만한 존재였음을 확인받고 싶어하고 또한 다른 사람들에게 사랑을 주기도 했다는 것을 확인하고 싶어한다. 그러므로 임종을 앞둔 대상자를 위해서는 자신의 과거 생활 범주 내에서 사랑을 나눌 수 있었던 대상자를 파악하여 가능한 한 같이 있도록 배려하여야 하며 또한 이러한 요구를 상담자가 이해하고 상담에 임하는 것이 바람직하다.

④ 희망에 대한 요구(need for Hope)

임종환자가 갖는 희망은 구체적인 희망과 막연한 희망으로 나눌 수 있다. 구체적 희망은 대상자가 직접 경험할 수 있는 증상완화, 동통완화, 활동증가 등에 대한 희망을 의미하고, 초월적 희망은 구체적 희망보다 좀 더 고차원적인 것으로서 실제적인 면보다 철학적이고 종교적 내용을 의미한다. 즉 내세에 대한 희망으로 현재의 어려움, 위기를 극복, 대처하고 싶어하는 요구이다.

## 3) 영적 상담

죽음의 상황을 넉넉하고 한가로운 심경으로 맞이하려면, 생전에 부지런히 자신의 영적 능력을 갖추어야만 가능하다. 평소에 탐욕과 집착으로 정신상태가 고갈되거나 지은 복덕이 없으면 아무리 잘 죽고 싶어도 잘 죽을 수가 없다. 자기라고 믿고 있는 이 육신은 실상은 내가 아니다. 몇 십 년 걸치고 다니다가 언젠가 벗어버리고 떠나야 할 한 벌의 옷과 같을 뿐이므로 장차 헤어져야 할 이 육신을 미리 벗어버리는 연습을 해야 한다. 잘 죽으려면 잘 살아야 한다는 것이다. 눈에 보이는 세계만이 아닌, 보이지는 않으나 엄연히 실재하는 세계를 의식하면서 벽돌을 쌓듯이 삶의 부분들을 하나하나 정성스럽게 잘 쌓으며 인간으로서의 존엄성에 걸맞게 살아야 한다.

많은 사람들이 건강할 때는 보이는 세계만을 더 잘 보고 그 세계가 모두인 줄 착각하고 산다. 그러나 육신의 기력이 쇠하고 삶의 여명이 얼마 남지 않았을 때, 특히 영혼이 육체에서 빠져나가려고 할 때 그 때에 이르러서야, 한 눈으로는 이 세상을, 다른 한 눈으로는 다른 세상을 보게 되기도 한다.

### (1) 임종 대상자 영적간호의 목적

① 죽어가는 사람의 고통경감과 사랑하는 사람들과의 보다 가까운 접촉을 통해 죽어가는 사람의 고통을 경감시키고 동반자적 사랑을 느끼도록 한다.

② 가능한 한 평상시와 같이 생활하도록 돕는다. 즉 가족과 같이 지낼 수 있고, 또 집에 가기 원할 때 갈 수 있도록 돕는다.

③ 절대자와의 만남, 이웃과의 만남, 자녀와의 만남을 잘 가질 수 있도록 영적으로 보살펴 준다.

④ 가족, 친지의 슬픔, 애도를 감소시킨다.

⑤ 평화롭고 위엄있는 죽음을 맞을 수 있도록 돕는다.

### (2) 임종 대상자의 영적 상담 방법

① 영적 지지자로서의 준비

임종 대상자를 상담하는 상담자는 영적 상담을 위해 다음과 같은 준비가 되어 있어야 한다.

- 영적 지지자로서의 확실한 소명이 있어야 함
- 자신의 죽음과 내세관이 확고부동해야 함
- 환자가 겪고 있는 영적 고통을 진심으로 이해하고 동참하려는 의지가 있어야 함

- 환자의 영적상태 및 영적 요구에 대한 통찰 능력이 있어야 함
- 환자의 영적 요구에 대하여 해답을 줄 수 있는 실제적 능력이 있어야 함

② 임종대상자 영적 중재 시 주의사항

- 각 환자는 다양한 요구를 가진 독특한 개체이므로 각 환자에 맞는 개별화된 간호를 제공해야 하며 영적 중재를 위한 표준화된 해답은 없다.
- 영적 중재 시 상담자의 종교적 철학적 입장을 초월한 개방적인 태도 유지가 필요하다.
- 임종환자의 영적 욕구를 충족시키기 위해서 상담자 자신의 영적 요구가 먼저 충족되어야 한다. 즉 상담자 자신들이 삶과 죽음에 대한 의미를 갖고 있어야 하며, 절대자와 사랑의 교제를 나누는 상담자는 대상자를 영적으로 잘 도와 줄 수 있을 것이다.
- 영적 중재에 어려움을 느끼는 상담자는 다른 사람에게 의뢰할 책임이 있다.

③ 영적 상담자가 가져야 할 태도

- 주위 사람들을 만나 그에 대한 종교적 문화적 사회적 배경을 알아본다.
- 상담자의 근무지와 신분을 항상 밝힌다.
- 조심스럽게 접근하여 이야기한다.
- 자신의 직관을 믿는다.
- 대상자의 반응과 비언어적 표현을 주의 깊게 관찰한다.
- 사생활과 비밀을 보장해준다.
- 대상자가 표현하는 감정을 수용한다.
- 주의 깊게 경청한다.
- 최대한으로 안심시키고 편안하게 해준다.
- 대상자로부터 요구되는 어떤 것도 일단은 받아들인다.
- 가능하면 다른 사람과 함께 하며, 성직자의 자문을 구하는 것이 좋다.
- 다른 사람을 돕는 것을 기쁘게 생각한다.

④ 임종 대상자의 영적 상담을 위한 사정

대상자들은 자신들의 개인적인 성향에 따라 그들이 받고 싶어 하는 영적 치료에 차이가 있다. 인간은 누구나 마지막 순간에는 영적인 힘에 매달리게 되며 이 영적 치료의 성공은 환자 개인적으로나 사회 전체적으로 그의 삶을 윤택하게 해 주고 가치를 부여해 준다. 그러나 실패는 여러 가지 문제를 유발시키며, 대상자 뿐만 아니라 가족들과 가졌던 좋은 관계를 급진적으로 나쁘게 하며 치료의 실패를 가져올 수 있다. 그러므로 호스피스 팀은 충분한 시간과 전문가적인 지식과 경험을 가지고 끝까지 서로를 믿고 신뢰하는 마음과 포기하지 않는 자세로 항상 환자와 함께 있어야 한다. 영적 치료는 꼭 목사, 신부, 스님처럼 전문 성직자만이 하는 것은 아니다. 그러나 어떤 전문적인 문제에 봉착할 경우는 성직자에게 의뢰를 하는 것이 바람직하다. 임종 대상자의 영적상담을 위한 사정은 종교의 유무 뿐만 아니라 종교적 신념까지도 파악되어야 한다. 임종을 앞둔 대상자의 태도는 본인이 인식하는 생의 잔여기간, 배우자, 부양가족 유무, 연령 등이 임종의 수용여부와 준비에 영향을 미치므로, 이러한 일반적 사항을 기초로 하여 사정이 이루어져야 한다.

임종을 앞둔 대상자의 영적 상담을 위해 사정해야 할 내용은 다음과 같은 사항들이다.

- 희망과 힘의 근원에 대해서: '가장 중요한 존재는 누구인지?' '두렵거나 불안할 때 누구에게 도움을 요청하는지?' '희망과 힘을 잃지 않게 해주는 것이 있다면 무엇인지?' '삶의 의미나 목적은 무엇인지?' 등의 내용이 포함된다.
- 절대자에 대해서: '종교가 중요한지?' '종교의식이 어떤 도움이 되는지?' '절대자가 생활에 직접 관여한다고 생각하는지?' '견디기 어려운 상황에서 가장 도움이 되는 것은 무엇인지?' '종교를 갖기 원하는지?' '그렇다면 어떤 종교를 갖기

원하는지?' '사후의 생에 대해 생각해 보았는지?' 등에 대해 사정하는 것이 도움이 된다.

- 종교예식에 대해서: '요즈음 어떠한 종교예식을 하고 있는지?' '발병 후 종교에 대한 태도에 변화가 있는지?' '도움이 된다고 생각되는 성물은 무엇인지?' 등에 대해 알아보는 것이 중요하다.

- 영적신념과 질병과의 관계에 대해서: '건강문제에 대해 어떻게 생각하는지?' '근래에 가장 두려운 것이 무엇인지?' '요즈음 어떤 생각이 드는지?' '주위에 사망한 사람이 있는지?' '임종장소는 어디가 적당하다고 생각하는지?' '누가 옆에 있어주기를 바라는지?' '질병이 왜 걸렸다고 생각하는지?' '근래에 가장 하고 싶은 일은 무엇인지?' 등의 내용이 사정 내용에 포함된다.

⑤ 임종 대상자의 영적 문제 및 중재

  A. 영적공허

- 신체 심리간호를 적극적으로 수행함으로써 환자가 영적표현을 할 수 있도록 격려한다.
- 질병에 대한 올바른 이해를 돕는다.
- 환자의 믿음이나 가치를 존중하는 태도를 보인다.
- 종교적 관점을 이해시킨다.
- 종교적 확신을 주는 성직자를 만날 수 있도록 돕는다.

  B. 종교적 신념의 결여

- 적극적인 신체 심리 간호 제공과 적극적인 경청을 한다.
- 환자의 믿음이나 가치를 존중하는 태도를 보인다.
- 가능하면 종교의 공통점에 관해 설명한다.
- 성직자의 방문을 돕는다.
- 같은 종교를 가진 대상자나 봉사자와 대화할 수 있는 기회를 마련한다.
- 대리 종교 예식을 갖춘다.

  C. 영적지지의 갈망

- 적극적인 경청을 한다.
- 성직자와 연결시켜 대화할 수 있도록 돕는다.
- 종교와 관련된 CD나 성물을 제공한다.
- 종교예식에 참여할 수 있도록 한다.
- 같은 종교를 가진 환자나 봉사자와 연결시킨다.

# 3. 호스피스 대상자의 가족상담

죽음은 누구에게나 불가피한 사건이지만 남겨지는 가족에게는 커다란 슬픔과 고통을 안겨주는 특별한 사건이 될 수 있다. 사랑하는 사람을 잃는다는 것은 고통스러운 경험이며, 특히 예측하지 못한 급작스러운 죽음은 남겨진 가족에게 매우 힘든 일이 된다. 임종 대상자의 가족은 임종자와 마찬가지로 신체적, 심리적, 영적으로 지쳐있는 상태이므로 이에 대한 적절한 중재가 필요하다. 사별로 인한 충격을 완화시키고 상실과 관련된 슬픔의 과정을 극복하여 일상생활과 사회에 적응할 때까지 지속적으로 도와줌으로써 사별 가족의 위기와 질병을 예방하고 새로운 삶을 살아갈 수 있도록 도와주는 것이 호스피스 대상자의 가족상담 목적이다.

## 1) 사별의 단계와 반응

### (1) 충격(회피) 단계

사별을 경험한 사람들이 겪는 첫 단계로서 충격, 무감각, 부정, 불신 혼란 등의 증상이 하나 혹은 상호 복합적으로 나타나며, 죽음을 현실적으로 받아들이기까지 수 시간 혹은 수 주가 걸릴 수 있다. 사별을 경험한 가족들은 멍한 상태, 쇼크, 소외감, 회피, 감정의 폭발, 일상생활과 의사결정의 어려움 등을 경험한다.

### (2) 직면(고통) 단계

이 단계에서 사별을 경험한 가족은 상실을 인식하게 되면서 고통을 느끼게 된다. 죽은 가족에 몰두하거나 그리워하는 증상이 나타나고, 고인에 대한 분노나 죄의식을 가질 수 있다. 또한 사별자와 함께 하려 했던 꿈이나 계획의 포기로 절망감을 가지거나 과중해진 가사업무 및 재정문제를 포함한 불확실한 미래에 대한 불안을 경험하게 된다.

### (3) 회복(통합) 단계

점차적으로 고통이 감소되고 새로운 역할에 대처할 수 있는 능력이 증가되어 정상적인 삶으로 회복할 때까지의 시기이다. 사별자와 관련된 생각에서 벗어나 미래에 관심을 보이며, 수치심이나 죄의식 없이 편안하게 즐거움을 추구하며 안녕 상태를 되찾게 된다. 고인이 없는 환경에 적응함으로써 가족체계와 관계가 재조직되고 재구조화되며 새로운 관계 형성이나 사회적 상호 작용을 형성하게 된다. 사별 가족은 미래에 대한 희망을 발견하고 활기를 느끼며 사회적 행사에 참여하고 삶을 재조직하는 과정에 에너지를 투자하고 기쁨을 느끼게 된다.

## 2) 사별의 유형에 따른 문제

### (1) 자녀를 사별한 부모의 고통

부모가 자녀를 사별한 경우에는 다른 상실의 경우에 비해 독특한 심리적, 사회적 문제가 발생한다. 자녀를 사별한 부모는 사별 전에 부모의 역할을 다하지 못했다는 죄의식과 자신보다 먼저 보낸 자녀의 상실로 인해 상실 극복에 많은 어려움을 겪는다. 부모들은 남은 자녀들에게 부모의 역할을 계속해야 하지만, 상실로 인한 슬픔으로 인하여 남은 자녀에 대해 적대감과 분노를 갖거나 죽은 자녀의 역할을 대신하도록 강요하게 되어 남은 자녀들도 심리적, 정신적 부담이나 타격을 받게 될 수도 있다.

### (2) 배우자를 사별한 경우

배우자 사별은 다른 경우보다 사회적 관심이 높으며, 특히 남편을 사별한 여성 사별자에게서 더욱 많은 문제점이 생길 수 있는데, 사별한 여성에게서의 변화는 남편과의 관계와 유대감의 정도 및 다양성에 따라 다르게 나타난다. 여성들은 전통적으로 사회적인 역할에서 수동적 역할을 취하도록 사회화되어 있기 때문에 새로운 역할과 사회적 친분 관계의 형성에서 어려움을 겪게 된다. 혼자 된 여성 배우자들이 겪는 가장 큰 어려움은 외로움인데, 사랑과 보호의 대상자 부재에서 오는 외로움, 경험의 공유 부족에서 오는 외로움, 자신이 해 낼 수 없는 일과 하기 싫은 일에 직면할 때 생기는 외로움, 과거에 함께 한 활동에 대한 그리움에서 오는 외로움 등이 있다. 또한 여성 사별자는 경제적인 문제와 미망인에 대한 전통적인 사회적 편견으로 인해 스트레스를 경험하게 될 수도 있다. 반면, 남성은 사별을 분리라고 생각하고 육체적, 심리적 고통을 호소하기도 하지만, 여성에 비해 현실적이고 빠르게 죽음을 받아들이는 경향이 있다.

### (3) 부모를 사별한 자녀의 경우

부모를 사별한 자녀들도 어른의 경우처럼 다양한 변화를 보이며 어려움을 겪는다. 살아 있는 한쪽 부모의 정서적인 지지를 받지 못하거나, 부모 - 자식 간의 관계가 어려워지면 상처를 받는다. 또한 돌아가신 부모에 대한 죄책감 등으로 괴로워 할 수도 있다. 불안정한 가정 상태 및 가족 내 역할변화와 새로운 책임 등으로 인해 심각한 영향을 받을 수 있다. 사별에 대한 아동의 슬픔 반응은 연령에 따라 다양하게 나타난다. 어린 아동의 경우에는 신경과민, 통제 불가능한 분노, 잦은 병치레, 과다행동, 악몽, 우울, 과도한 의존성, 반복적인 꿈 등의 증상으로 나타난다. 반면, 큰 아동의 경우에는 집중력 결여, 낮은 학업 성취도, 불면증 등의 수면장애, 반사회적 행동, 악몽, 우울, 과도한 의존성, 무단결석, 약물복용, 비밀주의 등의 증상이 나타날 수 있다.

## 3) 사별 가족을 위한 상담 전략

### (1) 사별 가족 상담의 목적

사별 가족을 위한 상담의 목적은 사별 가족들이 상실과 슬픔의 위기를 극복하고 질병을 예방하며 이들이 전인적으로 치유되고 성숙한 삶을 살도록 돕는 것이다.

① 사별로 인한 충격을 완화시킨다.

② 사별로 인한 슬픔의 과정을 극복한다.

③ 일상생활과 사회에 잘 적응할 때까지 지속적으로 도와준다.

④ 사별 가족의 위기와 질병을 예방하고, 더 나아가 새롭고 성숙한 삶을 살아가도록 돕는다.

### (2) 사별 가족 상담을 위한 사정

① 누구의 죽음인가?(대개는 부모, 배우자, 자녀의 죽음 중 자녀 죽음에 대한 상처가 가장 크다)

② 언제, 어떻게 사망했는가?(자살인지? 타살인지? 사고인지? 질병인지?)

③ 갑작스런 죽음이었는가?

④ 사망한 사람과의 관계는 어떤 의미가 있는가?

⑤ 어떤 역할 변화가 있으며, 일어날 가능성이 있는가?

⑥ 이전 상실에 대한 경험이 있는가?

⑦ 사별의 결과로 크게 영향을 미칠 수 있는 상황이 있는가?

⑧ 고인과의 관계가 어떠한가?(지나치게 의존적이었는지? 부정적인 관계였는지?)

⑨ 평소의 적응 및 대처 양상은 어떠한가?

⑩ 사별 후의 적응에 차이를 가져올 수 있는 연령인가?

⑪ 사별가족의 사회적 지지정도는 어떠한가?

⑫ 경제 상태가 애도과정에 얼마나 영향을 미치는가?

⑬ 신체적, 정신적, 영적 건강 상태는 어떠하며, 문제가 있는가?

### (3) 사별 가족 상담

#### ① 사별 전 가족 상담

치유가 불가능한 진단이 내려진 때부터 사별 상담은 시작되며, 이는 사별 후에 오는 슬픔의 심각성을 감소시키고 성공적인 사별관리에 영향을 준다. 적절한 시기에 임종에 대해, 임종 후 할 일에 대해 떠나는 자와 남겨질 가족이 함께 털어놓고 이야기하도록 도와준다. 유언이라든지, 장례식과 묘지에 관한 내용을 포함하여 재산정리 문제, 장기기증, 화해, 미완성된 일의 처리 등의 내용에 관해 가족들이 자연스럽게 털어놓고 이야기할 수 있는 준비와 분위기를 도와준다. 자녀 문제나 해결하지 못한 가사 문제가 있으면 남은 가족들이 해결하겠다고 약속해서 임종하는 자가 안심하고 떠날 수 있게 하고, 부모 속을 태웠던 자녀라면 뉘우치고 각심해서 잘하겠으니 부디 다 잊고 떠나시라고 안심시켜 드리게 하는 것이 좋다. 임종자가 마지막으로 부탁하는 요청에 대해서는 꼭 실행하겠다고 흔쾌히 약속하게 한다.

가까운 친척과 친구, 가족들이 상면하도록 도와주며, 가족에게 죽음과 그 후에 예상되는 문제를 설명해 준다. 죽음을 인정하고 받아들이던 가족들도 막상 임종 시에는 당황하거나 슬픔을 억제하지 못하므로 충분히 지지해 준다. 충분한 자원을 동원할 수 있도록 도와주고 원하는 종교의 도움을 받을 수 있도록 한다.

② 임종 시 가족 상담

가능한 모든 것이 임종자를 위해 행해질 것이라고 가족들을 안심시켜 준다. 임종자와 가족에게 특별한 추억이나 경험들을 회상할 수 있는 기회를 제공한다. 상실이나 좌절감 같은 개인적 감정을 표현하도록 격려하고, 가족이 요구하는 모든 정보를 정직하게 제공해 주는것이 도움이 된다. 가족들을 위해 모든 필요한 도움을 주며, 가족들이 원한다면 임종 순간에도 참가해 주며, 영적인 지지도 도와준다.

③ 임종 후 가족 상담

임종 후 잠시 침대에서 그대로 가족과 친지들이 슬픔을 표현할 수 있게 허락하는 것이 좋으며, 마지막 작별의 정을 나누도록 가족끼리만 있도록 배려한다. 가족들과 함께 있어주며 슬픔에 동참하고, 상투적이고 형식적인 위로의 말은 피해야 한다. 느낌을 충분히 표현할 수 있도록 격려해 주며, 사별 가족을 보호해 주고 실제적인 도움을 준다.

가족과 친분이 있거나 가족이 원한다면 장례식에 참여한다. 사별의 슬픔으로부터 도망하기 위한 방법으로 술이나 약물을 사용하지 않도록 권유하며, 가족들이 서로 간에 속상하게 하기 않기 위해 침묵하기보다 솔직하게 서로의 감정을 나누도록 격려하게 한다. 슬퍼하는 것이 수년 간 지속될 수 있는 고통스러운 과정이라는 것을 강조해 준다. 추후 관리로 전화나 편지, 가정 방문 등을 통해 위로해 주거나 기념일 등을 기억해 줄 수도 있다. 사별 가족 모임에 연결시켜 주는 것도 도움이 된다. 비슷한 문제를 가진 사람들의 모임을 통한 지지는 많은 도움이 될 수 있다. 예를 들면 남편을 잃은 아내들의 모임이나 자녀를 사별한 부모들의 모임이나 유가족 모임 등에 연결시켜 주는 것이다. 이러한 모임은 정신적 지지 뿐만 아니라 교육을 제공해 주는 기회가 된다.

# ■ 참고문헌 ■

Albert Ellis 외1인(1996). 정신건강적 사고(합리적 생활 안내서). 이문출판사.

Ann Vernon(2011). 아동과 청소년을 위한 인지정서행동치료(REBT). 시그마프레스.

Barbara M.Dossey 외 2인(2004). 전인간호. 현문사.

Bob Shebib(2006). 사회복지 상담심리학. 학지사.

Bruscia, Kenneth E.(2006). 음악 심리치료의 역동성. 학지사.

Buckman R(1998). Communication in palliative care: a practical guide. In: Derek Doyle, Geoffrey W.C. Hanks and Neil MacDonald editors. Oxford Textbook of Palliative Medicine. 2nd ed. Oxford, New York, Tokyo: Oxford University Press.

C.K.Aldrich(1986). 역동정신의학. 하나의학사

C.S.Hall 외1인(1992). 성격의 이론. 중앙적성출판사.

Corey, Gerald,(2000). 상담과 심리치료의 제기법. 중앙적성출판사

David Rosen,M.D.(2009). 우울증 거듭나기. 학지사.

Deanna S. Pledge(2005). 아동 및 청소년상담. 시그마프레스.

Don Dinkmeyer,Jr., Len Sperry(2004). 상담과 심리치료. 시그마프레스(주).

Gumaer Jim(1990). 아동상담과 치료. 양서원.

Henry Walton(1989). 소집단 정신치료. 하나의학사.

Howard A. Blatner,M,D(1987). 싸이코 드라마. 하나의학사.

Jeffrey A. Kottler(2010). 치료자의 자기분석과 성장을 위한 워크북. 학지사.

Jongsma, Arthur E.(2002).아동 심리치료 치료계획서. 시그마프레스.

jongsma, Arthur E.(2002).아동 심리치료 치료계획서. 시그마프레스.

Judith A. Shelly(1980). 위기상담 신앙적 접근. 대한간호협회 출판부.

K.M.Colby(1987). 정신치료 어떻게 하는 것인가. 하나의학사.

Kaye P(1990), Spiritual pain. In: Symptom Control in Hospice and Palliative Care. USA : Hospice Education Institute.

Kubler-Ross E(1970). On Death and Dying. London : Tavistock Publications.

Lichter I(1989). Rights of the individual patient. In: Stoll BA, ed. Ethical Dilemmas in Cancer Care. London : Macmillan.

Meier, Scott T.(2003). 상담의 디딤돌. 시그마프레스.

Michael.H.Popkin(1995). 현대의 적극적 부모역할 훈련. 한국심리교육센터 출판부.

Michael.H.Popkin(1996). 십대의 적극적 부모역할 훈련. 한국심리교육센터 출판부.

Murphy, John J.(2004). 단기학교상담. 학지사.

Ornum, William Van(1991). 아동과 청소년을 위한 위기 상담.교문사.

Parkes CM(1978). Psychological aspects. In: Saunders CM, ed. The Management of Terminal Diseases. London : Edward Arnold.

Raymond Corsini(1974). Current Psychotherapies. F.E.PEACOCK.

Slovholt, Thomas M. (2003).건강한 상담자만이 남을 도울 수 있다. 학지사.

Speck P(1998). Spiritual issue in palliative care. In: Derek Doyle, Geoffrey W.C. Hanks and Neil MacDonald editors. Oxford Textbook of Palliative Medicine. 2nd ed. Oxford, New York, Tokyo: Oxford University Press.

Stanovich, Keith E(1998).심리학의 오해. 혜안.

Thomas A.Harris(1989). 인간관계의 개선과 치료. 중앙적성출판사.

Thomas Gordon(1990). 자율적 자녀육성을 위한 부모교육. 형설출판사.

Thomas Gordon(1993). 효과적인 부모역할 훈련워크북. 한국심리상담연구소 K.E.T.I.

Vincent D.Foley(1988). 가족치료입문. 형설출판사.

Wedding, Danny(2006) 심리치료 사례연구. 학지사.

Woodruff R(1993). Psychosocial aspects of care. In: Palliative Medicine. Melbourne. Asperula Pty Ltd.

가드너, 리처드 A.(2004).이혼가정 자녀를 위한 심리치료. 양서원.

가필드, 솔 L.(2002).단기심리치료. 학지사.

강경미(2011). 상담 심리학의 이론과 실제. 대왕사.

강경미(2011). 상담심리학의 이론과 실제. 大旺社.

강경호(2003). 가정폭력의 위기와 상담. 한사랑 가족 상담연구소.

강문희 외(1998). 아동정신건강. 정민사.

강봉규(2004).심리검사의 이론과 기법. 동문사.

강순화(2004). 상담전문가 11인의 만남과 치유 제1-10편 : 집단상담 사례. 학지사.

강순화(2004). 상담전문가 11인의 만남과 치유 집단상담 사례 및 해설. 학지사.

강열우 외3인(2006). 치료레크리에이션 입문서. 세종출판사.

강위영(1997).아동의 이해와 심리. 행동 치료교육. 대구대학교출판

강태심(2004).우리 반 집단 상담. 우리교육.

게리그, 리처드 (2011).심리학과 삶. 시그마프레스.

고영건, 김진영(2012). 멘탈 휘트니스 긍정심리 프로그램. 학지사.

고흥화(1998).심리학 개론. 교육과학사.

곽금주(2008).20대 심리학. 랜덤하우스.

곽호완(2005). 일상 심리학의 이해. 시그마프레스.

관계부(1987). 감수성 훈련의 원리와 실제. 형설출판사.

굿이어-브라운, 패리스(2012).(외상장애 아동을 위한)놀이치료 : 규정적인 접근 방법. 학지사.

권석만(2004).(젊은이를 위한) 인간관계의 심리학. 학지사.

권육상(2001).정신건강 심리치료. 학문사.

권이종(2002). 내일에 사는 아이 어제에 사는 어른. 교육과학사.

권이종(2005). 교수가 된 광부. 이채.

그레코, 로리 A.(2012).(아동과 청소년을 위한)수용과 마음챙김 치료 : 실무자 지침서. 시그마프레스.

그리스트, 존 H(1998).심리불안과 자기치료. 학지사.

길버트, M. C.(2005). 상담 심리치료 수퍼비전. 학지사.

김 환(2006). 상담면접의 기초. 학지사.

김계현 (2000).상담심리학 연구 주제론과 방법론. 학지사.

김계현(1995). 상담심리학. 학지사.

김계현(2004). 상담과 심리검사. 학지사,

김규수, 오현숙(2006). 가족치료 이론과 실제. 양서원.

김나영(2001). 아동임상 및 상담심리. 동문사.

김남순(2001). 상담심리학의 이해. 교육과학사.

김동일(2002). 특수아동상담. 학지사.

김명소(2000).직업심리 및 상담. 학지사.

김명희 외3인(2012). 상담기초 워크북. 고문사.

김병후(2012). 너: 정신과전문의 김병후의 인간관계에 대한 탐구. 나무생각.

김선현(2011). ADHD 아동을 위한 미술치료 프로그램. 이담Books.

김영아(2012).십대라는 이름의 외계인: 소통하지 못하는 십대와 부모를 위한 심리치유 에세이. 라이스메이커.

김영애 가족치료 연구소(2005). (Dr.Banmen의) 별거상태에 있는 부부들 상담한 사례 6-2부.김영애 가족치료 연구소

김영애 가족치료 연구소(2005).(Dr.Banmen의) 별거상태에 있는 부부들 상담한 사례 6-1부.  김영애 가족치료 연구소.

김영우(2002).영혼의 최면 치료.나무심는 사람.

김영진(2003). (심리학 역사 속에서의) 상담이론. 교육과학사.

김영진(2003). (아동청소년 지도를 위한)상담과정과 문제행동상담. 교육과학사.

김영환(1998).(교양)심리학. 중앙적성출판사.

김옥라 편저(1990). 정신적, 심리적지지. 호스피스. 서울 : 수문사.

김유숙(2012). 심리치료이론과 가족치료. 학지사.

김은자(2012). 간호상담. 정담미디어.

김은정(2003). 상담심리의 이해. 선학사.

김이영(2014). 교육 심리학.양서원.

김정규(1996). 게슈탈트 심리치료. 학지사.

김종인(2010). 가족음악치료학. 이담Books.

김창대(2000). 집단상담 활동자료집Ⅰ. 계명대학교 학생생활 연구소.

김춘경(2001). (상호작용놀이를 통한)집단상담 :이론과 실제. 학지사.

김충기(1997). 생활지도와 상담. 교육과학사.

김충기(1998). 생활지도ㆍ상담.진로 지도. 교육과학사.

김태형(2007). 성격과 심리학. 새뜰심리상담소.

김한우(2013). 왜 우리는 도박에 빠지는 걸까 : 도박으로 고통 받는 사람들과 가족들을 위한 110가지 이야기. 소울메이트.

김향초(2009). 가출청소년의 이해와 상담. 학지사.

김현(2014). (새 경향에 맞춰 만점에 도전하는)키위 교육학 .하: 생활지도와 상담Ⅰ교수학습과 교수공학. 미래아카데미 북이그잼.

김형태(2003). (21세기를위한)상담심리학. 동문사.

김형태(2003). 21세기를 위한 상담심리학. 동문사.

김혜온(2012). 다문화교육의 심리학적 이해. 학지사.

김호진(2013). 삶을 베팅하는 사람들: 도박 중독 상담센터를 찾은 27인, 그리고 한 사람에 관한 이야기. 시그마북스.

나이토 요시히토(2012). (간단 명쾌한) 사회심리학. 시그마북스.

남명자(2005). 부모의 양육태도와 아동의 성격장애. 학지사.

네이피어, 오거스터스(2012).가족을 위로 한다:서로에게 서툰 가족을 위한 치유의 심리학. 북이십일 21세기북스.

노상우 외4인(1999). 아동ㆍ청소년을 위한 집단상담. 문음사.

노성덕(2009).학교 또래상담 . 학지사.

노안영(2005). 상담심리학의 이론과 실제. 학지사.

노안영(2005). 상담심리학의 이론과 실제. 학지사.

노안영(2011). 상담자의 지혜 :13인의 심리학자가 들려주는 상담의 지혜. 학지사.

닐슨, 스테판(2003). (종교를 가진 내담자를 위한)상담 및 심리치료. 학지사.

다카하시 신지(2000). 우리가 이 세상에 살게 된 7가지 이유. 해누리.

다트, 마이첼 A(2013). 간호실무 에서의 동기강화상담. 정담미디어ㆍ학지사.

대한 간호학회 정신간호학회(1992). 인간행동 개념과 간호. 1992년도 정신간호학 학술대회.

드레버만, 오이겐(2014). 한 생각 돌이켜 행복하라 : 지금 당신에게 필요한 인생 지도. 토네이도

디션, 토머스 J.(2007). 청소년 문제행동 상담. 학지사.

딩크마이어 Jr., 돈(2004).상담과 심리치료 Adler 개인심리학의 통합적 접근. 시그마프레스.

라르망, 우어줄라 아베(2011). (심리상담과 미술치료를 위한)발테그 그림검사. 이문출판사.

라베, 피터 B.(2010). 철학상담의 이론과 실제. 시그마 프레스.

란드레스, 개리 L.(2009). 놀이치료 : 치료관계의 기술. 학지사.

로렌스 크랩(2003). 인간이해와상담. 두란노

로스차일드, 바빗(2013).내 인생을 힘들게 하는 트라우마 : 외상 후 스트레스 장애 PTSD에서 벗어나는 법. 원앤원북스.

로저스, 칼(2007). (칼 로저스의)사람-중심 상담. 학지사.

로저스, 칼(2009).진정한 사람되기 :칼 로저스 상담의 원리와 실제. 학지사.

루카스, 수잔(2004). 사회복지 상담의 첫걸음 문제사정을 위한 핸드북. 학지사.

뤼케르트, 한스 베르너(2005). (강한 나를 만드는) 행동의 심리학. 한스미디어.

류 종훈(2001). 가정상담학의 이해. 청목출판사.

류종훈(2001). 가정상담학의 이해. 청목출판사.

류현수 김수아(2009).가족상담 및 치료. 동문사

리더, 대리언(2011).우리는 왜 우울할까 : 멜랑콜리로 읽는 우울증 심리학. 동녘사이언스.

리델, 잉그리트(2001). 미술치료 : 융의 분석 심리학에 기초한. 학지사.

리사 윌리엄스(2012). 영매와 인도령들에게서 듣는 죽음 이후의 또 다른 삶. 정신세계사.

마론, 마리오(2005). 애착이론과 심리치료. 시그마프레스.

마르텔, 크리스토퍼 R.(2012). 우울증의 행동활성화 치료 : 치료자를 위한 가이드북. 학지사.

마이어, 스코트 T.(1997). 상담의 기본요소. 중앙적성출판사.

마이어스, 데이비드 G. (2011). (마이어스의)심리학 탐구. 시그마프레스.

마이어스, 데이비드(2007). 심리학의 탐구. 시그마프레스.

마자르-모에, 지나 L.(2012). 긍정심리치료 : 치료자 가이드. 시그마프레스.

매트슨, 조니 L. (2012).아동기 심리장애와 발달장애의 치료. 시그마프레스.

매트슨, 조니 L.(2012). 아동기 심리장애와 발달장애의 평가. 시그마프레스.

맥윌리엄스, 낸시(2007). 정신분석적 심리치료. 학지사.

맥클레인, 게일 L.(2006). 학교 따돌림의 지도와 상담. 동문사.

메르클레, 롤프(2010). 감정사용설명서 : 부정적 감정을 다스리는 치유의 심리학. 생각의 날개.

민델, 아놀드(2011). 명상과 심리치료의 만남. 학지사.

민병배 외1인(2008). 성격장애의 인지치료. 학지사.

바르데츠키, 배르벨(2006). 여자의 심리학. 북폴리오.

바츨라비크, P(1995). (상담과 심리 치료를 위한) 변화. 중앙적성출판사.

박경애(2011). 아동과 청소년을 위한 이니정서 행동치료. 시그마프레스.

박근주(2008). 선생님, 전 이렇게 상담했어요 : 현장교사를 위한 상담사례의 실제. 양서원.

박부진(1998). 한국사회의 이혼 실태와 대응방향, 한국가족학회 추계학술대회 자료집.

박성수(1997). 상담이론. 한국방송대.

박성희(2002). 상담과 상담학. 학지사.

박성희(2004). 상담학 연구방법론. 학지사.

박성희(2007). (동화로 열어가는)상담이야기 수용과 공감의 지혜. 이너북스.

박옥임(2004). 성폭력 전문상담. 시그마 프레스.

박원명, 민경준(2012). 우울증. 시그마프레스.

박종수(2005). (분석 심리학에 기초한)이야기 심리치료. 학지사.

박종수(2009). 융심리학과 성서적 상담. 학지사.

박지영(1998).(생활속의) 심리학. 삼우사.

방 기연(2003). 상담 수퍼비전. 학지사.

방 선욱(2002). 심리학의 이해. 교육과학사.

밴멘, 존(2002). (Dr. Banmen의 개인 상담을 위한)Satir Model Therapy. 김영애 가족치료연구소.

밴멘, 존(2002). Satir Model Therapy. 김영애 가족치료연구소.

보익, 바바라 래보비츠(2012). 모래놀이치료 : 심리치료사를 위한 지침서. 학지사.

브레너, 한스 D.(1988). 통합 심리 치료. 하나의학사.

색스, 글렌 N.(2011). 아동 · 청소년 위기 상담 : 트라우마 체계 치료. 학지사.

서울대학교 사회심리학연구실(1996). 집단 심리학. 학지사.

서울정신분석상담연구소(2005). 정신분석 심포지엄(인간 진실에 이르는 길). 서울정신분석상담연구소.

서울정신분석상담연구소(2005). 정신분석 워크숍 II. 서울정신분석상담연구소.

서튼, 캐롤(2007). 사회복지와 심리학. 시그마프레스.

설기문(1998). 최면과 전생퇴행. 정신세계사.

셰이브, 밥(2006). 사회복지 상담심리학. 학지사.

손, 브레인(2007).상담과 심리치료 주요인물 시리즈 10 : (인간중심치료의 창시자)칼 로저스. 학지사.

송관재(2002).대인관계의 심리. 학문사.

송미경(2007). 특수아 상담. 시그마프레스.

송성자(1995). 가족과 가족치료. 법문사.

스티븐스, 로라 J(2005). 주의력 결핍장애에 효과적인 12가지 비약물 치료 방법. 하나출판사.

스프링, 재니스 A.(2014). 흔들리는 부부관계 어떻게 할 것인가. 소울메이트.

슬라빈, 로버트(2004). 교육 심리학 이론과 실제. 시그마프레스.

신철희(2007). (삐딱한 행동 속에 숨겨진) 우리 아이 속마음. 다산에듀.

신현균(2009). 아동 심리치료의 실제 :심리장애별 치료. 집문당.

신혜영(2013). (아동 문제행동에 대한)부모상담. 파란마음.

아셔-스바눔, 아야(2007). 정신분열병 환자의 정신교육그룹 치료자를 위한 안내서. 하나醫學社.

안병덕(1993). 색채와 임상적 의미. 한국미술치료학회.

안영진(2003). 아동 심리와 부모교육 이론과 실제 : 21세기 신세대 바람직한 자녀 교육을 위한 지침서.

안영진(2013). (누리과정에 따른)생활 지도 및 상담. 창지사.

안향림(1995). 치료자는 어떻게 환자를 이해해야 하는가. 중앙적성출판사.

안황란, 김선남(1993). 자기이해와 자기치료. 현문사.

앨퍼드 c.프레드(2000). 한국인의 심리에 관한 보고서. 그린비.

얄롬, 어빈 D.(2005). 치료의 선물 새로운 세대의 상담자와 내담자들에게 보내는 공. 시그마프레스.

얄롬, 어빈 D.(2007). 실존주의 심리치료. 학지사.

에간, 제랄드(1994). 상담의 실제. 한국장로교출판사.

에반스, 데이비드 R(2000). 상담의 필수기술. 나남.

엘메스, 데이비드 G.(1999). 심리학연구방법. 시그마프레스.

염창환(1996). 영적 치료. 호스피스의 치료; 경영진을 위한 책. 한국의학.

염창환(1996). 의사소통. 호스피스의 치료; 경영진을 위한 책. 한국의학.

영, 마크 E(2003). 부부상담과 치료. 시그마프레스.

예하미디어 편집부(2003). 가족상담 및 치료.예하미디어.

오세진(1999). 인간행동과 심리학. 학지사.

와이스먼, 미르나 M.(2011). 관계중심 심리치료. 시그마프레스.

우재현(1996). 게슈탈트 치료 프로그램. 정암서원.

워샥, 리처드 A.(2005). 이혼, 부, 모, 아이들 당당한 관계를 위한 심리학. 아침이슬.

웨이샤르, 마조리 E.(2007).상담과 심리치료 주요인물 시리즈 8 : (인지치료의 창시자) 아론벡. 학지사.

웨이즈, 존 R.(2008). 아동 · 청소년 심리치료. 시그마프레스.

윈슬레이드, J.(2005). 이야기 상담. 학지사.

유영달 외10인(2013). 인간관계의 심리 행복의 열쇠. 학지사.

유제민 외(2004). 아동과 청소년의 발달정신병리학. 시그마프레스.

윤가현(2005). 심리학의 이해. 학지사.

윤서영(2013). 고객의 마음을 사로잡는 상담사 누구나 될 수 있다. 모아북스.

윤치연(2004). 특수아 상담 및 치료교육 프로그램. 학지사.

윤호균(1983). 삶 · 상담 · 상담자. 문지사.

이건, 제라드(1999). 유능한 상담자 상담의 문제대처적 접근. 학지사.

이건, 제라드(2003). 유능한 상담자 상담의 문제 대처와 기회 개발적 접근. 시그마 프레스.

이건, 제럴드(20050. (제럴드 이건의) 상담기술연습서 `유능한 상담자`의 동반워크북. 시그마프레스.

이경화(2001). 아동발달과 상담. 학문사.

이광자(2008). 건강 상담 심리. 이화여자대학교출판부.

이광준(2000). 정신분석 해체와 선 심리학. 학문사.

이규식(2004). 의사소통장애 치료교육. 학지사.

이달엽(2003). 장애와 상담, 교육과학사.

이동렬(2000). (새내기 상담가를 위한)상담과 심리치료. 교육과학사.

이만홍(1999). (정신분열병의) 통합 재활 치료. 하나의학사

이문용 외(1989). 올바른 자녀지도 방법을 위한 부모의 리더십. 형설출판사.

이미라(1998). 영적간호개론. 현문사.

이부영(2004). 분석심리학 C.G.Jung의 인간심성론. 일조각.

이영희(2005). 상담이론의 철학적 조망. 숙명여자대학교 출판국.

이윤주(2008). 청소년 자살상담. 학지사.

이장호 (2000). 상담면접의 기초. 중앙적성출판사.

이장호(1995). 상담사례 연구집. 박영사.

이장호(1997). 상담의 연구방법. 박영사.

이장호(2001). 상담심리학의 기초. 학문사.

이장호(2005). 상담심리학.博英社.

이장호, 정남운, 조성호(1999). 상담심리학의 기초. 학문사.

이재연(1998). 아동상담과 치료. 양서원.

이정숙 외28인(1999). 가족치료총론 이화여대 사회복지학과 편. 동인.

이철구 (2001). (심리학으로 본 음악)음악교육. 교육과학사.

이현림(2000). 상담이론과 실제. 원미사.

이현림(2000). 진로지도와 상담. 영남대학교 출판부.

이현림(2003). 성인학습 및 상담. 학지사.

이현수(1998). 치료심리학. 大旺社.

이형득(1986). 집단상담의 실제. 중앙적성출판사.

이형득(1994). 助力技術訓練의 實際. 형설출판사.

이형득(2003). 집단상담 : group counselling. 중앙적성출판사.

이후경(2013). 임상 집단정신치료 : 집단정신치료의 바이블. 좋은 땅.

이후경(2013). 핵심집단 정신치료 강의: 집단정신치료의 바이블. 좋은 땅.

이희영(2003). 진로성숙과 상담. 학지사.

일라디, 스티븐 S.(2012). 나는 원래 행복하다(우울증 없는 행복한 삶을 위한 힐링심리학) 말글빛냄.

임상록 외 4인(2012). 상담의 이론과 실제. 파란마음.

임영식 외(2004). 청소년 심리의 이해. 학문사.

장선철(2003). 상담 심리학. 동문사.

장선철, 문승태(2003). 상담심리학. 동문사.

장수용(2007). 인간행동의 심리 .전략기업컨설팅.

장하영(2013). 원하는 것을 유쾌하게 얻는 긍정 심리학. 스마트북.

장혁표(1996). 상담과 심리치료의 이론 및 실제. 교육과학사.

전겸구(1993). 미술치료에 있어서의 이미지. 한국미술치료학회.

전국보육교사교육원대학협의회(1998). 부모교육 및 상담. 양서원.

전국재(2013). 모험 기반상담 놀이와 프로그램. 시그마프레스.

전진수(2000). 심리검사 직업상담을 위한. 학지사.

정동화(2003). 유아생활지도와 상담. 서현사.

정문자 외3인(2012). 가족치료의 이해. 학지사.

정문자(2011). 아동심리상담 : 유아기에서 학령기까지. 양서원.

정민자(2002). 가정폭력 가해자를 위한 가족상담교육프로그램. 양지.

정영숙(1998). 가족상담과 치료. 양서원.

정옥분(2012). 아동심리검사. 학지사.

정용부 외(1998). 아동생활지도와 상담. 학지사.

정원식 외2인(1996). 이 시대의 자녀 교육. 교육과학사.

제이콥스, 마이클(2007). 상담과 심리치료 주요인물 시리즈1 : (정신분석의 창시자)지그문트 프로이트. 학지사.

조미영(2011). 미술심리치료의 이해와 실제. 파란마음.

조용태(2004). 특수아 상담의 이해와 전략. 특수교육.

존슨, 수(2001). 정서중심 부부치료. (주)휴노.

주리애(2010). 미술치료학. 학지사.

준커, 버넌 G(2004). 커리어 상담 생애설계의 응용개념. 시그마프레스.

차미영(2006). 웰 다잉을 위한 죽음의 이해. 상상커뮤니케이션.

차영희(2006). 유 · 아동을 위한 상담의 기초. 창지사.

찬, 퐁(2008). (재활전문가를 위한)장애인 상담의 이론과 실제. 시그마프레스.

천성문 외5인(2007). 상담심리학의 이론과 실제. 학지사.

천성문(2006). 상담심리학의 이론과 실제. 학지사.

초프라, 디팍(2002). (불치의 병을 치료하는)정신신체의학의 기적. 군자출판사.

최규련(2008). 가족상담 및 치료. 공동체.

최선화(2012). 일상으로서의 사회복지실천과 상담. 공동체.

최영하(2002). 정신지체아의 심리 및 지도.대구대학교 출판부.

최정윤(2002). 심리검사의 이해. 시그마프레스.

추정선 (2005). (상담 교육을 위한)이상심리학의 이해. 교육과학사.

케이스먼트, 앤(2007). 상담과 심리치료 주요인물 시리즈4 : (분석심리학의 창시자)칼융. 학지사.

켄달, 필립 C. (2010). 아동&#65381;청소년 심리치료 : 인지행동적 접근. 학지사.

코레이, 제랄드(1996). 심리상담과 치료의 이론과 실제. 시그마프레스.

코레이, 제럴드(2003). 심리상담과 치료의 이론과 실제. 시그마프레스.

코리, 마리안 슈나이더(2004). 좋은 상담자 되기. 시그마 프레스.

코리, 제랄드(1990). 상담학개론. 장로회신학대학 출판부.

코리, 제럴드(2001). 상담 및 심리치료의 통합적 접근. 시그마프레스.

코리, 제럴드(2002). 상담 및 심리치료의 통합적 접근 워크북. 시그마프레스.

코리, 제럴드(2006). 통합적 상담 : 사례중심의 접근. 시그마프레스.

코헨, 엘리엇 D.(2012). 지금 나는 고민하지 않는 방법을 고민 중이다 : 걱정하는 습관을 가진 당신을 위한 심리 치유. 애플북스.

콜린스 게리 (1986). 효과적인 상담. 두란노.

크릭, 제니퍼(2012). 정신사회작업치료학. 한미의학.

클락, 아서 J.(2005). 방어기제를 다루는 상담기법. 김영애가족치료 연구소.

텀즈, 로버타(2013). 모든 슬픔에는 끝이 있다:30년간 200만 명을 치유한 위로의 심리학. 애플북스.

톰슨, 찰리스 L(1994). 아동을 위한 상담이론과 방법. 교육과학사.

파크스, 콜랭 머레이(2011). 호스피스 상담 : 말기 돌봄과 사별을 위한 상담. 시그마프레스.

팔머, 스티븐(2004). 상담 및 심리치료의 이해. 학지사.

퍼드, 줄리언 D.(2012). 진단명 : 외상 후 스트레스 장애(PTSD). 시그마프레스.

편집부(2002). (핵심)상담이론 및 실제. 은파출판사.

포나기, 피터 (2012). 정신화 중심의 경계성 인격장애의 치료.NUN.

포펜, 로저(2008). 상담과 심리치료 주요인물 시리즈5 :(행동치료의거장)조셉, 월피. 학지사.

푸코, 미셸(2002). 정신병과 심리학. 문학동네.

프란셀라, 페이(2008). 상담과 심리치료 주요인물 시리즈6 : (인지 구성주의의 선구자)조지 켈리. 학지사.

플랜트, 토마스 G(2000). 현대 임상 심리학. 시그마프레스.

필라리, 비말라(2008). 가족희생양이 된 자녀의 심리와 상담. 학지사.

한국간호과학회(2005). 임상에서의 인지치료의 실제. 2005년도 정신간호학회 춘계학술대회.

한국간호과학회(2006). 갈등가족 중대 이론 및 실제. 2006년도 정신간호학회 춘계학술대회.

한국청소년개발원(2004). 청소년 상담론. 교육과학사.

한재희(2002). 상담 패러다임의 이론과 실제. 교육아카데미.

해크니, 해롤드 L.(2004). 심리상담의 과정과 기법. 시그마프레스.

허승희(1996). 초등학교 아동을 위한 상담. 교육과학사.

험프리스, 토니(2011). (아는 만큼 행복이 커지는)가족의 심리학. 다산초당.

현정환(2002). 상담 이론 그리고 연습. 창지사.

홍대식(2007). 잘사는 부부 못사는 부부 : 부부를 위한 심리학. 시그마북스.

황성원(2010). 아동심리와 상담. 창지사.

휘터, 게랄트(2007). 불안의 심리학 : 뇌생물학자가 말하는 스트레스의 참얼굴. 궁리.

히튼, 진 알브론다(2006). 상담 및 심리치료의 기본기법. 학지사.

힐, 클라라(2001).상담의 기술 :성공적인 탐색, 통찰, 실행 상담을 위한. 학지사.

# 부록

# 1

# 치료자의 자기분석

## 타인으로부터 더 많은 피드백 받기

당신이 근무상황이 아닌데도 한 인간으로서보다는 마치 치료자로서 행동하는 것이 있는지를 가족이나 친구들에게 물어보라. 이런 행동이 얼마나 거리감을 느끼게 만드는지에 대해서도 물어보라. 당신의 부모 중 한 명이나 두 명 모두, 또는 자녀 중 한사람, 형제 · 자매, 당신의 배우자나 파트너, 가장 친한 친구, 또는 몇몇 잘 아는 사람들이 당신에 관해 피드백을 해 준 내용에 대하여 적어 보라.

• 부모로부터 받은 피드백

• 자녀로부터 받은 피드백

• 형제로부터 받은 피드백

• 배우자/파트너로부터 받은 피드백

• 가장 친한 친구로부터 받은 피드백

• 지인으로부터 받은 피드백

## 대처 기제들

당신이 업무를 하는 동안 어떤 스트레스와 심리적 부담을 느끼게 되면 그것이 생산적인 방법이든, 자기 파괴적인 방법이든 문제를 해결하려고 시도한다. 다음 자료는 여러 가지 대처전략들 중 당신이 선호하는 전략들이 어떤 것인지를 알도록 하는 데 도움이 된다. 물론 이들 대처전략들은 당신에게 긍정적 효과도 주지만 부정적인 부작용도 줄 수 있다.

⊙ 목록을 작성하고, 그 내용에 대해 두 번씩 체크하라

당신이 직장에서 압박감과 갈등을 느낄 때 이를 극복하기 위하여 사용하는 방법이 있으면 마음속으로 분석하지 말고 떠오르는 대로 가능한 한 많이 적어 보시오. 할 수 있는 한 모든 것을 목록으로 만드시오.

위에 적은 내용 이외에 또 다른 것이 있는지 검토해 보시오. 그리고 아래 제시한 대처전략들 중 해당되는 것이 있다면 위의 목록에 그 내용들도 추가하시오.

• 자가치유: 당신은 자가 치유를 위하여 어떤 시도를 합니까? 음주, 약물 복용, 카페인이 들어있는 음료, 담배 피우는 것 등이 있겠지요. 이밖에 다른 것으로는 위험이 도사리는 일에 무모하게 도전하는 것, 강박적으로 어떤 행동을 반복적으로 하는 것, 도피주의자 처럼 행동하는 것 등이 포함될 수 있습니다. 여기서 중요한 점은 당신이 판단해 볼 때 이런 것들이 어떤 점에서 자기 파괴적인가 하는 것입니다.

• 물질에 대한 욕망 추구: 당신은 갖고싶은 물건들을 살까 말까 망설이며 생각하는 데 얼마나 많은 시간을 소비합니까? 당신은 얼마나 자주 충족되지 않은 개인적 욕망을 충족시키거나 상처 난 마음을 달래려고 쇼핑을 하고, 또 허전한 마음을 채우기 위

해 여행을 합니까? 어떤 치료자들은 더 큰 집, 더 좋은 차, 값비싼 여행, 유행하는 양복, 그리고 다른 고가의 물건들을 구입하기 위하여 빚을 내는 것과 같은 행동을 함으로써 스트레스를 풀려고 시도하기도 합니다.

- 친밀해지기를 꺼림: 당신은 어떤 사람이 친밀해지려고 할 때 피하는 경향이 있습니까? 치료자들은 친밀한 관계를 즐기려는 사람이라고 잘못 알려져 있기 때문에 항상 이에 대한 부담과 이를 통제해야 하는 입장에 있습니다.
- 고립됨: 당신 자신을 보호하기 위하여 어떤 장벽을 쌓음으로써 부가적인 고통이나 불편함으로부터 벗어나려고 한 적이 있습니까? 사람들로부터 철수하거나 해방되려고 했던 적이 있는지 찾아보시오.
- 둔감화: 당신은 불편하거나 위협을 느낄 때 그런 상황에서 유발되는 감정으로부터 당신을 보호하기 위하여 어떤 반응을 취합니까? 당신은 마음속에서 경험되는 격한 감정들이 남들에게 전달되지 않도록 하기 위하여 어떤 노력을 합니까? 이에 대한 해답은 당신을 특별히 잘 아는 사람에게 물어보면 알 수 있을 것입니다.
- 토라짐: 타인으로 하여금 당신에게 미안한 마음을 갖게 만들고, 또 그러면서 타인을 처벌하는 방법에는 어떤 것이 있습니까? 이 방법은 사랑하는 사람과 접촉하려고 노력하기 위해, 그리고 상대방이 당신을 지지하도록 하기 위해 흔히 사용하는 전략입니다.

◉ 당신이 작성한 목록으로 되돌아가기

이제 당신이 작성했던 목록으로 다시 돌아가서, 다른 사람과의 대화를 통해서 얻게 되었거나 추가할 내용이 있는지 검토함으로써 지금까지 생각해 낸 스트레스 극복 방법 이외에 다른 방법이 있었다면 추가하시오. 당신이 작성한 목록 중에서 스트레스를 극복하는 데는 많은 도움이 되지만 부정적인 부작용은 거의 없다고 생각되는 전략들에 동그라미를 하시오. 그리고 정신적, 신체적 건강에 가장 유해한 영향을 미칠 것으로 생각되는 항목에는 네모 표시를 해 보시오. 당신이 방금 깨달은 사실이 있으면 아래에 기록해 보시오.

◉ 중요한 사람들과의 관계에 미치는 효과

임상장면에서 치료자로서 일을 할 때 직면하게 되는 가장 파괴적인 부작용중의 하나는 당신에게 가장 의미 있는 사람들과의 관계에 미치는 영향들이다. 매일 열정적인 치료회기를 가진 후에는 열정적인 치료를 실시한데 따른 후유증이 뒤따르기 마련이다. 당신은 당신이 제공할 수 있는 것보다 훨씬 많은 것을 요구하는 어려움에 처한 내담자들로부터 자주 공습을 받는다. 그러면 내담자와의 평범한 대화에서조차 민감해지고 고뇌에 빠져든다. 살아남기 위해 마음속으로 게임을 하는 그런 환자들과 결투를 한 후에는 더욱 냉소적이고 의심하는 마음을 가지게 된다. 환자들과의 관계에서 알게 된 많은 비밀들을 지키고 난 후에는 때때로 폭발할 것 같은 느낌이 들기도 한다.

그러면 업무에서 벗어나 당신 편이 되기를 원하는 새로운 사람들을 만나보라. 부모, 형제, 자녀, 배우자나 파트너, 친구, 동료들, 심지어 당신이 어떤일을 하는지 알기를 원하는 이웃들까지 이모든 사람들도 당신으로부터 관심과 이해받기를 원한다. 더군다나 그들은 충분히 그럴 만한 가치가 있는 사람들이다. 그러나 도움을 필요로 하는 사람들에게 비위를 맞추느라 스트레스가 가득 찬 날에는 과연 그들을 위해 당신이 무언가 해 줄 수 있는 여력이 남아 있겠는가?

⊙ 인물 조사

이 활동에서는 당신의 업무가 사적인 관계에 어떤 영향을 미치는지에 대해 살펴볼 것이다.

• 당신의 삶에서 당신이 돌보아야 할 가장 마음이 쓰이는 사람은 누구인가? 아래에 이에 대한 목록을 작성해 보시오.

• 다음 사람들의 역할을 검토한 후, 이 사람들이 당신에게서 무엇을 얻기 원하는지를 예상해 보시오.

배우자/파트너:

부모:

자녀:

형제들:

친한 친구:

• 사랑하는 사람들이 당신에게 가장 원하는 것이 무엇인지에 대해 당신이 예상한 것과 실제로 그들이 당신에게 바라고, 느끼고, 생각하는 것이 무엇인지를 비교해 보라. 당신이 생각한 것을 그들과 공유하고, 그들이 당신에게 무엇을 원하는지 알기 위해 그들을 초대하여 말해 보도록 하시오.

• 업무에서 요구되는 것과 당신의 개인생활에서 요구되는 것 사이에 얽혀있다고 생각하는 내용들에 대하여 아래에 적어 보시오.

• 당신이 가장 고귀하게 여기는 사람과의 우호관계가 일에서 오는 압박감과 긴장감 때문에 어떻게 타협되고, 무시되고, 과소평가되고, 가치 절하되고, 감소되었는지를 밝혀 보시오.

⊙ 집안일

• 직장에서 겪는 특별한 스트레스 사건이나 강렬한 또는 학대적인 사건으로 인해 개인적 관계가 끝장나는 일이 자주 있다. 가장 최근에 이런 일이 일어났는지 기억해 보시오.

• 어떤 문제 때문에 당신이 사랑하는 사람들에 대해 그들의 말을 듣거나 보호 또는 생산적인 반영과 같은 건설적인 방식으로 일을 처리하기보다 그냥 무책임하게 내버려 두었는가?

⊙ 과거를 파헤치기

• 내담자들이 자신의 욕구를 충족시켜 주지 않는 사람들과의 관계에서 자주 역기능적 행동패턴을 보이거나 그들과 갈등을 초래하듯이 당신 역시 그럴 수 있다. 일상생활에서 타인과 계속 어려운 관계에 있었거나, 또는 누구와 주로 어려운 관계가 야기되는가?

• 당신이 과거에 경험했던 미해결된 문제 때문에 사랑하는 사람들과 갈등관계를 초래하게 된 최근의 일에 대하여 생각해 보시오.

⊙ 회고하기

• 치료자로서의 일 때문에 당신이 고통을 받아야 했던 일들 중 기억에 남는 부작용이 있었다면 무엇인지 하나만 골라 적어 보시오.

• 당신에게 영향을 미친 몇 가지 다른 부작용에 대하여 적어 보시오.

# 역전이 징후

역전이란 치료자의 해결되지 못한 개인적 문제나 편견들 때문에 치료자가 내담자의 행동에 대하여 과장된 반응을 하는 것으로 정의된다. 이런 부적절한 역전의 반응들은 당신이 싫어하는 내담자들에게는 부정적인 형태로, 또 매력적이라고 생각하는 내담자들에게는 긍정적인 형태로 나타난다.

◉ 몇 가지 개인적 실례들

다음의 각 징후들과 증상들은 치료과정에서 어떤 한 내담자에 대해 치료자가 갖는 매우 강한 개인적 반응의 결과로 나타날 수 있는 문제들이다. 각각에 대해 당신이 경험했던 개인적인 예들을 적어 보시오.

• 어떤 내담자에게는 돌보아 주고 싶은 생각이나 존경하는 마음을 느끼기가 어려웠다.

• 치료 시간이 지루하게 느껴지고 주의집중을 할 수가 없었다.

• 당신은 어떤 내담자에 대해 지나치게 과잉동일시함으로써 내담자가 표현하는 감정에 대해 계속 부정확한 해석을 하였다.

• 당신은 어떤 한 내담자 때문에 방해받고 있다는 느낌과 무력감, 좌절감을 느꼈다.

• 당신은 어떤 사례에서 세부적인 특정 내용에 관해서는 이상하게 기억이 나지 않는 경우가 있다.

• 당신은 어떤 유형의 내담자에 대해서 경멸적인 어투로 말하는 경향이 있다.

• 치료하는 과정에서 당신이 내담자보다 더 힘들어 하고 있다는 것을 안다.

• 당신은 어떤 내담자에게 필요 이상의 감정을 느끼는 자신을 발견하거나, 또는 어떤 특별한 특징을 가진 사람들(예컨대, 부유하거나 반항기질이 있는 사람, 또는 곱슬머리의 사람 등등) 에 대해 매력을 느끼는 자신을 발견한다.

⊙ 기쁨을 창조하기
• 당신의 직업이나 인생에서 더 많은 기쁨과 즐거움을 느끼기 위해서 이전과는 달리 무엇을 해야 하는지에 대하여 적어 보시오.

⊙ 아이디어를 창조하는 능력
　　당신 혼자 힘으로 탈진 상태를 극복할 수 있는 많은 방법들이 있다. 믿을 만한 동료들과 함께 점심시간을 보내도록 하라. 일상적인 일에 대해 이야기하는 대신에 당신이 싫어하는 어떤 일에 대해 불평을 늘어놓거나 성가시게 하는 일에 대해 불평을 늘어놓는 것, 당신이 탈진 상태에 대해 대항하거나 미래에 그런 상태가 발생되는 것을 예방하기 위하여 당신이 할 수 있는 모든 창조적인 일들에 관해 철저하게 목록을 작성할 수 있도록 대화를 구조화해 보라. 당신은 목록을 작성하는 필기자 역할을 하고, 그리고 그것을 복사한 뒤 참여한 모든 사람들에게 나누어 주라.
　　이렇게 작성한 새로운 처방들 가운데 당신이 가장 좋아하는 것은 무엇인가?

⊙ 당신이 취할 수 있는 다른 단계들
　　당신 혼자 힘으로 제안했던 아이디어와 브레인스토밍 중에 제안되었던 아이디어 이외에 탈진 상태에 대처하거나 파괴적인 영향력이 나타나기 전에 예방할 수 있는 몇 가지 다른 단계들이 있다.

- 당신의 삶을 다양화하기: 삶의 대한 만족이 단 하나의 측면에만 국한되지 않도록 하라. 관심 분야와 친구 관계, 여가활동을 통하여 당신 자신을 확장시킬 수 있는 방법이 무엇인지 살펴보라.

- 긍정적인 것에 초점을 맞추기: 계속적인 노력을 통하여 당신의 업무를 차별화할 수 있다. 당신이 했던 일 중 가장 중요한 일은 무엇이었는가?

- 타인과 접촉하기: 지문을 구하기 위하여 누구에게 의지하는가? 다른 사람들과 중요한 만남의 시간을 갖기 위해 할 수 있는 방법은 무엇인가?

- 건강한 생활방식을 취하기: 먹고, 자고, 운동하는 습관과 같은 하루 일과에서 어떻게 당신 자신을 변화시킬 것인가? 그리고 어떻게 자신의 시간을 관리할 것인가?

- 이전과는 다르게 자신에게 말하기: 무기력이나 무력함을 느끼지 않도록 하기 위해서 당신이 처한 어려움을 어떻게 재구조화할 수 있는가?

- 당신이 다른 사람들에게 어떤 방식으로 생활하라고 충고하는 것처럼 그렇게 생활해 보기: 더욱 발전 지향적인 삶을 살기 위해서 어떤 입장을 취해야 하는가?

# 친구나 동료들을 도와주기

문제가 있는 치료자들은 그들을 위해 중재해 주는 사람이 없기 때문에 계속해서 자신이나 내담자들을 해칠 수 있다. 이 말은 단지 내담자의 공공의 복지를 보호하라는 의미가 아니다. 이것은 우리들이 내담자뿐만 아니라 어려움에 처한 동료들을 위하여 도움을 주거나, 그들과 접촉하려고 기꺼이 노력해야 한다는 의미다.

당신은 우리와 같은 전문가들 중에 탈진 상태에 있는, 그것도 매우 심한 탈진 상태에 있는 누군가를 알고 있을 것이다. 이 사람은 이미 도움을 거절했을 수도 있고, 또 자신의 문제를 부인할 수도 있으며, 자신의 문제에 직면하지 않으려고 할 수도 있다. 우리 모두는 내담자를 보호할 책임 뿐만 아니라 동료들을 돌보아야 할 책임도 있다.

• 지금 당신은 어려움에 처해 있고, 어려움을 해결하려고 노력하고 있다고 상상해 보라. 어떤 관심 있는 동료가 당신을 돕고자 한다면 어떻게 하는 것이 당신을 가장 잘 돕는 일인지 생각해 보라.

• 어려움에 처한 다른 치료자를 돕기 위하여 당신이 취할 수 있는 단계에는 어떤 것이 있는가?

# 관계에 관한 조사

당신이 맺고 있는 최상의 관계를 살펴보는 것부터 시작하자.
• 직장에서 당신의 가장 큰 지지자는 누구인가?

• 내담자와의 관계에서 어떤 관계가 가장 생산적이고 만족감을 주는 관계인가?

이 예비 질문지 검사는 당신이 현재 맺고 있는 최상의 관계를 대표하는 것이다. 이 관계가 당신이 필요로 하는 모든 지지를 제공할 만큼 충분하지는 않지만 그래도 당신이 가장 관심을 가지는 것이 무엇인지에 관한 모델 역할을 할 것이다.

# 사람들을 멀리하기

당신의 생활에서 충분한 지지를 받지 못하는 이유가 당신이 사람들과 거리를 두려고 하기 때문이라고 가정해 보라. 당신은 일부러 의도적으로 그렇게 할수도 있겠지만, 거기에는 무의식적 동기들도 작용하고 있다. 다음 페이지에 있는 항목들 중에서 당신이 사람들과의 관계에서 가장 자주 적용하는 것에 동그라미를 하고, 또 최근에 이런 행동을 했던 예가 있다면 적어보시오.

• 다른 사람들이 당신에게 접근하기 어렵도록 만드는 것

　　예) 새로운 사람을 만날 수 있는 상황에 가고 싶은 생각이 없거나, 또 스스로 그런 상황을 만들지 않는다면 새로운 사람을 만나게 되는 일은 일어나지 않을 것이다. 그럼 좀 외로워질 것이다.

• 다른 사람을 비난하고 판단하기

　　예) 다른 사람이 행동하는 방식에 대해 냉소적인 태도를 취하는 경우가 많다. 이런 태도는 나에게 우월감을 가져다주기도 하지만, 또한 다른 사람들로부터 멀어지게 만드는 역할을 한다. 다른 사람들로 하여금 나에 대해 알 기회를 주지 않거나, 또한 나 스스로 그들을 알려는 기회를 만들지 못하게 한다.

• 다른 사람들이 좌절감을 느낄 정도로 지나치게 인간관계를 통제하려고 하는 것

　　예) 나는 매우 융통성 있는 사람이라고 생각하기를 좋아한다. 그러나 실제로 나는 직업적 처세를 얻기 위해서 일한다. 나는 직업에서는 승리하겠지만 많은 것을 잃게 될 것이다.

- 매력적이라고 여겨지는 사람들과 접촉하는 것을 꺼리거나, 접촉하는 데 부담을 느낀다.
  예) 사교적인 모임에서 나는 새로운 사람들과 만나는 것을 더 좋아하지만, 늘 잘 아는 친숙한 사람들과 지낸다.

- 다른 사람들이 당신과 친해지려고 하는 것을 막기 위해 의도적으로 치료자의 역할 뒤에 숨어 버리기
  예) 나는 많은 시간을 들어주고 대답을 해 주는 사람, 즉 이야기를 듣는 사람의 입장에만 있다는 사실을 깨닫게 되었다. 다른 사람들이 나에 대하여 좀더 잘 알려고 질문할 때는 능숙하게 내 이야기보다는 내가 좀 더 편안하게 느끼는 그들의 문제로 초점을 바꾸어 버린다.

- 보류하기
  예) 나는 가족들에 대해서와 마찬가지로 내담자들에게도 이런 방식을 취한다. 나는 내 마음대로 뭔가 잘 안될 때는 토라지는 경향이 있다. "그래 좋아, 내가 제공하는 것을 네가 원하지 않는단 말이지." "그래 좋아." " 그러면 나도 너에게서 손을 떼야 하겠어." 하고 마음속으로 말한다.

- 다른 사람과의 관계에 우선순위를 두는 데 드는 시간과 에너지를 투자하는 것을 거부하기
  예) 나는 내 생활에서 더 많은 지지를 받기를 원하고 또 친밀한 관계를 더 많이 가지기를 원한다고 말한다. 그러나 때로는 너무 게을러서 계획한 것을 의도대로 끝까지 수행해 내지 못한다. 폭풍우가 거의 없는 편안한 세상에 머무르는 것이 훨씬 쉽다고 생각하는 식이다.

## 행동계획

당신이 어떻게 다른 사람들과 거리를 두려고 하는지에 대해 살펴본 결과, 당신은 스스로 다른 사람들과 더 친밀해질 수 있는 가능성을 없애려고 하는 몇가지 자기 파괴적인 행동을 하고 있다는 것을 발견하였을 것이다. 만일 당신이 이러한 패턴을 변화시키기 위하여 무엇인가를 할 예정이라면 결정적인 행동이 필요하다.

• 당신이 사람들과의 관계에서 더 사랑스럽고 만족스러운 지지체계를 구축하기 위해서는 어떤 것에 더 많은 노력을 기울이며 관여해야 하는가?

• 당신이 지금까지 해 오던 행동방식을 중지하고 새로운 방식으로 다른 사람들과 관계를 맺기위해서는 기꺼이 무엇을 해야 하는가?

• 당신이 방금 작성했던 관여하기를 기초로 하여 당신의 궁극적인 목적을 추구하기 위해 해야 할 다음 단계는 무엇인가?

# 2

# 자기계발 설문지

〈자아실현을 위한 진단〉

## 자기계발 진단 설문지

- 자기계발의 정도를 파악하기 위한 것이 본 설문지의 목적입니다.
- 주관적인 판단으로 각 항목에 대해서 꾸밈 없이 답해 주시기 바랍니다.
- 문항은 모두 40개로 구성되어 있으며 항목마다 5단계로 답변해 주십시오.
- 답변에는 원칙적으로 시간 제한이 없으나, 너무 깊이 생각하실 필요는 없습니다.
- 지도자의 지시에 따라 진행하십시오.

진단 항목에 대하여 다음과 같이 5단계 평점을 매기십시오.

- 수(뛰어나게 좋다, 아주 잘하고 있다) ··········································5점
- 우(좋다, 잘하고 있다) ····························································4점
- 미(보통, 그저 그렇다) ····························································3점
- 양(약간 나쁘다, 잘 못하고 있다) ················································2점
- 가(나쁘다, 전혀 못하고 있다) ··················································1점

1. 자기의 자질과 능력상의 강·약점을 잘 알고 있습니까?····································(    )
2. 공부, 노력하는 목표를 설정하고 그 달성도를 늘 체크하고 있습니까? ··················(    )
3. 프로 의식에 투철하고 프로로서의 능력향상에 노력하고 있습니까?····················(    )
4. 인생의 귀감이 될만한 유능한 사람과 사귀고 있습니까?································(    )
5. 과음, 회식 또는 지나치게 놀이에 심취하여 일에 지장을 초래하는 일은 없습니까? ······(    )
6. 자기의 성격상의 특징을 잘 알고 있습니까? ··········································(    )
7. 재산형성 계획을 세우고, 계획대로 실행하고 있습니까?································(    )
8. 가정생활을 직장보다도 귀중하게 여기고 있습니까? ····································(    )

9. 능력개발을 위하여 새로운 지식, 경험을 쌓고 있습니까? ·······································( )

10. 책을 읽으며 꾸준히 자기연찬에 노력하고 있습니까? ····································( )

11. 자기의 담당업무에 대하여 누구에게도 지지 않게 일을 하고 있습니까? ··········( )

12. 클럽, 동창회, 사내서클 등 그룹활동에 적극적으로 참가하고 있습니까? ··········( )

13. 몸이 쇠약해졌다는 기분을 느끼지 않습니까? ·············································( )

14. 자신의 개성을 적당히 외부에 표출하고 있습니까? ·······································( )

15. 학교 친구나 동료에 비하여 재산형성을 잘 하고 있다고 생각합니까? ············( )

16. 외부에서 발생한 트러블을 가정으로 끌어들이지는 않습니까? ·······················( )

17. 정보를 널리 수집하여 자기계발, 능력향상에 노력하고 있습니까? ··················( )

18. 업무에 임하는 자세는 야무지고 열의가 있습니까? ·······································( )

19. 후배직원 또는 부하를 교육하고 지도하는 데 능숙합니까? ···························( )

20. 다른 사람에게 알기 쉽게 이야기하는 능력이 있습니까? ······························( )

21. 건강한 몸을 유지하기 위하여 적극적으로, 지속적으로 운동을 하고 있습니까? ··( )

22. 취미활동, 정서활동을 주기적으로 하고 있습니까? ·······································( )

23. 수입의 5%이상을 장래를 위한 능력개발에 투자하고 있습니까? ····················( )

24. 일에 대한 가정의 협력은 충분하다고 생각합니까? ·······································( )

25. 세상에 팔 수 있는 능력(남이 살 만한 가치가 있다고 보는 능력)이 있습니까? ··( )

26. 항상 문제의식, 목적의식을 가지고 있습니까? 그리고 자기의 부족한 점을 시정하려고 노력하고 있습니까? ···( )

27. 담당업무에 목표를 세우고 있습니까? 또 업무의 개선에 열의를 가지고 있습니까?·····( )

28. 화술이 좋고 자기를 PR하는 능력이 있습니까? ··········································( )

29. 지나친 일이나 놀이로 자기의 몸에 무리를 주는 일은 많지 않습니까? ············( )

30. 나이에 비해 지나치게 멋을 내거나, 노인티를 내고 있지는 않습니까? ············( )

31. 자신이나 가정에서 부업을 하고 있거나, 장래에 하기 위한 준비를 하고 있습니까?·····( )

32. 가정문제가 업무수행에 지장을 주는 일은 없습니까? ···································( )

33. 복합능력(전문기술 이외의 특별한 능력)을 가지고 있습니까?························( )

34. 탐구심의 개발에 노력하고 행동에 옮기고 있습니까? ···································( )

35. 항상 능률을 향상시키기 위하여 노력을 경주하고 있습니까? ·······················( )

36. 다른 분야의 사람들과 마음 놓고 접촉할 수 있습니까? ······························( )

37. 정기 건강진단 등 건강유지에 유의하고 있습니까? ·······································( )

38. 원만한 인간성의 형성을 위한 사람의 좌우명을 갖고 있습니까? ···················( )

39. 인생에 있어서 귀중한 것은 사는 보람, 돈, 건강이라는 사실을 인식하고 그 실행에 노력하고 있습니까?········( )

40. 부모봉양, 가족부양 또는 자녀의 성장에 대하여 책임을 느끼고 필요한 행동을 취하고 있습니까? ··············( )

# 자기계발 진단 채점표

아래의 해당되는 칸에 각 항목에 대하여 귀하가 적은 점수를 옮겨 적으십시오. 귀하의 점수를 올바른 위치에 옮겨 적었는지 번호를 다시 체크해 보시고 점수 계산은 지도자의 지시에 따르십시오.

### 범주1: 능력도

1. (　　　　　　　　)
9. (　　　　　　　　)
17. (　　　　　　　　)
25. (　　　　　　　　)
33. (　　　　　　　　)

---

합　계:
평　균:
득　점:

### 범주2: 자기계발도

2. (　　　　　　　　)
10. (　　　　　　　　)
18. (　　　　　　　　)
26. (　　　　　　　　)
34. (　　　　　　　　)

---

합　계:
평　균:
득　점:

### 범주3: 업무수행도

3. (　　　　　　　　)
11. (　　　　　　　　)
19. (　　　　　　　　)
27. (　　　　　　　　)
35. (　　　　　　　　)

---

합　계:
평　균:
득　점:

### 범주3: 인간관계도

4. (　　　　　　　　)
12. (　　　　　　　　)
20. (　　　　　　　　)
28. (　　　　　　　　)
36. (　　　　　　　　)

---

합　계:
평　균:
득　점:

## 범주5: 건강관리도

| | |
|---|---|
| 5. ( | ) |
| 13. ( | ) |
| 21. ( | ) |
| 29. ( | ) |
| 37. ( | ) |

합 계:
평 균:
득 점:

## 범주6: 정서안정도

| | |
|---|---|
| 6. ( | ) |
| 14. ( | ) |
| 22. ( | ) |
| 30. ( | ) |
| 38. ( | ) |

합 계:
평 균:
득 점:

## 범주7: 재산형성도

| | |
|---|---|
| 7. ( | ) |
| 15. ( | ) |
| 23. ( | ) |
| 31. ( | ) |
| 39. ( | ) |

합 계:
평 균:
득 점:

## 범주8: 가정관심도

| | |
|---|---|
| 8. ( | ) |
| 16. ( | ) |
| 24. ( | ) |
| 32. ( | ) |
| 40. ( | ) |

합 계:
평 균:
득 점:

# 자기계발 진단 채점 요령

1. 평균의 계산(각 범주별로 계산)

    <u>각 범주의 합계점수÷5</u>
    (소수점 한 자리까지 계산: 반올림)

2. 득점의 계산

    각 범주의 평균에 3항에서 구한 가산점을 합산하여 구합니다.

3. 가산점

    가산점은 다음 각각의 Case에서 귀하가 해당하는 사항을 골라 그 점수를 더한 값입니다.

|  | 성별 | Case별 가산점 | Case별 가산점 |
|---|---|---|---|
| 가. Case I | • 남자 ······················································ 0점 |  |  |
|  | • 여자 ···················································· + 0.2점 |  | _____점 |
|  | **연령** |  |  |
| 나. Case II | • 만 29세까지 ········································· + 0.2점 |  |  |
|  | • 만 30세 ~ 만 34세 ······························· + 0.1점 |  |  |
|  | • 만 35세 ~ 만 39세 ································· 0점 |  | _____점 |
|  | • 만 40세 ~ 만 44세 ······························· - 0.1점 |  |  |
|  | • 만 45세 이상 ········································ - 0.2점 |  |  |
|  | **결혼여부** |  |  |
| 다. Case III | • 미혼 ···················································· + 0.2점 |  |  |
|  | • 결혼 후 1자녀 이하 ······························· 0점 |  |  |
|  | • 결혼 후 2자녀 이상 ······························· - 0.1점 |  | _____점 |
|  | • 이혼 또는 재혼 ······································ - 0.2점 |  |  |
|  |  | 계 | _____점 |

4. 총평균 득점의 계산

    <u>각 범주의 측점의 합÷ 8</u>
    (소수점 한 자리까지 계산: 반올림)

## 자기계발 종합 평가표

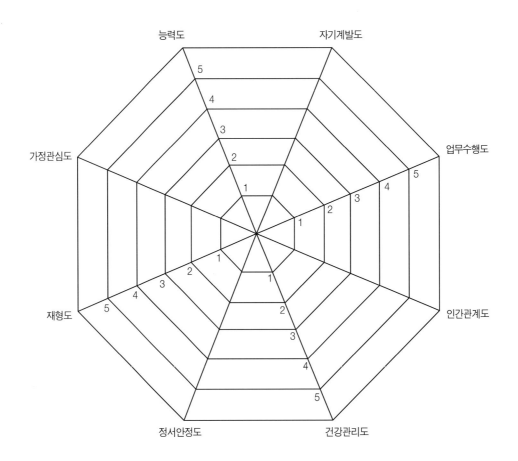

평가

- 나의 부족한 부분 또는 노력해야 할 부분

# 정신건강 설문지

귀하의 견해와 가장 가깝다고 생각하시는 번호에 "V" 표를 해주시기 바랍니다.

| | 문 항 | 전혀<br>없다 | 약간<br>있다 | 보통<br>이다 | 조금<br>심하다 | 매우<br>심하다 |
|---|---|---|---|---|---|---|
| 1 | 외롭다 | | | | | |
| 2 | 허리가 아프다 | | | | | |
| 3 | 넓은 장소나 거리에 나가면 두렵다 | | | | | |
| 4 | 다른 사람이 못마땅하게 보인다 | | | | | |
| 5 | 신경이 예민하고 마음이 안정이 안된다 | | | | | |
| 6 | 기분이 울적하다 | | | | | |
| 7 | 근육통 또는 신경통이 있다 | | | | | |
| 8 | 이성을 대하면 어색하거나 부끄럽다 | | | | | |
| 9 | 다른 사람이 나를 비난하는 것 같다 | | | | | |
| 10 | 쓸데없는 생각이 머리에서 떠나지 않는다 | | | | | |
| 11 | 사소한 일에도 짜증이 난다 | | | | | |
| 12 | 마음속이 텅 빈 것 같다 | | | | | |
| 13 | 몸의 일부가 저리거나 찌릿찌릿하다 | | | | | |
| 14 | 혼자서 집을 나서기가 두렵다 | | | | | |
| 15 | 나의 사사로운 생각을 남이 아는 것 같다 | | | | | |
| 16 | 매사에 걱정이다 | | | | | |

| 문 항 | | 전혀 없다 | 약간 있다 | 보통 이다 | 조금 심하다 | 매우 심하다 |
|---|---|---|---|---|---|---|
| 17 | 자신도 걷잡을 수 없이 울화가 터진다 | | | | | |
| 18 | 죽음에 대한 생각을 한다 | | | | | |
| 19 | 목에 무슨 덩어리가 걸린 것 같다 | | | | | |
| 20 | 별 이유 없이 깜짝 놀란다 | | | | | |
| 21 | 다른 사람이 나를 이해하지 못하는 것 같다 | | | | | |
| 22 | 매사에 정확을 가하느라 일을 제때 못 끝낸다 | | | | | |
| 23 | 쉽게 기분이 상한다 | | | | | |
| 24 | 사람과 함께 있을 때도 고독감을 느낀다 | | | | | |
| 25 | 몸의 어느 부위가 힘이 없다 | | | | | |
| 26 | 어떤 물건, 장소, 행위가 겁이나 피해야 했다 | | | | | |
| 27 | 다른 사람들이 나를 싫어하거나 불친절 하다고 느낀다 | | | | | |
| 28 | 매사를 확인하고 또 확인해야 마음이 놓인다 | | | | | |
| 29 | 누구를 때리거나 해치고 싶은 충동이 생긴다 | | | | | |
| 30 | 허무한 느낌이 든다 | | | | | |
| 31 | 팔, 다리가 묵직하다 | | | | | |
| 32 | 남들이 나를 쳐다보거나 나에 관해 이야기하면 거북해 진다 | | | | | |
| 33 | 다른 사람들이 나를 감시하거나 나에 관해서 이야기 하는 것 같다. | | | | | |
| 34 | 결단력이 부족하다 | | | | | |
| 35 | 무엇을 때리고 부수고 싶은 충동이 생긴다 | | | | | |
| 36 | 낯익은 것들도 생소하거나 비현실적인 것처럼 보인다 | | | | | |
| 37 | 내 몸 어딘가 병들었다고 생각한다 | | | | | |
| 38 | 시장, 극장 등 사람이 많이 모이는 곳에 가면 거북하다 | | | | | |
| 39 | 사람들이 내 공로를 인정하지 않는다 | | | | | |
| 40 | 긴장이 된다 | | | | | |
| 41 | 잘 다투는 편이다 | | | | | |
| 42 | 늘 남과 동떨어져 있는 느낌이다 | | | | | |

| 43 | 가슴(심장)이 마구 뛴다 | | | | | |
|----|---------------------------------------|--|--|--|--|--|
| 44 | 여러 사람이 있는 곳에서 먹고 마시기가 거북하다 | | | | | |
| 45 | 사람들에게 내가 이용당할 것 같다 | | | | | |
| 46 | 다른 사람과 있으면 나의 언행에 신경이 쓰인다 | | | | | |
| 47 | 고함을 지르거나 물건을 내던지고 싶다 | | | | | |

# 4

# 상담자 평가척도

다음에 제시하는 평가척도는 청소년 상담자의 인성적 자질(이형득, 1999), 청소년 상담자의 전문적 자질(김계현, 1999), 미국 CACREP(Council for Accreditation of Counseling and Related Education Program ; Engels & Dameron, 1990)의 일반 상담자의 인간적 자질과 아동 청소년상담자의 전문적 능력에 대한 안내 및 평가문항들을 금명자(2003, pp. 29-35)가 통합·정리한 것이다.

5단계 평가척도에서 자신에 해당하는 정도를 'ㅇ'표 하면서 진행할 수 있다.

**◑ 전문직으로서 상담자에게 요구되는 자질**

| 전문적 자질 | 1 낮음 | 2 | 3 | 4 | 5 높음 |
|---|---|---|---|---|---|
| 1. 내담자의 복지에 우선 관심을 갖는다. | | | | | |
| 1-1. 상담시간 중에 내담자에게 초점을 맞추기 위해서 상담자 자신의 관심을 유보할 수 있다. | | | | | |
| 1-2. 내담자에 의해 진지한 관심과 돌보고 싶은 마음이 있다는 것을 여러 방법으로 전할 수 있다. | | | | | |
| 1-3. 내담자를 보조·지지하고 가장 적절하게 행동할 수 있도록 상담한다고 말할 수 있다. | | | | | |
| 2. 타인에 대한 감수성이 있다. | | | | | |
| 2-1. 내담자의 체험과 느낌에 의해 정서적으로 영향을 받거나 마음이 움직인다. | | | | | |
| 2-2. 내담자의 느낌, 생각, 가치 및 태도에 대해 전반적으로 이해하고 있음을 나타낼 수 있다. | | | | | |
| 2-3. 내담자뿐만 아니라 자신의 동료나 지도·감독자의 기대가 무엇인지를 알 수 있다. | | | | | |
| 3. 공감적 태도를 가질 수 있다. | | | | | |
| 3-1. 내담자가 지각한 대로 내담자의 세계를 이해하고 있음을 소통할 수 있다. | | | | | |
| 3-2. 내담자의 언어적, 비언어적 메시지의 내용과 느낌들을 정확하고도 세심하게 언어반응으로 전달할 수 있다. | | | | | |
| 3-3. 내담자와 상호작용할 때 경멸적이고 파괴적인 비판과 수동적 증오심을 갖지 않는다. | | | | | |

| 전문적 자질 | 1 | 2 | 3 | 4 | 5 |
|---|---|---|---|---|---|
| | 낮음 | | | | 높음 |
| 4. 내담자를 한 개인으로서 존경할 수 있다. | | | | | |
| 4-1. 상담자와 내담자가 각각 주관적 경험과 입장이 다르다는 것을 인식하고 이를 드러낼 수 있다. | | | | | |
| 4-2. 상담자 자신과 다른 내담자의 의견 · 가치 · 정서적 반응들을 객관적으로 다룰 수 있다. | | | | | |
| 4-3. 내담자에게 상담자 자신의 가치관을 주입시키지 않을 수 있다. | | | | | |
| 4-4. 자신이 편견과 선입견이 없다는 것을 합리적인 증거를 들어 나타낼 수 있다. | | | | | |
| 4-5. 내담자의 성별, 사회 경제적 · 문화적 · 민족적 특성에 상관없이 상담할 수 있다. | | | | | |
| 5. 인간의 긍정적 잠재력을 믿는다. | | | | | |
| 5-1. 언어적으로든 비언어적으로든 내담자를 귀하고 의미 있게 인식하고 있음을 전할 수 있다. | | | | | |
| 5-2. 내담자가 자신이 호소하는 문제를 해결할 수 있고, 자신의 삶을 잘 다루고 성장시켜 나갈 수 있다는 믿음을 표현할 수 있다. | | | | | |
| 6. 자신을 자각하고 수용할 수 있다. | | | | | |
| 6-1. 상담의 효과성에 영향을 미칠 수 있는 개인적 욕구, 가치, 강점과 단점, 느낌 및 동기를 분명하게 이해하고 있다는 것을 표현할 수 있다. | | | | | |
| 6-2. 개인의 가치, 권위 그리고 자신에게 만족하는 체험을 누릴 수 있다. | | | | | |
| 6-3. 자신의 신체적, 심리적, 사회적 그리고 영적 욕구들을 인식하고 적절하게 충족시킬 수 있다. | | | | | |
| 6-4. 자신에 대해 걸고 있는 기대를 알고 있다. | | | | | |
| 7. 인간행동과 변화과정을 체계적으로 개념화할 수 있다. | | | | | |
| 7-1. 원인을 확인하는 질문에서부터 구조화된 진단평가를 위한 질문들을 사용하면서 내담자를 면담할 수 있다. | | | | | |
| 7-2. 특정 인간문제의 의미를 이해하기 위해 이론적 틀을 적용할 수 있다. | | | | | |
| 7-3. 적절한 상담목표와 치료방법을 정하기 위해 인간행동과 상담이론들을 사용할 수 있다. | | | | | |
| 7-4. 효과를 얻기 위해서 특별한 개입방법을 조정하며 사용할 수 있다. | | | | | |
| 8. 내담자의 발달을 촉진할 수 있다. | | | | | |
| 8-1. 상담과정에서의 상담자와 내담자의 책임영역을 인식하고 있으며, 실제로 상담에 적용한다. | | | | | |
| 8-2. 내담자로 하여금 상담을 주도적으로 이끌 수 있게끔 한다. | | | | | |
| 8-3. 내담자가 자신을 표현하고 탐색할 수 있게 촉진한다. | | | | | |
| 8-4. 내담자 혼자서 탐색하게 하는 것이 아니라 내담자와 함께 탐색한다. | | | | | |

| | | | | | |
|---|---|---|---|---|---|
| 8-5. 내담자가 전과 다르게 생각하고, 느끼고, 행동할 수 있다는 신념을 내담자에게 전한다. | | | | | |
| 8-6. 상담에서 발생하는 중요한 사건에 대해 즉각적으로 그리고 적절하게 반응한다. | | | | | |
| 8-7. 내담자가 과거에 자신을 어떻게 제한해 왔는지 혹은 어떻게 제한 당해왔는지를 지적하고 현재와 미래에 있어서 가능한 대안을 소개한다. | | | | | |
| 8-8. 내담자가 건설적인 행동을 선택하도록 언어적으로 혹은 비언어적으로 격려하고, 파괴적인 행동은 선택하지 못하도록 제한한다. | | | | | |
| 8-9. 각각의 내담자 수준에 알맞게 내담자가 변화와 극복하려는 노력을 지지하고, 불일치성은 직면한다. | | | | | |
| 8-10. 내담자의 작은 변화라도 알아차려 내담자에게 말하고 그것을 상담의 전체 과정에 통합할 수 있다. | | | | | |
| 9. 스트레스와 실망에 대해 높은 인내력을 가지고 있다. | | | | | |
| 9-1. 상담자 자신이 스트레스를 받아 불편하더라도 마음의 평정을 유지할 수 있다. | | | | | |
| 9-2. 방해하는 환경에 처해 있더라도 담담하면서도 지속적인 용기를 가지고 있다. | | | | | |
| 9-3. 내담자를 변화시키려 급하게 서두르지 않으며 내담자의 변화 속도에 맞추는 인내를 가지고 있다. | | | | | |
| 10. 선택의 자유를 존중한다. | | | | | |
| 10-1. 내담자를 조정하기보다는 자유를 보장하는 방식으로 상담과정을 이끈다. | | | | | |
| 10-2. 내담자가 생산적인 가치를 자유스럽게 유지할 수 있다는 것을 전할 수 있다. | | | | | |
| 10-3. 자신을 파괴하는 사고와 행동을 유지시키는 바람직하지 못한 태도는 지적한다. | | | | | |
| 11. 효과적으로 의사소통을 할 수 있다. | | | | | |
| 11-1. 일반적이고 추상적인 용어보다는 명세화되고 구체적인 용어로 의사소통한다. | | | | | |
| 11-2. 내담자의 의사소통방식과 발달수준에 맞게 의사소통한다. | | | | | |
| 11-3. 노여움에서부터 부드럽게 돌보는 것에 이르기까지 정서적 경험을 개방적으로 표현할 수 있다. | | | | | |
| 11-4. 상담과정을 촉진하는 생각과 개념을 분명하게 의사소통한다. | | | | | |
| 11-5. 말과 행동 사이에 일치성을 보여줄 수 있다. | | | | | |
| 11-6. 치료적 목표를 촉진하는 방식으로 적절한 때에 소통한다. | | | | | |
| 12. 창조적이다. | | | | | |
| 12-1. 내담자가 자신을 탐색하고 성장할 수 있도록 상담자가 선택한 이론에 일치하여 다양한 개입들을 자발적으로 사용하고 창조한다. | | | | | |
| 12-2. 치료과정을 증진시킬 수 있는 상상이나 은유, 이미지 등을 사용할 수 있다. | | | | | |
| 12-3. 적절한 위기나 위태함도 필요에 따라 취할 수 있다. | | | | | |

| 전문적 자질 | 1 | 2 | 3 | 4 | 5 |
|---|---|---|---|---|---|
| | 낮음 | | | | 높음 |
| 13. 유머감각을 가지고 있다. | | | | | |
|   13-1. 자기 자신을 보고 웃을 수 있다. | | | | | |
|   13-2. 내담자가 경험한 것을 들으면서 함께 웃을 수 있다. | | | | | |
|   13-3. 적절한 때 유머러스한 태도를 취할 수 있다. | | | | | |
| 14. 객관성을 유지할 수 있다. | | | | | |
|   14-1. 내담자와 다른 사람들의 문제에 너무 빠지지 않을 수 있다. | | | | | |
|   14-2. 상담자를 직접적으로 겨냥한 감정뿐 아니라 강한 정서적 반응에 개방적이며 오히려 촉진시킬 수 있다. | | | | | |
| 15. 자신을 지속적으로 훈련한다. | | | | | |
|   15-1. 자신이 가지고 있는 것들(지식, 기술, 힘, 시간 등)을 효과적으로 운용할 수 있다. | | | | | |
|   15-2. 자신이 정서적으로 어떤 상태인지를 자각하고 이를 통제할 수 있음을 보인다. | | | | | |
|   15-3. 상대방을 존중하는 태도를 유지하면서도 자신을 주장하는 태도로 상호작용한다. | | | | | |
|   15-4. 전문가 혹은 준전문가인 동료와 협동하여 팀으로 일할 수 있다. | | | | | |
| 16. 전문적 성장을 위해 노력한다. | | | | | |
|   16-1. 전문가들의 조직에서 회원으로 활동한다. | | | | | |
|   16-2. 내담자, 지도감독자 그리고 동료전문가들의 긍정적인 피드백, 부정적인 피드백을 받고 응용한다. | | | | | |
|   16-3. 동료와 지도감독자에게 긍정적인 그리고 부정적인 피드백을 줄 수 있다. | | | | | |
|   16-4. 상담과정에 흐르는 사회적, 법적, 경제적 최근 경향성을 자각하고 있다. | | | | | |
|   16-5. 내담자의 욕구를 더 잘 만족시킬 수 있도록 자신을 계속적으로 교육시켜 나간다. | | | | | |
|   16-6. 자신이 가지고 있는 신념들을 새로운 정보에 비추어 재평가한다. | | | | | |
| 17. 개인적으로 전문적 능력과 제한점들을 자각하고 적절하게 반응한다. | | | | | |
|   17-1. 개인적으로 전문적인 능력을 명세화하고 그런 서비스만을 제공한다. | | | | | |
|   17-2. 상담관계의 특성을 내담자와 소통하여 상담에서 제공할 수 있는 서비스의 제한성을 내담자가 알게 한다. | | | | | |
|   17-3. 상담세팅에서 상담자의 개인적인 한계와 역할의 한계, 전문 훈련과 개인적 발달 수준과 다른 전문가들에 대한 의견들을 언어적으로, 문서적으로 교류한다. | | | | | |
|   17-4. 상담자 개인이나 상담소의 한계를 벗어난 도움이 내담자에게 필요하면 이를 안내한다. | | | | | |

| | | | | | |
|---|---|---|---|---|---|
| 17-5. 특별한 기술이나 영역이 필요하거나 다른 조력인이 필요할 때 내담자를 의뢰할 수 있다. | | | | | |
| 17-6. 상담자가 자신의 오해, 실수, 제한성들을 인식하고 있다. | | | | | |
| 17-7. 내담자에게 상담자 개인의 의견을 적절하게 피력한다. | | | | | |
| 18. 전문가 윤리를 지킨다. | | | | | |
| 18-1. 전문가 조직이 제시하는 윤리적 기준에 대해 철저하게 알고 있다. | | | | | |
| 18-2. 전문가 윤리에 있는 갈등부분을 해결하기 위해 개인적 윤리를 검토한다. | | | | | |
| 18-3. 전문가 윤리기준에 맞추어 행동한다. | | | | | |
| 18-4. 상담자의 전문적 윤리기준을 알아야 하는 동료, 행정요원, 내담자에게 윤리내용을 교육한다. | | | | | |
| 18-5. 상담영역이 아닌 다른 전문가들의 윤리기준들을 존중하고 익혀 놓는다. | | | | | |
| 19. 연구관리능력이 있다. | | | | | |
| 19-1. 과학적 사고와 지식을 현장에 적용하는 방법을 알고 있다. | | | | | |
| 19-2. 현장의 자료를 수집, 분석하고 연구를 수행할 수 있다. | | | | | |
| 19-3. 연구보고서를 이해할 수 있다. | | | | | |
| 20. 행정 및 기획능력이 있다. | | | | | |
| 20-1. 사례관리 및 절차에 대한 방법과 지식이 있어 적용할 수 있다. | | | | | |
| 20-2. 기관 내 조직과 지역사회 조직에 관한 지식이 있어 적용할 수 있다. | | | | | |
| 20-3. 행정조직 안에서의 상담업무를 이해하고 수행한다. | | | | | |
| 20-4. 상담업무 내에서의 행정을 처리할 수 있다. | | | | | |
| 20-5. 행정능력을 향상시킬 필요가 있음을 인식하고 있다. | | | | | |
| 20-6. 행정조직의 목표와 태도가 개인의 것과 다를 때 이를 조정할 수 있다. | | | | | |
| 20-7. 상담업무 중 기획능력이 요구됨을 인정하고 개발시킨다. | | | | | |

# 5

## 나에 대한 재발견

1. 게으르다.
2. 인색하다.
3. 괴짜다.
4. 소심하다.
5. 집착이 강하다.
6. 수다스럽다.
7. 침착하지 못하다

관점변화 →

1. 여유만만하다.
2. 경제관념이 있다.
3. 독창적이다.
4. 치밀하고 세심하다.
5. 한 우물을 팔 수 있다.
6. 사교성이 있고 발랄하다.
7. 발놀림이 민첩하다.

| 나의 단점 | | 바뀐 관점 |
|---|---|---|
| |  | |

| 나의 단점 | | 바뀐 관점 |
|---|---|---|
| |  | |

| 나의 단점 | | 바뀐 관점 |
|---|---|---|
| | → | |

| 나의 단점 | | 바뀐 관점 |
|---|---|---|
| | → | |

| 나의 단점 | | 바뀐 관점 |
|---|---|---|
| | → | |

| 나의 단점 | | 바뀐 관점 |
|---|---|---|
| | → | |

# 6

# 누구에게나 단점은 있다

지은이 : 간바 와타루/옮긴이 : 김성기

- 내성적인 사람은 발상력이 뛰어나다.
- 내향적인 사람일수록 창조적이다.
- 고독을 사랑하는 것은 인생을 사랑하는 것이다.
- 남을 피하는 사람은 대부분 정직하고 꾸밈이 없다.
- 낯을 가리는 사람이 진실한 인간관계를 만든다.
- 소극적인 사람은 남의 말을 잘 듣는다.
- 소심한 사람은 같은 실수를 반복하지 않는다.
- 어두운 사람일수록 밝아지고 싶은 욕구가 강하다
- 타인에 대한 질투는 자기를 단련시킨다.
- 열등감이 심한 사람일수록 일을 잘 한다.
- 남의 기분에 민감한 사람은 분위기 파악이 빠르다.
- 남의 시선에 민감한 만큼 남을 잘 배려한다.
- 받은 만큼 꼭 보답하려는 사람은 신용이 두텁다.
- 입이 가벼워도 좋은 소문을 퍼뜨리면 미덕이다.
- 승부욕이 강할수록 의욕이 커진다.
- 외로움을 타는 만큼 더 사교적이다.
- 좋은 계획은 후회하면서 세워진다.
- 비판 뒤에는 과감한 행동이 기다리고 있다.
- 비관적인 만큼 분발하고 노력한다.
- 자신감이 없는 사람은 그만큼 겸손하다.
- 걱정이 많은 사람은 크게 실패하지 않는다.
- 나약한 사람에게 친밀감을 느낀다.
- 비관적인 사람일수록 자기암시가 강하다.

- 평범한 사람일수록 매사에 쉽게 적응한다.
- 자기중심적인 사람일수록 분위기가 밝다.
- 집단을 싫어하는 사람이 집단을 움직인다.
- 직선적으로 공격하는 사람은 대게 선량하다.
- 자기애가 강해야 남도 사랑할 줄 안다.
- 자기를 과신하는 사람이 큰일을 이룬다.
- 타산적인 사람은 이해관계에 민감하다.
- 외모에 집착하는 사람은 좋은 첫인상을 준다.
- 금전에 인색한 사람은 안정된 경제 생활을 꾸린다.
- 변명 못하는 사람이 진심으로 사과할 줄 안다.
- 자기주장이 서툰 사람은 정직하다.
- 꼼꼼하고 끈질긴 성격이 자신을 발전시킨다.
- 다른 사람의 일까지 떠 안고 끙끙대는 사람은 세심하다.
- 스트레스를 감수하는 사람이 매사에 꼼꼼하다.
- 단정치 못한 성격일수록 대범할 가능성이 높다.
- 말주변이 없는 사람은 거짓말이나 빈말을 하지 않는다.
- 느긋한 사람일수록 일에 대한 집중력이 뛰어나다.
- 좋고 나쁨이 분명한 사람일수록 속정이 깊다.
- 변덕이 심한 성격일수록 아이디어가 풍부하다.
- 의지가 약한 사람은 그만큼 집중력이 강하다.
- 낯 두꺼운 사람이 톱 세일즈맨이 된다.
- 귀가 얇은 사람에겐 적이 없다.
- 싫증 잘 내는 사람일수록 발상의 전환이 빠르다.
- 수시로 태도를 바꾸는 사람은 남의 기분을 잘 맞춰준다.
- 건망증이 심한 사람일수록 남들에게 편안함을 준다.
- '노'라고 말하지 못하는 사람은 상냥하기 마련이다.

# 7

# B D I(Beck Depression Inventory)

이름 : _____  연령 : _____  성별 : 남 / 여  작성일 :        년     월     일

• 현재(오늘을 포함하여 지난 일주일 동안)의 자신을 가장 잘 나타낸다고 생각되는 문장을 하나 선택하여 ○표시 하십시오.

| 번호 | 문항 | 표시 |
|------|------|------|
| 1 | 나는 슬프지 않다. | 0 |
| | 나는 슬프다. | 1 |
| | 나는 항상 슬프고 기운을 낼 수 없다. | 2 |
| | 나는 너무나 슬프고 불행해서 도저히 견딜 수 없다. | 3 |
| 2 | 나는 앞날에 대해서 별로 낙담하지 않는다. | 0 |
| | 나는 앞날에 대한 용기가 나지 않는다. | 1 |
| | 나는 앞날에 대해 기대할 것이 아무것도 없다고 느낀다. | 2 |
| | 나의 앞날은 아주 절망적이고 나아질 가망이 없다고 느낀다. | 3 |
| 3 | 나는 실패자라고 느끼지 않는다. | 0 |
| | 나는 보통 사람보다 더 많이 실패한 것 같다. | 1 |
| | 내가 살아온 과거를 뒤돌아보면 실패 투성이인 것 같다. | 2 |
| | 나는 인간으로서 완전한 실패자라고 느낀다. | 3 |
| 4 | 나는 전과 같이 일상생활에 만족하고 있다. | 0 |
| | 나의 일상생활은 예전처럼 즐겁지가 않다. | 1 |
| | 나는 요즘에는 어떤 것에서도 별로 만족을 얻지 못한다. | 2 |
| | 나는 모든 것이 다 불만스럽고 싫증난다. | 3 |

| 번호 | 문항 | 표시 |
|---|---|---|
| 5 | 나는 특별히 죄책감을 느끼지 않는다. | 0 |
| | 나는 죄책감을 느낄 때가 많다. | 1 |
| | 나는 죄책감을 느낄 때가 아주 많다. | 2 |
| | 나는 항상 죄책감에 시달리고 있다. | 3 |
| 6 | 나는 벌을 받고 있다고 느끼지 않는다. | 0 |
| | 나는 어쩌면 벌을 받을지도 모른다는 느낌이 든다. | 1 |
| | 나는 벌을 받을 것 같다. | 2 |
| | 나는 지금 벌을 받고 있다고 느낀다. | 3 |
| 7 | 나는 나 자신에게 실망하지 않는다. | 0 |
| | 나는 나 자신하게 실망하고 있다. | 1 |
| | 나는 나 자신에게 화가 난다. | 2 |
| | 나는 나 자신을 증오한다. | 3 |
| 8 | 내가 다른 사람보다 못한 것 같지는 않다. | 0 |
| | 나는 나의 약점이나 실수에 대해서 나 자신을 탁하는 편이다. | 1 |
| | 내가 한 일이 잘못되었을 때는 언제나 나를 탓한다. | 2 |
| | 일어나는 모든 나쁜 일들은 모두 내 탓이다. | 3 |
| 9 | 나는 자살 같은 것을 생각하지 않는다. | 0 |
| | 나는 자살할 생각을 가끔 하지만 실제로 하지는 않을 것이다. | 1 |
| | 자살하고 싶은 생각이 자주 든다. | 2 |
| | 나는 기회만 있으면 자살하겠다. | 3 |
| 10 | 나는 평소보다 더 울지는 않는다. | 0 |
| | 나는 전보다 더 많이 운다. | 1 |
| | 나는 요즈음 항상 운다. | 2 |
| | 나는 전에는 울고 싶을 때 울 수 있었지만 요즈음은 울래야 울 기력조차 없다. | 3 |
| 11 | 나는 요즈음 평소보다 더 짜증을 내는 편이 아니다. | 0 |
| | 나는 전보다 더 쉽게 짜증이 나고 귀찮아 진다. | 1 |
| | 나는 요즈음 항상 짜증을 내고 있다. | 2 |
| | 전에는 짜증스럽던 일이 요즈음은 너무 지쳐서 짜증조차 나지 않는다. | 3 |
| 12 | 나는 다른 사람들에 대한 관심을 잃지 않고 있다. | 0 |
| | 나는 전보다 사람들에 대한 관심이 줄었다. | 1 |
| | 나는 사람들에 대한 관심이 거의 없어졌다. | 2 |
| | 나는 사람들에 대한 관심이 완전히 없어졌다. | 3 |

| | | |
|---|---|:---:|
| 13 | 나는 평소처럼 결정을 잘 내린다. | 0 |
| | 나는 결정을 미루는 때가 전보다 더 많다. | 1 |
| | 나는 전에 비해 결정 내리는데 더 큰 어려움을 느낀다. | 2 |
| | 나는 더 이상 아무 결정도 내릴 수 없다. | 3 |
| 14 | 나는 전보다 내 모습이 나빠졌다고 느끼지 않는다. | 0 |
| | 나는 매력 없어 보일까봐 걱정한다. | 1 |
| | 나는 내 모습이 매력 없이 변해버린 것 같은 느낌이 든다. | 2 |
| | 나는 내가 추하게 보인다고 믿는다. | 3 |
| 15 | 나는 전처럼 일을 할 수 있다. | 0 |
| | 어떤 일을 시작하는데 전보다 더 많은 노력이 든다. | 1 |
| | 무슨 일이든 하려면 나 자신을 매우 심하게 채찍질해야만 한다. | 2 |
| | 나는 전혀 아무 일도 할 수가 없다. | 3 |
| 16 | 나는 평소처럼 잠을 잘 수 있다. | 0 |
| | 나는 전에 만큼 잠을 자지는 못한다. | 1 |
| | 나는 전보다 일찍 깨고 잠들기 어렵다. | 2 |
| | 나는 평소보다 몇 시간이나 일찍 깨고 한번 깨면 다시 잠들 수 없다. | 3 |
| 17 | 나는 평소보다 더 피곤하지는 않다. | 0 |
| | 나는 전보다 더 쉽게 피곤해진다. | 1 |
| | 나는 무엇을 해도 피곤해진다. | 2 |
| | 나는 너무나 피곤해서 아무 일도 할 수 없다. | 3 |
| 18 | 내 식욕은 평소와 다름없다. | 0 |
| | 나는 요즈음 전보다 식욕이 좋지 않다. | 1 |
| | 나는 요즈음 식욕이 많이 떨어. | 2 |
| | 요즈음에는 전혀 식욕이 없다. | 3 |
| 19 | 요즈음 체중이 별로 줄지 않았다. | 0 |
| | 전보다 몸무게가 2kg가량 줄었다. | 1 |
| | 전보다 몸무게가 5kg가량 줄었다. | 2 |
| | 전보다 몸무게가 7kg가량 줄었다. | 3 |
| | 나는 현재 음식 조절로 체중을 줄이고 있는 중이다.  예(    ) 아니오(    ) | |

| 20 | 나는 건강에 대해 전보다 더 염려하고 있지는 않다. | 0 |
| | 나는 여러 가지 통증, 소화불량, 변비 등과 같은 신체적 문제로 걱정하고 있다. | 1 |
| | 나는 건강이 너무 염려되어 다른 일을 생각하기 힘들다. | 2 |
| | 나는 건강이 너무 염려되어 다른 일을 생각할 수 없다. | 3 |
| 21 | 나는 요즘 성(sex)에 대한 관심에 별다른 변화가 없다. | 0 |
| | 나는 요즘 성(sex)에 대한 관심이 줄었다. | 1 |
| | 나는 요즘 성(sex)에 대한 관심이 상당히 줄었다. | 2 |
| | 나는 성(sex)에 대한 관심을 완전히 잃었다. | 3 |

평가자 기록란: 총점 ＿＿＿＿＿＿＿＿＿＿＿＿＿＿＿＿＿＿ 평가 ＿＿＿＿＿＿＿＿＿＿＿＿＿＿＿＿＿＿

# 8

# DISC 행동유형검사

## DISC 행동유형검사

당신의 모습을 가장 잘 설명한다고 생각되는 표현에 O표시를 하세요

| | A | B | C | D |
|---|---|---|---|---|
| 1 | 절제하는 | 강력한 | 꼼꼼한 | 표현력 있는 |
| 2 | 개척적인 | 정확한 | 흥미진진한 | 만족스러운 |
| 3 | 기꺼이 하는 | 활기 있는 | 대담한 | 정교한 |
| 4 | 논쟁을 좋아하는 | 회의적인 | 주저하는 | 예측할 수 없는 |
| 5 | 공손한 | 사교적인 | 참을성이 있는 | 무서움을 모르는 |
| 6 | 설득력 있는 | 독립심이 강한 | 논리적인 | 온화한 |
| 7 | 신중한 | 차분한 | 과단성 있는 | 파티를 좋아하는 |
| 8 | 인기 있는 | 고집 있는 | 완벽주의자 | 인심 좋은 |
| 9 | 변화가 많은 | 수줍음을 타는 | 느긋한 | 완고한 |
| 10 | 체계적인 | 낙관적인 | 의지가 강한 | 친절한 |
| 11 | 엄격한 | 겸손한 | 상냥한 | 말주변이 좋은 |
| 12 | 호의적인 | 빈틈없는 | 놀기 좋아하는 | 의지가 강한 |
| 13 | 참신한 | 모험적인 | 절제된 | 신중한 |
| 14 | 참는 | 성실한 | 공격적인 | 매력 있는 |
| 15 | 열정적인 | 분석적인 | 동정심이 많은 | 단호한 |

| | A | B | C | D |
|---|---|---|---|---|
| 16 | 지도력 있는 | 충동적인 | 느린 | 비판적인 |
| 17 | 일관성 있는 | 영향력 있는 | 생기 있는 | 느긋한 |
| 18 | 유력한 | 친절한 | 독립적인 | 정돈된 |
| 19 | 이상주의적인 | 평판이 좋은 | 쾌활한 | 솔직한 |
| 20 | 참을성 없는 | 진지한 | 미루는 | 감성적인 |
| 21 | 경쟁심이 있는 | 자발적인 | 충성스러운 | 사려 깊은 |
| 22 | 희생적인 | 이해심 많은 | 설득력 있는 | 용기 있는 |
| 23 | 의존적인 | 변덕스러운 | 절제력 있는 | 밀어붙이는 |
| 24 | 포용력 있는 | 전통적인 | 사람을 부추기는 | 이끌어 가는 |

## DISC 행동유형검사 - 점수 집계표

| | D | I | S | C |
|---|---|---|---|---|
| 1 | B | D | A | C |
| 2 | A | C | D | B |
| 3 | C | B | A | D |
| 4 | A | D | C | B |
| 5 | D | B | C | A |
| 6 | B | A | D | C |
| 7 | C | D | B | A |
| 8 | B | A | D | C |
| 9 | D | A | C | B |
| 10 | C | B | D | A |
| 11 | A | D | C | B |
| 12 | D | C | A | B |
| 13 | B | A | D | C |

| 14 | C | D | B | A |
|----|---|---|---|---|
| 15 | D | A | C | B |
| 16 | A | B | C | D |
| 17 | B | C | D | A |
| 18 | C | A | B | D |
| 19 | D | B | C | A |
| 20 | A | D | C | B |
| 21 | A | B | C | D |
| 22 | D | C | B | A |
| 23 | D | B | A | C |
| 24 | D | C | A | B |
| | ( )개 | ( )개 | ( )개 | ( )개 |

## DISC 행동유형 일반적 특징

| D(주도형) | I(사교형) |
|----------|----------|
| 강점 | 강점 |
| 즉시 성과를 올린다 | 낙관적이다 |
| 신속한 결정을 내린다 | 표현력이 좋다 |
| 포기하지 않는다 | 즐거운 분위기를 만든다 |
| 책임을 떠맡는다 | 좋은 인상을 준다 |
| 자신감이 있다 | 인간적이다 |
| 도전을 받아들인다 | 다른 사람들에게 설득을 잘한다 |
| 열심히 일한다 | 외향적이고 사람들을 잘 사귄다 |
| 문제를 피하지 않고 해결하려 한다 | 열정적이다 |

| 약점 | 약점 |
|---|---|
| 조급하다 | 일의 끝마무리가 부족하다 |
| 다른 사람에 대해 무관심하다 | 너무 말을 많이 한다 |
| 위험부담과 경고를 간과한다 | 충동적으로 행동한다 |
| 융통성이 없고 고집이 세다 | 급하게 결론을 내린다 |
| 지나치게 많은 일을 떠맡는다 | 무리하게 약속을 한다 |
| 세부사항을 무시한다 | 교묘한 말로 설득한다 |
| 제한받는 것을 참지 못한다 | 능력에 대한 평가를 과대하게 한다 |
| 사람들에게 너무 많은 것을 요구한다 | 결과에 대해 지나치게 낙관적이다 |
| C(신중형) | S(안정형) |
| 강점 | 강점 |
| 정리정돈을 잘 한다 | 협조적이다 |
| 유능하다 | 쉽게 동의한다 |
| 자기훈련을 잘한다 | 충성스럽다 |
| 정확하다 | 남을 잘 섬긴다 |
| 철저하다 | 꾸준하다 |
| 외교적 수완이 있다 | 작업수행이 안정되어 있다 |
| 분석적이다 | 대인관계가 원만하다 |
| 높은 기준을 가지고 있다 | 다른 사람의 의견을 잘 들어 준다 |
| 약점 | 약점 |
| 지나치게 조심스럽다 | 급격한 변화를 꺼린다 |
| 세부적인 일에 얽매인다 | 지나치게 관대하다 |
| 일하는 방법에 융통성이 없다 | 일을 미룬다 |
| 비판하기를 좋아한다 | 우유부단하다 |
| 자발성이 약하다 | 갈등을 회피한다 |
| 의심이 많다 | 감정을 잘 표현하지 않는다 |
| 비판에 예민하게 반응한다 | 피동적이다 |
| 비관적이다 | 정해진 기간에 일을 마치기 어렵다 |

# 9

# 나에 대한 탐색

살면서 가장 기뻤던 순간

너무 화가 났던 사건

슬프거나 속상했던 사건

사랑과 행복을 느낀 사건

# 10

# REBT의 신념검사

| | 문 항 | 전혀 그렇지 않다 | 그렇지 않다 | 보통 이다 | 그렇다 | 매우 그렇다 |
|---|---|---|---|---|---|---|
| 1 | 다른 사람들이 나를 인정해주는 것이 중요하다. | | | | | |
| 2 | 나는 다른 사람들로부터 존중받는 것을 좋아하지만 반드시 그래야만 할 필요는 없다. | | | | | |
| 3 | 나는 모든 사람이 나를 좋아해주기를 바란다. | | | | | |
| 4 | 다른 사람이 나를 좋아하지 않는다고 해도 나는 나 자신을 좋아한다. | | | | | |
| 5 | 다른 사람들이 나를 싫어한다면, 그것은 나의 문제가 아니라 그들의 문제이다. | | | | | |
| 6 | 나는 남에게 인정받는 것을 좋아하지만, 그것이 나의 진정한 욕구는 아니다. | | | | | |
| 7 | 나는 사람들이 나에 대해 어떻게 느끼는가에 상당한 관심이 있다. | | | | | |
| 8 | 나는 종종 얼마나 많은 사람이 나를 인정하고 수용해줄 것인가에 대해 걱정한다. | | | | | |
| 9 | 비판받는 것은 싫긴 하지만 그것 때문에 당혹스럽지는 않다. | | | | | |
| 10 | 나는 무엇이든지 실패하는 것을 무척 싫어한다. | | | | | |
| 11 | 나는 내가 잘할 수 없는 일은 피해버린다. | | | | | |
| 12 | 나는 다른 사람이 나보다 더 잘하는 일에 대해서는 경쟁하려고 신경쓰지 않는다. | | | | | |
| 13 | 나는 어떤 일을 성공하는 것이 좋지만, 반드시 성공해야만 한다고 생각하지는 않는다. | | | | | |
| 14 | 나는 내가 하는 모든 일에 성공하는 것이 아주 중요하다. | | | | | |
| 15 | 나는 어떤 일을 잘하든 못하든 간에 그 일 자체를 즐긴다. | | | | | |
| 16 | 어떤 일에서 나보다 다른 사람이 더 낫다는 사실이 나를 괴롭힌다. | | | | | |
| 17 | 실수를 하면 나는 당황스럽다. | | | | | |

| 문항 | 전혀 그렇지 않다 | 그렇지 않다 | 보통 이다 | 그렇다 | 매우 그렇다 |
|---|---|---|---|---|---|
| 18 | 나는 종종 사소한 일에 대해서도 매우 성이 난다. | | | | | |
| 19 | 나는 내가 잘해낼 수 없는 일을 한다고 해서 두렵지 않다. | | | | | |
| 20 | 나쁜 사람은 나쁜 결과를 당해야 한다. | | | | | |
| 21 | 너무나 많은 나쁜 사람들이 그들이 받아야 할 벌을 피하고 있다. | | | | | |
| 22 | 도덕적이지 못한 것은 강력히 처벌받아야 한다. | | | | | |
| 23 | 나는 다른 사람의 나쁜 행위 때문에 그 사람을 비난하지는 않는다. | | | | | |
| 24 | 모든 사람은 기본적으로 선하다. | | | | | |
| 25 | 선한사람과 악한사람 모두에게 똑같은 일이 닥친다는 것은 부당하다. | | | | | |
| 26 | 나는 대개 나에게 잘못한 사람에게 다시 한번 더 기회를 준다. | | | | | |
| 27 | 행위가 나쁠거라도 사람은 나쁘지 않다. | | | | | |
| 28 | 나는 일어난 일들을 보통 초연하게 받아들인다. | | | | | |
| 29 | 나는 좌절했다고 해서 당황하지는 않는다. | | | | | |
| 30 | 나는 내가 좋아하지 않는 상황에 있을 때 종종 괴로움을 느낀다. | | | | | |
| 31 | 나는 대개 내가 싫어하는 것들에 대해서도 그것들의 모습 그대로를 인정한다. | | | | | |
| 32 | 어떤 일이 나를 괴롭히면 나는 그것을 무시한다. | | | | | |
| 33 | 나는 원하는 것을 얻기 위하여 어떤 일을 하고, 그런 후에는 그 일에 대해서 걱정하지 않는다. | | | | | |
| 34 | 나는 인생을 아주 쉽게, 쉽게 살아간다. | | | | | |
| 35 | 나는 책임지는 것을 싫어한다. | | | | | |
| 36 | 나는 다른 사람들이 실수하는 것에 대해 좀처럼 당황하지 않는다. | | | | | |
| 37 | 자기가 마음먹기만 하면 떠한 상황에서도 행복해질 수 있다. | | | | | |
| 38 | 사람들은 상황 자체에 의해서가 아니라, 그들이 상황을 어떻게 받아들이는가에 의해 괴로움을 느낀다. | | | | | |
| 39 | 문제를 많이 가지고 있는 사람일수록 덜 행복해질 것이다. | | | | | |
| 40 | 아무 것도 그 자체만으로 당황하게 되지는 않는다. 단지 자신이 그것을 어떻게 해석하느냐에 달려 있다. | | | | | |
| 41 | 보다 많은 사람들이 달갑지 않은 일일지라도 부딪쳐 헤쳐 나가야 한다. | | | | | |

| 42 | 아주 오랫동안 슬픔에 잠겨 있을 하등의 이유가 없다. | | | | | |
| 43 | 자기 불행은 자기가 만드는 것이다. | | | | | |
| 44 | 나는 나를 괴롭히는 어떤 것들에 대해 두려움을 느낀다. | | | | | |
| 45 | 나는 미래의 예기치 않은 위협에 대해서는 거의 불안을 느끼지 않는다. | | | | | |
| 46 | 나는 종종 걱정거리가 있으면 마음이 거기서 떠나지 않는다. | | | | | |
| 47 | 나는 운에 맡기고 모험하는 것을 견딜 수 없다. | | | | | |
| 48 | 나는 미래에 대해 거의 불안해 하지 않는다. | | | | | |
| 49 | 나는 미래에 일어날 어떤 일에 대해 많은 걱정을 한다. | | | | | |
| 50 | 나는 죽음이나 핵전쟁과 같은 문제에 대해 별로 생각하지 않는다. | | | | | |
| 51 | 갖가지 힘든 상황에서도 해야 할 일을 계획하는 나 자신을 종종 발견한다. | | | | | |
| 52 | 나는 대개 중요한 결정들을 미루곤 한다. | | | | | |
| 53 | 나는 내 문제에 직면하는 것을 피한다. | | | | | |
| 54 | 나는 대개 가능한 빨리 결정을 내린다. | | | | | |
| 55 | 나는 맘에 내키지 않는 일을 하면서 시간을 보내기엔 인생이 너무 짧다. | | | | | |
| 56 | 나는 일들을 거의 미루지 않는다. | | | | | |
| 57 | 나는 내키지 않는 하찮은 일을 하기가 어렵다. | | | | | |
| 58 | 사람들은 극복해야 할 문제가 있고, 그것에 대해 도전을 할 때 가장 행복하다. | | | | | |
| 59 | 필요하다면 그 일이 하고 싶지 않더라도 그것을 한다. | | | | | |
| 60 | 나는 중요한 결정을 할 때 권위있는 사람에게 자문을 구하려 한다. | | | | | |
| 61 | 사람들은 자신이 있지 않는 외부의 힘을 필요로 한다. | | | | | |
| 62 | 나에게는 내가 매우 의존하는 사람들이 있다. | | | | | |
| 63 | 나는 내 힘으로만 일어서길 원한다. | | | | | |
| 64 | 내 문제를 진정으로 이해하고 직면할 수 있는 사람은 나 자신밖에 없다. | | | | | |
| 65 | 나는 다른 사람이 내 일에 대해 결정내려 주는 것을 싫어한다. | | | | | |
| 66 | 나는 남에게 조언을 구하는 것이 쉽다고 생각한다. | | | | | |
| 67 | 나는 다른 사람에게 의존하는 것을 싫어한다. | | | | | |
| 68 | 나는 다른 사람이 나의 행복에 대해 많은 관심을 줄 것을 기대하지 않는게 좋다는 것을 안다. | | | | | |

| | 문 항 | 전혀<br>그렇지<br>않다 | 그렇지<br>않다 | 보통<br>이다 | 그렇다 | 매우<br>그렇다 |
|---|---|---|---|---|---|---|
| 69 | 타고난 천성을 변화시킬 수는 없다. | | | | | |
| 70 | 과거의 영향을 극복한다는 것은 거의 불가능하다. | | | | | |
| 71 | 만약 내가 과거에 다른 경험들을 가졌더라면 더 나은 사람이 되었을 것이다. | | | | | |
| 72 | 과거의 경험이 지금 나에게 영향을 주고 있다고 생각하지 않는다. | | | | | |
| 73 | 우리는 저마다 개인의 과거사에 얽매여 있다. | | | | | |
| 74 | 일단 어떤 것이 당신의 인생에 강력한 영향을 미친다면, 그것은 계속해서 그럴 것이다. | | | | | |
| 75 | 사람들은 결코 근본적으로 변화할 수 없다. | | | | | |
| 76 | 나는 지나간 과거를 후회하지 않는다. | | | | | |
| 77 | 어떤 일을 하든지 올바른 방법이 있다. | | | | | |
| 78 | 어떠한 것에도 완벽한 해결책은 없다. | | | | | |
| 79 | 모든 문제에는 정확한 해결책은 있다. | | | | | |
| 80 | 어떤 일에 대한 이상적인 해결책은 드물다. | | | | | |
| 81 | 완벽한 해결책보다 실용적인 해결책을 찾는 것이 더 낫다. | | | | | |
| 82 | 나는 원칙대로 일을 다뤄야 한다고 생각한다. | | | | | |
| 83 | 이상적인 환경이란 존재하지 않는다. | | | | | |

# 11

## 전통적 가정과 권리

| 잘못된 전통적 가정들 | 당신의 당연한 권리 |
|---|---|
| 1. 나의 권리를 다른 사람의 것보다 우선시하는 것은 이기적이다. | 어떤 때는 자신을 먼저 생각할 권리가 있다. |
| 2. 실수한다는 것은 수치스러운 일이다. 나는 어떤 경우라도 맞는 일만 해야 한다. | 당신은 실수할 권리가 있다. |
| 3. 다른 사람들에게 내 감정이 합리적임을 확신시킬 수 없으면 그 사람들이 잘못된 것이거나 내가 미쳐가고 있는지도 모른다. | 당신은 자기 감정의 마지막 판단자가 되고, 그 감정들을 정당한 것으로 받아들일 권리가 있다. |
| 4. 나는 다른사람들, 특히 권위 있는 사람들의 관점을 존경해야 한다. 내 견해가 다르다면 말하지말라, 듣고 배워라. | 당신은 자기만의 의견이나 확신을 가질 권리가 있다. |
| 5. 나는 언제나 논리적이고 일관적이어야만 한다. | 당신은 마음을 바꾸거나 다른 행동을 결심할 권리가 있다. |
| 6. 나는 융통성 있고 순응적이어야만 한다. 다른 사람들이 그렇게 행동하는 것은 그럴만한 이유가 있으며 그 이유에 대해서 묻는 것은 예의가 아니다. | 당신은 부당한 대우나 비판에 대해 자신을 보호할 권리가 있다. |
| 7. 나는 다른 사람들을 절대로 방해해서는 안 된다. 질문하는 것은 내가 멍청하다는 것을 만천하에 드러내는 것이다. | 당신은 명확한 설명을 듣기 위해 말 참견할 권리가 있다. |
| 8. 상황은 더 나빠질 수 있다. 긁어 부스럼 만들지 말라. | 당신은 변화를 위해 협의할 권리가 있다. |
| 9. 내 문제로 다른 사람들의 소중한 시간을 빼앗아서는 안 된다. | 당신은 도움이나 감정적 지지를 요청할 권리가 있다. |
| 10. 사람들은 나의 기분 나쁜 얘기를 듣고 싶어 하지 않는다. 그러므로 내 기분은 내가 조절해야 한다. | 당신은 고통을 느끼고 표현할 권리가 있다. |
| 11. 누군가 시간을 내어 조언을 하면 나는 그것을 매우 심각하게 받아들여야 한다. 그들은 대체로 옳다. | 당신은 다른 사람들의 조언을 무시할 권리가 있다. |
| 12. 내가 어떤 것을 잘 했다는 것은 그것 자체로 보상이 된다. 사람들은 공공연하게 자신을 드러내는 사람을 싫어한다. 성공한 사람들은 남 몰래 미움 받기도 하고 선망받기도 한다. | 당신은 당신의 업무와 성취로 공식적인 인정을 받을 권리가 있다. |

| 잘못된 전통적 가정들 | 당신의 당연한 권리 |
|---|---|
| 13. 나는 다른 사람의 편리를 도모하기 위해 언제나 노력해야 한다. 그렇지 않으면, 필요할 때 내 주변에 아무도 없을 것이다. | 당신은 "아니다" 라고 말할 권리가 있다. |
| 14. 반사회적이지 말라, 사람들은 내가 어울리기보다는 혼자 있고 싶다 하면 자기들을 싫어한다고 생각할 것이다. | 다른 사람들이 당신과 함께 있기를 원할 때라도 당신은 혼자 있을 권리가 있다. |
| 15. 내가 느끼고 생각하는 데는 언제나 그럴 만한 이유가 있다. | 당신은 다른 사람들에게 자신을 정당화하지 않아도 될 권리가 있다. |
| 16. 누군가 곤란을 겪고 있으면 나는 그들을 돌봐야 한다. | 당신은 다른 사람의 문제를 책임지지 않아도 될 권리가 있다. |
| 17. 다른 사람들이 내게 말할 수 없을 때라도 나는 그들의 요구와 소망에 민감해야한다. | 당신은 다른 사람들의 요구와 소망을 예상하지 않아도 될 권리가 있다. |
| 18. 사람들의 호의에 따르는 것은 언제나 좋은 방책이다. | 당신은 타인의 호의에 대해 언제나 걱정하지 않을 권리가 있다. |
| 19. 사람들의 질문을 따돌려서는 안된다. 질문을 받으면 대답하라. | 당신은 상황에 따라 대답하지 않을 권리가 있다. |

# 12

# 직업가치관 유형 설문지

| | 문항 | 전혀 그렇지 않다 | 그렇지 않다 | 보통 이다 | 그렇다 | 매우 그렇다 |
|---|---|---|---|---|---|---|
| 1 | 나는 우리 역사에 대한 풍부한 지식을 갖고 싶다 | | | | | |
| 2 | 대통령이 되고 싶다 | | | | | |
| 3 | 나는 아름다운 물건에 잘 이끌린다 | | | | | |
| 4 | 나는 예술작품을 갖기보다는 크고 화려한 집을 갖고 싶다 | | | | | |
| 5 | 나는 다른 사람보다 동정심이 많다 | | | | | |
| 6 | 돈이나 권력보다 더 중요한 것이 있다고 생각한다 | | | | | |
| 7 | 뭔가를 배울 수 있는 강연회 같은 곳에 참석하기를 좋아한다 | | | | | |
| 8 | 가능하다면 높은 지위에 오르고 싶다 | | | | | |
| 9 | 집의 내부 시설보다 주위의 환경이 더 중요하다고 생각한다 | | | | | |
| 10 | 값비싼 차를 갖고 싶다 | | | | | |
| 11 | 나는 사람들에게 도움이 되는 어떤 일을 하기를 좋아한다 | | | | | |
| 12 | 다른 사람들을 올바르게 살도록 인도하고 싶다 | | | | | |
| 13 | 새로운 내용의 책을 사기를 좋아한다 | | | | | |
| 14 | 나는 내가 한 집단을 책임지고 있다고 생각하기를 좋아한다 | | | | | |
| 15 | 음악이나 미술에 대한 안목을 갖는다는 것은 중요하다 | | | | | |
| 16 | 성격에 맞는 배우자보다는 돈 많은 배우자를 택하고 싶다 | | | | | |
| 17 | 아픈 사람들을 간호해서 건강을 회복하게끔 돕는 걸 좋아한다 | | | | | |

| | 문 항 | 전혀<br>그렇지<br>않다 | 그렇지<br>않다 | 보통<br>이다 | 그렇다 | 매우<br>그렇다 |
|---|---|---|---|---|---|---|
| 18 | 나는 내세나 죽음에 관심이 많다 | | | | | |
| 19 | 내게는 지식을 갖는다는 것이 중요하다 | | | | | |
| 20 | 나는 변호사보다는 판사가 되는 편이 좋다 | | | | | |
| 21 | 학교에서 음악/미술교육을 보다 많이 해야 한다고 생각한다 | | | | | |
| 22 | 나는 메이커(유명)제품을 좋아한다 | | | | | |
| 23 | 슬픈 글을 읽거나 TV에선 슬픈 장면을 보면 눈물을 흘린다 | | | | | |
| 24 | 나는 영혼의 세계를 믿는다 | | | | | |
| 25 | 나는 인간 행동을 이해할 수 있는 책을 좋아한다 | | | | | |
| 26 | 나는 평범한 근로자가 되기보다는 보스가 되는 것을 좋아한다 | | | | | |
| 27 | 나는 집안에 예술작품을 걸어 두거나 배치해 두는 것을 좋아한다 | | | | | |
| 28 | 행복을 위해서는 경제적 뒷받침이 있어야 한다고 생각한다 | | | | | |
| 29 | 나는 사람들을 돕는 직업을 갖고 싶다 | | | | | |
| 30 | 나는 사람들이 죄를 지으면 반드시 벌을 받는다고 생각한다 | | | | | |
| 31 | 매일 새로운 것들을 배우는 것이 좋다 | | | | | |
| 32 | 나는 모임의 일원이 되기보다는 회장이 되는 편을 좋아한다 | | | | | |
| 33 | 아름다운 것들이 없다면 세상은 끔찍한 곳이 될 것이다 | | | | | |
| 34 | 영화배우가 되면 우선 부자가 된다는 점이 마음에 든다 | | | | | |
| 35 | 나는 사람들에게 도움이 될 수 있는 일을 하는 것을 좋아한다 | | | | | |
| 36 | 나는 깊이 생각하기를 좋아한다 | | | | | |
| 37 | 우주의 원리나 신의 존재와 같은 것들이 궁금하다 | | | | | |
| 38 | 나는 리더십이 있다고 생각한다 | | | | | |
| 39 | 나는 아름다운 풍경을 보는 것을 즐긴다 | | | | | |
| 40 | 즐거운 직장보다는 보수가 많은 직장을 택하겠다 | | | | | |
| 41 | 문제를 가지고 있는 친구를 보면 도와주고 싶다 | | | | | |
| 42 | 나는 기도하기를 좋아한다 | | | | | |

| 43 | 유식한 사람이 되고 싶다 | | | | | |
| --- | --- | --- | --- | --- | --- | --- |
| 44 | 나는 지시 받는 것이 싫다 | | | | | |
| 45 | 물건을 고를 때 디자인이나 포장을 중시한다 | | | | | |
| 46 | 나는 장래를 위해 투자할만한 넉넉한 돈을 갖고 있기를 바란다 | | | | | |
| 47 | 나는 여유가 있다면 가난한 사람들을 위해서 기부하고 싶다 | | | | | |
| 48 | 나는 명상하기를 좋아 한다 | | | | | |

# 직업가치관 유형별 특징

| 유 형 | 특 징 |
| --- | --- |
| 이론가형 | - 사물의 진리를 탐구하고, 연구하며, 가르치는 일에 보람과 긍지를 느낌<br>- 학문이나 연구, 진리, 탐구를 획득하기 위한 방법으로 노력하는 유형<br>- 교사, 교수, 연구원, 학자, 소설가, 평론가 등 연구활동에 종사 |
| 경제형 | - 주로 이윤추구와 축재를 최고의 가치로 생각<br>- 주로 이익추구에 몰두하고 돈 버는 것을 최고의 가치로 생각하는 유형<br>- 도매상인, 유통업종사자, 중소기업인, 무역인 등 경제활동 종사자 |
| 심미형 | - 음악이나 미술 등 예술에 취하고 예술 활동에 가치를 둔다<br>- 음악가, 체육인, 무용가, 음악평론가 등 예술분야 직종 종사자 |
| 사회<br>사업형 | - 타인을 위해 봉사하는 일에 큰 가치를 둔다<br>- 타인을 사랑하고 타인을 위해 봉사하는 일에 중점을 두는 사람<br>- 사회사업가, 서비스업, 상담가, 재활 상담원, 간호사 등 |
| 권력형 | - 권력의 사용이나 정치에 의한 지배에 가치를 둔다<br>- 정당인, 정치가, 국회의원, 행정관료, 기관장 등 |
| 종교형 | - 종교적 활동이나 성스러움의 추구에 높은 가치를 둔다<br>- 목사, 집사, 승려, 종교인, 신부, 수녀 등 성직 관련 직종 종사자 |

# 13

# 진로 성숙도, 진로의사결정 설문지

## 진로 성숙도 검사

이 검사는 진로선택에 관하여 묻는 문항들로 이루어져 있습니다. 진로선택이란 앞으로 여러분이 학업을 마친 후에 하게 될 것이라고 생각하는 직업 또는 일을 뜻합니다. 이 척도는 여러분의 진로의사결정에 중요한 자료를 제공할 수도 있습니다.

여러분은 각 항목을 읽어 가서 그 문장이 '그렇다'에 해당되면 ⊚, '아니다'에 해당되면 ⓧ에 까맣게 칠하기 바랍니다. 정답은 없으니 솔직하고 정확하게 응답하기 바랍니다.

| | |
|---|---|
| 1. 나는 때때로 내가 무엇이 될까 하고 공상을 한다. 그러나 아직은 확실한 어떤 일을 정하지 못하고 있다. | ⊚ ⓧ |
| 2. 사람들은 나에게 각기 다른 직업에 대해 얘기해준다. 그래서 나는 어떤 일을 선택해야 할지 모르겠다. | ⊚ ⓧ |
| 3. 어떤 직업에서든 성공하기란 그리 어렵지 않을 것이다. | ⊚ ⓧ |
| 4. 나는 수입만 많다면 어떤 직업이든 상관이 없다. | ⊚ ⓧ |
| 5. 나는 부모님이 추천해 주시는 종류의 직업을 선택할 것이다. | ⊚ ⓧ |
| 6. 우리가 어떤 일을 해야 할 것인가는 스스로 결정을 내려야 한다. | ⊚ ⓧ |
| 7. 내가 원하는 직업을 가지려면 어떻게 해야 할지를 잘 모르겠다. | ⊚ ⓧ |
| 8. 나는 취업 요건에 대해서 아는 것이 별로 없다. | ⊚ ⓧ |
| 9. 우리가 직업을 선택할 때에는 여러 가지 다른 직업들에 대해서 생각해 보아야 한다. | ⊚ ⓧ |
| 10. 나는 때때로 내 직업에서 내가 하고 있는 것과 원하는 것 사이에 차이가 있음을 느낀다. | ⊚ ⓧ |
| 11. 직업을 선택하기 위해서 고려해야 할 사항이 너무나 많기 때문에 결정을 내리기가 어렵다. | ⊚ ⓧ |
| 12. 직업을 선택할 때에는 여러 가지 종류의 일들을 해보고 나서 가장 마음에 드는 직업을 고르는 것이 가장 좋은 방법이다. | ⊚ ⓧ |
| 13. 미래란 어차피 불확실한 것이므로 직업을 미리 결정하는 것은 무의미한 일이다. | ⊚ ⓧ |
| 14. 누구에게나 자신에게 알맞은 직업은 오직 하나뿐이다. | ⊚ ⓧ |
| 15. 직업을 선택하게 될 때 나는 내 스스로 결정할 것이다. | ⊚ ⓧ |
| 16. 나는 학교에서 내가 어떤 과정의 공부를 해야 할지 모르겠다. | ⊚ ⓧ |
| 17. 나는 어떤 사람들이 자기가 하고 싶은 일에 대해서 어떻게 그처럼 자신있게 말할 수 있는지 이해할 수가 없다. | ⊚ ⓧ |
| 18. 나는 내가 도저히 할 수 없다는 것을 알고 있으면서도 그 일을 할 수 있었으면 하고 바라는 때가 있다. | ⊚ ⓧ |
| 19. 우리는 때때로 처음 선택한 것이 아닌 직업을 택해야 한다. | ⊚ ⓧ |
| 20. 나는 내가 갖고 싶어 하는 직업을 자주 바꾼다. | ⊚ ⓧ |

| | |
|---|---|
| 21. 나는 내가 원하는 일을 할 수 있는 자유가 충분히 있는 그러한 직업을 선택할 것이다. | ⊙ ⊗ |
| 22. 나는 학교를 졸업할 때 까지는 직업을 선택하는 문제에 대해서 그다지 걱정하지는 않겠다. | ⊙ ⊗ |
| 23. 직업을 갖는다는 것은 거의 우연에 의해서 좌우된다. | ⊙ ⊗ |
| 24. 직업 선택에 있어서 부모의 충고를 따른다면 크게 잘못 되지는 않을 것이다. | ⊙ ⊗ |
| 25. 직업을 선택하는 것은 우리 자신이 해야 할 일이다. | ⊙ ⊗ |
| 26. 나는 내가 갖고 싶은 직업에 대해서 거의 생각하지 않는다. | ⊙ ⊗ |
| 27. 나는 어떤 직업을 좋아해야 할런지에 대한 생각이 거의 없다. | ⊙ ⊗ |
| 28. 나는 나의 장래 직업에 있어서 내가 원하는 종류의 사람과 어떻게 잘 지낼 수 있는지에 대해 잘 모르겠다. | ⊙ ⊗ |
| 29. 나는 놀기보다는 일하기를 더 좋아한다. | ⊙ ⊗ |
| 30. 나는 장래 나의 직업에서 내가 되고자 하는 종류의 인물이 될 수 있을는지 잘 모르겠다. | ⊙ ⊗ |
| 31. 직업에 대해서 아는 것이 없으므로 별로 걱정할 것이 없다. | ⊙ ⊗ |
| 32. 나는 부모가 어떤 직업을 선택하라고 말해 주는 것을 원하지 않는다. | ⊙ ⊗ |
| 33. 누군가가 나에게 어떤 직종에 취직해야 하는지를 말해준다면 좋겠다. | ⊙ ⊗ |
| 34. 나는 내가 갖고 싶은 직업에 대한 준비를 하는데 여러 가지 어려움을 겪고 있다. | ⊙ ⊗ |
| 35. 나는 나에게 많은 호감을 주는 직업을 발견할 수가 없다. | ⊙ ⊗ |
| 36. 내가 원하는 직업을 얻기 위해서는 할 수 있는 어떤 것도 포기하지 않겠다. | ⊙ ⊗ |
| 37. 나는 나의 직업 계획에 현실성이 있는지 어떤지를 잘 모르겠다. | ⊙ ⊗ |
| 38. 나는 여러 방면에 흥미를 갖고 있어서 어떤 한 가지 직업을 선택하기가 어렵다. | ⊙ ⊗ |
| 39. 우리는 앞으로 우리가 유명해질수 있는 직업을 선택해야 한다. | ⊙ ⊗ |
| 40. 어떤 직종에 취직을 하든지간에 결과는 모두 마찬가지이다. | ⊙ ⊗ |
| 41. 부모들은 우리 자녀들에게 보다 적합한 직업을 선택해 줄 수 있다. | ⊙ ⊗ |
| 42. 나는 나의 부모가 원하는 직업을 선택해야 한다고 생각한다. | ⊙ ⊗ |
| 43. 나는 내 자신과 직업세계에 대해서 잘 모르기 때문에 직업결정을 하기가 어렵다. | ⊙ ⊗ |
| 44. 나는 나의 직업목표가 높기 때문에 내가 결코 그 직업을 수행해 나갈 수 없을 것만 같은 생각이 든다. | ⊙ ⊗ |

# 진로의사 결정유형 진단검사

　이 검사는 여러분의 의사결정 유형을 알아 보기 위한 것입니다. 문항들을 하나씩 읽어가면서 그 내용이 자신의 입장과 똑같거나 거의 같으면 ◎에, 그리고 자신의 입장과 매우 다르거나 상당히 다르면 ⓧ에 까맣게 칠하기 바랍니다. 자신의 의사결정 유형을 정확히 알 수 있도록 솔직하고 정확하게 응답하기 바랍니다.

| | |
|---|---|
| 1. 나는 중요한 결정을 할 때 매우 체계적으로 한다. | ◎ ⓧ |
| 2. 나는 중요한 결정을 해야 할 때 누군가가 올바른 방향으로 이끌어 주었으면 한다. | ◎ ⓧ |
| 3. 나는 내 자신의 즉흥적인 판단에 따라서 매우 독창적으로 결정을 내린다. | ◎ ⓧ |
| 4. 나는 대체로 미래 보다는 현재의 내입장에 맞추어서 일을 결정한다. | ◎ ⓧ |
| 5. 나는 모든 정보를 수집할 수 없는 상태에서는 중요한 결정을 좀처럼 하지 않는다. | ◎ ⓧ |
| 6. 나는 왜 그렇게 결정했는지 이유는 모르지만, 곧잘 올바른 결정을 한다. | ◎ ⓧ |
| 7. 나는 어떤 결정을 할 때 그것이 나중에 미칠 결과까지도 고려한다. | ◎ ⓧ |
| 8. 나는 어떤 결정을 할 때 친구의 생각을 중요시한다. | ◎ ⓧ |
| 9. 나는 남의 도움 없이는 중요한 결정을 하기가 정말 힘들다. | ◎ ⓧ |
| 10. 나는 중요한 결정이라도 매우 빠르게 결정한다. | ◎ ⓧ |
| 11. 나는 어떤 결정을 할 때 내 자신의 감정과 반응에 따른다. | ◎ ⓧ |
| 12. 나는 내가 좋아서 결정하기 보다는 남의 생각에 따라 결정하는 경우가 많다. | ◎ ⓧ |
| 13. 나는 충분한 시간을 두고 생각을 한 후에 결정을 한다. | ◎ ⓧ |
| 14. 나는 어떤 일을 점검해 보거나 사실을 알아보지도 않고 결정하는 경우가 많다. | ◎ ⓧ |
| 15. 나는 친한 친구와 먼저 상의하지 않고서는 어떤 일이든 좀처럼 결정하지 않는다. | ◎ ⓧ |
| 16. 나는 결정하는 것이 어려워 그것을 연기하는 경우가 많다. | ◎ ⓧ |
| 17. 나는 중요한 결정을 해야 할 때 우선 충분한 시간을 갖고 계획을 세우며 실천할 일들을 골똘히 생각한다. | ◎ ⓧ |
| 18. 나는 결정에 앞서 모든 정보가 확실한지 아닌지를 재검토한다. | ◎ ⓧ |
| 19. 나는 진지하게 생각해서 결정하지 않는다. 즉, 마음속에 있던 생각이 갑자기 떠올라 그에 따라서 결정을 한다. | ◎ ⓧ |
| 20. 나는 중요한 일을 할 때 미리 주의 깊은 세밀한 계획을 세운다. | ◎ ⓧ |
| 21. 나는 다른 사람들의 많은 격려와 지지가 있어야만 어떤 일을 결정할 수 있을 것 같다. | ◎ ⓧ |
| 22. 나는 어떤 일을 결정한 후에 대게 그 결정이 내 마음에 들지 안들지를 상상해 본다. | ◎ ⓧ |
| 23. 나는 평판이 좋을 것 같지 않은 결정을 해봤자 별 의미가 없다고 생각한다. | ◎ ⓧ |
| 24. 나는 내가 내리는 결정에 굳이 합리적인 이유를 따질 필요가 없다고 생각한다. | ◎ ⓧ |
| 25. 나는 참으로 올바른 결정을 하고 싶기 때문에 성급하게 결정을 하지 않는다. | ◎ ⓧ |
| 26. 나의 어떤 결정이 갑정적으로 만족스러우면 나는 그 결정이 옳은 것으로 여긴다. | ◎ ⓧ |
| 27. 나는 훌륭한 결정을 내릴 자신이 없어서 대개 다른 사람들의 의견을 따른다. | ◎ ⓧ |
| 28. 나는 내가 내린 결정 하나하나가 최종 목표를 향해 발전해 나가는 단계라고 곧 잘 생각한다. | ◎ ⓧ |
| 29. 친구가 나의 결정을 지지해 주지 않으면 나는 나의 결정에 그다지 자신을 갖지 못한다. | ◎ ⓧ |
| 30. 나는 어떤 결정을 하기 전에 그 결정이 가져올 결과를 가능한 한 많이 알고싶다. | ◎ ⓧ |

# 14

# 적성유형과 관련된 직업

| 적성유형 | 의 미 | 관련 직업 |
|---|---|---|
| 일반 적성 능력 | 지시사항, 사실, 원리를 추리하고 응용하는 능력, 복잡한 자료나 기초를 학습하고 암기하는 일반 학습 능력 | 자연과학, 사회과학 분야의 직업 |
| 언어 능력 | 정확한 의사소통을 위한 문장의 뜻을 이해하고 정보나 자기 생각을 표현하는 능력 | 사회과학연구가, 평론가, 논설위원 |
| 수리 능력 | 정확하고 빠르게 계산하는 능력 | 사무계통의 직업, 경리원, 회계원, 사무원 |
| 사무 지각 능력 | 유인물, 괘도, 표 등에서 문자나 기호를 정확하고 신속하게 식별하는 능력 | 컴퓨터 프로그래머, 경리, 서기, 전화교환 등 |
| 공간 지각 능력 | 입체적 공간관계를 이해하는 능력으로 실제 물체를 회전 또는 분해했을 때의 형태를 상상하는 능력 | 제도, 설계, 건축, 미술, 가구 등 제도에서 재단까지 입체 구성 능력을 요기하는 직업 |
| 형태 지각 능력 | 물체나 도면을 비교 판별하여 형태나 명암의 차이를 알아볼 수 있는 능력 | 사진 제판, 제도 등의 사무 분야, 도안, 디자인 등의 응용 미술 분야 |
| 운동 조절 능력 | 눈과 손 또는 손가락을 함께 움직여 빠르고 정확하게 반응하는 능력 | 타자, 속기사, 외과수술, 치과 치료작업, 전자, 전기, 인쇄 등의 세공, 운동선수 |
| 손가락 재능 | 손가락을 사용하여 작은 물체를 신속하고 정확하게 다루는 능력 | 인쇄기능직, 정밀기계, 광학 등의 조립직, 악기연주, 공예 작업 관련 예능 분야 |
| 손재능 | 물체를 옮겨 놓거나 돌리는 손작업을 하기 위해 손을 기능적이고 숙련되게 움직이는 능력 | 운전직, 악단 지휘, 기계 금속 부문 제작, 기타 신체적 작업의 직업 |
| 기계 추리력 | 각종 기계 기구 및 물리학적 원리를 이해하고 추리하는 능력 | 토목기계수리기술자, 기계 조립기술자, 각종 이공학 시설 분야 |
| 척도해석 능력 | 척도, 그래프, 차트, 계기 등을 신속하고 정확하게 읽는 능력 | 이공학, 화학, 수학, 의학 등의 분야, 실업 및 기술 분야에서 요구되는 직업 |

# 15

# 여가태도, 여가제약 검사지

## 여가태도척도

1. 귀하의 여가지식이나 신념을 알아보려는 인지적 요소에 관한 질문입니다.

| 문 항 | 전혀<br>그렇지<br>않다 | 대체로<br>그렇지<br>않다 | 그저<br>그렇다 | 대체로<br>그렇다 | 매우<br>그렇다 |
|---|---|---|---|---|---|
| 1. 여가활동에 참여하는 것은 건전한 시간활용이다. | ① | ② | ③ | ④ | ⑤ |
| 2. 여가활동은 개인과 사회에 도움을 준다. | ① | ② | ③ | ④ | ⑤ |
| 3. 여가활동은 사람들과의 우정과 우애를 증진시킨다. | ① | ② | ③ | ④ | ⑤ |
| 4. 여가활동은 개인의 건강에 도움이 된다. | ① | ② | ③ | ④ | ⑤ |
| 5. 여가활동은 개인의 행복한 생활에 도움이 된다. | ① | ② | ③ | ④ | ⑤ |
| 6. 여가활동은 일(수업)의 능률을 높여주는데 도움이 된다. | ① | ② | ③ | ④ | ⑤ |
| 7. 여가활동은 생활의 활력소가 된다. | ① | ② | ③ | ④ | ⑤ |
| 8. 여가활동은 자신의 발전에 도움이 된다. | ① | ② | ③ | ④ | ⑤ |
| 9. 여가활동은 스트레스 해소에 도움이 된다. | ① | ② | ③ | ④ | ⑤ |
| 10. 여가활동은 사람들에게 필요하다. | ① | ② | ③ | ④ | ⑤ |
| 11. 여가활동은 인간관계 개선에 도움이 된다. | ① | ② | ③ | ④ | ⑤ |
| 12. 여가활동은 중요한 것이다. | ① | ② | ③ | ④ | ⑤ |

2. 귀하의 여가 느낌이나 선호도를 알아보려는 정서적 요소에 관한 질문입니다.

| 문 항 | 전혀<br>그렇지<br>않다 | 대체로<br>그렇지<br>않다 | 그저<br>그렇다 | 대체로<br>그렇다 | 매우<br>그렇다 |
|---|---|---|---|---|---|
| 13. 나는 여가활동을 하는 동안 시간이 잘 간다. | ① | ② | ③ | ④ | ⑤ |
| 14. 여가활동은 나에게 즐거움을 준다. | ① | ② | ③ | ④ | ⑤ |
| 15. 나는 여가활동이 삶의 가치가 있는 활동이라고 생각한다. | ① | ② | ③ | ④ | ⑤ |
| 16. 나는 여가활동 중에 나의 참모습을 찾을 수가 있다. | ① | ② | ③ | ④ | ⑤ |
| 17. 여가활동은 나에게 유쾌한 생활을 경험하게 한다. | ① | ② | ③ | ④ | ⑤ |
| 18. 여가활동은 나에게 좋은 것이라고 생각된다. | ① | ② | ③ | ④ | ⑤ |
| 19. 나는 여가활동을 하는 동안 여유로움을 느낀다. | ① | ② | ③ | ④ | ⑤ |
| 20. 나는 여가활동을 하면 생활하는데 새로움을 느낀다. | ① | ② | ③ | ④ | ⑤ |
| 21. 나는 여가활동에 자주 참여해야 한다고 생각한다. | ① | ② | ③ | ④ | ⑤ |
| 22. 나는 여가활동에 참여하는 것이 시간낭비라고 생각하지 않는다. | ① | ② | ③ | ④ | ⑤ |
| 23. 나는 여가활동을 좋아한다. | ① | ② | ③ | ④ | ⑤ |
| 24. 나는 여가활동에 참여하는 동안 그 활동에 완전히 몰입한다. | ① | ② | ③ | ④ | ⑤ |

3. 귀하의 여가에 대한 과거의 경험이나 활동적인 면을 알아보려는 행동적 요소에 관한 질문이다.

| 문 항 | 전혀<br>그렇지<br>않다 | 대체로<br>그렇지<br>않다 | 그 저<br>그렇다 | 대체로<br>그렇다 | 매 우<br>그렇다 |
|---|---|---|---|---|---|
| 25. 나는 여가활동에 자주 참여한다. | ① | ② | ③ | ④ | ⑤ |
| 26. 나는 여건이 허락한다면 여가활동에 참여하는 시간을 늘릴 생각이 있다. | ① | ② | ③ | ④ | ⑤ |
| 27. 나는 나의 수입(용돈)범위 안에서 여가활동에 필요한 기구나 물품을 구입한다. | ① | ② | ③ | ④ | ⑤ |
| 28. 나는 시간과 돈의 여유가 있다면 새로운 여가활동에 참여하고 싶다. | ① | ② | ③ | ④ | ⑤ |
| 29. 나는 보다 나은 여가활동을 위해 시간과 노력을 할애하고 싶다. | ① | ② | ③ | ④ | ⑤ |
| 30. 나는 더 많은 여가활동을 할 수 있는 환경이나 도시에 거주하고 싶다. | ① | ② | ③ | ④ | ⑤ |
| 31. 나는 계획되지 않았던 여가활동에도 가끔 참여한다. | ① | ② | ③ | ④ | ⑤ |
| 32. 나는 보다 나은 여가활동을 위해 세미나나 강습회에 참여하고 싶다. | ① | ② | ③ | ④ | ⑤ |

| | ① | ② | ③ | ④ | ⑤ |
|---|---|---|---|---|---|
| 33. 나는 여가활동에 참여하기 위한 자유시간을 늘릴 생각이 있다. | ① | ② | ③ | ④ | ⑤ |
| 34. 나는 바쁘더라도 여가활동에 참여한다. | ① | ② | ③ | ④ | ⑤ |
| 35. 나는 여가활동을 위한 교육이나 사전지식을 배우고 싶다. | ① | ② | ③ | ④ | ⑤ |
| 36. 나는 일상생활 중 여가활동에 많은 비중을 두고 있다. | ① | ② | ③ | ④ | ⑤ |

# 여가제약척도

　다음 각 문항들은 여가활동의 참여를 방해하는 이유들입니다. 귀하께서 느끼는 이유와 주어진 문항이 일치하는 곳에 표시하여 주시기 바랍니다.

| 문 항 | 전혀<br>그렇지<br>않다 | 대체로<br>그렇지<br>않다 | 그저<br>그렇다 | 대체로<br>그렇다 | 매 우<br>그렇다 |
|---|---|---|---|---|---|
| 1. 나는 부끄러워서 새로운 여가활동에 참여하기가 어렵다. | ① | ② | ③ | ④ | ⑤ |
| 2. 나는 가족들이 격려한다면 더욱 열심히 여가활동에 참여하겠다. | ① | ② | ③ | ④ | ⑤ |
| 3. 나는 불편한 새로운 여가활동에는 참여하지 않겠다. | ① | ② | ③ | ④ | ⑤ |
| 4. 나는 친구들이 격려하면 더욱 열심히 여가활동에 참여하겠다. | ① | ② | ③ | ④ | ⑤ |
| 5. 나는 신앙생활에 지장이 없다면 여가활동에 열심히 참여하겠다. | ① | ② | ③ | ④ | ⑤ |
| 6. 나는 여가활동이 부담스럽지 않다면 더욱 적극적으로 참여하겠다. | ① | ② | ③ | ④ | ⑤ |
| 7. 나는 높은 기술을 필요로 하지 않는 여가활동에는 열심히 참여하겠다. | ① | ② | ③ | ④ | ⑤ |
| 8. 내가 아는 사람은 너무 멀리 있어서 나와 함께 새로운 여가활동에 참여할 수 없다. | ① | ② | ③ | ④ | ⑤ |
| 9. 내가 아는 사람은 새로운 여가활동에 참여할 시간적 여유가 없다. | ① | ② | ③ | ④ | ⑤ |
| 10. 내가 아는 사람은 나와 함께 새로운 여가활동을 시작할만한 경제적 여유가 없다. | ① | ② | ③ | ④ | ⑤ |
| 11. 내가 아는 사람은 집안일이 너무 많아 나와 함께 새로운 여가활동에 참여할 수 없다. | ① | ② | ③ | ④ | ⑤ |
| 12. 내가 아는 사람은 나와 함께 할 수 있는 새로운 여가활동을 잘 알고 있다. | ① | ② | ③ | ④ | ⑤ |
| 13. 내가 아는 사람은 나와 함께 새로운 여가활동에 참여할만한 충분한 재능이 없다. | ① | ② | ③ | ④ | ⑤ |
| 14. 내가 아는 사람은 나와 함께 새로운 여가활동에 참여하기 위한 교통수단이 없다. | ① | ② | ③ | ④ | ⑤ |
| 15. 나는 여가활동을 하는데 필요한 장소가 붐비지 않으면 새로운 여가활동에 참여하겠다. | ① | ② | ③ | ④ | ⑤ |

| 문 항 | 전혀 그렇지 않다 | 대체로 그렇지 않다 | 그저 그렇다 | 대체로 그렇다 | 매우 그렇다 |
|---|---|---|---|---|---|
| 16. 나는 다른 할 일이 있으면 새로운 여가활동에 참여하지 않겠다. | ① | ② | ③ | ④ | ⑤ |
| 17. 나는 교통수단이 있으면 새로운 여가활동에 적극 참여하겠다. | ① | ② | ③ | ④ | ⑤ |
| 18. 나는 유익한 점이 있으면 새로운 여가활동에 적극 참여하겠다. | ① | ② | ③ | ④ | ⑤ |
| 19. 나는 여가활동에 요구되는 시설이 불편하다면 새로운 여가활동에 참여하지 않겠다. | ① | ② | ③ | ④ | ⑤ |
| 20. 나는 시간적 여유가 없으면 새로운 여가활동에 참여하지 않겠다. | ① | ② | ③ | ④ | ⑤ |
| 21. 나는 경제적 여유가 있으면 새로운 여가활동에 참여하지 않겠다. | ① | ② | ③ | ④ | ⑤ |

# 16

# 사티어 의사소통 유형 검사지

다음 글을 읽고 자신에게 해당하는 문항의 괄호 안에 O표 하세요.

1. 나는 상대방이 불편하게 보이면 비위를 맞추려고 한다 (          )
2. 나는 일이 잘못되었을 때 자주 상대방의 탓으로 돌린다 (          )
3. 나는 무슨 일이든지 조목조목 따지는 편이다 (          )
4. 나는 생각이 자주 바뀌고 동시에 여러 가지 행동을 하는 편이다 (          )
5. 나는 타인의 평가에 구애받지 않고 내 의견을 말한다 (          )
6. 나는 관계나 일이 잘못되었을 때 자주 내 탓으로 돌린다 (          )
7. 나는 다른 사람들의 의견을 무시하고 내 의견을 주장하는 편이다 (          )
8. 나는 이성적이고 차분하며 냉정하게 생각한다 (          )
9. 나는 다른 사람들로부터 정신이 없거나 산만하다는 소리를 듣는다 (          )
10. 나는 부정적인 감정도 솔직하게 표현한다 (          )
11. 나는 지나치게 남을 의식해서 나의 생각이나 감정을 표현하는 것을 두려워한다 (          )
12. 나는 내 의견이 받아들여지지 않으면 화가 나서 언성을 높인다 (          )
13. 나는 내 의견을 분명하게 표현하기 위해 객관적 자료(신문 등)를 자주 인용한다 (          )
14. 나는 상황에 적절하지 못한 말이나 행동을 자주하고 딴전을 피우는 편이다 (          )
15. 나는 다른 사람이 내게 부탁을 할 때 내가 원하지 않으면 거절한다 (          )
16. 나는 사람들의 얼굴 표정, 감정, 말투에 신경을 많이 쓴다 (          )
17. 나는 타인의 결점이나 잘못을 잘 찾아내어 비판한다 (          )
18. 나는 실수하지 않으려고 애쓰는 편이다 (          )
19. 나는 곤란하거나 난처할 때는 농담이나 유머로 그 상황을 바꾸려 하는 편이다 (          )
20. 나는 나 자신에 대해 편안하게 느낀다 (          )
21. 나는 타인을 배려하고 잘 들보아주는 편이다 (          )
22. 나는 명령적이고 지시적인 말투를 자주 사용하기 때문에 상대가 공격받았다는 느낌을 받을 때가 있다 (          )
23. 나는 불편한 상황을 그대로 넘기지 못하고 시시비비를 따지는 편이다 (          )

24. 나는 불편한 상황에서는 안절부절 못하거나 가만히 있지를 못한다 (          )

25. 나는 모험하는 것을 두려워하지 않는다 (          )

26. 나는 다른 사람들이 나를 싫어할까 두려워 위축되거나 불안을 느낄 때가 많다 (          )

27. 나는 사소한 일에도 잘 흥분하거나 화를 낸다 (          )

28. 나는 현명하고 침착하지만 냉정하다는 말을 자주 듣는다 (          )

29. 나는 한 주제에 집중하기보다는 화제를 자주 바꾼다 (          )

30. 나는 다양한 경험에 개방적이다 (          )

31. 나는 타인의 요청을 거절하지 못하는 편이다 (          )

32. 나는 자주 근육이 긴장되고 목이 뻣뻣하며 혈압이 오르는 것을 느끼곤 한다 (          )

33. 나는 나의 감정을 표현하는 것이 힘들고 혼자인 느낌이 들 때가 많다 (          )

34. 나는 분위기가 침체되거나 지루해지면 분위기를 바꾸려고 한다 (          )

35. 나는 나만의 독특한 개성을 존중한다 (          )

36. 나는 나 자신이 가치가 없는 것 같아 우울하게 느껴질 때가 많다 (          )

37. 나는 타인으로부터 비판적이거나 융통성이 없다는 말을 듣기도 한다 (          )

38. 나는 목소리가 단조롭고 무표정하며 경직된 자세를 취하는 편이다 (          )

39. 나는 불안하면 호흡이 고르지 못하고 머리가 어지러운 경험을 하기도 한다 (          )

40. 나는 누가 나의 의견에 반대해도 감정이 상하지 않는다 (          )

# 17

# 성인용 Ego-gram

| 학교명 | 학년 | 성별 ( 남 · 여 ) | 연령 만 세 |
| --- | --- | --- | --- |
| 성 명 | 주거지 (대도시, 중도시(시 · 읍), 농촌) | | |

\* 다음 항목에 대한 대답을 보기에서 골라 공란 □에 점수를 기입하세요. 단, 현재 하고 있는 그대로를 체크하세요.

〈보기〉

| | |
| --- | --- |
| 언제나 그렇다(매우 긍정) | 5 |
| 자주 그렇다(약간 긍정) | 4 |
| 그저 그렇다(보통) | 3 |
| 가끔 그렇다(약간 부정) | 2 |
| 거의 그렇지 않다(매우 부정) | 1 |

1. 다른 사람을 헐뜯기보다는 칭찬을 한다.　　　■ □ ■ ■ ■
2. 사태의 흑백을 명백히 가리지 않으면 마음이 편치 않다.　　　□ ■ ■ ■ ■
3. 무슨 일을 할 때 좀처럼 결심을 할 수 없다.　　　■ ■ ■ ■ □
4. 나는 명랑하게 행동하고 장난을 잘 친다.　　　■ ■ ■ □ ■
5. 말이나 행동을 냉정하고 침착하게 한다.　　　■ ■ □ ■ ■
6. 성미가 급하고 화를 잘 낸다.　　　□ ■ ■ ■ ■
7. 인정(人情)을 중요시한다.　　　■ □ ■ ■ ■
8. 호기심이 강하고 창의적인 착상을 잘 한다.　　　■ ■ ■ □ ■
9. 사물의 정돈을 잘 한다.　　　■ ■ □ ■ ■
10. 농담을 하거나 익살부리기를 잘 한다.　　　■ ■ ■ □ ■
11. 의존심이 강하다.　　　■ ■ ■ ■ □
12. 상대의 이야기를 경청하고 공감하기를 잘 한다.　　　■ □ ■ ■ ■
13. 상대의 부정(不正)이나 실패에 대해 엄격하다.　　　□ ■ ■ ■ ■
14. 어려움에 처해 있는 사람을 보면 도와주고 싶어한다.　　　■ □ ■ ■ ■
15. 숫자나 자료(data)를 사용해서 이야기를 한다.　　　■ ■ □ ■ ■

| 번호 | 문항 | CP | NP | A | FC | AC |
|---|---|---|---|---|---|---|
| 16. | 제멋대로 말하거나 행동을 한다. | ■ | ■ | ■ | □ | ■ |
| 17. | 후회(後悔)의 생각에 사로잡힌다. | ■ | ■ | ■ | ■ | □ |
| 18. | 좌절감을 맛보는 경우가 많다. | ■ | ■ | ■ | ■ | □ |
| 19. | 6하 원칙(언제, 어디서, 누가 …)에 따라 사리를 따지거나 설명한다. | ■ | ■ | □ | ■ | ■ |
| 20. | 일을 능률적으로 수행한다. | ■ | ■ | □ | ■ | ■ |
| 21. | 요령이 없고 주저주저한다(머뭇거린다). | ■ | ■ | ■ | ■ | □ |
| 22. | 무슨 일이나 사실에 입각해서 객관적으로 판단한다. | ■ | ■ | □ | ■ | ■ |
| 23. | 다른 사람으로부터 부탁을 받으면 거절하지 못한다. | ■ | □ | ■ | ■ | ■ |
| 24. | 주변 사람에게 긴장감을 준다. | □ | ■ | ■ | ■ | ■ |
| 25. | 봉사활동에 즐겨 참여한다. | ■ | □ | ■ | ■ | ■ |
| 26. | 배려나 동정심이 강하다. | ■ | □ | ■ | ■ | ■ |
| 27. | 신이 나면 도가 지나쳐서 실수를 한다. | ■ | ■ | ■ | □ | ■ |
| 28. | 타인의 장점보다 결점이 눈에 띈다. | □ | ■ | ■ | ■ | ■ |
| 29. | 타인의 반대에 부딪치면 자신의 생각을 바꾸고 만다. | ■ | ■ | ■ | ■ | □ |
| 30. | 다른 사람에 대해 온화하고 관대하다. | ■ | □ | ■ | ■ | ■ |
| 31. | 상대방의 말을 가로막고 자신의 생각으로 바꾸고 만다. | □ | ■ | ■ | ■ | ■ |
| 32. | 오락이나 술·음식물 등을 만족할 때까지 취한다. | ■ | ■ | ■ | □ | ■ |
| 33. | 계획을 세우고 나서 실행한다. | ■ | ■ | □ | ■ | ■ |
| 34. | 완고하고 융통성이 전혀 없다. | □ | ■ | ■ | ■ | ■ |
| 35. | 타인의 안색을 살핀다. | ■ | ■ | ■ | ■ | □ |
| 36. | 스포츠나 노래를 즐길 수 있다. | ■ | ■ | ■ | □ | ■ |
| 37. | 현상을 관찰·분석하고 합리적으로 의사결정을 한다. | ■ | ■ | □ | ■ | ■ |
| 38. | 욕심나는 것을 가지지 않고는 못 배긴다. | ■ | ■ | ■ | □ | ■ |
| 39. | 열등감이 심하고 자신의 감정을 참고 억제한다. | ■ | ■ | ■ | ■ | □ |
| 40. | 상냥하고 부드러우며 애정이 깃들어 있는 대화나 태도를 취한다. | ■ | □ | ■ | ■ | ■ |
| 41. | 일을 빨리 처리하는 것이 장기(長技)이다. | ■ | ■ | □ | ■ | ■ |
| 42. | 하고 싶은 말을 할 수가 없다. | ■ | ■ | ■ | ■ | □ |
| 43. | 상대를 바보취급하거나 멸시한다. | □ | ■ | ■ | ■ | ■ |
| 44. | 노는 분위기(놀이)에 저항없이 어울린다. | ■ | ■ | ■ | □ | ■ |
| 45. | 눈물에 약하다. | ■ | □ | ■ | ■ | ■ |
| 46. | 대화에서 감정적으로 되지 않고 이성적으로 풀어간다. | ■ | ■ | □ | ■ | ■ |
| 47. | 부모나 상사가 시키는 대로 한다. | ■ | ■ | ■ | ■ | □ |
| 48. | 「당연히 …해야 한다」, 「…하지 않으면 안된다」는 식의 말투를 잘 쓴다. | □ | ■ | ■ | ■ | ■ |
| 49. | 「와-멋있다!」「굉장하군」, 「아하!」 등의 감탄사를 잘 쓴다. | ■ | ■ | ■ | □ | ■ |
| 50. | 매사에 비판적이다. | □ | ■ | ■ | ■ | ■ |
| | 합 계 | □ | □ | □ | □ | □ |
| | | CP | NP | A | FC | AC |

# 나의 Ego-Gram

성명 :　　　　　　　성별 : ( 남 · 여 )　연령 : 만　　　세　　　　　년　　월　　일 작성

| | A B C | 남 | 여 | A B C | 남 | 여 | A B C | 남 | 여 | A B C | 남 | 여 | A B C | 남 | 여 | |
|---|---|---|---|---|---|---|---|---|---|---|---|---|---|---|---|---|
| 점수 | | | | | | | | | | | | | | | | |
| 유형 | | | | | | | | | | | | | | | | |
| | A | 30~50 | 27~50 | A | 39~50 | 40~50 | A | 36~50 | 35~50 | A | 31~50 | 34~50 | A | 32~50 | 33~50 | |
| | B | 19~29 | 17~26 | B | 29~38 | 30~39 | B | 28~35 | 25~34 | B | 22~30 | 23~33 | B | 19~31 | 22~32 | |
| | C | 1~18 | 1~16 | C | 1~28 | 1~29 | C | 1~27 | 1~24 | C | 1~21 | 1~22 | C | 1~18 | 1~21 | |
| | 「비판적 어버이」 CP | | | 「양육적 어버이」 NP | | | 「어 른」 A | | | 「자유스런 어린이」 FC | | | 「순응한 어린이」 AC | | |

세로축 눈금: 50 48 46 44 42 40 38 36 34 32 30 28 26 24 22 20 18 16 14 12 10 8 6 4 2

오른쪽 눈금: 49 47 45 43 41 39 37 35 33 31 29 27 25 23 21 19 17 15 13 11 9 7 5 3 1

# 자아 상태의 특색

| | 「통제적 어버이(CP)」 | 「양육적 어버이(NP)」 |
|---|---|---|
| **P** | 이상(理想)<br>양심(良心)<br>정의감(正義感)<br>권위(權威)<br>도덕적(道德的)<br>(비난 · 질책)<br>(강제)(편견)(권력) | 동정(同情)<br>위로(慰勞)<br>공감(共感)<br>보호(保護)<br>관용(寬容)<br>(과보호)<br>(응석받이)(묵인)(공연한 참견) |
| **A** | 지성(知性)<br>이성(理性)<br>잘 살아가기 위한 적응수단<br>컴퓨터<br>정보수집(情報蒐集)<br>사실에 입각한 판단<br>냉정한 계산<br>현상(現狀)의 분석<br>분석적 사고(分析的 思考)<br>(과학에의 맹신)<br>(자연무시)<br>(자기 중심성)<br>(물질 만능주의) | |
| | 「자유스런 어린이(FC)」 | 「순응한 어린이(AC)」 |
| **C** | 천진난만(天眞爛漫)<br>자연에 따르고 순응<br>자유스런 감정표현<br>직관력(直觀力)<br>창조의 원인<br>(충동적)(제멋대로)<br>(방약 무인)(무책임) | 참음<br>감정의 억제<br>타협(妥協)<br>신중(愼重)<br>타인의 기대에 따르려고 노력<br>착한 아이<br>(주체성의 결여)(소극적)<br>(자기속박)(적대감의 온존(溫存)) |

## Egogram

부정적 측면
NOT OK

긍정적 측면
OK

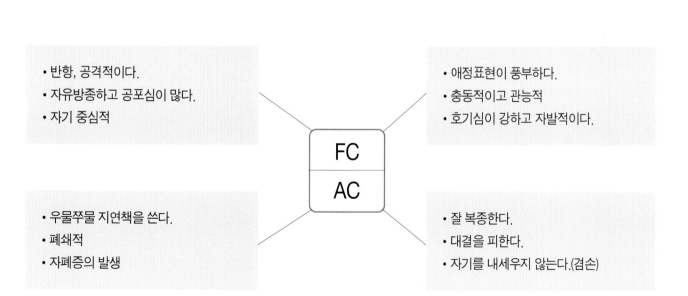

**CP**

- 권위적이고 강압적이다.
- 독단적이다.
- 편견

- 비판, 도덕, 전통유지
- 규율, 규범, 이상추구
- 생명의 안전, 선악의 판단

**NP**

- 과보호
- 과간섭
- 맹목적인 애정
- 잔소리가 많다.

- 양육, 보호,지지
- 친절하고 인정미가 있다.
- 육성, 타인의 입장 이해

**A**

- 인간미가 없다.
- 무감동적인 생활
- 냉정하다.

- 이론적이고 합리적이다.
- 객관적이고 현실지향적이다.
- ⓟ, ⓒ를 조절 통제한다.

**FC**

- 반항, 공격적이다.
- 자유방종하고 공포심이 많다.
- 자기 중심적

- 애정표현이 풍부하다.
- 충동적이고 관능적
- 호기심이 강하고 자발적이다.

**AC**

- 우물쭈물 지연책을 쓴다.
- 폐쇄적
- 자폐증의 발생

- 잘 복종한다.
- 대결을 피한다.
- 자기를 내세우지 않는다.(겸손)

# KEO 행동 패턴 조견표

| | CP | NP | A | FC | AC | |
|---|---|---|---|---|---|---|
| 어드바이스 | 완벽주의를 버리고 상대의 좋은 점이나 생각을 인정하는 여유를 갖는다. 일이나 생활을 즐기도록 한다. | 자신과 상대의 관계를 가능한 냉정하게 파악하고 참견이나 간섭이 되지 않도록 한다. | 매사에 타산적으로 생각하지 말고, 자신의 감정이나 상대의 기분 등에도 눈을 돌린다. | 그 때의 기분이나 감정으로 행동하지 말고, 선후를 생각하도록 한다. 한 번 호흡하고 행동하면 좋다. | 느낀 것을 망설이지 않고 표현한다. 스스로 자신이 있는 것부터 실행해 본다. | |
| 마이너스면 | • 건성으로 대답한다.<br>• 중도이를 허용하지 않는다.<br>• 비판적이다.<br>• 자신의 가치관에 절대적이다. | • 지나치게 보호 간섭한다.<br>• 상대의 자주성을 해친다.<br>• 상대의 응석을 받는다. | • 기계적이다.<br>• 타산적이다.<br>• 냉철하다. | • 자기중심적이다<br>• 동물적이다.<br>• 감정적이다.<br>• 일하고 싶은 대로 해버린다. | • 조심스럽다.<br>• 의존심이 강하다.<br>• 참아버리고 만다.<br>• 주저주저한다.<br>• 앙심(원한)을 품는다. | 높을 때 ↑ |
| 플러스면 | • 이상을 추구한다.<br>• 양심에 따른다.<br>• 규칙을 지킨다.<br>• 피(의기)가 통한다.<br>• 의무감, 책임감이 강한 노력가 | • 상대에게 공감, 동정한다.<br>• 돌보기를 좋아한다.<br>• 상대를 받아들인다.<br>• 봉사정신이 풍부하다. | • 이성적이다.<br>• 합리성을 존중한다.<br>• 침착하고 냉정하다.<br>• 사실에 따른다.<br>• 객관적으로 판단한다. | • 천진난만하다.<br>• 호기심이 강하다.<br>• 직감력이 있다.<br>• 활발하다.<br>• 창조성이 풍부하다. | • 협조성이 풍부하다.<br>• 타협성이 강하다.<br>• 착한 아이이다.<br>• 순종한다.<br>• 신중하다. | |
| | **CP** | **NP** | **A** | **FC** | **AC** | |
| 플러스면 | • 천성이 대범하고 유연하다.<br>• 융통성이 있다<br>• 일정한 틀로 파악할 수 없다<br>• 유연함이 있다<br>• 한가롭고 평온하다. | • 산뜻하다.<br>• 담백하다.<br>• 주변에서 일어나는 일에 간섭하지 않는다 | • 인간미가 있다.<br>• 좋은 사람<br>• 순박하다. | • 얌전하다.<br>• 감정적으로 되지 않는다. | • 자신의 페이스를 지킨다.<br>• 자주성이 풍부하다.<br>• 적극적이다. | ↓ 낮을 때 |
| 마이너스면 | • 미적지근하다(미온적이다).<br>• 구분이 불분명하다.<br>• 판단력이 모자란다,<br>• 규율을 지키지 않는다. | • 상대에게 공감, 동정하지 않는다.<br>• 다른 사람의 일에 마음쓰지 않는다.<br>• 따뜻함이 없다 | • 현실무시<br>• 계획성이 없다<br>• 생각이 정돈되어 있지 않다.<br>• 논리성이 모자란다.<br>• 판단력이 모자란다. | • 재미가 없다.<br>• 어두운 인상을 준다.<br>• 무표정<br>• 희노애락을 나타내지 않는다. | • 상대가 말하는 것을 듣지 않는다.<br>• 일방적이다.<br>• 접근하기 어렵다는 인상을 준다. | |
| 어드바이스 | 자기자신에게 의무를 부여하고 책임을 갖고 행동하도록 한다. 사물의 구분을 중요시한다. 판단력을 기른다. | 가능한한 상대에게 동정심을 갖도록 노력한다. 가족이나 친구에게 서비스를 한다. 동물 등을 돌보아주기를 한다. | 정보를 수집하고 다양한 각도에서 사물을 생각한다. 잘 되어가지 않아도 스스로 답을 풀고 나서 다른 사람에게 상담하도록 한다. | 마음의 문을 닫아버리지 않도록 될 수 있는한 명랑하게 행동하며 기분을 돋군다. 스포츠, 여행, 외식하러 가는 것도 좋다. | 상대의 입장으로 되어 생각하거나 상대의 의견을 듣는다. 상대의 입장을 세워주고 존중한다. 타인 우선의 태도를 몸에 붙인다. | |

| | 성질 | 언어 | 소리 · 말투 | 자세 · 동작 · 표정 · 몸짓 |
|---|---|---|---|---|
| CP | • 편견적<br>• 봉건적<br>• 비난적<br>• 징벌적<br>• 비판적<br>• 배타적 | • 당연하지<br>• 격언, 속담 인용<br>• 이론을 내세운다.<br>• 말한대로 해라<br>• 못쓰겠군<br>• 멍청하군<br>• ~하지않으면 안된다<br>• 나중에 후회할 걸 | • 단정적<br>• 조소적<br>• 의심을 품는다<br>• 강압적인 말투<br>• 도와주는 척한다<br>• 교훈적<br>• 설교적<br>• 비난을 풍긴다 | • 전능자적(자신과잉)<br>• 직접 가르킨다.<br>• 지배적<br>• 잘난척, 상사인척<br>• 도전적<br>• 타인을 이해한다.<br>• 주먹으로 책상을 친다.<br>• 업신 여긴다.<br>• 깔본다.<br>• 코방귀를 뀐다.<br>• 특별 취급을 요구한다. |
| NP | • 구원적<br>• 응석을 받다<br>• 보호적<br>• 위안<br>• 배려<br>• 동정 | • 해드리지요.<br>• 알겠어요.<br>• 쓸쓸(섭섭)하다는 거지요.<br>• 잘 되었어요.<br>• 염려말아요. ~할 수 있어요<br>• 불쌍하게도<br>• 참 잘됐군요.<br>• 힘을 내세요.<br>• 맡겨 두세요.<br>• 좋은 아이야.<br>• 걱정 마세요 | • 온화하다<br>• 안심감을 준다<br>• 비징벌적<br>• 기분을 알아주는<br>• 동정적<br>• 애정이 듬뿍<br>· 따뜻한<br>• 부드러운 | • 손을 내민다.<br>• 과보호적 태도<br>• 미소를 띠다.<br>• 수용적.<br>• 어깨에 손을 얹다<br>• 배려가 가득하다.<br>• 돌보는데 열중한다.<br>• 천천히 귀를 기울인다. |
| A | • 정보수집지향<br>• 사실평가적<br>• 분석적<br>• 객관적<br>• 합리적<br>• 지성적 | • 잠깐 ! 기다려<br>• 누가?<br>• 언제?<br>• 왜 ?<br>• 얼마 …<br>• 어디에서?<br>• ~라고 생각한다.<br>• 구체적으로 말한다.<br>• 생각해 봅시다.<br>• 나의 의견으로는 … | • 차분한 낮은 소리<br>• 단조로움<br>• 일정한 음조(흐트러지지 않음)<br>• 냉정<br>• 상대편에게 맞춤<br>• 명료<br>• 말하는 상대편은 내용을 이해한다. | • 주의깊게 듣는다.<br>• 냉정<br>• 관찰적<br>• 기계적 태도<br>• 안정된 자세<br>• 상대편의 눈과 마주친다.<br>• 때로는 타산적<br>• 생각을 종합한다.<br>• 계산되어 있다.<br>• 대등한 태도 |
| FC | • 본능적<br>• 적극적<br>• 창조적<br>• 직관적<br>• 감정적<br>• 호기심<br>• 자발적<br>• 행동적 | • 감탄사<br>• 깨끗하다!(더럽다!, 아프다!)<br>• 좋아요, 싫어요.<br>• 갖고 싶다.<br>• 부탁한다.<br>• 해줘요.<br>• 못해요.<br>• 도와주어요.<br>• 기뻐요 등 | • 개방적<br>• 느긋한 모양<br>• 큰소리로<br>• 자유 자연<br>• 감정적<br>• 흥분적<br>• 밝은<br>• 싫증나지 않는<br>• 티없는<br>• 즐거운 것같은 | • 자유로운 감정표현<br>• 활발<br>• 자발적<br>• 잘 웃는다.<br>• 장난꾸러기<br>• 유머가 풍부하다.<br>• 낙관적<br>• 때로는 공상적<br>• 이완한다.<br>• 자연스럽게 요구된다.<br>• 솔직히 응석부린다 |

| | 성질 | 언어 | 소리 · 말투 | 자세 · 동작 · 표정 · 몸짓 |
|---|---|---|---|---|
| AC | • 순응적<br>• 감정억제<br>• 반항적<br>• 소극적<br>• 의존적<br>• 착한 아이 | • 곤란한데요.<br>• ~해도 좋을까요.<br>• 잘 모르겠습니다.<br>• 안됩니다.<br>• 저같은 사람이 …<br>• 조금도 알아주지 않는다.<br>• 슬프다, 우울하다.<br>• 쓸쓸하다, 분하다.<br>• 이젠 좋아요. | • 소근소근대다<br>• 자신이 없다<br>• 끈덕지다<br>• 조심스럽다<br>• 여운이 있는 반응<br>• 물어 뜯는다.<br>• 한스럽다.<br>• 때로는 격분<br>• 애처롭다. | • 정면으로 안본다.<br>• 마음을 쓴다.<br>• 영합적<br>• 탄식<br>• 동정을 구한다.<br>• 반항적<br>• 겁에 질린다.<br>• 주선하다(알랑거리다)<br>• 침울하다.<br>• 사양하지 않는다.<br>• 도전적 |